WAARHEEN JE OOK VLUCHT

Elizabeth Haynes

Waarheen je ook vlucht

2012
DE BEZIGE BIJ
AMSTERDAM

Cargo is een imprint van uitgeverij De Bezige Bij, Amsterdam

Copyright © 2011 Elizabeth Haynes
Slaughterhouse Books is a trademark of Karin Slaughter. Used by permission.
Copyright Nederlandse vertaling © 2011 Uitgeverij De Bezige Bij
Eerste druk november 2011
Tweede druk december 2011
Derde druk mei 2012
Oorspronkelijke titel *Into the Darkest Corner*
Oorspronkelijke uitgever Myriad Editions, Brighton
Omslagontwerp Wil Immink
Omslagbeeld Corbis/HillCreek
Foto auteur Ryan & Jo Photography
Vormgeving binnenwerk Peter Verwey, Heemstede
Druk Koninklijke Wöhrmann, Zutphen
ISBN 978 90 234 7161 5
NUR 305

www.uitgeverijcargo.nl
www.slaughter-house.nl

Voor Wendy George en Jackie Moscicki –
sterke en inspirerende vrouwen

DE STAAT TEGEN BRIGHTMAN

Woensdag 11 mei 2005

Ochtendzitting
Voorgezeten door:
DE EDELACHTBARE RECHTER NOLAN

DHR. MACLEAN	Wat is uw volledige naam?
DHR. BRIGHTMAN	Lee Anthony Brightman.
DHR. MACLEAN	Dank u. Meneer Brightman, klopt het dat u een relatie hebt gehad met mevrouw Bailey?
DHR. BRIGHTMAN	Ja.
DHR. MACLEAN	Hoelang?
DHR. BRIGHTMAN	Ik heb haar eind oktober 2003 leren kennen. We hadden iets met elkaar tot midden juni vorig jaar.
DHR. MACLEAN	En hoe hebt u haar leren kennen?
DHR. BRIGHTMAN	Via mijn werk. Ik kwam haar tegen terwijl ik met een klus bezig was.
DHR. MACLEAN	En toen hebt u een relatie met haar gekregen?
DHR. BRIGHTMAN	Inderdaad.
DHR. MACLEAN	U zei net dat die relatie eind juni is beëindigd. Was dat een gezamenlijke beslissing?
DHR. BRIGHTMAN	Het liep al een tijdje niet lekker. Catherine

was vreselijk jaloers als ik er niet was vanwege mijn werk. Ze was ervan overtuigd dat ik vreemdging.

DHR. MACLEAN   En was dat ook zo?

DHR. BRIGHTMAN   Nee. Het soort werk dat ik doe brengt met zich mee dat ik er met niemand over mag praten. Ik ben soms dagen van huis en mag zelfs mijn vriendin niet vertellen waar ik ben of wanneer ik weer thuiskom.

DHR. MACLEAN   Had u ruzie met mevrouw Bailey over hoe vaak u van huis was?

DHR. BRIGHTMAN   Ja. Ze keek op mijn mobieltje of er berichten van andere vrouwen op stonden, eiste dat ik vertelde waar ik was geweest en met wie. Als ik thuiskwam, wilde ik juist niet aan mijn werk denken en even ontspannen. Ik begon het gevoel te krijgen dat dat nooit meer zou kunnen.

DHR. MACLEAN   En dus hebt u de relatie beëindigd?

DHR. BRIGHTMAN   Nee. We hadden weleens ruzie, maar ik hield van Catherine. Ik wist dat ze emotionele problemen had. Als ze zich op mij afreageerde, zei ik altijd tegen mezelf dat ze er niets aan kon doen.

DHR. MACLEAN   Wat bedoelt u met 'emotionele problemen'?

DHR. BRIGHTMAN   Ze heeft me verteld dat ze in het verleden last heeft gehad van angsten. Hoe beter ik haar leerde kennen, hoe meer ik die naar boven zag komen. Dan ging ze uit, iets drinken met haar vriendinnen, of ze dronk thuis, en als ik thuiskwam, haalde ze naar me uit.

DHR. MACLEAN   Nog even over die emotionele problemen,

daar wil ik graag wat meer van weten. Hebt u in de periode dat u een relatie met haar had weleens gezien dat ze zichzelf iets aandeed als ze onder zware emotionele druk stond?

DHR. BRIGHTMAN Nee. Maar haar vriendinnen hebben me verteld dat ze zichzelf vroeger weleens heeft gesneden.

DHR. LEWIS Bezwaar, edelachtbare. De getuige wordt niet gevraagd naar de mening van de vriendinnen van mevrouw Bailey.

RECHTER NOLAN Meneer Brightman, beperkt u zich alstublieft tot de feiten. Dank u.

DHR. MACLEAN Meneer Brightman, u vertelde net dat mevrouw Bailey naar u 'uithaalde'. Kunt u uitleggen wat u bedoelt met 'uithalen'?

DHR. BRIGHTMAN Ze schreeuwde, duwde me, sloeg me, trapte me. Dat soort dingen.

DHR. MACLEAN Ze was gewelddadig?

DHR. BRIGHTMAN Ja. Ja, dat was ze.

DHR. MACLEAN Hoe vaak, denkt u?

DHR. BRIGHTMAN Dat weet ik niet. Ik heb het niet bijgehouden.

DHR. MACLEAN En wat deed u, bij die gelegenheden dat ze naar u 'uithaalde'?

DHR. BRIGHTMAN Dan liep ik weg. Ik heb op mijn werk al met genoeg agressie te maken; daar heb ik thuis geen zin in.

DHR. MACLEAN En bent u weleens gewelddadig tegen haar geweest?

DHR. BRIGHTMAN Alleen die laatste keer. Toen had ze me in huis opgesloten en de sleutel verstopt. Ze draaide volledig door. Ik had net een uitzonderlijk ingewikkelde klus achter de rug en er is iets in me geknapt. Ik heb teruggeslagen. Dat was de eerste keer dat ik een vrouw heb geslagen.

DHR. MACLEAN — Als u 'die laatste keer' zegt, wanneer bedoelt u dan precies?

DHR. BRIGHTMAN — Het was in juni. Volgens mij de dertiende.

DHR. MACLEAN — Kunt u ons vertellen hoe die dag verliep?

DHR. BRIGHTMAN — Ik was die nacht bij Catherine blijven slapen. Ik had dat weekend dienst, dus ik ben voordat Catherine wakker was naar mijn werk vertrokken. Toen ik 's avonds thuiskwam, had ze gedronken. Ze beschuldigde me ervan dat ik de dag met een andere vrouw had doorgebracht – dat deed ze constant. Ik heb het een tijdje over me heen laten komen, maar na een paar uur had ik er genoeg van. Ik wilde weglopen, en toen had ze de voordeur op het dubbele slot gedaan. Ze bleef maar tegen me schelden en schreeuwen, ze heeft me geslagen en in mijn gezicht gekrabd. Ik heb haar van me af geduwd, een klein duwtje maar, om haar uit mijn buurt te krijgen. Ze vloog me aan, en toen heb ik haar geslagen.

DHR. MACLEAN — En hoe hebt u haar precies geslagen, meneer Brightman? Was het een stomp, of een klap?

DHR. BRIGHTMAN — Ik heb haar met een gebalde vuist geslagen.

DHR. MACLEAN — Oké. En wat gebeurde er toen?

DHR. BRIGHTMAN — Ze hield niet op; ze begon alleen maar harder te schreeuwen en vloog me nog een keer aan. En toen heb ik haar nogmaals geslagen. Ze viel achterover, ik liep naar haar toe om te kijken of het wel ging, om haar overeind te helpen. Daarbij moet ik per ongeluk op haar hand zijn gaan staan. Ze begon te tieren en gillen, en ze gooide iets naar me toe. De sleutel van de voordeur.

DHR. MACLEAN — En wat hebt u toen gedaan?

DHR. BRIGHTMAN — Ik heb de sleutel gepakt, de voordeur opengemaakt en ik ben vertrokken.

DHR. MACLEAN — En hoe laat was dat?

DHR. BRIGHTMAN — Dat moet rond kwart over zeven zijn geweest.

DHR. MACLEAN — Hoe was ze eraan toe toen u vertrok?

DHR. BRIGHTMAN — Ze schreeuwde en gilde nog steeds.

DHR. MACLEAN — Was ze gewond? Bloedde ze?

DHR. BRIGHTMAN — Misschien dat ze wel bloedde, ja.

DHR. MACLEAN — Kunt u wat specifieker zijn, meneer Brightman?

DHR. BRIGHTMAN — Er zat bloed op haar gezicht. Ik weet niet waarvan. Het was maar een klein beetje.

DHR. MACLEAN — En was u zelf gewond?

DHR. BRIGHTMAN — Alleen wat schrammen.

DHR. MACLEAN — Hebt u zich afgevraagd of ze medische hulp nodig had?

DHR. BRIGHTMAN — Nee.

DHR. MACLEAN — Terwijl ze bloedde en huilde?

DHR. BRIGHTMAN — Ik kan me niet herinneren dat ze huilde. Toen ik wegging, schreeuwde en vloekte ze nog steeds. Als ze medische hulp nodig had gehad, had ze die zelf kunnen regelen, daar had ze mij niet voor nodig gehad.

DHR. MACLEAN — Ik begrijp het. En hebt u mevrouw Bailey nog gezien nadat u om kwart over zeven haar huis hebt verlaten?

DHR. BRIGHTMAN	Nee. Ik heb haar niet meer gezien.
DHR. MACLEAN	Hebt u haar gebeld?
DHR. BRIGHTMAN	Nee.
DHR. MACLEAN	Meneer Brightman, ik wil dat u heel goed nadenkt voordat u antwoord geeft op mijn volgende vraag. Hoe voelt u zich nu ten aanzien van de gebeurtenissen die die dag hebben plaatsgevonden?
DHR. BRIGHTMAN	Ik ben heel verdrietig om alles wat er is gebeurd. Ik hield van Catherine. Ik had haar ten huwelijk gevraagd. Ik had geen flauw idee dat ze zo extreem labiel was en ik wens elke dag dat ik niet had terug-geslagen. Ik blijf me maar afvragen of ik beter mijn best had kunnen doen om haar te kalmeren.
DHR. MACLEAN	Dank u. Ik heb verder geen vragen, edel-achtbare.

KRUISVERHOOR

DHR. LEWIS	Meneer Brightman, zou u zeggen dat u een seriéúze relatie had met mevrouw Bailey?
DHR. BRIGHTMAN	Dat vond ik wel, ja.
DHR. LEWIS	Weet u dat u verplicht bent uw werkgever op de hoogte te stellen van wijzigingen in uw persoonlijke omstandigheden, inclu-sief de details betreffende uw relaties?
DHR. BRIGHTMAN	Ja.
DHR. LEWIS	En toch hebt u ervoor gekozen niemand op uw werk in te lichten over uw relatie met mevrouw Bailey, klopt dat?
DHR. BRIGHTMAN	Ik was van plan het te vertellen als Cathe-

rine me haar jawoord had gegeven. Mijn functioneringsgesprek zou in september zijn, en dan zou ik het in ieder geval hebben gemeld.

DHR. LEWIS Dan wil ik uw aandacht graag vestigen op bewijsstuk WL/1 – pagina 14 van de lijst; de verklaring van agent William Lay. Agent Lay heeft u op dinsdag 15 juni 2004 op uw woonadres gearresteerd. Toen hij u naar mevrouw Bailey vroeg, zo vermeldt hij in zijn verklaring, antwoordde u in eerste instantie, en ik citeer: 'Ik heb geen idee wie u bedoelt.' Hebt u dat inderdaad gezegd?

DHR. BRIGHTMAN Ik weet niet meer precies wat ik heb gezegd.

DHR. LEWIS We hebben het over de vrouw over wie u net zei dat u van haar hield, dat u met haar wilde trouwen. Toch?

DHR. BRIGHTMAN De agenten Lay en Newman stonden om zes uur 's ochtends bij me op de stoep. Ik had drie nachten gewerkt en lag net in bed. Ik was gedesoriënteerd.

DHR. LEWIS En later die dag, toen u op het politiebureau van Lancaster werd ondervraagd, hebt u tevens gezegd, en ik citeer nogmaals: 'Ze was iemand naar wie ik een onderzoek had lopen. Toen ik wegging was er niets met haar aan de hand. Ze had emotionele problemen, psychische problemen'?

DHR. BRIGHTMAN (*onverstaanbaar*)

RECHTER NOLAN Meneer Brightman, kunt u wat harder praten?

DHR. BRIGHTMAN	Ja.
DHR. LEWIS	Deed u onderzoek naar mevrouw Bailey?
DHR. BRIGHTMAN	Nee.
DHR. LEWIS	Ik heb geen vragen meer.
RECHTER NOLAN	Dank u. In dat geval schors ik de zitting voor de lunch.

Als ze dan toch dood moest, was de langste dag van het jaar een goede dag om te sterven.

Naomi Bennett lag met haar ogen open in een greppel terwijl het bloed dat haar al vierentwintig jaar in leven hield, in het zand en de troep onder haar stroomde.

Op de momenten dat ze even bij bewustzijn was, bedacht ze hoe ironisch het allemaal was: hoe ze hier nu ging sterven, terwijl ze zoveel had overleefd en had gedacht dat haar vrijheid zo dichtbij was, door toedoen van de enige man die ooit echt van haar had gehouden en aardig voor haar was geweest. Hij stond boven haar aan de rand van de greppel, met zijn gezicht in de schaduw terwijl de zon door de heldergroene bladeren scheen en een gevlekt licht over hem uitgoot, waardoor zijn haar schitterde als een halo. Hij wachtte.

Bloed vulde haar longen; ze hoestte, en donkerrode bellen schuimden over haar kin.

Hij stond bewegingloos, met één hand op de schep, en keek toe hoe het bloed uit haar vloeide, verwonderde zich over de fantastische kleur, als een vloeibaar juweel, en over hoe ze zelfs op het moment dat ze lag te sterven nog de mooiste vrouw was die hij ooit had gezien.

Toen de stroom vertraagde tot een sijpelen, draaide hij zich om en keek uit over het verlaten niemandsland tussen de achterzijde van het industrieterrein en de rand van het boerenland. Het was hier volkomen verlaten; er kwamen niet eens mensen hun hond uitlaten. De grond was ruw en vol littekens van industrieel afval dat zich er decennia lang had verzameld: onkruid groeide uit lege kabelhaspels, bruine vloeistof lekte uit roestige olievaten, en langs de rand van het terrein, onder een brede rij lindebomen, liep een bijna twee meter diepe greppel die het smerige regenwater een kleine twee kilometer verderop de rivier in voerde.

Er verstreken een paar minuten.

Ze was dood.

Het was gaan waaien en hij tuurde door het bladerdak naar de wolken die elkaar in de lucht najoegen.

Hij klauterde voorzichtig langs de ruwe oever de greppel in, gebruikte zijn schep als steun, en hakte toen zonder enige aarzeling op haar schedel in, waarbij de schep bij de eerste slag afketste. Bij de tweede klap spleet het bot met een dof krakend geluid en versplinterde in haar vlees. Hij bleef op haar inhakken, hijgend van de inspanning; hij brak tanden en bot, verpulverde haar vlees, tot er alleen nog een afzichtelijke moes over was.

Nu was ze Naomi niet meer.

Hij gebruikte nogmaals zijn mes en sneed al haar vingers kapot, en haar handpalmen, zodat er niets overbleef om haar mee te kunnen identificeren.

Toen hij klaar was gebruikte hij de schep om haar te bedekken met puin, zand en rotzooi uit de greppel. Hij was niet zorgvuldig. Er lag overal bloed.

Maar hij was klaar. Terwijl de eerste regendruppels uit de donker wordende hemel vielen, veegde hij de tranen weg die over zijn wangen hadden gestroomd sinds het moment dat ze verrast zijn naam zei toen hij haar keel doorsneed.

WOENSDAG 31 OKTOBER 2007

Erin stond al bijna een minuut in de deuropening; ik zag haar reflectie in het donkere raam. Ik scrolde verder over de spreadsheet op het beeldscherm terwijl ik verbaasd constateerde dat het vanochtend toen ik naar mijn werk was vertrokken donker was geweest en het nu alwéér donker was.

'Cathy?'

Ik draaide mijn hoofd. 'Sorry,' zei ik, 'ik was heel ergens anders met mijn gedachten. Wat zei je?'

Ze leunde tegen de deurpost, een hand op haar heup, haar lange roodbruine haar in een knot. 'Ik vroeg of je al bijna klaar bent.'

'Nee. Hoezo?'

'Emily's afscheidsfeestje is vanavond, weet je nog? Je gaat toch wel, hè?'

Ik draaide me terug naar het beeldscherm. 'Dat weet ik eerlijk gezegd nog niet. Ik moet dit afmaken. Ga jij maar vast. Dan probeer ik later te komen.'

'Oké,' zei ze uiteindelijk. Ze stampte heel theatraal weg van mijn kantoortje, hoewel ze niet bepaald kon stampen op die naaldhakken.

Vanavond niet, dacht ik. Vooral vanavond niet. Ik had mezelf, ondanks heel veel tegenzin, zo ver gekregen te beloven dat ik naar dat verrekte kerstfeest zou gaan, dus waarom zou ik nu ook nog naar een feestje gaan om te vieren dat er iemand wegging, iemand die ik bovendien nauwelijks kende? Ze waren al sinds augustus bezig met het plannen van dat kerstfeest. Persoonlijk vind ik eind november al veel te vroeg om zelfs maar te denken aan de kerstdagen, maar ze hadden met zijn allen die datum uitgezocht. En vanaf dat moment zou alles tot de kerst één groot feest zijn. Vroeg gepland of niet, ik moest ernaartoe, anders zou ik gegarandeerd commentaar krijgen dat ik geen teamgeest had, en god weet dat ik deze baan nodig heb.

Zodra ik als laatste op kantoor was achtergebleven, sloot ik de spreadsheet af en zette de computer uit.

VRIJDAG 31 OKTOBER 2003

Vrijdagavond, Halloween, en de pubs in de stad waren allemaal tot de nok toe gevuld.

Ik had in de Cheshire Arms cider en wodka zitten drinken, was op de een of andere manier Claire, Louise en Sylvia kwijtgeraakt en had een nieuwe vriendin, Kelly. Kelly had op dezelfde school gezeten als ik, hoewel ik me haar niet herinnerde. Dat maakte ons niet uit. Kelly was verkleed als heks, zonder bezemsteel maar met een gestreepte oranje-zwarte panty en een zwarte nylonpruik; ik was de bruid van Satan, in een nauwsluitend roodsatijnen jurkje met kersrode zijden schoentjes die nog duurder waren geweest dan de jurk. Ik was al een paar keer betast.

Om een uur of één waren de meeste mensen op weg naar de nachtbus of de taxistandplaats, of ze liepen wankelend het centrum uit en de ijskoude nacht in. Kelly en ik waren op weg naar de River, aangezien dat de enige club was waar ze ons misschien zouden binnenlaten.

'Jij gaat zó vreselijk scoren in die jurk, Catherine,' zei Kelly klappertandend.

'Dat mag ik wel hopen, ja. Hij heeft een fortuin gekost.'

'Denk je dat er wat lekkers rondloopt daar?' vroeg ze terwijl ze hoopvol naar de sjofele rij tuurde.

'Dat verwacht ik niet. Maar jij zei toch dat je wel klaar was met mannen?'

'Ik zei dat ik klaar ben met relaties. Dat betekent niet dat ik klaar ben met seks.'

Het was bitterkoud en het begon te miezeren. De wind blies de vrijdagavondlucht in mijn gezicht, en mijn jurk waaide omhoog. Ik trok mijn jasje strakker om me heen en sloeg mijn armen over elkaar.

We liepen naar de vip-ingang. Ik weet nog dat ik me afvroeg of dat wel een goed idee was, of het niet beter zou zijn om gewoon naar huis te gaan, toen tot me doordrong dat Kelly al was binnengelaten, en dus liep ik achter haar aan. Ik werd tegengehouden door een blok beton in een steenkolengrijs pak.

Ik keek op en zag een paar ongelooflijk blauwe ogen met kort blond haar erboven. Niet iemand met wie je ruzie wilt krijgen.

'Wacht eens even,' zei de stem, en ik keek op naar de portier.

Hij was niet zo breed als de andere twee, maar nog steeds een stuk groter dan ik. Hij had een zeer aanlokkelijke glimlach.

'Hoi,' zei ik. 'Mag ik ook naar binnen? Mijn vriendin is al toegelaten.'

Hij zweeg even en keek een fractie langer naar me dan gepast was. 'Goed,' zei hij uiteindelijk. 'Natuurlijk. Het lukte me alleen niet...'

Ik wachtte tot hij zijn zin zou afmaken. 'Wat lukte je niet?'

Hij keek steels over zijn schouder naar zijn twee collega's, die met wat tieners stonden te kletsen die van alles probeerden om binnengelaten te worden.

'Het lukte me alleen niet om mijn ogen van je af te houden, verder niets.'

Ik schoot in de lach om zijn lef. 'Is het zo'n slechte avond?'

'Ik heb iets met rode jurken,' zei hij.

'Ik denk niet dat deze je past.'

Hij begon te lachen en hield het fluwelen koord opzij om me binnen te laten. Ik voelde dat hij naar me keek terwijl ik mijn jas bij de garderobe afgaf; ik keek steels over mijn schouder en zag hem kijken. Ik glimlachte een beetje en liep de trap naar de club op.

Het enige waar ik die nacht zin in had, was dansen tot ik erbij neerviel, met mijn nieuwe beste vriendin lachen om andere mensen, dansen in mijn rode jurkje tot iemand zijn oog op me liet vallen, wie dan ook, om dan als kers op de taart een donker hoekje in de club te vinden en tegen een muur aan te worden geneukt.

DONDERDAG 1 NOVEMBER 2007

Het heeft me vanochtend heel wat tijd gekost om mijn appartement te verlaten. Het lag niet aan de kou, hoewel de verwarming er een eeuwigheid over doet voordat hij enig effect heeft.

En het lag ook niet aan de duisternis. Ik sta elke dag om vijf uur op; het is al sinds september donker op dat tijdstip.

Opstaan is het probleem niet, het huis verlaten wel. Als ik eenmaal heb gedoucht en ben aangekleed, en als ik iets heb gegeten, controleer ik voordat ik naar mijn werk ga of het appartement veilig is. Het is ongevéér de omgekeerde routine die ik 's avonds volg, omdat ik 's ochtends weet dat ik de tijd niet heb. Als ik wil kan ik de hele avond doorbrengen met controleren, maar 's ochtends moet ik naar mijn werk en kan ik alles maar een beperkt aantal keren checken. Ik moet de gordijnen in de woonkamer en die in de eetkamer bij het balkon elke dag precies tot een bepaald punt openen, anders kan ik later mijn appartement niet meer in. In beide balkondeuren zitten zestien ruitjes; de gordijnen moeten zo open dat ik van elke deur precies acht ruitjes zie als ik vanaf het pad achter het huis opkijk naar het appartement. Als ik ook maar een streepje van de eetkamer door de andere ruitjes zie, of als de gordijnen niet loodrecht hangen, moet ik terug naar mijn appartement en alles opnieuw doen.

Ik ben er ondertussen heel behendig in geworden om het precies goed te doen, maar het kost nog wel veel tijd. Hoe grondiger ik te werk ga, hoe kleiner de kans dat ik op het pad achter het huis mijn onzorgvuldigheid sta te vervloeken terwijl ik nerveus op mijn horloge kijk.

De deur is heel erg. Mijn vorige appartement, in die benauwde kelder in Kilburn, had tenminste een eigen voordeur. Hier moet ik eerst de deur van mijn appartement zes of twaalf keer controleren, en daarna ook nog eens de gezamenlijke voordeur.

Het appartement in Kilburn had ook een voordeur, maar aan de achterkant was er helemaal niets. Geen achterdeur en geen ramen. Het was daar net of je in een grot woonde. Ik had er geen vluchtweg, wat betekende dat ik me er nooit echt veilig voelde. Dat is hier veel beter: hier heb ik openslaande deuren naar een klein balkon. Vlak daaronder is het dak van de gezamenlijke schuur, hoewel ik niet weet of die door iemand anders wordt gebruikt. Ik kan die openslaande deuren uit, op het schuurdak springen en van daar op het grasveld. En dan de tuin door, en door het hek naar de steeg erachter. In minder dan een halve minuut.

Soms moet ik terug om de deur van mijn appartement nogmaals te controleren. Als een van de andere huurders de voordeur niet in het slot heeft laten vallen, moet ik in ieder geval mijn eigen voordeur nog een keer checken. Dan kan immers god-mag-weten-wie in het pand zijn geweest.

Vanochtend was een van de allerslechtste ochtenden ooit.

De voordeur was niet alleen niet in het slot gevallen, hij stond zelfs op een kier. Toen ik mijn hand ernaar uitstak, duwde een man in een pak hem richting mij open, zodat ik schrok. Achter hem stond een tweede man: jonger, lang, in een spijkerbroek en een sweater met capuchon. Hij had kort donker haar, was ongeschoren, en zijn groene ogen stonden vermoeid. Hij glimlachte naar me en zei geluidloos sorry, wat het leed enigszins verzachtte.

Ik kan nog steeds niet tegen pakken. Ik probeerde gewoon niet naar dat pak te kijken, maar toen ik de trap op liep, hoorde ik hem zeggen: 'Het is net vrij; als je het wilt, moet je snel reageren.'

Dus het was iemand van de woningbouwvereniging.

Die Chinese studenten op de bovenste verdieping hadden zeker eindelijk besloten te vertrekken. Ze waren geen studenten meer, ze waren die zomer afgestudeerd en het feest om dat te vieren had de hele nacht geduurd terwijl ik in mijn bed eronder lag te luisteren naar de voetstappen die de trap op en af daverden. De deur beneden had de hele nacht niet in het slot gezeten. Ik had mezelf verschanst door de eetkamertafel tegen mijn voordeur te schuiven, maar het geluid had me wakker en bang gehouden.

Ik keek naar de tweede man, die achter het pak aan de trap op liep.

Tot mijn enorme ontzetting draaide de man in de spijkerbroek zich halverwege de eerste trap om en glimlachte nogmaals naar me, deze keer met een spottend soort zelfmedelijden, alsof hij het geleuter van die man van de woningbouwvereniging nu al zat was. Ik voelde dat ik vreselijk begon te blozen. Het is heel lang geleden dat ik oogcontact heb gehad met een vreemdeling.

Ik hoorde de voetstappen naar de bovenste verdieping gaan, wat betekende dat ze langs mijn voordeur waren gelopen. Ik keek op mijn horloge: het was al kwart over acht! Ik kon niet zomaar weg terwijl zij nog in het pand waren.

Ik sloot ferm de voordeur en maakte het haakje aan de schuif los zodat hij zeker in het slot zou vallen, wat ik controleerde door een paar keer hard aan de deur te trekken. Ik voelde met mijn vingertoppen langs de rand van de deur of hij overal goed in de sponning was gevallen. Ik draaide zes keer aan de deurknop om zeker te weten dat hij echt dicht was. Een, twee, drie, vier, vijf, zes. Toen nog een keer de sponning. Toen nogmaals zes keer de deurknop. Een, twee, drie, vier, vijf, zes. Vervolgens het slot. Nog een keer. En nog een keer. En weer de sponning. En tot slot zes keer de deurknop. Ik voelde de opluchting die door me heen stroomt als ik het hele ritueel goed uitvoer.

Daarna marcheerde ik terug naar mijn appartement, razend dat ik te laat op mijn werk zou komen door die twee idioten.

Ik zat een tijdje op de rand van mijn bed met mijn blik op het plafond gericht, alsof ik hen door het stucwerk en de planken heen kon zien. Ik vocht de hele tijd tegen de drang de raamsloten nogmaals na te lopen.

Ik concentreerde me op mijn ademhaling, met gesloten ogen, in een poging mijn op hol geslagen hart te kalmeren. Ze zijn zo klaar, zei ik tegen mezelf. Hij komt alleen even kijken. Ze zijn zo klaar. Er is niets aan de hand. Mijn appartement is veilig. Ik ben veilig. Ik heb net alles goed gedaan. De voordeur zit dicht. Er is niets aan de hand.

Om de zoveel tijd schrok ik op van een of ander geluid, ook al leek het van ergens heel ver weg te komen. Een kastdeur die dichtsloeg? Misschien. En als ze daarboven nou een raam openzetten? Ik hoorde vaag gemompel, veel te ver weg om woorden te kunnen onderscheiden. Ik vroeg me af wat ze ervoor vroegen: misschien dat boven wonen prettiger was. Maar dan zou ik geen balkon hebben. Hoe graag ik ook onbereikbaar ben, een ontsnappingsroute is net zo belangrijk.

Ik keek op mijn horloge: bijna kwart voor negen. Wat deden ze daarboven in godsnaam? Ik maakte de fout naar het slaapkamerraam te kijken; natuurlijk moest ik dat nu controleren. Ik ging weer aan de gang. Opnieuw begon ik bij de deur, en ik was bezig met mijn tweede ronde en betastte staande op de toiletbril met mijn vingertoppen de rand van het matglazen bovenraam, dat niet eens open kán, toen ik boven de deur hoorde dichtslaan, gevolgd door het geluid van voetstappen op de trap.

'... prettige en veilige wijk. Je hoeft je hier geen zorgen te maken als je je auto op straat laat staan.'

'Ik ga toch met de bus. Of met de fiets.'

'Volgens mij is er een gezamenlijke schuur in de tuin; dat zal ik op kantoor even nakijken.'

'Dat hoeft niet. Ik zet hem wel in de gang.'

In de gang? Als je dat maar laat. Alsof het daar nog niet rommelig genoeg is. Hoewel dat er misschien wel voor zorgt dat iemand anders dan ik het ook belangrijk vindt dat de voordeur afgesloten wordt.

Ik maakte mijn controleronde af en ging aan de slag bij de voordeur. Niet slecht. Ik wachtte of de onrust terug zou komen en ik alles nog een keer zou moeten doen, maar het ging goed. Ik had alles prima gedaan, en maar twee keer. Het was stil in huis, wat het gemakkelijker maakte. En het beste van alles: de voordeur zat potdicht, wat betekende dat die man in spijkerbroek hem goed had afgesloten. Misschien dat hij toch niet zo'n slechte huurder zou zijn.

Het was bijna halftien toen ik eindelijk bij het metrostation arriveerde.

DINSDAG 11 NOVEMBER 2003

Toen ik hem voor de tweede keer zag, was ik hem helemaal vergeten en stond ik hem even aan te staren. Aantrekkelijk type, sensuele mond en hij had absoluut iets bekends: iemand met wie ik ergens in een club had staan flikflooien?

'Je weet het niet meer,' zei hij met overduidelijke teleurstelling in zijn heldere stem. 'Je had dat rode jurkje aan. Ik stond bij de deur van de River.'

'O, natuurlijk! Sorry,' zei ik terwijl ik mijn hoofd schudde alsof ik het zo helder kon maken. 'Ik herkende je niet, zo zonder pak.' Dat gaf me een excuus om hem eens goed te bekijken. Hij had een korte broek aan, gympen en een zwart vest: gekleed om naar de sportschool te gaan, heel anders dan de eerste keer dat ik hem had gezien.

'Nee, zo'n pak zit niet zo lekker op de loopband.'

'Dat kan ik me voorstellen.'

Het drong ineens tot me door dat ik nog steeds naar zijn dijbenen staarde, en dat ik er zelf ook reuze aantrekkelijk moest uitzien aangezien ik net een uur in de sportzaal had doorgebracht: haar in een staart, strengetjes op mijn verhitte wangen geplakt, bezweet topje. Om op te vreten. Maar niet heus.

'Leuk je nog eens te zien,' zei hij terwijl zijn blik in een fractie van een seconde van mijn borsten naar mijn tenen en weer terug flitste.

Ik wist niet zeker of hij gewoon recht op zijn doel afging of zich ongepast gedroeg. Maar toen kwam er een ietwat scheve grijns op zijn gezicht, die helemaal niet wellustig was, maar wel heel sexy.

'Ja, leuk. Ik ga... douchen.'

'Oké. Ik zie je.' Met die woorden draaide hij zich om en rende met twee treden tegelijk de trap naar de sportzaal op.

Toen ik stond te douchen, betrapte ik mezelf op de wens dat ik hem was tegengekomen op weg náár de sportschool. Dan hadden we een echt gesprek kunnen hebben en zou ik er niet zo gruwelijk uit hebben gezien. Ik overwoog even om in de koffiehoek te wachten tot hij klaar zou zijn met zijn training, of zou dat te gretig zijn? Te wanhopig?

Nou ja, wat moet ik zeggen... Het was al een tijdje geleden. De laatste paar mannen die ik leuk had gevonden, waren onenightstands geweest; soms was ik zo dronken dat ik me de details niet kon herinneren. Daar is natuurlijk niets mis mee, ik maakte gewoon lol als de kans zich aandiende. Ik had mijn buik vol van relaties, genoot van het alleen zijn en zo. Misschien dat het tijd werd om het wat rustiger aan te doen. Misschien werd het tijd om eens aan de toekomst te denken.

Terwijl ik me stond af te drogen in de verder verlaten kleedruimte bedacht ik ineens iets: zo slecht moet ik er niet uitgezien hebben, want dan had hij me niet herkend. De eerste keer dat hij me zag, droeg ik een knalrode jurk en hing mijn haar los over mijn schouders. Vandaag had ik bezwete sportkleding aan, was niet opgemaakt en had mijn haar in een staart: heel anders. En toch had hij me herkend zodra ik had opgekeken; dat had ik in zijn ogen gezien.

En hij had gezegd: 'Hé, hallo.'

Ik was sindsdien niet meer naar de River geweest, hoewel ik een paar keer per week uitging. De week daarvoor had ik bij vrienden in Schotland gelogeerd, een uitputtend weekend waarin ik nauwelijks had geslapen, maar dat had me er niet van weerhouden na mijn werk te gaan borrelen. Vrijdag kwamen we in de Roadhouse terecht, een nieuwe club aan Market Square. Het was er bomvol dankzij de gratis openingsdrankjes, en Sam en Claire waren binnen een halfuur al met een leuke vent aan hun arm vertrokken. Ik had nog een tijdje gedanst en

gedronken, gedronken en gedanst, heel tevreden in mijn eentje, was wat bekenden tegengekomen met wie ik gezellig had
staan babbelen, schreeuwend in hun oor om boven de herrie
uit te komen. Er liep een aantal smakelijke mannen rond, maar
ze waren bijna allemaal bezet. De enigen die overbleven, waren
mannen die ik al kende, óf omdat ik eerder met ze op stap was
geweest, óf omdat ze een van mijn vriendinnen aan de haak
hadden geslagen.

Ik keek nu al uit naar komend weekend. Ik was van plan vrijdagavond met Claire, Louise en haar zus Emma uit te gaan, en
daarna was het weekend van mij. Ik glimlachte bij de gedachte,
slenterde naar mijn auto en bedacht dat het misschien leuk zou
zijn om weer naar de River te gaan.

MAANDAG 5 NOVEMBER 2007, GUY FAWKES DAY

Als ik laat van mijn werk vertrek, is de ergste drukte in de metro
achter de rug. Toen ik hier net woonde maakte ik de vergissing
me in de spits te storten, waardoor de paniek elke dag groter
werd. Te veel gezichten om te scannen, te veel lichamen die van
alle kanten tegen me aan drukten. Te veel verstopplaatsen en
voor mij te weinig vluchtwegen. Dus vertrek ik 's avonds pas
van mijn werk, wat mijn late aankomst goedmaakt. Ik blijf tot
het allerlaatste moment heen en weer lopen over het perron. Als
de deuren bijna dicht zijn, spring ik snel de metro in. Dan heb ik
veel beter zicht op de mensen met wie ik de coupé deel.

Het heeft me vanavond even gekost om te beslissen hoe ik
naar huis zou gaan. Ik neem elke dag een andere route. Ik stap
de ene keer een halte eerder en dan weer een halte later uit, ik
loop een stuk, neem een bus of toch weer een metro.

Meestal loop ik de laatste kilometer, steeds via een andere
weg. Ik ben hier twee jaar geleden vanuit Lancaster naartoe verhuisd en ik ken het openbaar vervoer in Londen net zo goed als

iemand die hier zijn hele leven al woont. Ik doe er lang over om thuis te komen en de reis put me uit, maar ik heb geen haast. En het is veiliger.

Toen ik bij halte Steward Gardens uit de bus stapte en aan mijn wandeling naar huis begon, werd ik vergezeld door het geluid en de geur van vuurwerk, scherp en zuur in de koude, vochtige lucht. Ik liep over High Street, langs de rand van het park. Via het steegje – ik haat dat steegje, maar het is tenminste goed verlicht – en achter de garages langs. Ik keek over de muur: het licht in mijn eetkamer brandde en de gordijnen waren half-dicht. Ik telde de zestien ruitjes, acht op elke deur, die eruit-zagen als gele rechthoeken met strakke randen waarlangs de gordijnen loodrecht naar beneden hingen. Er scheen geen extra licht naar buiten. Er had niemand aan mijn gordijnen gezeten terwijl ik niet thuis was. Ik herhaalde het keer op keer terwijl ik verder liep: mijn appartement is veilig, er is niemand binnen geweest.

Aan het einde van de steeg een scherpe bocht naar links en toen was ik bijna thuis: Talbot Street. Ik weerstond de drang om minimaal één keer door te lopen naar het einde van de straat en weer om te keren; het lukte me vanavond bij de eerste poging om binnen te komen. Ik keek over mijn schouder terwijl ik de sleutel omdraaide, die ik al in mijn hand had sinds ik uit de bus was gestapt. De deur viel achter me in het slot. Ik voelde langs de randen van de deur, controleerde of hij strak in de sponning zat, ging zorgvuldig te werk zodat ik niets miste wat zou kun-nen aangeven dat hij niet goed dicht was. Ik controleerde hem zes keer en telde iedere keer: één, twee, drie, vier, vijf, zes. Ik draaide zes keer aan de deurknop.

Mevrouw Mackenzie opende de voordeur van de beneden-woning, appartement nummer 1, wat ze altijd deed.

'Hé, Cathy! Hoe is het?'

'Prima, dank u,' zei ik terwijl ik haar mijn mooiste glimlach toewierp. 'En met u?'

Ze knikte en bestudeerde me even, met haar hoofd een beetje opzij gebogen, zoals ze altijd doet, en liep haar woning weer in. Ik hoorde dat het volume van haar televisie, zoals altijd, op zijn hardst stond. Dit doet ze elke avond. Ze vraagt nooit waar ik ben geweest.

Ik ging verder met mijn controle en vroeg me af of ze het expres doet, om mijn ritueel te onderbreken, alsof ze weet dat ik dan weer helemaal opnieuw moet beginnen. Zolang ik nergens blijf steken, gaat het goed. Soms blijf ik steken. De deurpost en de deurknop dus, doe het goed, Cathy. Verpest het niet, anders sta je hier de hele avond.

Ik was eindelijk klaar met mijn controle van de voordeur. Daarna de trap op. Controle tot boven aan de trap. Luisteren naar de stilte in het pand, het geluid van een sirene een paar straten verderop, de televisie in het benedenappartement. In de verte nog meer vuurwerk. Een gil ergens op straat deed mijn adem stokken, maar kort daarna klonken er mannenstemmen en een berispende vrouwenstem.

Ik opende mijn voordeur, keek nogmaals achter me in het trapgat, deed een stap naar binnen, sloot de deur en draaide hem op slot. Grendel aan de onderkant, kettinkje in het midden, nachtslot bovenaan. Luisteren aan de deur. Op de gang geen enkel geluid. Door het kijkgaatje kijken. Niemand; alleen de trap, de overloop, het licht. Ik ging met mijn vingers langs de deurpost, draaide de deurknop zes keer naar de ene kant en zes keer naar de andere kant. Een, twee, drie, vier, vijf, zes. De sloten hielden de deur dicht. Ik draaide het yaleslot zes keer open en dicht. Ik schoof de grendel zes keer open en dicht, draaide daarbij steeds zes keer aan de deurknop. Toen ik daarmee klaar was, kon ik beginnen aan de rest van het appartement.

Het eerste wat ik deed, was alle ramen nalopen, de gordijnen dichtdoen en via de gebruikelijke route de hele woning door. Eerst het voorraam, dat uitkeek over de straat. Alle sloten dicht. Ik ging met mijn vingers langs het kozijn. Toen kon ik de gordijnen dichtdoen om de duisternis buiten te sluiten. Vanaf de straat kan niemand me zien, tenzij ik tegen het raam aan sta. Ik keek of ik langs de rand van de gordijnen een deel van het raam kon zien. Toen liep ik naar het balkon en de openslaande deuren. In de zomer kijk ik uit over de tuin om de muur te controleren, maar in deze tijd van het jaar is er buiten enkel duisternis. Ik keek de grendels op de balkondeuren na, voelde langs de gehele rand, draaide drie keer aan de deurknop. Het slot was goed dicht, de knop rammelde losjes. Toen sloot ik de zware, gevoerde gordijnen tegen de duisternis.

De keuken: de ramen kunnen er niet open, maar ik liep ze toch langs. Rolgordijn naar beneden. Ik stond een paar minuten voor de keukenla en stelde me voor hoe de inhoud erbij lag. Toen ik de lade opentrok, keek ik naar de bestekbak: vorken links, messen in het midden, lepels rechts. Ik sloot de la en opende hem toen weer om het zeker te weten. De messen lagen absoluut in het midden, de vorken links en de lepels rechts. Hoe wist ik dat het goed was? Misschien had ik iets fout gedaan. Ik opende nogmaals de lade en keek. Deze keer voelde het goed.

De badkamer: het raam zit hoog en is van matglas, en ook dit raam kan niet open, maar ik ging niettemin op de toiletbril staan om de randen te controleren, me ervan te verzekeren dat het goed dichtzat, en daarna liet ik het rolgordijn zakken. Naar mijn slaapkamer. Grote ramen die uitkijken over de achtertuin, maar de gordijnen waren al dicht, precies zoals ik ze vanochtend, voordat ik naar mijn werk ging, had achtergelaten. Het was donker in de kamer. Ik verzamelde al mijn moed en trok de gordijnen open om de brede schuiframen na te lopen. Ik had er toen ik hier kwam wonen extra sloten op laten zetten, die ik nu allemaal langsging, waarbij ik ze zes keer open- en dichtdraaide om zeker te weten dat ze echt dicht zaten. Toen sloot ik de gordijnen, waarbij ik ze recht over elkaar dichttrok zodat er nergens een stukje donker raam was te zien. Vervolgens deed ik het lampje naast mijn bed aan. Ik ging even op de rand van mijn bed zitten, ademde diep in, probeerde de opwellende paniek te onderdrukken. Er begon om halfacht een tv-programma dat ik wilde zien. Volgens het klokje naast mijn bed was het drie voor halfzeven. Ik wilde tv-kijken. De paniek was er nog, hoewel ik op mezelf zat in te praten, hoewel ik tegen mezelf zei dat ik alles had gedaan, alles had gecontroleerd, dat ik me nergens druk om hoefde te maken, dat mijn appartement veilig was, dat ik veilig was, dat ik weer een dag veilig was thuisgekomen.

Mijn hart hamerde nog steeds.

Ik stond zuchtend op en liep naar de voordeur om opnieuw te beginnen.

Dit kan zo niet doorgaan. Dit duurt al langer dan drie jaar. Het moet stoppen. Het móét stoppen.

Deze keer controleerde ik de deur twaalf keer voordat ik verderging met de volgende stap.

ZONDAG 16 NOVEMBER 2003

Uiteindelijk was het niet bij de River; het was weer op de sportschool.

Vrijdagavond was eerlijk gezegd nogal een zielige vertoning. Te veel uit geweest zonder tussendoor de tijd te nemen om bij te komen. Ik begon er last van te krijgen en ik was moe, voelde me irrationeel ellendig en helemaal niet in de stemming om op jacht te gaan naar sexy portiers. We hadden in de Pitcher & Piano drie borrels gedronken, nog twee in de Queen's Head en tegen die tijd had ik er genoeg van. Sam keek me aan of ik een grapje maakte toen ik zei dat ik naar huis ging. Ik bracht de hele zaterdag op de bank door met films kijken.

Zondagochtend werd ik om tien uur wakker en ik voelde me beter dan in weken. De zon scheen, de lucht was fris en stil, een zalige dag om te gaan hardlopen. Dat zou ik gaan doen, en dan zou ik gezonde boodschappen inslaan en 's avonds vroeg naar bed.

Na een paar stappen op de bevroren stoep drong het tot me door dat hardlopen toch niet zo'n goed idee was. In plaats daarvan deed ik wat kleding in mijn tas en reed de acht kilometer naar de sportschool.

Deze keer herkende ik hem voordat hij mij zag. Hij stond bij het zwembad en zette zijn zwembril goed. Ik vroeg me niet eens af of hij me kon zien door het glazen raam van waarachter ik hem ongegeneerd stond te bekijken, en ik zag hem het water in glijden, zich tegen de wand afzetten en rustig in borstcrawl wegzwemmen. Het water bewoog nauwelijks terwijl hij erdoorheen gleed. Ik keek toe hoe hij twee baantjes zwom, gehypnotiseerd door zijn ritme, tot er iemand bijna over mijn sporttas viel en de betovering verbrak.

Ik propte in de kleedkamer mijn tas in een kluisje, haalde mijn MP3-speler tevoorschijn en bond die aan mijn arm. Toen ik op weg was naar de sportzaal zag ik mezelf in een van de spiegels. Mijn wangen waren rood en de blik in mijn ogen deed me stilstaan. Mijn god, dacht ik, niet in staat mijn stomme grijns te onderdrukken, hij is echt waanzinnig aantrekkelijk.

MAANDAG 12 NOVEMBER 2007

Er gebeurde die avond na mijn werk iets onverwachts.

Onverwachte dingen zijn nooit goed voor me. Soms, als ik een goede dag heb, kan ik er met een glimlach op terugkijken, maar op het moment dat zoiets gebeurt, is het nooit goed. De dag dat de leidingen sprongen en de loodgieter mijn appartement in moest om ze te repareren moest ik dat bekopen met de hevigste paniekaanval ooit.

Ik begrijp nog steeds niet hoe ik het heb overleefd.

Ik vraag me af hoe het vanavond zal gaan, want op dit moment voel ik me prima. Ik verwacht half dat er nog een paniek-aanval zal volgen, als ik hem het minst verwacht, maar op dit moment gaat het goed en voel ik me prima.

Ik was net klaar met eten toen er werd aangeklopt.

Ik voelde me als verlamd; mijn hele lichaam stond strak ge-spannen. Volgens mij ademde ik niet eens. Mijn deurbel was niet gegaan, dus het was óf een medehuurder, óf iemand had de buitendeur weer open laten staan. Hoe dan ook, mijn lichaam zou me niet toestaan om me ook maar een centimeter te bewe-gen, al hing mijn leven ervan af. Ik voelde de tranen over mijn wangen rollen.

Nog een klop, deze wat harder. Er had nog nooit iemand op mijn deur geklopt.

Ik kon de deur en het kijkgaatje uitstekend zien vanaf mijn positie op de bank, en ik staarde ernaar. Het licht uit de gang, dat er normaal gesproken doorheen scheen als een klein licht-baken, werd geblokkeerd door degene die aan de andere kant van de deur stond, en het enige wat ik zag, was een donker gaat-je. Ik staarde er zo geconcentreerd naar dat het bijna was alsof ik zijn vorm door het hout heen kon zien, en ik hield mijn adem in tot mijn hoofd begon te bonken en mijn vingers gingen tintelen.

Toen hoorde ik de voetstappen vertrekken. Ze liepen de trap op en daarna klonk het geluid van de deur op de bovenverdie-ping, die open- en dichtging.

Dus het was hem. De man van boven.

Ik had hem door het woonkamerraam een paar keer zien ko-men en gaan. Hij kwam eens thuis toen ik op het punt stond om naar mijn werk te vertrekken. Ik zag dat hij de voordeur goed had dichtgedaan, waardoor ik me een beetje beter voelde, hoe-wel ik hem natuurlijk alsnog moest controleren. Die fiets stond nog steeds niet in de gang en ik had hem ook niet in de tuin ge-zien, dus misschien had hij toch zijn auto op straat geparkeerd.

Hij leek op onregelmatige tijden te komen en gaan. Mevrouw Mackenzie was geruststellend voorspelbaar, aangezien ze nooit naar buiten ging, tenminste niet voor zover ik het kon zien. Als ik 's avonds thuiskwam, verscheen ze over het algemeen in de deuropening van appartement 1, zei me gedag en verdween weer naar binnen. Ik hoorde het geluid van haar televisie door mijn vloerplanken. Andere mensen zouden daar misschien last van hebben, maar ik niet. Ik vond het prettig.

Maar dan boven: meneer Onvoorspelbaar.

Ik vroeg me af wat hij in vredesnaam van me wilde. Het was bijna negen uur, niet echt een geschikt moment voor een babbeltje. Misschien had hij hulp nodig?

Na een tijdje, toen mijn ademhaling weer rustig was, vroeg ik me af of ik naar boven moest om op zíjn deur te kloppen. Ik hoorde het gesprek al in mijn hoofd.

O, hoi. Was jij dat net, aan de deur? Ik stond onder de douche...

Nee, dat sloeg nergens op – hoe kon ik dan weten dat hij het was?

Ik hoorde mijn mantra alweer ongewild door mijn hoofd gaan: dit is niet normaal. Dit is niet hoe normale mensen denken.

Wat is in godsnaam normaal. Bestaat 'normaal' hoe dan ook?

ZONDAG 16 NOVEMBER 2003

Ik wist al waar hij zou zijn voordat ik hem zag.

Hij zat in de koffiehoek *The Times* te lezen en zag er goed uit in een wit overhemd met open kraag; hij had net gedoucht.

Ik aarzelde en vroeg me af of ik hem gedag zou zeggen, en op dat moment keek hij op van zijn krant. Hij glimlachte niet, beantwoordde alleen heel even mijn starende blik. Ik vroeg me af wat die betekende. Het voelde als een begin; alsof dit het keerpunt was. Ik had de kans om weg te lopen en bleef staan. Alles wat nu kwam zou daar een gevolg van zijn.

Toen hij glimlachte liep ik al voordat ik er erg in had de ruimte door naar hem toe. 'Hoi,' zei ik, en ik bedacht hoe achterlijk ik klonk. 'Ik zag je in het zwembad.'

'Dat weet ik,' antwoordde hij. 'Ik heb jou ook gezien.' Hij vouwde de krant op en legde hem zorgvuldig op tafel, naast zijn koffiekop. 'Wil je wat drinken?'

Weglopen leek niet langer een optie. 'Thee, graag.'

Ik ging met bonkend hart zitten terwijl hij opstond. Hoelang ik ook in de kleedkamer had gestaan om me voor te bereiden voor het geval hij hier zou zitten, dat was niet lang genoeg geweest.

Hij kwam een paar minuten later terug met een dienblaadje met een theepot, een mok en een kannetje melk. 'Lee,' zei hij, en hij stak zijn hand uit.

Ik keek in een paar waanzinnig blauwe ogen. 'Catherine,' zei ik. Zijn hand voelde warm, zijn grip ferm, en toen ik uren later in bed lag, rook ik nog zijn geur, heel licht, aan mijn hand.

Dat ik niet wist wat ik moest zeggen, maakte dat ik bijna in de lach schoot: normaal gesproken heb ik juist moeite mijn mond te houden. Ik wilde vragen of hij lekker had gezwommen, maar dat zou belachelijk klinken. Ik wilde vragen of hij single was, maar dat zou te direct zijn. Ik wilde weten of hij op me had zitten wachten. Al die vragen, waarop ik, drong tot me door, het antwoord al wist. Ja, ja en ja.

'Ik heb me afgevraagd hoe je zou heten,' zei hij uiteindelijk. 'Ik heb het proberen te raden, maar ik verwachtte iets heel anders.'

'Als ik er niet uitzie als een Catherine, hoe dacht je dan dat ik heet?'

Hij had ons oogcontact even verbroken. 'Dat weet ik al niet meer. Nu ik weet dat je Catherine heet, is niets anders nog goed genoeg.'

Zijn starende blik maakte me bijna ongemakkelijk, en ik voelde mezelf blozen door de kracht ervan, dus concentreerde ik me op het inschenken van mijn thee en nam rustig de tijd om te roeren, er nog wat melk in te doen, en toen nog een beetje, tot hij exact de goede kleur had.

'Ben je,' vroeg hij nadat hij diep had ingeademd, 'niet meer terug geweest naar de River sinds ik je daar heb gezien, of heb ik gewoon de pech gehad je steeds mis te lopen?'

'Nee, ik ben niet meer geweest. Ik was druk met andere dingen.'

'O. Familieverplichtingen?'

Hij zat te vissen of ik single was. 'Met vriendinnen. Ik heb geen familie. Mijn ouders zijn overleden toen ik op de universiteit zat en ik ben enig kind.'

Hij knikte. 'Wat heftig. Mijn hele familie woont in Cornwall.'

'Kom je daarvandaan?'

'Uit een dorpje in de buurt van Penzance. Ik ben 'm gesmeerd zodra dat kon. Dorpen zijn soms gecompliceerd: iedereen weet alles van elkaar.'

Er viel nog een korte stilte, die ik verbrak. 'Is je werk bij de River je enige baan?'

Hij begon te grijnzen en dronk zijn koffiekop leeg. 'Ja, ik werk alleen bij de River, drie avonden per week. Om een vriend te helpen. Zullen we vanavond uit eten gaan?'

Zijn vraag kwam als een donderslag bij heldere hemel; de blik in zijn ogen verried zenuwen die in zijn stem niet hoorbaar waren.

Ik glimlachte naar hem en dronk mijn thee. 'Ja, leuk.'

Toen ik opstond om te vertrekken, met het kaartje met zijn telefoonnummer in mijn jaszak, voelde ik hoe zijn blik me helemaal tot aan de deur volgde. Toen ik me omdraaide om naar hem te zwaaien, keek hij nog steeds. Maar hij wist in elk geval een glimlach tevoorschijn te toveren.

Mijn weekenden zijn een bizarre mengeling van ontspanning en stress. Sommige weekenden zijn goed; andere niet bepaald. Sommige data zijn goed. Ik kan alleen boodschappen doen op even dagen. Als de dertiende in een weekend valt, kan ik helemaal niets. Op oneven dagen kan ik sporten, maar alleen als het bewolkt is of regent, niet als de zon schijnt. Op oneven dagen kan ik geen eten koken, dan moet ik alleen koude dingen eten of iets opwarmen.

En dat allemaal om mijn hoofd rustig te houden. Mijn hersenen genereren constant, dag en nacht, beelden van dingen die me zijn overkomen of die me zouden kunnen overkomen. Het is alsof ik steeds opnieuw naar een horrorfilm kijk zonder ooit immuun voor de verschrikkingen te worden. Als ik dingen goed doe, als ik dingen in de juiste volgorde doe, dingen goed controleer, het juiste ritme volg, gaan de beelden even weg. Als het me lukt de deur uit te gaan terwijl ik zeker weet dat alles in mijn appartement echt veilig is, krijg ik een paar uur waarin het naarste wat ik voel een vage onrust is, alsof er iets mis is, maar ik er mijn vinger niet op kan leggen. Wat veel vaker gebeurt, is dat ik zo goed als ik kan alles controleer en me – als het me dan überhaupt al lukt om de deur uit te gaan – de rest van de dag druk maak of ik het wel goed heb gedaan. Dan is de hele dag gevuld met beelden van wat me te wachten kan staan als ik thuiskom. Als ik niet elke avond een andere route naar huis neem, zal iemand me volgen. Zie je het voor je? Geen leuk plaatje.

Wat het ook is dat er met me gebeurt, het is mijn leven in geslopen en gaat niet meer weg. Nu en dan betrap ik mezelf erop dat ik een nieuwe regel voor mezelf maak. Vorige week was ik ineens weer stappen aan het tellen, iets wat ik een paar jaar niet had gedaan en waar ik absoluut geen behoefte aan heb. Maar het is net of ik mezelf niet onder controle heb. Het wordt erger, niet beter.

Dus was het weer zaterdag, een oneven dag, en het brood en

de theezakjes waren op. Dat met die theezakjes was een enorm probleem, want thee is een van de belangrijkste regels, met name in het weekend. Ik weet dat ik, als ik geen thee drink om acht, tien, vier en acht uur, steeds nerveuzer word, zowel door het gevoel dat het me niet lukt om iets goed te doen als waarschijnlijk door het gebrek aan cafeïne. Ik keek in de prullenbak, waar het zakje van acht uur, achteloos weggesmeten voordat het tot me was doorgedrongen dat het het laatste was, tussen de aardappelschillen en pastasaus van gisteren lag, en ik overwoog even het eruit te vissen om het nog een keer te gebruiken. Maar dat zou ook niet hebben gewerkt.

Alleen al het feit dat ik zo stom was geweest om niet in de gaten te hebben dat de thee bijna op was, was genoeg om gespannen te raken; ik ben ontzettend goed in zelfverwijt. Als ik theezakjes zou gaan kopen, kon ik het huis niet goed controleren, aangezien het een oneven dag was. Misschien dat het me zou lukken om theezakjes te kopen en ze mee terug te nemen naar huis, maar dan zou er ondertussen iemand hebben ingebroken, die bij mijn terugkeer op me stond te wachten.

Ik zat meer dan een uur te stressen over wat de ergste van de twee mogelijkheden was, over welke regel het belangrijkst was. Om de beelden uit mijn hoofd te krijgen controleerde ik het appartement meermalen, elke keer een beetje verkeerd. Hoe vaker ik het deed, hoe vermoeider ik werd. Zo loop ik weleens vast. Uiteindelijk ben ik dan fysiek te uitgeput om nog dingen te kunnen nalopen.

Ondertussen, in een poging boven de kakofonie van zelfverwijt in mijn achterhoofd uit te komen, riep een stemmetje van redelijkheid: Dit is niet normaal.

Om kwart voor tien zat ik in elkaar gedoken in een hoekje, een kleine, strak opgewonden, zelfvernietigende kluwen, toen ik het hoorde: het geluid van de voordeur die dichtging – goed dicht – en van voetstappen op de trap.

Voordat ik ook maar de kans had om erover na te denken, zag

ik een manier om het op te lossen. Als ik geen theezakjes kon gaan kopen, kon ik ze misschien lenen...

De voetstappen passeerden mijn deur en liepen naar de bovenverdieping. Ik wachtte even, veegde de tranen van mijn wangen en haalde mijn vingers door mijn haar. Ik had geen tijd om mijn appartement te controleren. De voordeur zat niet op de grendel; ik had gehoord hoe hij hem dichtdeed, ik had echt gehoord hoe hij hem dichtdeed. Ik moest gewoon gáán.

Ik pakte mijn sleutel, sloot de deur slechts één keer af, controleerde hem ook maar één keer, liep de trap op en bleef bij zijn voordeur staan. Ik was hier nog nooit geweest. Er was een raam op de overloop, maar er brandde geen licht. Ik keek het trapgat in naar beneden. Ik kon mijn eigen voordeur net zien. Ik klopte aan en luisterde eerst naar de stilte en toen naar de voetstappen aan de andere kant van de deur.

Toen hij opendeed, schrok ik een beetje. Alles klonk zo hard.

Hij had een leuke glimlach. 'Hé,' zei hij. 'Alles goed?'

'Prima. Ik vroeg me af of jij misschien theezakjes hebt. Die ik kan lenen. Ik bedoel hebben. De mijne zijn op.'

Hij keek me nieuwsgierig aan. Ik deed vreselijk mijn best om er normaal uit te zien, maar mijn wanhoop moet overduidelijk zijn geweest.

'Tuurlijk,' zei hij. 'Kom binnen.'

Hij hield de deur open en liep zijn appartement in, en ik bleef op de gang staan en keek naar zijn rug. Normaal gesproken zou ik liever ter plekke dood zijn neergevallen dan dat ik een vreemde een besloten ruimte in zou zijn gevolgd, maar dit waren geen normale omstandigheden, en als ik om tien uur mijn theezakjes wilde hebben, had ik geen keuze.

Aan het eind van de lange gang was de keuken, en het drong tot me door dat die zich recht boven mijn slaapkamer bevond. Geen wonder dat die Chinese studenten me hadden wakker gehouden met hun feestje. Hij stond in drie boodschappentassen op de keukentafel te zoeken.

'Ik heb zelf net thee gekocht, die van mij was gisteren op. Ik ben Stuart, trouwens. Stuart Richardson. Ik woon hier net.'

Hij stak zijn hand uit, die ik schudde met de beste glimlach die ik op mijn gezicht kon toveren. 'Cathy Bailey. Van beneden.'

'Hoi, Cathy,' zei hij. 'Ik had je al gezien toen de woningbouwvereniging me een rondleiding gaf.'

'Ja.' Geef me die theezakjes nou maar, dacht ik. Geef me alsjeblieft gewoon die verrekte theezakjes. En kijk niet zo naar me.

'Zeg,' zei hij na een moment van aarzeling, 'ik heb eigenlijk wel zin in een lekkere bak thee. Als jij nou eens water opzet terwijl ik de boodschappen opruim? Vind je dat goed? Of heb je het druk?'

Nu ik zo voor het blok werd gezet, kon ik niet toegeven dat ik niets beters te doen had dan me zorgen maken over hoe ik aan mijn volgende theezakje zou komen, en het was op mijn horloge ondertussen drie voor tien geworden, wat betekende dat ik mijn thee niet op tijd ging krijgen als ik die niet nú zou zetten.

Dus dat deed ik. Ik zag op het werkblad naast de gootsteen een paar niet bij elkaar passende mokken staan en koos er twee, die ik afwaste. De melk stond in de koelkast. Ik deed water in de ketel en zette hem op, zette de thee, roerde en voegde druppel voor druppel melk toe tot die exact de goede kleur had terwijl Stuart zijn boodschappen opruimde en vrolijk door ratelde over wat een mooi weer het was en wat een mazzel hij had gehad dat hij zo'n leuk appartement had gevonden, en dat maar een paar straten van een metrostation van de Northern Line vandaan.

Ik nam mijn eerste slok gloeiend hete thee op het moment dat de grote wijzer de twaalf raakte. Ik voelde hoe ik ontspande, de opluchting was immens, ondanks het feit dat ik thee zat te drinken in de woning van een vreemde, met een vreemde man, terwijl ik mijn eigen appartement niet veilig had achtergelaten.

Ik zette zijn mok op een onderzetter op de keukentafel en draaide het oor in een hoek van precies negentig graden ten opzichte van de rand van de tafel, wat niet eenvoudig was, aangezien het een ronde tafel was. Het kostte me een paar pogingen voor het ergens op leek. Hij keek me aan en trok een wenkbrauw op, en deze keer lukte het me te glimlachen.

'Sorry,' zei ik. 'Ik ben een beetje... eh. Ik weet niet. Volgens mij was ik toe aan een kop thee.'

Hij haalde glimlachend zijn schouders op. 'Geen probleem. Heerlijk, als iemand anders even theezet.'

We zaten in een gemoedelijke stilte aan tafel van onze thee te drinken. Toen: 'Ik heb laatst ook bij jou aangeklopt. Volgens mij was je er niet.'

'O, ja?' zei ik. 'Wanneer dan?'

Hij dacht even na. 'Volgens mij was het maandag. Om een uur of halfacht, acht.'

Negen, bedoel je, dacht ik. Ik deed mijn best vaag te kijken. 'Ik heb niets gehoord. Misschien stond ik te douchen of zo. Was het dringend?'

'Nee hoor, ik wilde mezelf alleen even voorstellen. En mijn excuses aanbieden voor als ik je stoor wanneer ik 's avonds thuiskom. Ik moet regelmatig tot laat werken, ik weet nooit van tevoren wanneer ik naar huis kan.'

'Dat lijkt me zwaar,' zei ik.

Hij knikte. 'Na een tijdje raak je eraan gewend. Maar ik ben altijd bang dat ik vreselijk veel herrie maak op die trap.'

'Nee hoor,' loog ik. 'Als ik eenmaal slaap, ben ik niet wakker te krijgen.'

Hij keek me even aan, alsof hij maar al te goed wist dat dat onzin was, maar hij accepteerde niettemin wat ik zei. 'Als ik je in de toekomst ooit stoor, spijt me dat nu al.'

Ik begon iets te zeggen maar onderbrak mezelf.

'Ga verder,' zei hij.

'De deur,' zei ik.

'De deur?'

'De voordeur. Ik maak me zorgen als die niet in het slot valt.

Sommige mensen komen en gaan zonder hem goed dicht te doen.'

'Maak je geen zorgen,' zei hij. 'Ik trek hem altijd dicht.'

'Vooral 's avonds,' zei ik nadrukkelijk.

'Ja, vooral 's avonds. Ik beloof je dat ik er op let dat hij elke avond goed dichtzit.' Zijn woorden klonken als een plechtige belofte en hij sprak ze met een ernstige gezichtsuitdrukking uit. Ik voelde dat ik – bijna – uitademde. 'Dank je,' zei ik. Ik dronk mijn mok leeg en stond op, me erg bewust van mijn omgeving. Ik wilde naar huis.

'Wacht even,' zei Stuart. Hij pakte een rolletje boterhamzakjes uit een lade en pakte met een zakje als handschoen een handvol theezakjes uit het doosje, waarna hij het zakje binnenstebuiten bovenaan dichtknoopte.

'Dank je,' zei ik nogmaals, en ik nam het boterhamzakje van hem aan. 'Ik zal morgen nieuwe kopen.' Ik was even stil en verraste mezelf toen door te zeggen: 'Als je ooit iets nodig hebt, hoor ik het wel.'

Hij grijnsde. 'Fijn.'

Hij liet me een paar passen voor zich uit naar de deur lopen, drong zich niet op, en ik liep de gang op. 'Dan zie ik je wel weer,' zei hij terwijl ik de trap af liep.

Dat lijkt me leuk, zei een stemmetje in me.

En toen gebeurde er zoiets raars. Ik liep mijn appartement in, ging op de bank zitten en keek anderhalf uur van een film voordat tot me doordrong dat ik mijn appartement niet had gecontroleerd.

Die onoplettendheid kostte me de rest van de middag en een groot deel van de avond.

Tegen halftwaalf was ik verliefd. Of in ieder geval geil. En misschien dat mijn beoordelingsvermogen een tikje was vertroebeld door de belachelijk dure rode wijn en een glas cognac.

Ik had om acht uur met Lee in het centrum van de stad afgesproken, en toen hij daar arriveerde zag hij er zelfs nog minder als portier uit, ondanks het feit dat hij weer een pak droeg. Dit pak was prachtig gesneden, het jasje net iets gespannen over zijn spierballen, een donker overhemd eronder. Zijn korte blonde haar was nog een beetje vochtig. Hij kuste me op mijn wang en bood me zijn arm aan.

Terwijl we op ons eten wachtten, sprak hij over het lot. Hij pakte mijn hand en streelde er met zijn duim overheen, heel licht, terwijl hij uitlegde hoeveel geluk hij had gehad dat hij me überhaupt had leren kennen; dat het weekend voor Halloween eigenlijk het laatste weekend zou zijn geweest dat hij bij de River werkte; dat hij ermee had ingestemd extra diensten te draaien om de eigenaar uit de brand te helpen, die een goede vriend van hem was.

'Dan had ik je nooit ontmoet,' zei hij.

'Maar dat heb je wel,' zei ik, 'en nu zitten we hier.' Ik hief mijn wijnglas naar hem en tooste op de toekomst, op wat vóór ons lag.

Uren later verlieten we het restaurant en liepen de ijzige buitenlucht in. Tegen de tijd dat we bij de taxistandplaats in Penny Street aankwamen, waaide het hard. Lee trok zijn jasje uit en hing het over mijn schouders. Het rook warm, en vaag naar zijn aftershave. Ik stak mijn armen in de mouwen en voelde de zijden voering op mijn blote huid, voelde zijn warmte, en hoe klein en veilig ik me erin voelde. Desondanks liep ik te klappertanden.

'Kom eens hier, je rilt helemaal,' zei hij, en hij trok me tegen zich aan, wreef zacht over mijn rug en armen. Ik nestelde mijn hoofd, dat zwaar was van de wijn en de vele late avonden, tegen zijn schouder. Ik had de rest van mijn leven zo tegen hem aan kunnen blijven staan.

'Wat voel je fijn.'

'Jij ook,' zei hij. Hij was even stil, en toen voegde hij eraan toe: 'Mag ik even zeggen dat je er onwaarschijnlijk aantrekkelijk uitziet in dat zwarte jurkje en mijn jasje?'

Ik stak mijn hoofd naar hem op, en zijn kus was subtiel, net als hij; een streling van zijn lippen over de mijne. Hij legde zijn hand tegen mijn wang, mijn haar tussen zijn vingers. Ik probeerde zijn gezichtsuitdrukking te lezen, maar daar was het te donker voor, zijn gezicht was met schaduw overdekt.

Op dat moment stopte er een taxi, en hij opende het portier voor me.

'Queen's Road, graag,' zei ik.

Hij sloot het portier achter me en ik opende het raampje. 'Ga je niet mee?'

Hij schudde glimlachend zijn hoofd. 'Jij moet slapen. Je moet morgen werken. Tot gauw.'

De taxi voerde me weg voordat ik de kans kreeg te reageren.

Ik wist niet of ik simpelweg tot over mijn oren verliefd op hem was of een heel klein beetje teleurgesteld. Het drong pas tot me door dat ik zijn jasje nog aanhad toen ik al thuis was.

WOENSDAG 21 NOVEMBER 2007

Na die zaterdag was het net alsof ik Stuart constant zag. Toen ik maandagochtend vertrok naar mijn werk, ging hij ook net weg. Hij was ongeschoren en kon zo te zien nog wel een paar uur slaap gebruiken.

'Goedemorgen, Cathy,' zei hij toen hij me zag.

'Hoi,' zei ik. 'Ga je naar je werk?'

'Ja,' zei hij. 'Ik heb het gevoel dat ik er net vandaan kom, maar ik schijn geslapen te hebben.'

Ik keek toe hoe hij halfslachtig naar me zwaaide, waarna hij de deur achter zich dichttrok en controleerde of hij goed in het slot zat door er nog een keer aan te trekken. Ik bleef even bij de deur staan, tot hij de straat uit en de hoek om was, voordat ik hem zelf controleerde. Hij was dicht. Hij was echt dicht. Ik controleerde hem nog een keer.

Dinsdag hoorde ik hem iets na elf uur de trap op lopen. Zelfs zijn voetstappen klonken uitgeput. Ik vroeg me af wat voor zwaar werk hij deed.

Vanochtend opende hij de gezamenlijke voordeur terwijl ik mijn deur stond te controleren. Ik hoorde hem achter me de trap op komen maar bleef tot op het laatste moment mijn ritueel uitvoeren; ik was al laat.

'Goedemorgen,' zei hij opgewekt. 'Hoe gaat het?'

Hij zag er veel beter uit.

'Prima. En met jou? Loop jij niet de verkeerde kant op?'

Hij glimlachte. 'Ik? Nee, hoor. Ik heb vrij vandaag. Ik ben net naar de bakker geweest om croissants te halen.' Hij stak het plastic tasje omhoog voor het geval ik bewijs nodig had. 'Ik ga op de bank hangen en te veel eten. Jij wilt zeker geen croissantje?'

Ik moet er verbluft hebben uitgezien, want hij glimlachte en zei: 'Ik neem aan dat je op weg bent naar je werk, hoewel...'

'Inderdaad,' zei ik, misschien een beetje te gretig. 'Misschien een andere keer.'

Hij glimlachte nogmaals en gaf me een brutale knipoog. 'Daar hou ik je aan.' Hij keek langs me heen. 'Zit je deur goed dicht?'

'Mijn deur?'

'Sluit hij niet goed?'

Mijn hand lag nog op de klink. 'O. Jawel. Hij... hij klemt alleen af en toe een beetje.' Ik trok er even aan.

Ga nou gewoon weg, zei ik in mijn hoofd, maar de boodschap kwam niet over. Uiteindelijk moest ik hem gedag zeggen en zonder controle weglopen.

Hoewel het wel enigszins geruststellend was dat ik de voordeur sinds Stuart in het pand was getrokken, niet één keer uit het slot had aangetroffen.

MAANDAG 17 NOVEMBER 2003

Ik was de hele volgende dag vreselijk opgewonden. De leukste momenten van de avond ervoor speelden zich steeds opnieuw in mijn hoofd af en ik vroeg me gekweld af wanneer hij zou bellen – óf hij zou bellen. Wat zou ik tegen hem zeggen?

Uiteindelijk belde hij die middag toen ik op het punt stond van mijn werk te vertrekken.

'Hoi, met mij. Hoe was je dag?'

'Ach, je weet wel... werk. Ik heb je jasje nog.'

Hij lachte. 'Ja. Dat geeft niet. Ik krijg het wel terug als we elkaar weer zien.'

'En wanneer denk je dat dat is?'

'Zo snel mogelijk,' zei hij, plotseling heel ernstig. 'Ik loop de hele dag al aan je te denken.'

Ik dacht even na. 'Komend weekend?'

Een stilte aan de andere kant van de lijn. 'In het weekend kan ik niet. Ik moet werken. Bovendien kan ik niet zo lang wachten. Vanavond?'

ZATERDAG 24 NOVEMBER 2007

Gisteravond kerstfeest.

Ik heb het gevoel dat er iets in mijn leven is veranderd. Ten nadele, natuurlijk – en net nu ik me hier wat veiliger begon te voelen. Ik stond vanochtend wankel op mijn benen, en dat had niets te maken met de alcohol die ik gisteravond wel of niet heb gedronken. Eerlijk gezegd heb ik al meer dan een jaar geen

45

druppel aangeraakt, want ik denk niet dat ik dat nu zou kunnen verdragen.

Nee, de grond onder mijn voeten voelt anders vandaag, alsof hij elk moment onder me vandaan geslagen kan worden. Ik ben het appartement sinds ik om vier uur ben opgestaan al min of meer constant aan het controleren en ik moest een hand tegen de muur houden om in balans te blijven elke keer dat ik mijn routine uitvoerde. Ik ben nog steeds niet tevreden. Volgens mij moet ik het zo nog een keer doen.

Gisteravond heb ik al mijn moed verzameld en ben ik de deur uit gegaan. Ik ben me al vroeg gaan voorbereiden. Vroeger zou de voorbereiding hebben bestaan uit een douche, minimaal een halfuur bezig zijn met het kiezen van een jurk en schoenen, mijn haar en make-up doen terwijl ik ondertussen glazen koude witte wijn zou drinken en sms'en met vriendinnen: WAT TREK JIJ AAN? NEE, DOE DIE BLAUWE MAAR. TOT ZO.

Tegenwoordig betekent uitgaan dat ik alles moet controleren. En nogmaals moet controleren. En dan nog een keer omdat ik er één minuut na het hele uur mee ben begonnen. En dan nóg een keer omdat ik er twee minuten korter over heb gedaan dan de bedoeling was. Ik ben vanaf het moment dat ik gisteren uit mijn werk kwam tot het moment dat ik moest gaan slapen bezig geweest met controleren.

Het was tien voor acht tegen de tijd dat ik de voordeur achter me dichttrok, wat een enorme opluchting was.

Ik had de pub al gemist, maar ik zou ze wel kunnen vinden, misschien waren ze ondertussen op weg naar het restaurant. Ik oefende in mijn hoofd mijn excuses voor mijn late aankomst en versnelde mijn pas richting High Street, waar ik Stuart op me af zag komen lopen. Hoewel het donker was en ik een lange zwarte jas aanhad en een sjaal om mijn hals, zag hij mij ook.

'Hé Cathy, ga je een avondje uit?' Hij droeg een donkerbruine jas, met een of andere universiteitssjaal eronder. Zijn adem vormde wolkjes.

Ik had geen zin om met hem te praten. Ik wilde knikken en vaag glimlachen, maar hij blokkeerde mijn pad en stond recht voor me op de stoep. 'Ja,' zei ik. 'Kerstfeestje van mijn werk.'

'Aha,' zei hij met een hoofdknik. 'Dat heb ik volgende week. Misschien kom ik je wel ergens tegen. Ik heb met vrienden afgesproken.'

'Dat lijkt me leuk,' zei ik al zonder dat ik er erg in had, alsof ik was overgenomen door een automatische piloot.

Hij glimlachte warm naar me. 'Nou, tot ziens dan maar,' zei hij, en toen liet hij me passeren.

Ik voelde hoe mij me nakeek terwijl ik verder liep. Ik kon niet beslissen of dat positief was of juist niet. Vroeger was het negatief als ik zo werd nagekeken. Ik had de afgelopen jaren constant het gevoel gehad dat er ogen op me waren gericht, een gevoel dat ik nooit van me leek te kunnen afschudden. Maar deze keer was het anders. Het voelde veilig.

Het was toch niet zo laat als ik had gedacht, want de mensen van kantoor zaten nog aan de borrel in Dixey's. Hoewel het nog vroeg was, was het er druk, en de meisjes van kantoor waren al halfdronken, luidruchtig, opgewonden en halfnaakt. Ik moet eruit hebben gezien als hun chaperonne, hun vrijgezelle tante, in mijn chicste zwarte pantalon met een grijze zijden blouse. Hij was mooi gesneden, maar niet bepaald onthullend. En niet bepaald feestelijk.

Caroline, de manager van de financiële afdeling, bleek de behoefte te voelen me die avond gezelschap te houden. Misschien dat zij zich ook niet helemaal op haar gemak voelde. Ze was de enige van het gezelschap die getrouwd was, een paar jaar ouder dan ik en moeder van drie kinderen. Haar haar begon grijs te worden, net als dat van mij, maar zij had het netjes chocoladebruin laten verven, met wat roodbruine highlights. Het enige wat ik had kunnen bedenken, was het te laten afknippen en het kort houden, wat betekende dat ik elke maand naar de kapper moest, wat ik een ellende vond. Het had me heel wat moeite gekost een kapster te vinden die niet tegen me praatte terwijl ze mijn haar knipte.

Caroline stelde tenminste niet te veel vragen. Ze kletste heel tevreden tegen me aan, en de helft van wat ze zei, ging volledig langs me heen. Maar Caroline had meer in zich dan dat. Ik geloofde niet dat ze het type was dat alleen maar oppervlakkig leuterde. Volgens mij voelde ze aan dat ik moeite had met de omgeving en dat ik misschien wel zou instorten als ze vroeg hoe het met me ging.

In het Thaise restaurant zat ik aan het uiteinde van de lange tafel, en Caroline zat tegenover me. Ze dacht vast dat ik uit de buurt van de herrie wilde zitten, maar eerlijk gezegd was het gewoon te angstaanjagend om in een druk restaurant in het midden van een lange tafel gevangen te zijn. Aan het uiteinde, het dichtst bij de deur, met een oog op de nooduitgang, kon ik iedereen zien die binnenkwam voordat ze mij zagen. En ik kon me er verstoppen.

De meiden praatten ondertussen harder dan me nodig leek, en ze lachten zich gek om dingen die, dat weet ik zeker, helemaal niet grappig waren en dat ook nooit waren geweest. Ze waren een en al magere, slungelige armen, enorme oorbellen en supersteil glanzend haar. Zo was ik nooit geweest. Toch?

Robin vermaakte zich zo te zien kostelijk tussen Lucy en Diane in en recht tegenover het indrukwekkende decolleté van Alison. Hij had een lach die me door merg en been ging, en hij maakte vanavond meer kabaal dan ooit. Ik vond hem afstotelijk, met een glimmend gezicht en haar vol gel, kleffe handen en een grote, rode mond. Hij had die arrogante uitstraling die alleen mensen met een laag zelfbeeld hebben. Hij was echter niet bang om geld over de balk te smijten en kon heel attent zijn. De meiden waren allemaal dol op hem.

Hij had mij eens proberen te versieren, kort nadat ik er was begonnen. Hij had me in het nauw gedreven in de kopieerruimte en me gevraagd of ik na het werk wat met hem wilde gaan drinken. Het was me ondanks mijn paniek gelukt glimlachend te antwoorden: 'Nee, bedankt.' Ik wilde niet onderkoeld overkomen, maar dat was duidelijk wel het geval, want het volgende wat ik hoorde, was het gerucht dat ik lesbisch was. Daar kon ik wel om lachen. Het korte haar en het gebrek aan make-up zouden wel aan dat idee hebben bijgedragen. Ach, prima. Dat hield de brutale vertegenwoordigertjes tenminste uit mijn buurt.

Voor het hoofdgerecht, maar na nog een ronde drankjes, kwam de zak met kerstcadeaus tevoorschijn. Ik hoef natuurlijk niet uit te leggen dat Robin, die het heerlijk vond het middelpunt van de aandacht te zijn, voor Kerstman speelde.

Hij had een lichaam dat aangaf dat hij ooit veel had getraind, maar zich nu beperkte tot wekelijks een of twee wandelingetjes over de golfbaan. Ik denk dat je hem, als je zijn stem en zijn lach kon negeren, wel zou kunnen omschrijven als aantrekkelijk. Caroline had in mijn oor gefluisterd dat hij wat met Amanda had, een van de vertegenwoordigsters, en dat zijn huwelijk gevaar liep. Dat verbaasde me niet.

Het viel me op dat de aanwezigheid van Amanda hem er niet van weerhield met anderen te flirten, en hij leefde zich flink uit met de meiden aan zijn beide zijden, van wie de ene jong genoeg was om zijn dochter te zijn. Ze keek hem verlegen aan en ik vroeg me af of ze zichzelf later die avond met hem in een hotelkamer zou aantreffen.

Mijn kerstcadeautje lag op mijn placemat. Het was mooi ingepakt, wat een goed teken was. Ik vroeg me even af of iemand iets schunnigs voor me had gekocht, wat wel grappig zou zijn, maar het pakpapier suggereerde iets anders. Als ik wilde weten wat het was, moest ik het openmaken.

Het lachen, gieren en brullen rond de tafel vermengde zich met het geluid van scheurend papier. Iemand had Caroline een fles rode wijn gegeven: niet bepaald origineel, maar ze was er zo te zien best blij mee.

Zodra ik het papier van mijn cadeautje had gehaald, wenste ik met heel mijn hart dat ik het niet had opengemaakt.

In het pakje zaten een paar handboeien met roze donzig spul eromheen en een roodsatijnen babydolletje.

Mijn hart ging als een razende tekeer, maar om de verkeerde reden. Ik keek om me heen en zag dat Erin me aan de andere kant gespannen in de gaten hield, dus het geschenk moest van haar afkomstig zijn. Ik probeerde zo goed en zo kwaad als het ging te glimlachen, zei geluidloos: 'Dank je', stopte de spullen zorgvuldig terug in het papier en legde het pakje onder mijn stoel.

Ik weet niet welke van die twee dingen de oorzaak was. De roodsatijnen babydoll was mooi, van goede kwaliteit, en zou me perfect passen. Misschien dat die het niet was. Misschien kwam het door dat andere.

'Gaat het wel?' vroeg Caroline. Haar gezicht was roze en ze sprak een beetje met dubbele tong. 'Je ziet lijkbleek.'

Ik knikte; ik durfde niets te zeggen.

Even later vluchtte ik naar de toiletten. Ik had het cadeautje in mijn tas gepropt, en toen ik de deur openduwde, zag ik dat mijn hand beefde. Er was gelukkig verder niemand in de ruimte. Ik liep een hokje in en legde mijn handen tegen de deur, probeerde te ademen, probeerde te kalmeren. Mijn hart sloeg zo snel dat het wel leek of er niets anders op de wereld was dan het gebonk.

Ik trok de cadeaus uit mijn tas. Ik hoefde ze vanwege het pakpapier tenminste niet aan te raken, en de inhoud had mijn tas niet besmeurd, alleen het papier. Ik deed, nog bevend, de prullenbak open, trok mijn neus op in de plotselinge wolk van stank die daaruit kwam, en duwde het pakje in de prullenbak.

De opluchting was klein, maar onmiddellijk. Ik pakte mijn tasje, trok het toilet door en liep het hokje uit toen er drie meiden binnenkwamen, die hard praatten en lachten over ene Graham en wat een klootzak dat toch was. Ik waste mijn handen terwijl zij schreeuwend en lachend elk in een eigen hokje zaten te plassen. Ik waste mijn handen nog een keer. En een derde keer. Toen de drie toiletten simultaan werden doorgetrokken en de deuren van het slot werden gehaald, droogde ik mijn handen met een papieren handdoekje en vertrok.

De rest van de maaltijd verliep prima. Toen het eten eenmaal was geserveerd en ik iets te doen had, kwam ik een beetje tot rust. Iedereen zat tevreden en druk te kletsen, wat betekende dat ik de anderen kon observeren en uit het raam kon kijken.

Het was druk op straat; er passeerden groepjes mensen op weg naar de pub of een restaurant, de meesten vrolijk lachend. Het drong na een tijdje tot me door dat ik in de menigte op zoek was naar Stuart. Dat was geen goed teken. Ik concentreerde me op mijn tafelgenoten en deed mijn uiterste best bij het gesprek te worden betrokken.

Na het eten was het mijn bedoeling stiekem weg te glippen en naar huis te gaan, maar het liep heel anders.

'Ga je nog even mee wat drinken?' vroeg Caroline. 'Eentje maar, om mij een plezier te doen? We gaan naar de Lloyd George. Laat me alsjeblieft niet alleen met die kleuters.' Ze had haar arm al in de mijne gehaakt en leidde me weg van Talbot Street en mijn huis. Ik liet me ervandaan leiden. Ik weet niet waarom. Een deel van me had gewoon zin om tegen de drang te vechten. Ik wilde me herinneren hoe het was om vrij te zijn.

Het was warm in de Lloyd George, en in tegenstelling tot in de andere pubs was het er niet extreem druk. Het was ooit een theater geweest, en het hoge plafond en de balkons bovenin gaven de ruimte een vrolijke, open uitstraling. Ik bestelde een sinaasappelsap en stond met Caroline aan de bar terwijl ze vertelde over haar vakantie naar Florida en hoe goedkoop de benzine daar was geweest. Ik zag Stuart voordat hij mij zag – een fractie eerder; hij zag me naar hem kijken, en voordat ik de kans had om weg te kijken, had hij al naar me geglimlacht, zei iets tegen zijn vriend en kwam naar me toe.

'Hé, Cathy,' schreeuwde hij boven het geroezemoes uit, 'heb je een leuke avond?'

'Ja,' antwoordde ik. 'En jij?'

Hij trok een grimas. 'Ik vind het ineens veel leuker nu jij er ook bent. Ik verveelde me te pletter met Ralphie.' Hij wees met zijn bierflesje naar zijn voormalige gesprekspartner, een nerd met een bril en een sjaal in een ondefinieerbare kleur bruin, die nu deed alsof hij druk in gesprek was met degene die rechts van hem stond.

'Iemand van je werk?' vroeg ik.

Hij schoot in de lach. 'Mijn broertje.' Hij nam een grote slok. 'Hoe is je kerstfeestje?'

'Best leuk. Ik was al heel lang niet uit eten geweest.' Wat een achterlijke opmerking, dacht ik. Het probleem was dat ik deze angstige persoon niet was. Ik was iemand die gesprekjes met mensen aanknoopte. Ik was enthousiast, vriendelijk, praat-graag. Mijn mond houden was altijd zo moeilijk. Ik vroeg me af of het ooit vanzelfsprekend zou worden.

Robins bulderende lach klonk boven het rumoer uit en Stuart wierp een blik op hem. 'Hoort hij bij jullie?'

Ik knikte en trok een wenkbrauw op. 'Een enorme klootzak,' zei ik.

Er viel een korte stilte; we wisten allebei even niet wat we moesten zeggen.

Uiteindelijk bewoog hij zijn hoofd in de richting van Talbot Street en vroeg: 'Woon je al lang in deze buurt?'

'Ongeveer een jaar.'

Hij knikte. 'Ik vind het een fijn pand waar we wonen. Ik voel me er al helemaal thuis.'

Ik merkte dat ik naar hem glimlachte. Zijn groene ogen be-studeerden me en glinsterden jongensachtig. Ik had al in lang niemand ontmoet die zo enthousiast was. 'Fijn.'

Ik hoorde iemand boven de herrie uit schreeuwen: 'Stu!' We draaiden ons allebei om naar de deur, waar Ralphie naar hem stond te gebaren. Hij zwaaide terug.

'Ik moet ervandoor,' zei hij.

'Oké.'

'Misschien dat ik je later nog zie?' vroeg hij.

Een paar jaar geleden zou het antwoord op die vraag automatisch 'ja' zijn geweest. Dan zou ik de hele nacht op stap zijn gegaan, van het ene drankhol op weg naar het volgende, met vrienden die ik in de ene tent zou hebben achtergelaten en in de volgende weer zou hebben aangetroffen, geheel zorgeloos van pub naar pub en van club naar club. Iemand later nog eens tegenkomen kon enkel dat betekenen, of het kon betekenen dat je met hem zou flikflooien in een portiek, met hem naar huis zou wankelen en uren met hem zou neuken voordat je de volgende ochtend met knallende koppijn en een onbedwingbare drang om te kotsen wakker werd.

'Dat weet ik niet,' zei ik. 'Ik denk dat ik zo naar huis ga.'

'Zal ik even wachten? Dan loop ik met je mee.'

Ik probeerde aan zijn blik te zien of hij het meende, of hij me oprecht veilig naar huis wilde escorteren, of dat hij bedoelde dat hij met me mee zou lopen en we dan wel zouden zien wat er ging gebeuren.

'Dank je,' zei ik, 'maar dat komt wel goed. Het is niet bepaald ver. Veel plezier. Ik zie je wel weer.'

Hij aarzelde even, glimlachte toen, leunde een beetje over me heen om zijn lege flesje op de bar te zetten en liep achter Ralph aan de avondlucht in.

'Was dat je vriend?' vroeg Caroline, die zich van de bar afwendde.

Ik schudde mijn hoofd.

'Jammer,' zei ze. 'Leuke vent. En hij ziet je overduidelijk helemaal zitten.'

'Denk je?' zei ik, en ik vroeg me af of dat een goed of een slecht teken was.

Ze knikte wild met haar hoofd. 'Dat zie ik altijd meteen. Ik zag het aan hoe hij naar je keek. Waar ken je hem van?'

'Hij woont in hetzelfde pand als ik. Hij heet Stuart.'

'Nou,' zei ze, 'als ik jou was, zou ik er werk van maken. Voordat iemand anders het doet.'

Ik keek toe hoe de anderen discussieerden over waar ze de rest van de avond naartoe zouden gaan. Ze wilden of een taxi rechtstreeks naar het West End, of eerst nog een borrel in de Red Lion, aangezien Erin blijkbaar op een van de barmannen daar viel. Hoe dan ook, ik zou niet met ze meegaan. En ik ging al helemaal niet naar de Red Lion. Daar stonden portiers.

We stroomden de straat op en liepen door de drukte richting de Red Lion en Talbot Street, waar ik van plan was af te haken op weg naar huis. Ik liep opzettelijk langzamer dan de rest, zodat het niet zou opvallen als ik 'm zou smeren.

Ik hoorde een geluid achter me, een schreeuw.

Het was Robin, die de Lloyd George uit kwam rennen terwijl hij ondertussen zijn gulp dichtknoopte. Hij had Diane en Lucy blijkbaar opgegeven, want om de een of andere reden had hij het nu op mij voorzien. 'Ca-thy,' ademde hij in een wolk van bier, whisky en groene curry over me heen. 'Had ik al gezegd hoe geweldig je er vanavond uitziet?'

Hij gooide een arm over mijn schouder. Hij was zo dicht bij me dat ik zijn lichaamswarmte voelde. Ik dook onder zijn arm vandaan en versnelde mijn pas om de anderen in te halen. Ik wilde geen antwoord geven, vertrouwde mijn eigen reactie niet.

'Wat is er, schat? Praat je niet meer tegen me?'

'Je bent dronken,' zei ik zacht terwijl ik naar Carolines rug staarde, in de hoop dat ze zich zou omdraaien, me zou komen redden.

'Nou, lieverd,' zei hij nadrukkelijk, 'natuurlijk ben ik dronken, het is niet voor niets kerstfeest, toch? Dat is het hele fucking idee.'

Ik bleef staan en keek hem aan. Ergens diep in me had de angst plaatsgemaakt voor boosheid. 'Ga alsjeblieft iemand anders lastigvallen, Robin.'

Hij bleef ook staan, en zijn aantrekkelijke gezicht vertrok tot een grimas. 'Frigide koe,' zei hij hard. 'Ik durf te wedden dat jij alleen nat wordt voor je vriendinnetje.'

Dat bracht, om de een of andere onverklaarbare reden, een glimlach op mijn gezicht.

Hoe dan ook, het was voor hem precies de verkeerde reactie. Voordat ik wist wat me overkwam had hij me een harde duw gegeven, waardoor ik naar achteren tegen een muur tuimelde. Zijn hele lichaam drukte hij tegen me aan, mijn adem stootte in één keer uit mijn longen en ik kon niet inademen omdat hij zo zwaar tegen me aan hing; toen was zijn gezicht tegen het mijne, zijn mond op de mijne, zijn tong in mijn mond.

MAANDAG 17 NOVEMBER 2003

Het was bijna middernacht toen Lee eindelijk kwam opdagen. Hij had gezegd dat hij er om acht uur zou zijn, of rond acht uur, en daarna had ik niets meer gehoord: geen telefoontje, geen sms, helemaal niets tot bijna twaalf uur. Ik was om elf uur, kwaad, bijna uitgegaan, maar had in plaats daarvan besloten naar bed te gaan. Ik had de hele avond gevochten tegen de aandrang hem te bellen en te vragen waar hij bleef, maar in plaats daarvan had ik opgeruimd, de badkamer schoongemaakt, wat vrienden gemaild terwijl ik gestaag steeds kwader werd.

Tot er werd aangeklopt.

Ik lag in bed naar het plafond te staren en wist niet zeker of ik het goed had gehoord tot ik een tweede klop hoorde, deze iets harder. Ik overwoog hem te negeren; dat zou zijn verdiende loon zijn, dan had hij me maar niet zo moeten laten zitten! En trouwens, ik had mijn pyjama al aan.

Ik wachtte even. Er werd niet meer geklopt, maar ik kon niet blijven liggen. De woede voelde als een gewicht in mijn maag. Ik stapte zuchtend uit bed, liep de trap af en deed het licht in de hal aan. Ik opende de voordeur en oefende in mijn hoofd wat ik voor onaardigs ging zeggen.

Bloed op zijn gezicht.

'O, mijn god! O shit, wat is er gebeurd?' Ik rende op blote voeten naar buiten, voelde aan zijn wang, aan zijn gezicht, en merkte dat hij huiverde.

'Mag ik binnenkomen?' vroeg hij met een onbeschaamde glimlach.

Hij was verre van dronken, wat mijn eerste gedachte was geweest. Hij was heel anders gekleed dan de laatste keer dat ik hem had gezien. Hij droeg een oude spijkerbroek, een overhemd dat ooit lichtblauw kon zijn geweest, maar nu vol vlekken zat van bloed en smeer, een rafelig bruin jack en gympen die zo te zien jaren oud waren. Maar ik rook geen alcohol, alleen zweet, vuil, en de koude buitenlucht.

Mijn tweede gedachte, die ik verbaal tot uiting bracht, was: 'Wat is er in godsnaam met jou gebeurd?'

Hij gaf geen antwoord, maar daar kreeg hij ook weinig kans toe, want ik sleepte hem al naar binnen, zette hem op de bank, rende rond om Dettol, watten, een bak warm water en een handdoek te pakken. Ik depte in het semiduister, in het licht uit de gang, het bloed rond zijn oog weg en voelde aan de bult onder zijn huid. Bloed stroomde uit een snee in zijn wenkbrauw.

'Ga je het me nog vertellen?' vroeg ik zacht.

Hij staarde me aan en streelde over mijn wang. 'Je bent zo mooi,' zei hij. 'Het spijt me dat ik zo laat ben.'

'Lee, alsjeblieft. Wat is er gebeurd?'

Hij schudde zijn hoofd. 'Dat kan ik je niet vertellen. Het enige wat ik kan zeggen, is dat het me spijt dat ik er om acht uur niet was. Ik heb van alles geprobeerd om je te kunnen bellen, maar dat is niet gelukt.'

Ik liet zijn gezicht los en keek hem aan. Zo te zien sprak hij over dat bellen in ieder geval de waarheid.

'Het is al goed,' zei ik. 'Je bent er nu.' Ik drukte zacht een wat-

tenschijfje tegen zijn wenkbrauw. 'Maar het eten is verpieterd.'
Hij schoot huiverend in de lach.

'Doe je overhemd eens omhoog,' droeg ik hem op, en toen hij dat niet onmiddellijk deed, begon ik de knoopjes los te maken en trok het open. Zijn borstkas was rood en geschaafd, de blauwe plekken zou je pas later gaan zien. 'Jezus,' zei ik, 'je zou bij de spoedeisende hulp moeten zitten in plaats van bij mij.'

Zijn handen gingen naar mijn rug en trokken me naar hem toe. 'Ik ga helemaal nergens naartoe.'

Zijn kus begon zacht, maar dat was maar heel even. Toen werd hij fel en hard, en ik kuste hem nog harder terug. Zijn handen gingen door mijn haar, trokken mijn gezicht naar het zijne. Ik maakte me even later van hem los, maar alleen om mijn shirt uit te trekken.

Voor een eerste keer was het niet heel bijzonder. Hij rook naar motorolie en smaakte naar oude oploskoffie; zijn gezicht was ruw van de stoppels en hij voelde zwaar op me, maar toch verlangde ik hevig naar hem. Hoewel hij leek te zijn vergeten dat een condoom misschien een goed idee was, had ik geen zin erover te beginnen; het ging snel en onhandig, een kluwen van benen en armen, van kleren die in de weg zaten. Zijn ademhaling was snel en luidruchtig, en een paar minuten later trok hij zich uit me terug en kwam klaar op mijn buik.

Ik zag in het halfduister hoe zijn blauwe ogen zich met tranen vulden, hoorde hem naar adem snakken, de snik, trok hem tegen me aan en drukte mijn hoofd tegen het zijne. Ik voelde warme druppels op mijn borst en wist niet of het tranen of bloeddruppels waren. 'Sorry,' zei hij. 'Het is allemaal zo'n puinhoop. Ik wilde niet dat het zo zou zijn. Ik wilde het goed doen. Maar zo gaat het altijd: uiteindelijk verziek ik altijd alles.'

'Lee,' zei ik, 'het is goed. Echt.'

Toen hij weer wat was gekalmeerd, liet ik hem op de bank achter en ging theezetten en toast maken. Hij at alsof hij in geen weken had gegeten, terwijl ik tegenover hem zat en naar hem keek, me afvroeg wat er was gebeurd en hoe ik hem zo ver zou krijgen mij erover te vertellen. Daarna nam ik hem mee onder de douche, waar ik hem goed schoonspoelde. Hij stond met gesloten ogen half tegen de muur geleund terwijl ik met een spons het vuil van zijn nek en rug veegde. Zijn rechterschouder was helemaal geschaafd, alsof hij uit een rijdende auto op het asfalt was gegooid. Zijn rechterhand was dik en zijn knokkels waren kapot; het gevecht waarin hij terecht was gekomen was duidelijk niet alleen voor hem pijnlijk geweest. De dieprode vlekken onder zijn linkerarm liepen helemaal door tot op zijn onderrug. Misschien had hij wel een paar ribben gebroken. Ik waste zijn haar en spoelde het zeepwater met de douchekop naar achteren weg, uit zijn ogen. Boven zijn rechteroor zat een heleboel bloed in zijn haar, hard geworden in een klont, maar ik zag geen duidelijke wond. Wat het ook was, het kwam los, spoelde in het putje, en toen was het weg.

ZATERDAG 24 NOVEMBER 2007

Ik duwde zo hard ik kon en voelde een gil in me die niet naar buiten kwam. Pure doodsangst deed mijn hart op hol slaan, ik probeerde mijn knie naar zijn kruis op te heffen; en toen werd hij ineens met een grom van me weggetrokken.

Het enige wat ik zag, was een man die Robin aan zijn nek van me losrukte en hem zo'n harde duw gaf dat hij viel. 'Oprotten,' zei een stem. 'Donder op voordat ik je een knal verkoop.'

'Oké, oké, rustig maar. Geen probleem.' Robin kwam moeizaam overeind, veegde zijn broek af en rende achter de rest aan, van wie niemand iets had opgemerkt.

Het was Stuart.

Ik stond als aan de grond genageld met mijn rug tegen de smerige muur, mijn ademhaling oppervlakkig, mijn handen in stijve vuisten gebald. Mijn vingers begonnen al te tintelen. Ik voelde het over me heen komen en vocht er zo hard tegen als ik kon. Ik had geen enkele behoefte om 's avonds om elf uur op High Street een paniekaanval te krijgen.

Hij liep naar me toe, maar kwam niet te dichtbij. Hij stond zo dat het licht uit de etalage van het makelaarskantoor op zijn gezicht viel en ik zag dat hij het was. 'Gaat het? Domme vraag, natuurlijk niet. Haal even diep adem... Kom, adem maar met me mee.'

Hij legde een hand op mijn bovenarm en negeerde dat ik terugdeinsde. Hij dwong me hem aan te kijken. 'Diep inademen en dan je adem vasthouden. Kom op. Adem in... en hou vast.' Zijn stem was kalm, geruststellend, maar het hielp niet.

'Ik moet naar huis, ik...'

'Wacht heel even. Je móét op adem komen.'

'Ik...'

'Ik ben bij je. Het is goed. Die idioot komt niet terug. En nu langzaam inademen, kijk, dan doen we het samen. Kijk maar naar mij. Goed zo.'

Dus stond ik stil en concentreerde me op mijn adem. Ondanks alles, ondanks de doodsangst en de shock voelde ik dat mijn hartslag een beetje vertraagde. Maar het beven hield aan.

Zijn bestendige, vastberaden oogcontact was tegelijk verontrustend en geruststellend.

'Zo, dat is al veel beter,' zei hij na een paar minuten. 'Kun je lopen?'

Ik knikte, ik durfde niets te zeggen en begon te lopen. Mijn benen trilden en ik struikelde.

'Kom,' zei hij, en hij bood me een arm aan.

Ik aarzelde even en voelde de angst terugkomen. Ik wilde wegrennen, ik wilde keihard wegrennen en niet meer omkijken. Maar toen pakte ik toch zijn arm en begonnen we aan de wandeling naar Talbot Street.

Er stopte ineens een politieauto naast ons, en een lange, slanke agent stapte uit. 'Wacht eens even,' zei hij tegen ons.

Het beven werd erger.

'Gaat het?' vroeg Stuart.

'We zagen u op camerabeelden,' zei de agent tegen me. Zijn radio, die met een clip aan zijn kogelvrije vest zat, piepte en praatte tegen zichzelf. 'We zagen dat u werd lastiggevallen. Gaat het?'

Ik knikte geestdriftig.

'U staat een beetje onvast op uw benen,' zei de agent, en hij keek me twijfelend aan. 'Hebt u veel gedronken?'

Ik schudde mijn hoofd. 'Ik heb het alleen... koud,' zei ik klappertandend.

'Kent u deze meneer?' vroeg de agent me.

Ik knikte nogmaals.

'Ik breng haar wel naar thuis,' zei Stuart. 'Hier om de hoek.'

De agent knikte en bestudeerde ons allebei. De andere agent, die in de auto was blijven zitten, riep: 'Rob, we moeten gaan.'

'Weet u zeker dat het gaat?' vroeg hij, maar hij was alweer half ingestapt, en een seconde later begon de sirene te blèren, waarvan ik vreselijk schrok.

We liepen verder. Ik had niets sterkers dan vruchtensap gedronken, maar ik had bij elke stap die ik nam het gevoel dat de grond onder me bewoog.

'Dus je bent niet zo dol op de politie,' zei Stuart. Het was geen vraag.

Ik gaf geen antwoord. Tranen biggelden de een na de ander over mijn wangen. Ik was in paniek geraakt door hem alleen al te zien, met die handboeien aan de voorkant van zijn kogelvrije vest, en toen die sirene ineens had geklonken was ik er bijna in gebleven.

Tegen de tijd dat we de voordeur hadden bereikt, moest Stuart me zo ongeveer overeind houden. Ik had zijn arm vast als een reddingslijn, durfde niet los te laten. 'We gaan naar boven en dan zet ik een kop thee voor je,' zei hij.

Zodra de voordeur achter ons dicht was, liet ik hem los. Omdat hij erbij was, controleerde ik maar één keer. Ik trok het haakje opzij en liet het weer los, trok aan de deur, en nogmaals, hoorde hem rammelen, ging met mijn vingers langs de rand waar de deur in de sponning viel, controleerde of hij niet nog open was. Ik wilde het ritueel eigenlijk nog een keer uitvoeren, maar Stuart stond naar me te kijken. Het lukte me om een zwakke glimlach op mijn gezicht te toveren.

'Dank je. Ik red het verder wel.'

Ik wachtte tot hij de trap op zou lopen, zodat ik de deur nogmaals kon controleren, maar hij bleef staan.

'Alsjeblieft. Kom nou even een kop thee drinken. Dan laat ik mijn deur open zodat je weg kunt als je wilt. Oké?'

Ik staarde hem aan. 'Het gaat prima, dank je.'

Hij vertrok geen spier.

'Alsjeblieft Stuart, ga maar gewoon terug naar je vrienden. Het gaat goed met me, echt.'

'Kom nou even thee drinken. Deze deur zit dicht, dat heb je gecontroleerd. Je bent veilig.' Hij stak zijn hand naar me uit en wachtte tot ik hem zou aanpakken.

Dat deed ik niet, maar het lukte me wel om een tweede controle achterwege te laten. 'Oké. Dank je.'

Je bent veilig? Wat raar om dat te zeggen, dacht ik terwijl ik achter hem aan de trap op liep. Ik kon terwijl we hem passeerden niet naar mijn eigen voordeur kijken, want als ik dat deed, zou ik de drang niet kunnen weerstaan om hem te controleren. Zoals het er nu voorstond, wist ik dat ik die nacht niet zou kunnen slapen.

Toen we in zijn appartement waren, deed Stuart alle lichten aan en zette in de keuken een ketel water op. Links van de open keuken was een grote woonkamer met aan de voorkant van het huis twee grote schuiframen. Er stonden groene planten met veel blad op de vensterbank. Ik liep ernaartoe en keek naar buiten. Ondanks de duisternis was er goed zicht op High Street, waar groepjes mensen nog steeds zorgeloos over straat liepen.

Je kon van hier de daken van de huizen aan de overkant zien, en de oranje straatlantaarns van Londen, tot aan de Theems, met in de verte de lichten van Canary Wharf, die aan- en uitgingen, en daarachter de verlichte Dome, die wel een geland ruimtevaartuig leek.

Hij zette een mok thee voor me op de salontafel en ging in een van de leunstoelen zitten. 'Hoe voel je je nu?' vroeg hij vriendelijk.

'Het gaat wel,' loog ik klappertandend. Ik ging op de bank zitten, die laag en diep was, en verrassend lekker zat. Hij ondersteunde mijn knieën heel prettig. Ik was ineens doodmoe.

'Weet je zeker dat je het redt in je eentje?' vroeg hij.

'Tuurlijk,' zei ik.

Hij aarzelde en nam een slok. 'Roep je me als je voelt dat je een paniekaanval krijgt? Klop je dan op mijn deur?'

Daar dacht ik even over na zonder antwoord te geven. Dat lijkt me heerlijk, wilde ik zeggen, want ik wist maar al te goed dat hij gelijk had, dat ik later die avond gegarandeerd een paniekaanval zou krijgen, en ik wist ook heel goed dat een kudde olifanten me dan nog niet uit mijn appartement zou kunnen sleuren.

Ik had het gevoel dat mijn handen voldoende waren gekalmeerd om de mok te pakken en een slok thee te nemen, wat ik deed. De thee was heet, en tot mijn verbazing best lekker. Niet genoeg melk, maar wel genoeg om hem drinkbaar te maken.

'Het spijt me,' zei ik.

'Het hoeft je niet te spijten,' antwoordde hij. 'Echt niet. Het was niet jouw schuld.'

Door die woorden sprongen er weer tranen in mijn ogen. Ik zette de mok neer en sloeg mijn handen voor mijn gezicht. Ik verwachtte half dat hij naar me toe zou komen, me zou vasthouden, en ik zette me schrap, maar hij bewoog niet. Even later deed ik mijn ogen weer open en trof een doos tissues op het tafeltje aan. Ik lachte kort, pakte er een en veegde mijn gezicht af.

'Je hebt ocd,' hoorde ik hem zeggen.

Ik vond mijn stem terug. 'Inderdaad. Fijn dat je me daar even op wijst.'

'Krijg je hulp?'

Ik schudde mijn hoofd. 'Wat heeft dat voor zin?' Ik wierp hem een blik toe en hij zat uitdrukkingsloos naar me te kijken.

Hij haalde zijn schouders een beetje op. 'Misschien dat het je wat meer vrije tijd zou opleveren?'

'Ik heb geen behoefte aan meer vrije tijd, dank je. Ik heb niet bepaald een drukke agenda.'

Het drong tot me door dat ik waarschijnlijk wat vijandig begon te klinken, dus nam ik nog een slok thee om te kalmeren. 'Het spijt me,' zei ik nogmaals. 'Het was niet mijn bedoeling te gaan snauwen.'

'Dat geeft niet,' zei hij. 'Je hebt gelijk, het zijn mijn zaken niet. En het was heel lomp van me om erover te beginnen.'

Ik glimlachte zwakjes. 'En wat ben jij? Een of andere psychiater?'

Hij schoot in de lach en knikte. 'Zoiets. Ik werk in het Maudsley-ziekenhuis.'

'Als wat?'

'Klinisch psycholoog. Ik werk op een diagnostiekafdeling en behandel poliklinische cliënten. Ik ben gespecialiseerd in depressie, maar heb vrij veel ervaring met mensen met ocd.'

O shit, dacht ik. Fijn. Nu wist iemand hier dat ik gek aan het worden was. Ik zou moeten verhuizen.

Hij dronk zijn thee op, stond op en bracht zijn mok naar de keuken. Toen hij terugkwam, had hij een papiertje in zijn hand, dat hij voor me op tafel legde.

'Wat is dat?' vroeg ik achterdochtig.

'De laatste keer dat ik erover begin, dat beloof ik. Het is de naam van een collega. Als je van gedachten verandert en toch advies wilt, of hulp wilt, kan de ggz je doorverwijzen. Hij is een goeie vent. En hij is gespecialiseerd in ocd.'

Ik pakte het papiertje. Er stond in keurige letters ALISTAIR HODGE op. En daaronder STUART, met een mobiel nummer.

'Dat is mijn nummer,' zei hij. 'Als je een paniekaanval krijgt, mag je me bellen. Dan kom ik naar beneden om even bij je te zitten.'

Tuurlijk, dacht ik, alsof dát ooit gaat gebeuren.

'Ik kan niet naar iemand toe. Echt niet. Hoe moet het dan met mijn werk? Als ze erachter komen dat ik gek ben, krijg ik nooit promotie.'

Hij glimlachte. 'Je bent helemaal niet "gek". Er is geen enkele reden waarom je werkgever erachter zou komen. En zelfs als je beslist om niet naar iemand toe te gaan, is er een heleboel wat je zelf kunt doen wat misschien kan helpen. Ik kan wel een paar boeken aanraden. Of je kunt een ontspanningscursus doen, dat soort dingen. En dat zal allemaal nooit in je dossier komen.'

Ik draaide het papiertje in mijn hand om. 'Ik zal erover nadenken.'

Er klonk een politiesirene op straat. 'Dan ga ik maar eens naar huis,' zei ik.

Ik stond op en liep naar de voordeur. Hij stond nog open, zodat ik gemakkelijk naar de gang kon. 'Dank je,' zei ik, en ik draaide me naar hem om. Ik voelde even de behoefte hem te omhelzen. Ik was nieuwsgierig hoe het zou zijn om zijn armen om me heen te voelen, of het veilig zou voelen of niet. Maar ik voelde de druk van Robins lichaam nog tegen me aan, en dat hield me tegen.

'Mag ik je iets vragen?'

'Tuurlijk,' zei hij.

'Kun jij het niet doen? Kun jij me niet behandelen?'

Hij glimlachte. Ik stond op de gang, hij in zijn appartement, de afstand tussen ons behouden. 'Belangenverstrengeling,' zei hij.

Ik moet er verward uit hebben gezien.

'Als we vrienden worden,' zei hij, 'ben ik te nauw bij je betrokken. Dat zou niet professioneel zijn.'

Voordat ik kans had daarop te reageren, had hij al naar me geglimlacht, me goedenacht gewenst en de deur gesloten. Ik liep naar beneden, helemaal naar de voordeur van het pand en begon aan mijn controle.

MAANDAG 17 NOVEMBER 2003

Vroeg in de ochtend, net voordat het licht begon te worden en ik bijna in slaap viel, ging hij dichter tegen me aan liggen; hij knarsetandde van de pijn.

'Catherine,' fluisterde hij vlak bij mijn oor.

'Mm?'

Een stilte. Ik opende mijn ogen en zag zijn vorm, vlak bij me. 'Ik heb tegen je gelogen,' zei hij.

Ik probeerde te gaan zitten, maar hij hield me tegen. 'Luister, alsjeblieft. Ik heb tegen je gelogen over mijn werk. Ik werk niet alleen als portier bij de River. Ik doe ook andere dingen.'

'Wat voor andere dingen?' mompelde ik.

'Dat kan ik je niet vertellen, nog niet. Het spijt me, en ik beloof je dat ik nooit meer tegen je zal liegen.'

'Waarom kun je het niet vertellen?'

'Om een heleboel redenen.'

'Kun je het me ooit vertellen?'

'Ik denk het wel. Maar nu nog niet.'

'Is het iets ergs?'

'Soms.'

Er viel een stilte. Ik voelde zijn hand over mijn haar strelen, hij veegde het onvoorstelbaar teder uit mijn gezicht.

'Alles wat je me verder vraagt, vertel ik je,' zei hij.

'Ben je getrouwd?'

'Nee.'

'Heb je een relatie?'

'Nee.'

Over de volgende vraag dacht ik even na. 'Krijg ik er spijt van dat ik voor je ben gevallen?'

Hij lachte kort en kuste heel zacht mijn wang. 'Waarschijnlijk wel. Verder nog iets?'

'Ben je een goed of een slecht mens?'

'Dat hangt af van de vraag of jij een goede of een slechte vrouw bent.'

Dat overwoog ik, en ik concludeerde dat het een slim antwoord was.

'Zul je regelmatig gewond bij mij op de stoep staan?'

'Dat hoop ik niet.'

'Wat is er met die andere vent gebeurd?'

'Welke andere vent?'

'De vent met wie je hebt gevochten.'

Een stilte. Toen: 'Die ligt in het ziekenhuis.'

'O.'

'Maar het komt wel goed.'

'Kan ik je aan mijn vrienden voorstellen?'

'Nog niet. Maar ik denk wel binnenkort. Als jij dat wilt.'

Zijn hand gleed over mijn wang, mijn hals en mijn naakte lichaam, zacht, teder. 'Verder nog vragen?'

'Zou je nog eens met me willen vrijen?'

Zijn mond tegen de mijne. 'Ik denk dat dat wel gaat lukken.'

ZATERDAG 24 NOVEMBER 2007

De paniekaanval kwam die nacht iets voor vier uur. Ik had geprobeerd in slaap te vallen, maar dat was natuurlijk niet gelukt. Ik lag er op bed aan te denken en probeerde er tegelijk niet aan te denken. Ik had mezelf in een gevaarlijke positie gebracht door uit te gaan. Mijn appartement voelde aangerand, zoals ik mezelf aangerand voelde, ook al was het buiten op straat gebeurd. Ik voelde zijn aanwezigheid overal. Er was maar één ding waardoor ik me misschien beter zou voelen, dus stond ik op en begon te controleren.

De eerste ronde maakte de paniek er niet minder op. Het drong tot me door dat het kwam doordat ik me nog steeds vervuild voelde door hem, dus trok ik al mijn kleren uit en deed ze in een zwarte vuilniszak. Ik leegde mijn handtas op de keukentafel en stopte de tas ook in de vuilniszak. Ik zette de vuilniszak op de overloop.

Ik ging onder de douche staan en schrobde mezelf van top tot teen schoon, probeerde het gevoel van Robin van me af te wassen. Tegen de tijd dat ik klaar was, was mijn huid rood. Ik poetste mijn tanden tot mijn tandvlees bloedde, gorgelde met mondwater en trok een schone joggingbroek met een sweater aan.

Daarna controleerde ik nogmaals het appartement. Het had geen enkel effect. Een halfuur later, toen ik weer op de toiletbril stond om dat stomme badkamerraam te controleren dat niet eens open kan, besefte ik dat ik me nog steeds smerig voelde. Het waren de tranen die over mijn wangen stroomden, die mijn verhitte gezichtshuid bevuilden.

Ik kleedde me weer uit. De kleren die ik net schoon had aangetrokken, verdwenen in de wasmand.

Weer onder de douche. Ik bleef er een heel halfuur onder staan, liet het water over mijn huid stromen, me ervan bewust dat het prikte van de vorige keer, en ik probeerde mezelf wijs te maken dat dat betekende dat ik schoon was.

Er is niets van hem achtergebleven, zei ik tegen mezelf. Hij is weg, hij heeft geen sporen achtergelaten. Hij is níét hier.

Ik was nog steeds niet schoon. Ik pakte mijn nagelborstel en de antibacteriële zeep en begon nogmaals te schrobben. Tegen de tijd dat ik deze keer klaar was, stroomde er roze water het afvoerputje in. Dat bracht herinneringen naar boven, vaag en pijnlijk, als een oude wond.

Ik zat op de rand van het bad, in een tweede schone handdoek gewikkeld, bijna te moe om weer opnieuw te beginnen, maar in de wetenschap dat het moest.

Toen ik klaar was met het hele ritueel, alweer, trok ik een schoon shirt en een schone legging uit de kast aan. Dit was een heftige. Ik zat klem. De drang om het nog een keer te doen, en goed, nog één keer, om het zeker te weten, om echt honderd procent zeker te weten dat het appartement veilig was, was overweldigend.

Ik had het koud, ik rilde, en de kleding aan mijn lichaam schuurde, irriteerde, stelde niet gerust.

Ik deed het enige wat ik kon doen: ik liep terug naar de deur van mijn appartement en begon.

Om halfacht was ik fysiek zo uitgeput dat ik niet meer kon. Ik wist de paniek enigszins te bezweren door thee voor mezelf te zetten. Ik zat bibberend op de bank met de mok in mijn handen. Ik wist wat er zou komen, maar probeerde het niettemin op afstand te houden. Er was niets op de televisie wat het kijken waard was op dat achterlijke uur, dus keek ik naar de herhaling van een of andere show. Mijn ogen voelden droog en mijn huid was strak en pijnlijk. Het geluid van de stemmen was verrassend geruststellend. Misschien zou dit helpen.

Toen het rillen ophield nam de vermoeidheid het over en dutte ik even in. Het volgende waar ik me bewust van werd, was dat ik wakker werd van het geluid van een sirene.

De show was afgelopen en er was zo'n reallifepolitieprogramma begonnen. Overal sirenes. Het is maar televisie, zei ik tegen mezelf, maar het was al te laat. Het lukte me om de afstandsbediening te pakken en de televisie uit te zetten.

Ik krulde me op in een hoek van de bank en probeerde niet te hard te ademen, zodat ik de geluiden in het appartement kon horen. Het rillen was nu erger, en ik had overal kippenvel, tot aan mijn hoofdhuid toe.

Had ik over hem gedroomd, of was hij echt hier? Ik zag alleen hem, zijn hele gewicht op me terwijl hij me in bedwang hield. Ik zag de handboeien, die mijn huid al kapot hadden gemaakt, in mijn opgezwollen polsen snijden. Zijn geur: oude alcohol, die hij in mijn open mond ademde.

Dit is niet echt. Hij is niet echt...

Toen ik mijn ogen opendeed, dacht ik dat ik Robins gezicht zag; hij was ergens in mijn appartement, verstopte zich. Hij wachtte tot ik weer in slaap zou vallen.

Toen het beven en huilen eindelijk afnam, was het klaarlichte dag. Ik voelde me volledig ontredderd, uitgeput, te bang om te slapen. Ik dwong mezelf op te staan en me uit te rekken. De drang om het appartement te controleren was sterk, maar ik was te moe, te stijf. Ik kon me nauwelijks bewegen.

Ik strompelde naar de keuken; ik rilde nu meer van de kou dan van de paniekaanval. Ik deed de verwarming aan en zette water op.

De tuin onder mijn keukenraam was kaal en grijs; het gras was het enige met wat kleur. De bomen waren nu allemaal kaal, en bruine, rottende bladeren lagen opgehoopt in de hoeken tegen de tuinmuur. De wind deed de boomtoppen bewegen; als ik ze van waar ik stond had kunnen horen, zou het een ratelende zucht zijn. De fluitketel bulderde in de stilte en mijn ogen voelden droog en rauw alsof ze nooit meer zouden kunnen huilen. Zo te zien was het koud buiten. Ik gaapte.

Ik liep met mijn thee naar de slaapkamer, waar ik de gordijnen helemaal opentrok zodat ik de boomtoppen kon zien bewegen als ik in bed ging liggen.

Ik keek naar de bewegende takken en de grijze wolken die zich vrolijk door de lucht haastten. De takken zwaaiden naar me terwijl ik ellendig en kapotgeschrobd boven op mijn dekbed lag.

Het enige wat ik moet doen, is in leven blijven.

Toen ik de volgende ochtend om zeven uur wakker werd van de wekker was hij al vertrokken.

Douchen was over het algemeen het enige waarvan ik echt wakker werd, en ik schoot van de paradijselijke warmte na een goede vrijpartij in een soort misselijkmakend ongemak, alsof ik aan de dronken kant van aangeschoten was geweest en me had misdragen. Dat was natuurlijk niet het geval, ik had de avond ervoor helemaal niet gedronken en ik kon me ieder heerlijk detail herinneren van de seks waarmee we het grootste deel van de donkere uren hadden gevuld. Maar toch kon ik in de reinigende warmte van de douche, met de bekende geur van shampoo en zeep die me op een of andere manier weer met beide voeten in het echte leven deed belanden, het eerdere deel van de nacht niet uit mijn hoofd krijgen. Wat was er in godsnaam gebeurd?

Ik ging naar mijn werk en ploeterde op een paar klussen die al een tijdje lagen te wachten, probeerde mijn hoofd vrij te maken van de vermoeidheid die het resultaat is van weinig slaap en heel veel seks. Toen het me net was gelukt niet aan hem te denken, piepte mijn mobieltje op mijn bureau dat er een sms was: SORRY VAN VANNACHT. HEEFT VAST GEEN GOEDE INDRUK GEMAAKT. VERGEEF JE ME?

Ik liet mijn telefoon even liggen en overwoog mijn antwoord. Als ik mijn ogen sloot, zag ik zijn gezicht voor me op het kussen naast me, in het licht van het nachtlampje, zijn blonde haar dat glansde in het licht, die blauwe ogen die me donker bestudeerden en iets uitstraalden wat ik niet begreep. Die donkerrode plek rond zijn oog, de zwelling onder zijn wenkbrauw, de kapotte huid. En het feit dat hij ondanks alles nog lachte. AL GOED.

Ik zat minutenlang naar mijn antwoord te staren, dacht na over wat ik precies wilde zeggen. Al goed, maak je geen zorgen, voel je vrij om aan te kloppen in welke vorm dan ook? Al goed, leuk dat je er was? Al goed, de seks dan, de rest weet ik zo net niet?

Uiteindelijk wiste ik mijn antwoord en reageerde helemaal niet. Zoals mijn leraar Engels altijd zei: Als je niet weet wat je moet zeggen, zwijg dan.

MAANDAG 26 NOVEMBER 2007

Ik ging die maandag zoals altijd naar mijn werk: de ene voet voor de andere, zo moe dat ik me nauwelijks kon herinneren welke routes ik de week daarvoor had genomen. Mijn bus stopte anderhalve kilometer verderop en ik was al laat. Ik probeerde me te haasten, maar mijn voeten werkten niet mee. Ik had zaterdagavond voor het laatst contact met Stuart gehad. Voor hetzelfde geld zat hij nog in zijn appartement en was hij de hele zondag binnen gebleven. Ik hoorde soms geluiden van boven, een zachte bal, een kastdeur, badwater dat door de afvoer liep. Maar vaker hoorde ik helemaal niets.

Caroline kwam om elf uur naar mijn werkplek.

'Zullen we koffiedrinken?' vroeg ze opgewekt.

Ik vroeg me af hoeveel zij dat weekend had geslapen. 'Misschien straks, ik wil dit eerst afmaken.'

'Jezus, wat zie jij er belazerd uit. Ik dacht dat je helemaal niet zoveel had gedronken.'

Ik schoot in de lach. 'Dank je.'

'Gaat het wel, Cathy? Je was zaterdag ineens verdwenen. Robin zei dat je iets had gezegd over vroeg naar bed gaan.'

'Ja, ik voelde me niet, ik bedoel... Ik weet het niet. Ik ben niet zo'n feestbeest.'

Ze glimlachte. 'Het is wel een luidruchtig stel, hè? De meiden, bedoel ik. Maar jij hebt geen excuus, hoor. Je bent jonger dan ik. Hoe oud ben je eigenlijk? Vijfendertig? Geen enkel excuus.'

Achtentwintig, wilde ik zeggen, maar ach, het maakte niet uit hoe oud ik was. Ik zou net zo goed zestig kunnen zijn.

'Kom je zo dan naar me toe? Ik wil alles weten over die sexy bovenbuurman.' Ze knipoogde en liep weg.

Ik was als de dood dat ik Robin tegen het lijf zou lopen. Hij werkte godzijdank het grootste deel van de tijd op een andere locatie. Als ik geluk had, zou ik hem maanden niet tegenkomen.

Ik keek uit het raam en dacht aan de bovenbuurman.

VRIJDAG 28 NOVEMBER 2003

Toen ik in het Paradise Café arriveerde, zat Sylvia aan een hoek-tafeltje bij het raam al op me te wachten met een dubbele espresso en een pot thee. Het raam was beslagen en de ruimte was warm, vochtig en geurig, als op een zondagochtend wanneer het net heeft geregend.

'Ben ik te laat?'

'Ik heb geen muffin voor je besteld,' zei ze terwijl ze me enthousiast op beide wangen kuste, 'ik dacht dat je er zelf wel een zou willen kiezen. Ze hebben appel of kaneel.'

'Zal ik er even twee gaan halen?'

Het Paradise was als een oude vriend. Sylvia en ik hadden er jarenlang eens per maand afgesproken met de drie andere meiden met wie we een huis deelden, toen we nog studeerden, en dan zaten we hier een middag met veel koffie en lekkernijen over ons leven te kletsen. Karen en Lesley woonden niet meer in de buurt; Karen was naar Canada verhuisd, waar ze doceerde op de St. George-campus van de universiteit van Toronto, en Lesley was naar Dublin teruggegaan, waar haar familie woonde. Sylvia had het jaar daarvoor enorme ruzie met Sasha gehad, dus ook die kwam niet meer. Ik kreeg nog weleens een mailtje van haar, maar ze had nu een vriend, met wie ze ondertussen was verloofd. Ze woonden samen en Sasha's leven was geleidelijk heel anders geworden dan het leven dat we hadden gedeeld.

Dus nu waren alleen Sylvia en ik nog over. Zij werkte als journalist voor een regionale krant in Lancaster, maar wilde wanhopig graag de saaie provincie uit en terug naar Londen. Ik had altijd gevonden dat Londen bij haar paste. Ze was veel te levendig en extravert voor Lancaster, met haar blonde haar en kleurige kleding, die fel afstak tegen het zandsteen en beton.

'Zo te zien heb je nieuws,' zei ik. Sylvia zat onrustig te wiebelen op haar stoel, en ze was nooit ergens als eerste.

'Nog niet,' zei ze vals. 'Ik wil eerst alles over die nieuwe vlam van je weten. Ik heb van een kaboutertje gehoord dat je uit eten bent geweest met een man in een pak.'

Dat kaboutertje zou Ekstertje wel zijn geweest, Sylvia's huisgenoot van toen we net waren afgestudeerd. Ze had de bijnaam te danken aan het feit dat ze altijd zwarte kleding droeg, met af en toe een wit accent, en een voorliefde had voor glinsterende dingen.

Ik betrapte mezelf erop dat de glimlach die net van mijn gezicht was verdwenen alweer terugkwam.

'Nou?'

'Jezus, ik kan voor jou ook niets geheimhouden, hè?'

Sylvia slaakte een gilletje van genot. 'Ik wist het! Hoe heet hij, waar ken je hem van en hoe is hij in bed?'

'Je bent echt vreselijk, weet je dat?'

'Maar je kunt niet wachten om het me te vertellen.'

Ik nam een paar slokken thee terwijl Sylvia van haar ene op haar andere bil bleef wiebelen.

'Hij heet Lee, ik heb hem leren kennen in de River en de rest gaat je geen reet aan.'

'En hij is hopelijk wel oogverblindend, hè?'

Ik viste mijn mobieltje uit mijn tas en liet de foto zien die ik van hem had gemaakt, de enige foto die ik had. Net onder de douche vandaan, met alleen een witte handdoek om zich heen, met vochtig haar en de blauwe plekken op zijn gezicht en torso vervaagd. Zijn blik wellustig.

'O, mijn god, Catherine. Wát een lekker ding. Waarom heb ik die niet eerst gezien?'

Dat is voor de verandering best eens leuk, bedacht ik ietwat zelfvoldaan.

Er ontstond een frons tussen Sylvia's perfect geëpileerde wenkbrauwen. 'Hoe komt hij aan al die blauwe plekken? Doet hij aan vechtsport? Is hij stuntman?'

'Vertel jij het me maar. Hij doet er heel geheimzinnig over.'

Nu was Sylvia pas echt geïnteresseerd. 'Heus? In wat voor opzicht?'

'Ik weet niet wat hij doet. Hij stond laatst midden in de nacht bij me op de stoep en zag eruit alsof hij met iemand had gevochten en daarna op weg naar huis uit een rijdende auto was gesprongen. Hij wilde niet vertellen wat er was gebeurd.'

'Was hij dronken?'

'Nee.'

'O, mijn god. Hij is een crimineel.'

Ik schoot in de lach. 'Dat denk ik niet.'

'Een dealer, dan?'

Ik schudde mijn hoofd.

'Waarom vertelt hij je dan niet wat hij doet?'

'Geen idee. Maar ik vertrouw hem.'

'Vertrouw je iedereen die in gevechten betrokken raakt en je niet vertelt wat er is gebeurd?'

'Verder is hij overal eerlijk over.'

'Is dat zo? Hoe weet je dat?'

Sylvia had helemaal gelijk. Ik wist dat áls hij een baan had, hij onregelmatige uren werkte en vaak dagen achtereen van huis was. Ik had geen enkele vriend van hem ontmoet, en zijn familie... dat die helemaal in Cornwall woonde was wel érg makkelijk. Ik was niet eens bij hem thuis geweest.

'Als je hem zou kennen, zou je het weten. Hij zegt alles met zijn ogen.'

Ze begon te bulderen van het lachen en gaf me onder tafel

74

een trap tegen mijn benen. 'Doe even normaal, zeg!' Ze walste haar laatste beetje koffie rond in het kopje en keek me van onder haar wimpers aan. 'Nou, het wordt ook weleens tijd dat ik hem leer kennen. Als je hem nou eens meeneemt naar mijn afscheidsfeestje?'

'Welk afscheidsfeestje?'

De opwinding van het nieuws voor zich houden borrelde eindelijk over en Sylvia's ogen glinsterden van genot.

'Ik heb een baan bij de *Daily Mail*. Ik begin in januari.'

'Echt niet!'

'Echt wel. Ik ga hier weg. Eindelijk.'

Ik omhelsde haar oprecht enthousiast terwijl ze gillend op en neer stuiterde van blijdschap. De andere gasten in het Paradise, een ouder echtpaar en wat studenten, keken ons meewarig aan, en Irene achter de toonbank glimlachte toegeeflijk.

Dus dat was dat, bedacht ik. Ik zou hier in Lancaster achterblijven terwijl mijn beste vriendinnen de wereld in trokken. Als ik Lee niet had gehad, zou ik hier ook weg willen.

MAANDAG 26 NOVEMBER 2007

Toen ik thuiskwam lag er post voor me op het haltafeltje. Behalve de gebruikelijke rekeningen lag er ook een grote bruine envelop, waar met een zwarte marker CATHY op stond geschreven.

'Joehoe! Cathy! Alles goed?'

'Ja, dank u wel, mevrouw Mackenzie. En met u?'

'Prima, meisje.' Ze staarde me geconcentreerd aan terwijl ik naar de envelop op het tafeltje keek zonder hem op te pakken, en verdween toen weer in haar appartement.

Ik liet de envelop liggen en controleerde de deur nog een keer, twee keer, van begin tot eind. Eén keer zou genoeg zijn geweest, maar ik had die tweede keer nodig om de envelop en de andere post te durven oppakken en naar boven te lopen.

Ik legde de post op het bijzettafeltje terwijl ik alles naliep, maar ik betrapte mezelf erop dat ik me de eerste twee keer haastte omdat ik wilde weten wat er in de envelop zat. Ik moest mezelf de derde keer dwingen alles langzaam te doen, zorgvuldig, geconcentreerd. Toen ik klaar was, wachtte ik even. Had ik het goed genoeg gedaan? Moest het nog een keer, om het zeker te weten? Misschien had ik iets overgeslagen.

Ik begon opnieuw.

Het was bijna negen uur toen ik op de bank plofte en de envelop openmaakte. Een stapeltje papieren, sommige aan elkaar bevestigd met een paperclip, met een handgeschreven briefje op het voorste vel:

Cathy,
Ik dacht dat je hier misschien wat aan zou hebben. Laat het maar weten als je iets nodig hebt. Of als je vragen hebt.
Stuart

Ik zat een eeuwigheid naar het briefje te staren, naar de manier waarop hij mijn naam had geschreven, en zijn eigen naam. Ik vroeg me af of hij had moeten nadenken over wat hij ging schrijven. Het zag er zo zorgeloos uit, gemakkelijk, alsof hij de stapel papieren ergens had gepakt, achteloos, en er zonder nadenken een briefje bij had gekrabbeld.

Ik bladerde door de stapel en zag al snel dat hij alles behalve achteloos was samengesteld. Het eerste document ging over het Centrum voor Angst- en Stressstoornissen in het Maudsleyziekenhuis in Denmark Hill, en de gespecialiseerde polikliniek voor ocd. En er waren artikelen die hij van verscheidene websites had gehaald, waarin hij stukken had onderstreept. Er zat een studie over ocd en nieuwe therapeutische mogelijkheden voor patiënten met ernstige symptomen tussen, geschreven door dokter Alistair Hodge, c. psychol., afbpss, b.sc. (Hons),

M.SC., clin. PSYCH, DIP., C.B.T., PSYCHD., DCHYP., SMBCSHA, geregistreerd bij het UKCP en BABCP, met nog een stuk of zes mensen voorzien van een even indrukwekkende serie titels. Stuart had een pagina met alternatieve therapeuten uitgeprint, met onderaan nog twee handgeschreven adressen, van een yogacursus in het gebouw van de basisschool in de buurt op woensdagavond en van een therapeut 'wezenlijke ontspanning', wat dat ook wezen mocht, met telefoonnummers. De pagina daarna was een lijst met OCD-praatgroepen, waarvan er een was gemarkeerd, met daarbij in de kantlijn geschreven: KOMT ELKE 3E DINSDAG VAN DE MAAND OM HALF 8 'S AVONDS SAMEN IN CAMDEN, JE KUNT ELLEN BELLEN VOOR DETAILS, met een telefoonnummer. Daarna drie hoofdstukken uit een boek met de titel: *Loskomen: technieken om jezelf te bevrijden van OCD*, waarin meerdere passages waren onderstreept. Dan waren er nog drie verschillende vragenlijsten waarmee je zo te zien kon bepalen of je wel of geen OCD had.

Onder op de stapel, heel onverwacht, nog een handgeschreven briefje:

Cathy,
Fijn dat je ernaar hebt gekeken. Je hebt een begin gemaakt.
Bel je me?
Stuart

En toen nog een keer zijn telefoonnummer, voor het geval ik het zou zijn kwijtgeraakt, wat natuurlijk niet zo was. Ik wist precies waar dat stukje papier lag, voor als ik het nodig zou hebben, wat niet het geval zou zijn aangezien ik zijn nummer al uit mijn hoofd kende.

Niet dat ik het ooit zou gebruiken.

Lee was aan het werk bij de River.

Ik ging ernaartoe, in mijn rode jurk. Zijn gezicht toen hij me zag, was ongelooflijk. Ik glimlachte met een knipoog naar hem terwijl ik langs hem heen de club in liep. Ik bleef die hele avond nu en dan zijn gezicht zien – terwijl ik danste met bekenden, kletste aan de bar met kennissen die ik maanden niet had gezien, en later met Claire en Louise – wanneer hij me van de rand van de dansvloer gadesloeg.

Tegen middernacht, na een aantal drankjes, durfde ik meer. Ik stond alleen te dansen en zag hem weer, in de deuropening, zogenaamd de menigte bestuderend, maar in feite alleen mij. Ik stak de dansvloer over naar hem; onze blikken waren constant op elkaar gericht. Hij nam me bij de hand en trok me naar de gang die de club met de bar verbond, hij liep snel, waardoor ik struikelde en riep: 'Lee! Lee? Wat...?'

Hij duwde een deur open waar PERSONEEL op stond, en toen die achter ons was dichtgeslagen, klonk de muziek ineens gedempt terwijl mijn hakken over de betonnen vloer tikten en we door nog een deur gingen, een kantoortje in. Het enige licht dat er scheen, kwam van de beeldschermen van de bewakingscamera's, waarop de dansvloer, de voordeur, de trap en de ruimte bij de toiletten te zien waren. Hij duwde een stapel papier van het bureau, tilde me op alsof ik niets woog en drukte zijn mond hongerig tegen de mijne. Ik trok mijn rok omhoog, uit de weg. Hij scheurde met één hand mijn slipje kapot, smeet het op de vloer en neukte me, hard.

Een paar minuten later, er was geen woord gesproken, streek hij zijn pak recht en verliet zonder ook maar naar me te kijken het kantoortje. Ik zat nog op het bureau, met gespreide benen die natrilden van zijn kracht, en keek naar de beveiligingsbeelden tot ik hem bij de voordeur zag verschijnen met een gezicht alsof hij even naar de dansvloer was gelopen om te kijken of alles daar goed ging.

Tot hij opkeek naar de camera, recht in mijn ogen, en me aanstaarde.

Ik keek om me heen in de ruimte, naar de papieren op de vloer, mijn kapotte slipje dat in een hoek lag, en betrapte mezelf op de gedachte: dit is belachelijk – waar ben ik in godsnaam mee bezig? Wat ben ik aan het doen?

MAANDAG 3 DECEMBER 2007

Ik sleep mezelf al een week van de ene naar de andere dag. De flashbacks zijn gruwelijk, met als gevolg dat het controleren gruwelijk is. Dat komt door wat er met Robin is gebeurd. Het zal tijd kosten om het uit mijn systeem te krijgen, en dan wordt het op een gegeven moment minder, dan kan ik weer controleren zoals daarvoor, zodat ik nog maar een halfuur te laat kom in plaats van drie uur.

Ik weet eerlijk gezegd niet of het helpt om thuis te komen en over ocd te lezen. De medische termen herinneren me aan het ziekenhuis en daar probeer ik juist niet aan te denken. Ik herinner me er hoe dan ook niet veel van. Het is net of het een ander allemaal is overkomen. Het is net alsof ik in slaap ben gevallen toen het allemaal te moeilijk werd en dat ik ongeveer anderhalf jaar geleden wakker ben geworden, langzaam, met een soort vaag bewustzijn dat ik nog leefde, en dat ik alleen maar door hoefde te gaan, de ene voet voor de andere moest zetten, vooruit moest bewegen en niet achteruit. Natuurlijk moet ik stoppen met erover lezen en wat constructiefs gaan doen.

Ik heb Stuart gisteravond laat thuis horen komen. Volgens mij lig ik weleens te wachten tot ik zijn voetstappen op de trap hoor. Ik weet dat hij probeert stil te zijn, maar eerlijk gezegd zou ik hem toch wel horen. Ik voel me veiliger als ik hem thuis heb horen komen omdat ik dan zeker weet dat de voordeur goed dicht zit. Als hij langs is komen lopen, kan ik slapen. Maar soms is dat pas tegen middernacht. Hij zal wel uitgeput zijn.

Vandaag liep ik op weg naar huis langs de bibliotheek. Het licht was aan en de deuren gleden automatisch open toen ik voorbijkwam, als een uitnodiging. Ik mijd dergelijke plaatsen, openbare plaatsen, maar iets maakte dat ik naar binnen ging. Het was er vrijwel verlaten. Er zaten wat studenten aan tafels, een paar mensen achter computers, en twee medewerkers stonden hard tegen elkaar fluisterend boeken te stempelen.

Ik liep rond tot ik de afdeling Psychologie had gevonden en zocht naar titels die te maken konden hebben met obsessies en dwangneurosen. Ik herkende de titel van een boek dat Stuart had aangeraden en liet mijn vinger langs de rug gaan.

Ik trok een boek over angststoornissen uit de kast en bladerde naar de inhoudsopgave. Niet erg opwekkend. Ik hoorde een geluid achter me en keek over mijn schouder. Vanaf mijn plaats tussen de boeken kon ik niemand zien, helemaal niemand.

Ik zette het boek terug en liep naar het eind van het pad. Er zaten nog steeds twee mensen aan een lange tafel te werken, met open boeken, blocnotes en markers om zich heen. Er stond nu nog maar één persoon bij de balie, een vrouw met kort haar en ongelooflijk lange oorbellen. Ze nam een stapel boeken aan van een man aan de andere kant van de balie.

Ik zag een flits blond haar, een breed gebouwd lichaam, een donkerblauwe sweater en een zelfverzekerde, doelgerichte pas. Het was hem.

Ik voelde me licht worden in mijn hoofd en dook met bonkend hart achter de boekenkasten weg. Het lichte gevoel werd niet minder, alles werd zwart, en toen begon de ruimte te draaien. Ik voelde de vloer niet eens.

Het moet maar een paar tellen later zijn geweest toen ik mijn ogen opende en de bibliothecaresse en nog wat mensen om me heen zag staan. Ik probeerde snel op te staan, met een tollend hoofd, gedesoriënteerd.

'Blijf maar even zitten, het komt goed. Rustig maar.' Het was een van de studenten, een blonde man die er veel te jong uitzag voor zijn volle baard.

'Zal ik een ambulance bellen?' vroeg de bibliothecaresse. 'Er heeft 's avonds niemand dienst met een diploma bedrijfshulpverlening, dus ik weet niet...'

'Het gaat wel, echt. Sorry. Ik werd ineens helemaal licht in mijn hoofd.' Ik probeerde nogmaals op te staan. Deze keer hielp de jongeman me. Ze hadden een stoel achter me neergezet. Ik ging dankbaar zitten.

'Doe je hoofd maar even naar beneden. Zo, ja.'

Voordat de student zijn hand in mijn nek legde en mijn hoofd omlaagduwde, keek ik zo goed en zo kwaad als het ging om me heen naar de blonde man. Ik zag hem niet.

'Wanneer heb je voor het laatst gegeten?' vroeg de student.

'Ben je arts?' vroeg de bibliothecaresse.

'Ik ben strandwacht, ik heb een eerstehulpdiploma,' zei hij. 'Ze is gewoon flauwgevallen, niets aan de hand. Als ze even rustig aan doet, komt het allemaal goed... Ik heb chocolade in mijn tas,' zei hij tegen me. 'Wil je die?'

De bibliothecaresse zei iets, ik nam aan over de regels met betrekking tot eten in de bibliotheek.

'Nee, dank je.' Ik tilde mijn hoofd weer op. 'Het gaat wel. Ik voel me alweer een stuk beter.'

De bibliothecaresse keek naar de rij die zich bij de balie had verzameld en haastte zich weg, me achterlatend bij de student. Hij had een grote bos roodblond haar, met strakke krulletjes, en een baard die zo enorm was dat hij er een maaltijd voor vier personen in zou kunnen opslaan. 'Joe,' zei hij opgewekt, terwijl hij zijn hand naar me uitstak. Hij zat gehurkt naast mijn stoel, die onpraktisch midden in het Psychologiepad stond.

'Cathy,' zei ik, en ik schudde hem de hand. 'Dank je, Joe. Sorry voor de... toestand. Dat ik je werk onderbreek.'

'Geen probleem. Ik viel toch bijna in slaap.'

Ik stond op. Hij stond naast me alsof hij half verwachtte dat ik nogmaals onderuit zou gaan. 'Gaat het?'

'Ja,' zei ik, 'dank je.' Ik toverde mijn beste glimlach op mijn gezicht.

'Je ziet er al beter uit dan net. Je bent best hard gevallen.'

Ik keek hem aan en knikte. 'Nou, dan ga ik maar eens naar huis.'

'Oké. Rustig aan, hè?'

'Jij ook. Dag. Nogmaals bedankt.'

Ik haastte me de bibliotheek uit en glimlachte op weg naar buiten verontschuldigend naar de bibliothecaresse.

Ik voelde me in de buitenlucht al snel beter. Ik wist dat hij het niet was geweest, de man die ik had gezien. Hij had het verkeerde postuur en niet de goede haarkleur. Het was geblondeerd, niet natuurlijk blond zoals dat van hem.

Ik zie hem overal, altijd. Ik weet dat hij het niet kan zijn, want hij zit honderden kilometers verderop veilig in de gevangenis. Maar hij achtervolgt me nog steeds, als een geest die me eraan herinnert dat ik nooit van hem afkom. Hoe kan ik van hem wegkomen als hij nog in mijn hoofd zit?

Onderweg naar huis om aan mijn controle te beginnen stuurde ik Stuart een sms: HOI, BEDANKT VOOR DIE SPULLEN OVER OCD. NIET TE HARD WERKEN, HÈ? C

Ik liep verder, en toen ik Talbot Street in sloeg, kwam er een reactie: GRAAG GEDAAN, HOOP DAT JE ER WAT AAN HEBT. ZIN IN EEN KOP THEE? S

Ik keek naar de voordeur van het pand en naar de bovenverdieping. Er brandde licht op zijn hele etage. Op de verdieping eronder scheen alleen het licht in mijn eetkamer. Zijn ramen vormden een warmer welkom dan de mijne. Ik stuurde een antwoord: BEN OP WEG NAAR HUIS. OVER EEN HALFUURTJE? C

Vrijdagavond, met al mijn vrienden op stap om dronken te worden, te flirten, schreeuwen en dansen... Zwaaien naar vreemdelingen en dubbel liggen van het lachen, knieën tegen elkaar geklemd in zalig hysterisch leedvermaak om de jongen die probeerde op Market Square over een vuilnisbak te springen en plat op zijn gezicht landde... Van de ene naar de andere club wandelen en elkaar overeind houden, doen alsof we minder dronken zijn dan we in werkelijkheid zijn, hoewel we door de kou en de frisse lucht meer dronken zijn dan in de vorige club... Serieuze discussies in de toiletruimte terwijl je je vriendin omhelst die huilt omdat ze denkt dat hij haar niet meer wil en trouwens eerlijk gezegd toch een klootzak is en haar niet verdient... Je make-up bijwerken, met zijn allen voor de verlichte spiegel, de vloer glad van het water van de wastafels, waarvan er altijd minstens één vol water staat omdat hij verstopt is geraakt door tissues... Aan het eind van de avond iemands haar uit het gezicht houden, waarschijnlijk Claire, die niets kan hebben, maar deze keer heeft ze tenminste de plee gehaald, en later een of ander arm wicht dat door niemand wordt herkend en met blote voeten op de buitentrap zit, met haar benen in een vreemde hoek, uitgelopen mascara op haar verdrietige wangen, haar schoenen omgevallen naast zich, haar tasje om haar nek... Samen naar huis lopen omdat er geen geld is voor een taxi, te laat, te vroeg, als het geen winter was, zou het al licht zijn, geen last van de kou omdat onze aderen gevuld zijn met wodka, met de vriendschap en liefde voor elkaar en iedereen om ons heen die lang genoeg stilstaat om...

Maar ik ben vanavond niet uit geweest, ik was thuis met Lee. Hij stond om zeven uur voor de deur met drie volle boodschappentassen en een tajine. Hij stuurde me de keuken uit en ik keek tv, met mijn armen om mijn knieën, dronk ijskoude witte wijn die hij had meegenomen, luisterde hoe hij meezong met de radio, naar het gekletter van de potten en pannen en het slaan van de kastdeurtjes.

Hij had gezegd dat hij dinsdag pas weer hoefde te werken. Ik zag het lange weekend dat in het verschiet lag als een heerlijke belofte en dacht aan alle plaatsen waar we naartoe zouden gaan, aan samen in slaap vallen, samen wakker worden, en ik huiverde van genot.

Nu en dan ging de keukendeur open en kwam hij naar buiten met iets voor op tafel: bestek, brood, kleine potjes met een lepel erin waar iets onherkenbaars in zat.

'Kan ik wat doen?'

'Blijven zitten en mooi zijn.'

Ik dacht aan de meiden. Ze waren die avond naar de opening van de Red Divine, een nachtclub in een verbouwde kerk. Het was eindelijk gelukt een vergunning te krijgen, ondanks klachten van voormalige gemeenteleden die niet begrepen waarom de kerk geen christelijke oase in de zinderende heidense massa van het stadscentrum kon blijven in plaats van een superhippe club met drie bars, leren stoelen en een vip-lounge. Ze hadden de club eigenlijk Angels & Demons willen noemen, maar die naam was door de gemeente afgekeurd. Er was wel een bonus: de plaatselijke krant meldde dat iedereen die een klacht had ingediend over de nieuwe bestemming een vip-kaartje voor de openingsavond had ontvangen.

Ik was razendbenieuwd hoe het er daar uitzag. Misschien volgend weekend?

De keukendeur ging nogmaals open, en er kwam een vlaag warme lucht, geluid van de stemmen op de radio en de sissende geur van iets kruidigs, vlezigs en heerlijks de woonkamer in.

Hij zag er niet eens verhit uit; hij was doodkalm en beheerst terwijl hij neuriënd wat lepels op tafel legde, en een onderlegger om midden op tafel iets heets neer te kunnen zetten.

'Kan ik echt niets doen?'

Hij kwam naar me toe en boog zich voorover om me een kus

te geven. Ik haakte mijn arm om zijn nek om hem dichter naar me toe te rekken, maar hij maakte zich van me los. 'Leid me niet af, ik ben bijna klaar.'

Ik wendde me met een glimlach op mijn gezicht weer tot de televisie. Het water liep me in de mond.

MAANDAG 3 DECEMBER 2007

Ik wist dat ik maar een halfuur had voor alle controles, dus dat betekende dat ik me niet mocht haasten, zodat ik alles in één keer goed zou doen. Geen fouten. Alles zes keer, direct in de juiste routine.

Het ging goed.

Een halfuur nadat ik Stuart de sms had gestuurd liep ik de trap op. Ik had mijn jas nog niet eens uitgetrokken.

Toen hij opendeed en me zag, fronste hij zijn voorhoofd. 'Gaat het wel?'

'Ja hoor,' zei ik, en ik liep achter hem aan naar binnen. Zijn gang was fel verlicht.

'Je ziet lijkbleek.'

'O. Ik ben flauwgevallen in de bibliotheek.'

We stonden in de keuken. Hij had mijn jas aangenomen en hing hem aan een haakje aan de deur, over zijn eigen bruine jack. Hij zag er vandaag netter uit, hij zou wel geen tijd hebben gehad om zich na het werk om te kleden: een mooie grijze pantalon met een blauw overhemd, waarvan de mouwen tot aan zijn ellebogen waren opgerold. 'Flauwgevallen? Waarom?'

Ik haalde mijn schouders op. 'Geen idee. Misschien heb ik vandaag niet genoeg gegeten. Of anders ben ik gewoon moe of zo.'

'Dan blijf je eten,' zei hij.

'Nee, ik bedoel, dat was geen hint, hoor...'

'Je blijft eten.'

Hij roerde in een pan soep op het fornuis die zo te ruiken zelfgemaakt was. Hij zette ondertussen thee, hoewel ik dat vreselijk graag zelf wilde doen, zodat hij precies goed zou zijn. Hij was bezig in de mokken te roeren, melk in te schenken en kletste over zijn abnormaal drukke week. En over een geweldig winkeltje dat hij vier straten verderop had gevonden waar ze specerijen verkochten die hij nergens anders kon krijgen.

Ik pakte mijn mok thee, die – net als de vorige keer – niet slecht was. Absoluut te drinken.

Hij haalde een paar broodjes uit een papieren zak en legde ze in de oven om af te bakken. Ik keek toe hoe hij door de keuken bewoog en voelde me slaperig. Het was me niet ontgaan dat hij de term OCD nog niet één keer had laten vallen.

'Bedankt voor al die artikelen. Ik vond ze heel interessant.'

Hij stopte waar hij mee bezig was en keek me aan. Het leek even alsof er iets van hem af gleed.

'Fijn dat te horen. Heb je nog nagedacht over hulp?'

'Ja. Maar dat is ontzettend moeilijk.'

Hij zette een pot zonnebloempitpasta en borden op tafel, messen en lepels. 'Dat weet ik.'

'Ik doe het allemaal niet voor de lol, of zonder reden. Dat controleren, bedoel ik. Het geeft me een veilig gevoel. Als ik niet controleer, voel ik me niet veilig.'

'Maar het zou beter zijn als je na één keer controleren zou weten dat je veilig was, toch?'

'Uiteraard.'

'Je weet zelf dat er geen logische reden is waarom je alles vaker dan eens moet checken. Je voert die rituelen uit omdat ze je een veilig gevoel geven, niet omdat er fysiek iets is veranderd waardoor het onveilig is geworden.'

'Ik denk niet dat therapie dat zal oplossen.'

'Maar het zou de moeite van het proberen waard zijn, toch?'

Hij kwam aanlopen met twee stomende kommen soep en zette die op tafel. Toen pakte hij de broodjes uit de oven, terwijl hij ze snel van zijn ene naar zijn andere hand jongleerde.

Hij ging tegenover me zitten en keek me aan.

'Dank je,' zei ik. 'Aardig van je.'

'Het is gewoon kippensoep, hoor. Maar graag gedaan.'

Hij hield het oogcontact nog steeds vast, afwachtend, alsof hij wachtte tot ik iets zou doen of zeggen dat ergens beweging in zou brengen. Ik vroeg me af of hij dat op zijn werk ook deed, naar zijn patiënten staren tot ze de stilte doorbraken. Maar ik wilde niets zeggen. Ik wilde alleen maar kijken, een reden hebben om te kijken, te blijven kijken.

Uiteindelijk was hij degene die het als eerste opgaf. Hij staarde met rode wangen in zijn soep. Ik voelde me triomfantelijk. Ik kon waar dan ook, wanneer dan ook, langer staren dan wie dan ook. Dat was een trucje dat ik in het ziekenhuis had geleerd.

De soep was lekker, heerlijk zelfs. Ik voelde me warm worden vanbinnen, en hoe meer ik at, hoe bewuster ik me werd dat ik vreselijke honger had. 'Wanneer heb je voor het laatst gegeten?' vroeg hij toen ik met mijn laatste stukje brood het restje soep uit mijn kom veegde.

'Geen idee. Maar zo lang zal het niet geleden zijn.'

'Wil je nog wat?'

'Nee, ik heb genoeg gehad, echt. Dank je.'

'Zal ik met je meegaan?'

Daar overviel hij me mee. 'Meegaan? Waarheen?'

'Naar je huisarts. Niet mee naar de spreekkamer, natuurlijk, maar mee naar de praktijk. Zou dat helpen? Wat morele steun?'

'Nee, dank je,' zei ik, en ik keek hem niet aan.

'Het zou geen probleem zijn, hoor. Ik kan wel een paar uurtjes vrij krijgen.'

'Ik heb niet eens een huisarts, Stuart. Ik heb me sinds ik hier woon nog nergens ingeschreven.'

Ik stond op en mijn stoel schraapte hard over de tegelvloer. 'Bedankt voor de soep. Ik moet gaan. Je snapt 't wel: ik heb belangrijke dingen te doen.' Ik trok mijn jas van het haakje en liep de trap af, waarbij ik het gevoel kreeg dat de muren steeds dichter op me afkwamen.

'Wacht even. Cathy, wacht.'

Ik dacht dat hij erover zou doorgaan, over artsen, therapie, erover praten, beter worden, al die nonsens, maar in plaats daarvan gaf hij me een plastic zak met iets zwaars erin. 'Wat is dat?'

'Soep. Twee porties, ingevroren. Blijven eten, oké?'

'Dank je.'

Ik rende zo ongeveer de trap af naar mijn appartement. Ik bleef bij de deur even staan en ademde snel. De zak in mijn hand was zwaar. Ik liep ermee naar de keuken en zette de twee solide blokken soep in de vriezer. Ik zag dat de koelkast vrijwel leeg was. Hij had gelijk, ik moest meer aandacht aan eten besteden. Ik wilde per slot van rekening niet nogmaals flauwvallen – straks gebeurde het op mijn werk.

Ik controleerde het appartement, maar zonder overtuigingskracht. Ik bleef maar aan Stuart denken. Dat was behoorlijk lomp van me, dat ik zo ineens was weggelopen. Ik kon er niets aan doen. Ik kan niet met druk omgaan.

Ik vertrouw geen artsen meer, niet na wat er in het ziekenhuis is gebeurd. Als ik me aan hen overgeef, als ik hulp zoek, gaat het misschien wel allemaal opnieuw beginnen, net nu ik wat vooruitgang boek en een baan en een appartement en een leven heb, of in ieder geval iets wat erop lijkt. Stuart ziet me zoals ik nu ben: iemand die zo lang aan de voordeur staat te friemelen dat ze vergeet te eten, iemand die flauwvalt in de bibliotheek, iemand die met geen enkele vorm van confrontatie of advies kan omgaan.

Hij ziet me niet zoals ik toen was. Hij weet niet van hoe diep ik ben gekomen.

Zondagochtend gingen we wandelen aan het strand van Morecambe. Het was bitterkoud, de wind blies het zand in ons gezicht, het schuurde en mijn ogen traanden ervan. Mijn haar werd in bizarre vormen om mijn hoofd geblazen.

Ik ging met mijn gezicht tegen de wind in staan en deed mijn haar in een knot. Die zou niet lang blijven zitten, maar nu was mijn haar tenminste even uit mijn gezicht.

Hij pakte mijn hand weer. 'Beeldschoon.' Hij moest schreeuwen om boven het gebulder van de wind uit te komen. We liepen naar de branding en onze voeten lieten natte sporen na. Ik pakte een schelp op, die doorzichtig was en glinsterde van het zoute water. Mijn haar begon alweer los te komen. De wolken joegen door de lucht en werden steeds donkerder; er dreigde regen. Ik haalde mijn dunne katoenen sjaaltje los van mijn hals en jas; de wind probeerde het weg te slaan terwijl ik het uitspreidde. Ik wond het om mijn haar, dat ik ermee probeerde samen te binden terwijl de wind er de hele tijd om vocht en me uitlachte om mijn pogingen.

'Lee,' schreeuwde ik. Hij gooide steentjes in het water.

Hij hoorde me en kwam naar me toe lopen, maar wachtte niet tot ik iets zou gaan zeggen. Hij nam mijn gezicht in zijn handen en kuste me, zijn mond warm en zilt. Ik gaf het gevecht met mijn haar op en het waaide direct om ons heen. Op hetzelfde moment werd mijn sjaal, ik was vergeten dat ik hem vasthad, als een magere vogel door de wind meegevoerd.

Lee liet me los en rende erachteraan terwijl ik stond te lachen, het geluid al van mijn lippen weggevoerd voordat ik het ook maar hoorde. De sjaal steeg en daalde, draaide in alle richtingen, en de franje aan beide uiteinden flapperde druk in de wind.

Hij landde zoals verwacht in het natte en met schuim bedekte zand, en Lee bracht hem naar me terug, een koude, verloren en druipende sliert die over Lees vinger hing.

We gaven de strijd tegen de wind op en liepen hand in hand terug naar de stad. De geuren van de kust waren zo verleidelijk dat we een fish-and-chipszaakje binnen liepen. Toen we de deur achter ons sloten, was de stilte bijna oorverdovend. We kochten samen één portie, die we met rood geworden wangen aan een formicatafeltje opaten terwijl we door de natte ramen keken hoe de mensen in rare houdingen over de boulevard liepen, hun jassen en broeken gegeseld door de wind.

'Kon elke dag maar zo zijn als vandaag,' zei ik.

Lee keek me bedachtzaam aan; dat deed hij vaak. 'Stop dan met je werk,' zei hij.

'Pardon?'

Hij haalde zijn schouders op. 'Neem ontslag. Dan kunnen we altijd als ik een vrije dag heb leuke dingen doen.'

Ik schoot in de lach. 'En waar moet ik dan van rondkomen?'

'Ik heb genoeg. We kunnen gaan samenwonen.'

Ik dacht even dat hij een grapje maakte, maar dat was niet het geval. 'Ik vind mijn werk leuk,' zei ik.

Daar moest hij om lachen. 'Je zit er altijd over te klagen,' zei hij.

'Toch wil ik het niet opgeven. Maar bedankt voor het aanbod. Het is heel verleidelijk.'

Buiten reed langzaam een politieauto voorbij. Hij stopte naast de snackbar, maar er stapte niemand uit. 'Ik vraag me af wat ze aan het doen zijn,' zei ik.

Hij ving mijn blik met zijn heldere blauwe ogen.

'Wat is er?' vroeg ik glimlachend.

'Ik moet je iets vertellen.' Hij nam nog een patatje, dat hij met zijn blik voortdurend op me gericht opat.

'Zeg dan,' zei ik; en ik bedacht dat het niet veel goeds voorspelde.

'Ik vertel het je in vertrouwen, oké?'

'Natuurlijk.'

Ik weet niet wat ik dacht dat er zou komen. Maar ik wist wel dat het iets was wat alles zou veranderen. Het moment droeg dat gevoel in zich mee, dat voor-en-na-gevoel, alsof dit het einde van een tijdperk was en het begin van een ander.

Mijn haar hing rond mijn gezicht en schouders, kleverig van de zoute wind, vol zand, in een dikke, harde wolk geblazen, als een donkerbruine suikerspin. Hij stak zijn hand uit en probeerde zijn vingers erdoorheen te prikken, wat niet lukte. Hij moest erom lachen. Hij keek de straat weer in, naar de geparkeerde politieauto en de regen, die tegen het raam sloeg. Toen keek hij weer naar mij, en pakte mijn hand.

'Ik hou gewoon van je,' zei hij. 'Dat is alles.'

Mijn hart sloeg over, natuurlijk deed het dat, en vanaf dat moment deed het dat elke keer als ik naar hem keek en me herinnerde dat hij dat zei; dan wilde alles in me lachen en het van de daken schreeuwen.

Maar er was iets. Ik kon het gevoel niet van me afschudden dat hij iets anders had willen zeggen, iets heel anders, iets ergs; en dat hij op het laatste moment van gedachten was veranderd.

WOENSDAG 5 DECEMBER 2007

Ik was me aan het klaarmaken om naar bed te gaan en beging de fout om nog één keer te gaan controleren. Het was bijna een schuldbewust genot, iets wat ik mezelf toestond te doen, iets wat me zou helpen me helemaal veilig te voelen voordat ik ging slapen. Maar dat ik het met een lege maag en na een paar slapeloze nachten deed was geen goed idee. Ik zat al snel weer klem. Elke keer dat ik de controle uitvoerde, deed ik iets verkeerd, raakte de tel kwijt, deed de dingen net niet helemaal in de juiste volgorde, hield mijn hand niet lang genoeg op de deurknop; het voelde gewoon niet goed.

Ik begon uur na uur opnieuw en opnieuw... Om een uur of één 's nachts ging ik douchen om mezelf een beetje op te pep-

pen. Ik kwam er rillend onder vandaan. Ik trok een trainingsbroek en een T-shirt aan en begon weer bij mijn voordeur.

Nog steeds niet goed. Ik eindigde zittend bij de deur, met mijn
hoofd op mijn knieën, huilend en bevend, waarbij ik zo'n herrie
maakte dat ik hem de trap niet op hoorde komen. Hij klopte
aan en ik bestierf het van schrik.

'Cathy? Ik ben het. Gaat het?'

Ik kon niet antwoorden, ik huilde en snikte alleen maar. Hij
stond aan de andere kant van de deur.

'Wat is er gebeurd?' vroeg hij, nu harder. 'Cathy? Kun je me
binnenlaten?'

Na een korte stilte zei ik: 'Het gaat wel, ga weg. Laat me alsjeblieft... ga weg.'

Ik wachtte op het geluid van zijn voetstappen die de trap op
liepen, maar dat kwam niet. Even later hoorde ik dat hij op de
overloop bij mijn deur ging zitten. Ik begon nog harder te huilen, niet zozeer van angst als wel van woede, woede om het feit
dat hij de controle over mijn paniek van me afnam, de deur
blokkeerde, onderbrak wat het ook was dat ik had kunnen doen
om mezelf te beschermen. Maar de ironie wilde dat ik niet meer
klem zat. Dat gebeurt ook als mevrouw Mackenzie beneden
mijn controle onderbreekt.

Ik kroop weg van de deur en ging op het kleed zitten, keek
naar de deur en dacht aan hem, aan de andere kant. Wat moest
hij wel niet van me denken?

Ik schraapte mijn keel en sprak zo duidelijk en vastberaden
mogelijk: 'Het gaat weer.'

Ik hoorde hem opstaan. 'Weet je het zeker?'

'Ja. Dank je.'

Hij kuchte. 'Wil je iets hebben? Zal ik thee voor je zetten of
zo?'

'Nee. Dank je.' Ik leek wel gek; ik zat tegen mijn voordeur te
praten.

'Oké.'

Het was even stil, alsof hij niet wist of hij me moest geloven, en toen klonken eindelijk de voetstappen op de trap en daarna op de bovenverdieping.

Ik had overwogen vrij te nemen, of te bellen dat ik ziek was en met Lee in bed te blijven liggen.

Als híj in bed zou zijn gebleven, zou ik zijn gezwicht en weer onder de dekens zijn gekropen, maar hij stond op toen ik ging douchen, en tegen de tijd dat ik in mijn kantoorkleding beneden kwam, had hij thee voor me gezet en boterhammen voor me gesmeerd om mee te nemen.

'Dat had je niet hoeven doen,' zei ik.

Hij sloeg zijn armen om me heen en kuste me. 'Denk nog eens na over wat ik heb gezegd,' fluisterde hij. 'Als je niet naar je werk zou hoeven, konden we nu terug naar bed.'

'Ik kan toch niet zomaar ontslag nemen?'

Het was buiten nat, winderig en nog vrijwel helemaal donker, en de verleiding binnen te blijven en de dag met hem door te brengen was bijna te groot. Ik liet een sleutel op de eetkamertafel achter, zodat hij kon afsluiten als hij de deur uit wilde. Het voelde zo natuurlijk; ik wist al dat ik hem die avond niet terug ging vragen. We zouden samen twee hele dagen doorbrengen, twee dagen en drie nachten van volmaakt geluk. Geen moment dat onprettig of ongemakkelijk zou zijn, of dat er zou worden gekibbeld. Ik was nog geen moment niet blij geweest dat hij er was.

Ik zat net tien minuten op mijn werk toen mijn telefoon ging: Sylvia. Ze moest nog een paar weken hier werken voordat ze naar Londen zou vertrekken.

'Hoi,' zei ik. 'Hoe was de Red Divine?'

'Goddelijk, schat,' zei ze. 'Nee echt, het is er heerlijk. Je hebt een waanzinnige avond gemist.'

'Hoe zag het eruit?'

'Zalig. Heel veel roodleren banken, chroom en glas... En dan de toiletten! Echt wat voor jou; er staan bloemen, en ze hebben echte handdoeken en flesjes handlotion. En die barman, weet je nog, die eerst in de Pitcher & Piano werkte, die jij zo leuk vond, hoe heet hij ook weer? Jeff? Julian?'

'Jamie.'

'Nou, die staat nu dus daar achter de bar. En de bediening loopt rond met rode hoorntjes op hun hoofd. En achter de bar zit nog een oorspronkelijk glas-in-loodraam, met licht erachter, dus je drinkt je duivelse brouwsels onder het toeziend oog van de heiligen. Fantastisch.'

'Wauw. Ga je volgend weekend weer?'

'Misschien. Ik denk het wel. O, trouwens, schat, daar bel ik je helemaal niet voor,' zei ze, waarna ze een dramatische stilte liet vallen.

'Is er iets gebeurd wat nóg spannender is dan de opening van de Red Divine?'

'Véél spannender. Ik geef een etentje voor intimi. Bij Ekstertje thuis natuurlijk, niet bij mij, want ik ben al aan het inpakken en het ziet er niet uit, ik snap niet hoe ik het volhou, maar goed... Kun je komen?'

'Wanneer?' vroeg ik, er niet helemaal zeker van of ze al een datum had gezegd.

'Volgende week donderdag. Kun je dan? Om een uurtje of zeven?'

'Tuurlijk, dat wil ik voor geen goud missen. Moet ik iets meenemen? Een toetje? Salade?'

'Je nieuwe minnaar,' zei ze nuffig.

'O, die zal wel moeten werken,' zei ik.

'O.'

'Maar ik zal het vragen, misschien kan hij vrij regelen.'

'Sean komt ook. En Lennon. En Charlie. En ik wil Stevie ook vragen, voor de lol.'

Met andere woorden: neem je vent mee want anders ben je de enige die alleen is.

'Ik zal het vragen, oké? En als het niet lukt zie ik je in de Spread Eagle voor je feest. Daar wil ik per se bij zijn.'

'Oké, schat, laat je het dan uiterlijk woensdag weten, voor de boodschappen? En gedraag je ondertussen, hè? En als dat niet lukt, wees dan maar lekker stout.'

'Oké. Tot dan.'

'Ciao, schat.'

Was het te vroeg om Lee voor een etentje met mijn vrienden uit te nodigen? Hij zou op Sylvia's feest sowieso aan een grondige inspectie worden onderworpen; nu zou dat alleen eerder gebeuren. De etentjes bij Ekstertje thuis waren altijd geweldig. Ze kon zalig koken, en de gedachte dat ik er eentje bij haar zou missen omdat mijn vriendje moest werken, was ondraaglijk.

Ik ploeterde verder met mijn werk en bereidde me voor op een vergadering om tien uur. Ik moest nog een hele berg aantekeningen doorwerken, maar ik werd afgeleid door gedachten aan Ekstertjes vorige etentje, alleen voor de meiden, toen we crème brûlée hadden gegeten en te veel cognac hadden gedronken.

Na de vergadering zag ik dat Lee had gebeld, dus ik belde hem terug.

'Hoi, lekker ding,' zei hij.

'Hoi,' zei ik. 'Wat ben je aan het doen?'

'Ik heb net de afwas klaar. En nu ga ik boodschappen doen zodat ik iets lekkers voor je kan maken vanavond. Kan ik nog iets voor je meenemen?'

'Nee, dank je. Lee, moet je volgende week donderdagavond werken?'

'Hoezo?'

'We zijn voor een etentje uitgenodigd, bij Ekstertje.'

Er viel een korte stilte. 'Wil je dat ik meega?'

Natuurlijk, dacht ik, anders zou ik het niet vragen. 'Ja,' zei ik.

'Ik moet eigenlijk ergens naartoe, maar dat kan ik misschien wel uitstellen. Ik zal even wat rondbellen en dan laat ik het je weten. Hoe klink dat?'

'Geweldig.'

'Oké. Hoe laat ben je thuis?'

'Dat weet ik niet precies. Rond halfzeven?'

'Dan heb ik het eten klaar.'

'Dat klinkt heerlijk. Dank je.'

'Tot vanavond.'

MAANDAG 10 DECEMBER 2007

Het was maandagochtend en ik was weer aan het werk. Het huis verlaten ging vrij aardig, volgens mij omdat de zon scheen. Het was me dat weekend gelukt om langer dan een uurtje of twee achter elkaar te slapen. Ik zorgde dat ik drie keer per dag at en kookte zelfs een paar keer; het leek te werken.

Hoewel de maandagochtendcontrole goed was verlopen, was ik toch te laat. Ik haastte me over de stoep, en mijn adem wasemde in witte wolkjes uit mijn mond. Ik hoorde iemand achter me en draaide me geschrokken om. Het was Stuart. Hij zag er zo leuk uit, zo tevreden, zo buiten adem. 'Hoi,' zei hij. 'Ga je naar de metro?'

'Ja,' zei ik. Mijn pas voelde lichter nu hij naast me liep. 'Luister, Stuart, ik weet dat ik het elke keer als ik je zie zeg, maar het spijt me.'

'Wat spijt je?'

'Ik neem aan dat je genoeg van dit soort gezeur op je werk meemaakt. Als je geen dienst hebt, heb je daar geen behoefte aan. En laatst heb je soep voor me gemaakt en toen ben ik zomaar vertrokken. Dat spijt me ook. Dat was verschrikkelijk lomp.'

Hij zei even niets, duwde zijn kin in de kraag van zijn jas.

'Nee, daar heb ik over nagedacht. Ik heb te veel druk op je gelegd. Dat had ik niet moeten doen.'

'Maar je had wel gelijk. Ik moet het doen. Ik heb er het hele weekend over nagedacht. Ik ga een huisarts zoeken.' De woorden had ik er zomaar uitgeflapt, waar kwamen ze in godsnaam vandaan? Het kwam door hem, doordat hij er was en ik om de een of andere idiote reden wilde dat hij zou glimlachen.

Hij bleef staan. 'Echt?'

'Ja, echt.'

Hij keek me zo raar aan dat ik ervan in de lach schoot.

Hij liep verder. We staken samen de hoofdweg over en het verkeer bulderde om ons heen. 'Luister,' zei hij, 'schrijf je dan in bij het Willow Road Medical Centre. Dat is het beste in de buurt, een uitstekende kliniek, en iedereen is er heel aardig. Sanjeev... Dokter Malhotra... Als je bent ingeschreven, maak dan een afspraak bij hem, oké? Hij is een goeie vent. En heel aardig.'

'Dat zal ik doen. Bedankt.'

We liepen de hekjes in het metrostation door en namen afscheid: hij moest naar het zuiden en ik naar het noorden. Ik keek toe hoe hij met een tas over zijn schouder de betegelde gang in verdween.

MAANDAG 8 DECEMBER 2003

Ik was uiteindelijk om kwart voor zeven thuis, opgehouden door een klacht tegen een medewerker van het kantoor in Londen die om de een of andere reden mijn verantwoordelijkheid was geworden.

De tafel was gedekt, er stond wijn op tafel, Lee was in de keuken en alles was brandschoon. Ik begreep niet hoe hij dat voor elkaar kreeg: een maaltijd koken zonder ondertussen overal vieze vaat op te stapelen. Hij kuste me op mijn wang. Behalve dat hij had gekookt, kwam hij ook nog net onder de douche vandaan; zijn wangen waren vochtig, hij had zich geschoren en rook heerlijk.

'Sorry dat ik te laat ben,' zei ik.

'Dat geeft niet,' zei hij. 'Het is klaar. Ga zitten.'

Hij had gekruide kip met een salade met verse groene kruiden gemaakt, met warm brood en een koude sancerre.

'Ik heb even wat mensen gebeld,' zei hij met volle mond. 'Donderdag zou wel moeten lukken. Misschien dat ik een tikje laat ben, dus we kunnen het beste daar afspreken.'

'O. Oké.'

Het was even stil terwijl hij dronk. 'Weet je het echt zeker?'

'Wat?'

'Dat je wilt dat ik je vrienden leer kennen.'

'Natuurlijk. Waarom zou ik dat niet willen?'

Hij haalde zijn schouders op en keek me kalm aan. 'Ik vind het gewoon een grote stap. Mensen leren kennen. Dan weet je dat.'

'Je komt niet op me over als iemand die moeite heeft met sociale contacten.'

'Dan ken je me nog niet erg goed.'

Er viel een lange stilte. 'Ik wil zo graag weten wat voor werk je doet,' zei ik toen.

Hij hield op met eten en keek me lang aan. 'Het meeste weet je al,' zei hij. 'Ik werk in de beveiliging.'

'Dat kan van alles betekenen,' zei ik. 'Ik maak me zorgen.'

'Dat hoeft niet,' zei hij vriendelijk. 'Luister, ik moet voorzichtig zijn, dat is alles. Het is gewoon beter voor je als je er niets over weet.'

'Vertrouw je me niet?'

Zijn blik betrok. 'Dat kan ik jou ook vragen.'

Ik gaf het op. 'Luister, we hoeven er niet heen. Naar Ekstertje. Eerlijk. Als je liever niet...'

'Jawel,' zei hij. 'Het is prima.'

'Het is maar een etentje, Lee. Geen test.'

Hij at zijn bord leeg en legde zijn bestek neer. 'Toetje?'

Het toetje bleek te bestaan uit aardbeien met muskaatwijn, die we in bed verorberden. Hij zei verder niets over het etentje bij Ekstertje, of over zijn werk, en ik ook niet. Ik verloor mezelf in hoe hij smaakte, in hoe zijn warme handen op mijn blote huid voelden. Morgen zou hij weer weg zijn en zou ik weer alleen zijn.

DINSDAG 11 DECEMBER 2007

Ik heb het gedaan. Ik heb het eindelijk gedaan. Ik ben vanavond bij een andere metrohalte uitgestapt en heb een wandeling van drie kilometer naar huis gemaakt, maar via Willow Road. Ik hoopte stiekem dat de kliniek al dicht zou zijn, maar hij was nog open.

Willow Road is een zijstraat van een drukke doorgaande weg, maar het was er verrassend rustig; er was een kleine parkeerplaats bij de kliniek, met een paar gebouwen eromheen, waaronder een tandartspraktijk en een apotheek. Alles was fel verlicht en de parkeerplaats was vol. Binnen was alles nieuw en schoon. Hoewel het druk was – de wachtkamer zat halfvol – voelde het er kalm, stil en rustig. In de hoek stond een kerstboompje met twinkelende lichtjes en slingers in verschillende kleuren.

'Kan ik u helpen?' vroeg de receptioniste toen ik op de balie afliep. Ze glimlachte nota bene naar me. Daar was ik niet op voorbereid. Ze was jong, klein en slank, met een glanzende knot rood haar.

'Ik vroeg me af of ik me hier als patiënt kan inschrijven,' zei ik.

'Natuurlijk,' antwoordde ze. 'Een ogenblikje graag, dan zal ik de formulieren even pakken.'

Ik keek om me heen in de wachtruimte. Er was een kinderhoek met een boekenplank en een grote kist vol houten speelgoed. Drie peuters waren de kist gestaag en stelselmatig aan het legen. Een oude man in een enorme jas zat in een hoek met zijn hoofd tegen de muur te slapen; zijn open mond onthulde één enkele tand.

'Is die meneer wel in orde?' vroeg ik toen ze terugkwam.

'George? O, ja hoor. Ik maak hem straks even wakker. Hij komt hier weleens een dutje doen als het buiten koud is. Maakt u zich geen zorgen, hij zit niet al uren op een afspraak te wachten, hoor.'

Ze gaf me een grote bruine envelop. 'Het zijn niet alleen formulieren. Er zitten ook een heleboel folders in over de kliniek. Wilt u meteen een afspraak maken?'

'O. Moet dat?'

'Niet als dat niet hoeft. Maar de meeste mensen schrijven zich pas in als ze een dokter nodig hebben.'

Ik dacht er even over na en vroeg me af of ik hier überhaupt nog zou terugkomen als ik niet nu een afspraak zou maken. 'Ik denk dat het verstandig is om een afspraak te maken... Kan dat bij dokter Malhotra?'

'Ik zal eens even kijken. Wilt u na uw werk langskomen?'

'Als dat kan graag, ja.'

'Donderdag om kwart voor zeven? Schikt dat?'

'Prima. Dank u.'

'Wat is uw naam?'

'Cathy Bailey. Cathy met een C.'

Ze schreef een kaartje voor me. 'Het zou fijn zijn als u voor die tijd de ingevulde formulieren kunt komen brengen, maar donderdag is ook goed.'

'Dank u,' zei ik. 'Zal ik ze anders nu meteen even invullen?'

Ik zat in de wachtruimte, mijn schoot als een geïmproviseerd bureautje, de formulieren in te vullen. Het was ingewikkeld. Ik wilde niet over mijn medische geschiedenis nadenken, laat staan erover schrijven. Maar hier, op deze plek, zou ik dat tenminste kunnen doen zonder volledig in te storten. Ik zat naast de snurkende George en schreef over depressiviteit en angst- en paniekaanvallen.

Toen ik klaar was, gaf ik de formulieren terug aan de receptioniste, liep de donkere straat op en voegde me in de herrie en het verkeer. Ik viste mijn telefoon uit mijn zak en sms'te: S, HET IS ME GELUKT. DONDERDAG EEN AFSPRAAK, C

Een paar minuten later, toen ik net in een bus was gesprongen die toevallig de goede kant op ging, hoorde ik een antwoord piepen: DAT IS GEWELDIG NIEUWS. ZIN IN THEE? ;) S X

Om de een of andere onzinnige reden zorgden de knipoog en het kusje ervoor dat ik de voordeur toen ik binnenkwam maar één keer hoefde te controleren. Ik kon me niet heugen wanneer ik dat voor het laatst maar één keer had gedaan. Toen ik klaar was, wachtte ik tot mevrouw Mackenzie naar buiten zou komen en vroeg me af waarom het me in één keer was gelukt. Hoe kreeg ik dat voor elkaar? Ik stak net aarzelend mijn hand uit naar de voordeur toen ik de deur van appartement 1 achter me hoorde opengaan.

'Cathy? Ben jij dat?'

'Ja, mevrouw Mackenzie. Hoe is het met u?'

'Prima, lieverd. En met jou? Koud, hè?'

'Nou. Gaat u maar gauw naar binnen, u laat al de warmte naar buiten.'

Ze liep terug naar binnen, zo te horen naar *EastEnders,* en sloot de deur. Ik keek naar de voordeur, naar de sloten, draaide me om en liep naar boven om daar aan de controles te beginnen.

Stuart deed er lang over voordat hij opendeed toen ik eenmaal bij hem boven was, en toen stond hij ineens voor me met zijn linkerarm in zo'n lelijke mitella van roze schuimrubber.

'Wat is er met jou gebeurd?' vroeg ik terwijl ik de deur achter me sloot.

'Een trap tegen mijn schouder. Uit de kom. Ik verrek van de pijn.'

Hij stond in de keuken naar me te kijken terwijl ik theezette. 'Ik ben blij dat je er bent,' zei hij. 'Hoe is het?'

'Met mij? Prima. Echt. Wil je niet gaan zitten?'

'Nee, hoor. Ik zit al de hele dag, ik word er gek van.'

'Door wie ben je tegen je schouder getrapt? Een of andere ninja?'

Hij begon te lachen. 'Nee, door een cliënt. Het was mijn eigen schuld. Hij schoot helemaal in de stress van een paar vragen die ik hem tijdens de anamnese stelde. Ik had die trap al gekregen voordat ik op de noodknop kon drukken. Het was niet de eerste keer. Ik ben ook een keer in mijn ballen getrapt. Dát was pas pijnlijk.'

'Ik ging er eigenlijk van uit dat je de hele dag naar mensen zit te luisteren die over hun verleden vertellen.'

'Dat doe ik ook, op de kliniek. Maar ik werk ook veel op de crisisopvang. En tussendoor doe ik onderzoek en papierwerk. Vandaar die lange dagen.'

Ik zette een mok thee naast hem op het aanrecht en begon aan het bergje afwas dat zich in de gootsteen had opgestapeld.

'Dat wilde ik net gaan doen,' zei hij.

'Met één hand?'

Hij keek me aan en nam een slok. 'Je kunt ongelooflijk veel met één hand, als je je er maar hard genoeg op concentreert,' zei hij. 'Ga je inderdaad naar Sanjeev?'

'Ja. Wat een prettige kliniek, hè? Er zat een oude man in de wachtkamer te slapen. Ze lieten hem gewoon zitten. Ongelooflijk lief van ze.'

'Toch niet George, hè?'

'Jawel.'

'Als je het fijn vindt, kan ik donderdag met je meegaan,' zei hij.

Ik keek naar hem, een snelle blik van zijn sokken naar zijn spijkerbroek en donkergroene sweater, die heel mooi bij zijn ogen stond, en naar zijn van pijn verwrongen, vermoeide gezicht.

'Nee, dank je.'

Na de afwas zette ik wat chili met rundvlees in de magnetron, die hij de week ervoor had gemaakt en ingevroren. We aten met het bord op schoot op de bank. Hij vertelde me over de twee jaar dat hij tussen het behalen van zijn dokterstitel en zijn specialisatie had gereisd. Hij liep naar zijn slaapkamer en kwam terug met een memorystick. Hij zei dat er een paar honderd foto's op stonden, voor als ik ooit zin had om ze te bekijken, en dat hij altijd van plan was geweest ze in te plakken maar er nooit aan toe was gekomen. De verhalen over zijn reizen brachten hem op een supergeestige comedyshow die hij in Australië had gezien, waarvan tijdens een voorstelling in het Sydney Opera House opnames waren gemaakt voor een dvd die hij opzette, en terwijl ik zo met hem zat te lachen, drong het tot me door dat ik me zowaar begon te ontspannen. Ik voelde me warm en moe, en ik begon te ontspannen.

WOENSDAG 17 DECEMBER 2003

Als Lee aan het werk was, was hij dagen achtereen weg. Op sommige dagen belde hij me aan één stuk door en sms'te ook nog om te informeren hoe het met me was, om te zeggen dat hij graag bij me wilde zijn, te vragen wat ik aan het doen was. Op andere dagen kon hij duidelijk zijn telefoon niet gebruiken en was ik helemaal alleen.

Woensdagavond was ik in het donker op weg naar huis. Ik had zaterdag voor het laatst van hem gehoord. Ik haalde in de supermarkt avondeten; ik wilde voor twee dagen kipstoofpot maken.

Zondag en maandag controleerde ik continu of hij al had gebeld. Dinsdag keek ik maar een paar keer. Woensdag keek ik nauwelijks. Ik vroeg me af hoe het met hem ging. Terwijl ik groente en fruit stond uit te zoeken rekende ik uit hoelang hij al weg was. Wat was de langste periode dat ik hem niet had gezien sinds we elkaar kenden? Een paar dagen, een week, maar over het algemeen ging er niet langer dan een dag of twee zonder enig contact voorbij. Ik had hem maandagavond een sms gestuurd, waarop ik nog geen antwoord had gekregen. Ik probeerde te bellen, maar zijn telefoon stond uit. Dat was op zichzelf niet ongebruikelijk; hij zette zijn telefoon vaak uit als hij aan het werk was, en soms was hij op plaatsen waar hij hem niet kon opladen.

Het voelde gek om zonder hem te zijn. Hoewel ik me soms verstikt voelde als hij er wel was, gaf hij me tegelijk een veilig gevoel. Nu ik weer alleen was, voelde ik me naakt, onzeker, kwetsbaar. Toen ik in de supermarkt was, had ik het gevoel dat iemand me in de gaten hield.

Tegen de tijd dat ik thuis was gekomen, alle boodschappen in de keuken had gezet en wat lichten had aangedaan, voelde ik me beter. Ik had een oproep op mijn huistelefoon gemist, maar het was een afgeschermd nummer. Ik vroeg me af of Lee had geprobeerd te bellen, maar die zou eerst mijn mobieltje proberen. Ik maakte zingend avondeten voor mezelf en keek uit naar een lang bad met een boek. Toen de kip klaar was, pakte ik bestek uit de keukenlade en ging op de bank zitten om te eten.

Als er iets met Lee zou gebeuren terwijl hij op zijn werk was, zou ik er dan ooit achter komen? Zou ik er ooit iets over horen? Hij had me verteld dat geen van de mensen met wie hij werkte van mij wist. Dat was 'beter' en 'veiliger'. En als hij nou gewond raakte? Wat als hij weer in een gevecht verwikkeld raakte, een heftig gevecht, en zou worden doodgestoken, of neergeschoten? Zou ik er dan ooit achter komen?

Ik deed de afwas en dacht ondertussen de hele tijd aan hem, aan waar hij was, aan wat hij aan het doen zou kunnen zijn. Toen ik mijn bestek in de lade legde, viel me ineens op dat iets er gek uitzag. De messen en vorken waren omgeruild. Ik had het schone bestek erbij geschoven, maar het lag op de verkeerde plaats: één vork bij de messen en een mes bij de vorken.

Zo hadden ze vanochtend niet in de lade gelegen. Of wel? Ik probeerde me voor de geest te halen wat ik had gedaan toen ik ontbijt had gemaakt. Waar had ik het mes gepakt? Het moest op de goede plaats hebben gelegen, anders zou ik hebben geprobeerd boter op mijn brood te smeren met een vork.

Ik pakte het bestek uit de lade en legde het in de juiste bakjes terug.

Ik begreep niet wat er was gebeurd. Ik liep naar boven om het bad aan te zetten en toen ik het licht in de badkamer aandeed, zag ik het meteen: de wasmand was van de linkerkant van de wastafel naar de rechterkant verplaatst. Het zag er gek uit.

Ik zette hem terug.

Er was iemand in mijn huis geweest.

Ik liep van kamer naar kamer, op zoek naar veranderingen, op zoek naar dingen die anders waren. Ik was een uur bezig, en toen ik klaar was, was ik er nog steeds niet van overtuigd dat ik alles goed had gecontroleerd. Werd ik gek? Ik zou het toch niet vergeten als ik meubels verplaatste of mijn besteklade anders inrichtte? En waarom zou ik dat hoe dan ook doen? De wasmand paste niet eens goed aan de rechterkant van de wastafel: er was niet genoeg ruimte naast het bad en hij stak uit.

De vraag die door mijn hoofd ging was niet zozeer wie er binnen was geweest; er waren geen braaksporen, dus degene die het was geweest had een sleutel, wat betekende dat het Lee moest zijn geweest. De vraag was meer: waarom? Waarom zou hij binnenkomen en ineens van alles anders neerzetten?

Ik bleef zoeken, voor het geval er ergens een briefje lag dat alles verklaarde, dat misschien van tafel was gedwarreld toen hij de deur achter zich had dichtgedaan en ergens onder was geschoven. Er lag geen briefje.

Ik werd wakker en had even geen idee waar ik was. Ik lag onder een berg jassen, alsof ik op een dolgedraaid feest was en dronken in een bed op de bovenverdieping terecht was gekomen.

Ik schrok zo dat ik een schreeuw slaakte, een verstikte gil. Ik stond op, raakte verstrikt in de jassen en een deken, viel met een bonk op mijn knieën op het tapijt en probeerde overeind te komen toen ik uit mijn ooghoek iemand op me af zag komen. Toen begon ik te schreeuwen, heel hard te schreeuwen.

'Cathy?'

Het was Stuart. Ik zag met een bliksemsnelle blik in zijn richting dat hij in zijn onderbroek liep en zijn gewonde arm vasthield.

Ik was in Stuarts woonkamer, ik had op zijn bank gelegen. Ik had mijn kantoorkleding nog aan, mijn rok en blouse waren vreselijk gekreukt en mijn schoenen lagen op de vloer naast een fleecedeken, en daarop mijn zwarte wollen jas, Stuarts bruine jack en een of andere sportjas.

Mijn hart bonkte, mijn ademhaling was snel. 'Wat... wat doe ik hier?'

'Het is goed,' zei hij. 'Je was in slaap gevallen. Ik wilde je niet wakker maken.'

Ik zag op de klok aan de muur in de open keuken dat het halfzeven was; het begon buiten net licht te worden.

Ik kon me niet herinneren dat ik in slaap was gevallen. Ik wist alleen nog dat ik met Stuart op de bank een dvd had zitten kijken van een of andere komiek die hij in Australië had gezien en dat ik had gehuild van het lachen.

Mijn ademhaling kalmeerde en mijn hart sloeg weer normaal. 'Laat ik maar gaan,' zei ik.

'Sorry,' zei hij. 'Heel vervelend dat je zo bent geschrokken.'

Ik keek naar hem, naar hoe hij daar in de keuken in zijn onderbroek stond. Godzijdank sliep hij niet naakt.

Ik pakte mijn schoenen en trok ze aan, ik was volledig in de war. Ik griste mijn jas van de berg en legde de rest van de stapel op de bank.

'Sorry... dat ik zo'n.... troep heb gemaakt,' zei ik uiteindelijk.

'Hoe is het met je arm?'

'Ik verrek eerlijk gezegd van de pijn. Ik ga zo nog een pijnstiller nemen.'

'Laat ik maar gaan,' zei ik nogmaals.

'Oké.'

Hij liet me uit en ik wierp een blik over mijn schouder naar hem terwijl ik bedacht wat een achterlijk idee het van hem was geweest om me te laten liggen, en tegelijkertijd zag ik voor me hoe hij uit zijn slaapkamer was komen rennen toen hij me hoorde gillen.

DONDERDAG 18 DECEMBER 2003

'Catherine, schat!' Sylvia gooide de voordeur van Ekstertjes woning open, aangezien zij natuurlijk de gastvrouw was hoewel ze er niet meer woonde. Ze trok me in een stevige omhelzing.

Waarbij ze tegelijkertijd nadrukkelijk over mijn schouder tuurde.

'Hij is verlaat,' zei ik verontschuldigend. 'Sorry. Ik hoop dat hij er snel is.'

'Verlaat?' echode ze. 'Is hij de kroonjuwelen aan het stelen of zoiets?'

Ik schoot in de lach. 'Dat zou zomaar kunnen.'

Ik liep de woonkamer in en begroette iedereen. Claire en Lennon zaten op de bank, waarbij Lennon zich er zo te zien wat ongemakkelijk onder voelde dat Claire dwars over zijn schoot lag met haar benen over de leuning; hij zat er stijfjes bij terwijl zij schaterlachte om iets wat Louise had gezegd.

'Catherine! Dat zou tijd worden, zeg,' zei Louise terwijl ze zich in een soepele beweging ontvouwde en opstond van haar plaats op de vloer. Ze kuste me op de wang. 'Claire is al dronken.'

'Claire, jij kunt ook nergens tegen, hè?'

'Ik weet het, ik weet het,' zei ze terwijl de tranen over haar wangen biggelden van het lachen. 'Wil je dat alsjeblieft nooit meer doen, Lou? Ik had bijna een Tena-moment.'

Lennon zat nog steeds stijfjes onder Claire en zette grote ogen op.

'Waar is-ie?' vroeg Charlie. Charlie was Louises huidige scharrel, een beetje te intellectueel voor haar, vonden wij allemaal, een en al lang haar, bewustzijn en zwembandjes.

'Hij is verlaat,' herhaalde ik. 'Hij zei dat we vooral niet op hem moesten wachten.'

'Zouden we dat hebben gedaan?' vroeg Charlie retorisch. 'Dat betwijfel ik eerlijk gezegd.'

Wat ben je toch een lul, dacht ik, maar ik zei niets.

Max, Ekstertjes echtgenoot, stond in de keuken met haar te kibbelen over hoeveel koriander er was toegevoegd aan wat het ook was dat pruttelde op het Aga-fornuis.

Ik begroette hen allebei met een kus, die ze volledig negeerden; ze kibbelden vrolijk verder alsof ik er niet was.

Stevie kwam uit het toilet. 'Waar is je nieuwe vlam?' vroeg hij, en hij kuste me op beide wangen.

'Mijn god, jongens, hou eens op, zeg. Jullie gaan hem toch niet ondervragen als hij komt, hè?'

'Dat hangt er helemaal van af,' zei Sylvia terwijl ze me een glas wijn aangaf dat wel een fruitschaal leek. Ze droeg, ondanks Ekstertjes voorkeur voor monochrome kleding, een rok met zebraprint met daaronder fuchsiaroze visnetkousen waar alleen iemand met Sylvia's benen mee kon wegkomen. Het zwart-witte thema begon en eindigde met die rok, aangezien haar topje roze met paars was. Ze zag er, zoals altijd, geweldig uit.

Stevie was een van Sylvia's scharrels, mijn persoonlijke favoriet, en ik was blij dat hij er was. Hij was getrouwd, maar hij neukte er, net als zijn vrouw Elaine, op los met iedereen die hij leuk vond. Sylvia werd om de zoveel maanden getrakteerd op een heftige vrijpartij, en verder gingen ze weleens op avontuur in de stad, met hun kleren aan. Elaine was een paar keer met ons mee uit geweest. Je kon met haar lachen. Sylvia had me weleens verteld dat ze na het uitgaan een keer tussen Stevie en Elaine in hun kingsizebed wakker was geworden, dat ze een triootje hadden gedaan.

De voordeurbel ging en het hele gezelschap keek me verwachtingsvol aan. Ik wierp iedereen een blik toe die zei dat ze zich moesten gedragen, maar toen ik opendeed bleken het Sam en Sean te zijn.

'O, is hij er niet?' vroeg Sam terwijl ze de woonkamer in liep.

'Jezus christus,' zei ik, 'willen jullie allemaal ophouden, nú?'

Ik had meteen spijt dat ik dat had gezegd. Waarom was ik zo gespannen? Dit waren mijn beste vrienden, of in ieder geval mijn beste vriendinnen, met wie ik zo'n beetje mijn hele leven had gedeeld. We hadden allemaal jarenlang een potje van onze relaties gemaakt; als een van hen naar een feest van Ekstertje zou komen met iemand met wie het ook maar in de verste verte serieus leek te worden, zou ik even nieuwsgierig zijn als zij.

'Sylvia,' vroeg Sam, 'is die rok van een echte zebra gemaakt?'

'Natuurlijk niet, schat. Ik heb hem in Harrogate gekocht.'

'Maar hij lijkt net echt.'

Ekstertje deed haar uiterste best het eten uit te stellen, maar Max begon na een halfuur te mopperen, dus gingen we aan tafel. Iedereen kletste door elkaar heen terwijl brood, wijn, lepels en schalen met groente werden doorgegeven. Ik zat naast een lege stoel in een ellendige stilte eten op mijn bord te scheppen en te wensen dat ik ergens anders was.

Ik zag Stuart in High Street met te veel tassen aan zijn ene arm en de mouw van zijn andere arm leeg aan zijn jas. Hij liep van me vandaan, op weg naar Talbot Street, en hij vorderde aandoenlijk langzaam.

Wat ik natuurlijk had moeten doen, was hem inhalen en hem aanbieden hem met zijn tassen te helpen. Dan had ik tijdens die laatste paar honderd meter naar huis hem geholpen en ook nog van zijn gezelschap kunnen genieten.

Maar dat deed ik natuurlijk niet. Ik hing een paar minuten rond in de portiek van een kapsalon, deed toen alsof ik de etalage van de boekwinkel bestudeerde en liep met mijn hoofd tussen mijn schouders tot hij de hoek om en uit het zicht was.

Het kwam niet alleen doordat ik het zo gênant vond dat ik gillend wakker was geworden op zijn bank. Hoe meer ik eraan terugdacht, hoe erger het werd. Hij was arts, en ook nog in de geestelijke gezondheidszorg. Hij was iedereen en alles wat ik de afgelopen drie jaar had proberen te vermijden. Hij rook naar ziekenhuis en straalde die autoriteit uit van mensen die zeggen wat je moet doen, die je diagnosticeren, je medicijnen voeren, die beslissingen voor je nemen, je leven een richting op sturen waarover zij de controle hebben.

Ik keek behoedzaam naar rechts om te zien of hij er nog was maar zag enkel auto's, bussen en lichamen in winterjassen.

'Ik dacht al dat jij het was. Hoe is het nu met je?'

Ik draaide me om en trof hem achter mijn linkerschouder aan, met nóg een tas aan zijn ene arm.

'Prima, dank je. Jemig, die zien er zwaar uit.'

'Dat kun je wel zeggen, ja.'

Hij moest zijn teruggelopen toen ik even niet keek, naar de apotheek op de hoek. Ik aarzelde even, in de wetenschap dat ik het niet kon maken hem alleen naar huis te laten lopen met die tassen en me ervan bewust dat ik dan niet mijn gebruikelijke route via het steegje achterom kon nemen.

'Ga je toevallig mijn kant op?' vroeg hij glimlachend.

Ik was onredelijk chagrijnig wegens mijn zielige poging hem te ontlopen en omdat ik niet zo slim was geweest een winkel in te lopen en mezelf goed te verstoppen. Ik overwoog nee te zeggen of een smoes te bedenken over een afspraak met iemand, maar soms is het gewoon gemakkelijker om toe te geven.

'Ik draag je tassen wel,' zei ik terwijl we begonnen te lopen.

'Het gaat wel,' zei hij.

'Een paar, dan.'

'Dank je.' Hij gaf me de twee lichtste en we liepen verder.

'Hoe is het met je schouder?'

'Volgens mij iets beter. Maar later op de dag zal het wel weer meer pijn gaan doen. Ik was eigenlijk van plan alleen even melk te kopen.'

We liepen in stilte verder. Ik voelde me onrustig, wilde het op een lopen zetten. Hij hield een fatsoenlijke afstand tussen ons in acht, zo fatsoenlijk dat mensen die op ons af kwamen lopen tussen ons door konden. Ik vroeg me af of hij moeite had me bij te houden.

'Je hebt morgen toch die afspraak?' vroeg hij uiteindelijk.

Ik vertraagde mijn pas tot hij naast me liep. Ik had geen zin om op straat mijn medische sores te bespreken. 'Ja, inderdaad.'

'Heb je er een goed gevoel over?'

'Ik denk het.'

We staken de weg over en liepen Talbot Street in. Het was hier rustiger en de stoep was smaller.

'Sorry dat ik je laatst zo heb laten schrikken. Ik denk achteraf dat ik je wakker had moeten maken.'

'Ik had niet in slaap moeten vallen. Maak je maar geen zorgen, ik zal het nooit meer doen.'

Ik voelde dat hij naar me keek, maar ik bleef recht voor me uit staren.

'Ik weet dat dit moeilijk voor je is,' zei hij.

Dat was de druppel. Ik draaide me naar hem om, waarbij de tassen tegen mijn benen zwengelden. 'Nee, Stuart, dat weet je niet,' zei ik. 'Je hebt geen idee. Je denkt dat je alles weet omdat je toevallig elke dag in mensen hun hoofd kijkt. Maar je hebt geen idee wat er in het mijne gebeurt.'

Misschien dat hij aan dergelijke uitbarstingen was gewend, aan mensen die hem uitdaagden, maar vast niet op de stoep voor zijn eigen huis. Hij keek me geschrokken aan en wist even niet wat hij moest zeggen, en dus greep ik de kans die me dat gaf.

'Ik zie je wel weer,' zei ik, en ik zette de tasjes neer. Hij droeg ze maar lekker zelf naar boven.

'Waar ga je naartoe?'

'Geen idee,' zei ik terwijl ik wegliep. 'Maar ik heb nog geen zin om naar binnen te gaan.'

Ik hoorde de deur opengaan en achter hem dichtslaan, en pas toen keek ik over mijn schouder. Hij was naar binnen gegaan. Ik was bijna bij het steegje, en overwoog even het in te slaan om de achterkant van het huis te controleren, maar ik was te kwaad. Ik voelde me geagiteerd, mijn zenuwen gespannen als een elastiek dat te ver was opgerekt.

DONDERDAG 18 DECEMBER 2003

Ik had de deurbel niet eens gehoord, maar ik zag ineens dat Ekstertje van tafel was opgestaan, terug was gekomen en Lee bij zich had.

'Hallo,' zei hij. 'Sorry dat ik zo laat ben.'

Er was een moment – een kort moment – van verblufte stilte terwijl iedereen hem bekeek: zijn donkergrijze pak, blonde haar, helderblauwe ogen en warme glimlach. En toen begonnen de meiden allemaal tegelijk te praten.

Sylvia sprong op van haar positie aan het hoofd van de tafel en wierp haar armen om zijn nek terwijl alle anderen opstonden en wachtten tot ze aan de beurt waren om hem een kus op de wang te geven of hem de hand te schudden. Ik was natuurlijk de laatste in de rij, maar ik zat dan ook gevangen aan de andere kant van de tafel. Toen hij eindelijk de kans kreeg te gaan zitten, gaf hij me een kus en een knipoog en fluisterde: 'Sorry.'

Ik had het gevoel dat ik in brand stond. Ik had hem bijna een week niet gezien, een periode waarin ik me vaker dan eens had voorgesteld dat hij ergens dood in een greppel lag. Ik had me eenzaam en alleen gevoeld. Ik had het gevoel gehad dat ik werd gevolgd, bekeken werd. Maar nu was alles ineens goed: mijn mooie, sexy vriendje was terug terwijl ik bijna was vergeten hoe geweldig hij was.

Iedereen ontspande en Louise vertelde vrolijk over de keer dat Claire zó had moeten lachen dat ze het in haar broek had gedaan in de Queen's Head en haar slipje onder de handdroger had gedroogd; Stevie vertelde Lee over de auto die hij net had gekocht en ik straalde. Hij zag er zo mooi en breed uit, zo sereen; de manier waarop hij naar iedereen had geglimlacht en zijn excuses had aangeboden dat hij te laat was; dat het hem op de een of andere manier was gelukt de tijd te vinden om een fles Cristal voor Sylvia en een bos lange witte rozen voor Ekstertje te kopen; maar nog het meest van alles de manier waarop alle meiden hem verbijsterd aanstaarden, bijna met ontzag. En daar zat hij, naast mij, met zijn volledige aandacht op Stevie gericht en zijn rechterhand onder tafel op mijn dij.

Ik voelde mijn mobieltje in mijn zak trillen en pakte het terwijl ik bedacht dat het wel een laat gekomen bericht van Lee zou zijn, dat hij onderweg was.

Idioot genoeg was het Syl: ZIJN ZIJN OGEN ECHT DIE KLEUR, OF ZIJN HET LENZEN?

Ik typte met één duim een antwoord: LOL. HARTSTIKKE ECHT.

Ik keek naar haar, aan het andere eind van de tafel, gezellig kletsend met Max, die eindelijk wat tot rust begon te komen, waardoor zijn paarse gelaatskleur, die zich altijd ontwikkelde als hij op wat voor manier dan ook last had van stress, een beetje wegtrok.

Claires wangen begonnen wel erg roze te worden. 'Laat je je glas even staan, Claire?' vroeg Sam, terwijl hij haar indringend aankeek. 'We willen niet weer zo'n avond als in de Cheshire, toch?'

'Doe niet zo gemeen,' pruilde Claire. 'Trouwens, je hebt helemaal nog niet verteld wat er met Jack is gebeurd in de Cheshire, toch?'

'O god, wat was dat grappig, zeg.'

'Vertel dan,' drong Claire aan, waarna ze zonder ook maar adem te halen vervolgde: 'Jack zat stomdronken in de Cheshire en wist dat hij ergens moest kotsen...'

'Zoals jij,' zei Lennon.

'Dus renden we naar de herentoiletten,' ging Sam verder, aangezien Claire moeite had zichzelf in bedwang te houden, 'en hij had zo'n haast dat hij gewoon maar een wc-deur openramde... waar een of andere stumper zat te schijten en zich kapotschrok toen Jack die deur openknalde. Het probleem was dat Jack het niet langer kon binnenhouden...'

'Of misschien was hij wel zo dronken dat het niet tot hem doordrong dat het toilet bezet was,' voegde Claire toe terwijl de tranen over haar wangen stroomden.

'Dus kotste hij zó over de schoot van die arme vent heen...'

'O god, en dat is nog niet eens het grappigste...'

'En zodra het hem lukte om even adem te halen, dacht hij: wacht es even, ik heb net over een vreemde heen gekotst, en als ik hem was zou ik razend zijn, en bedacht toen dat de aanval weleens de beste vorm van verdediging zou kunnen zijn, stompte de man in zijn gezicht en rende de wc uit.'

Iedereen behalve Charlie zat ondertussen te lachen.

'O god,' zei Claire, 'ik doe het bijna in mijn broek. Ik ben zo terug.'

'Zeg jij nou,' zei Charlie ernstig, 'dat hij over de benen van een vreemde heeft overgegeven en hem toen in zijn gezicht heeft geslagen? Zonder reden?'

'Zoiets, ja,' zei Sam terwijl ze haar ogen afveegde.

'Mag ik de jus?' vroeg Charlie.

'Charlie, wat ben jij toch ondraaglijk saai,' zei Louise.

'Ik weet zeker dat ik je ergens eerder heb gezien, Lee,' zei Stevie. 'Kennen we elkaar van het werk of zo?'

'Volgens mij niet. Maar ik heb een tijdje als portier bij de River gewerkt. Misschien heb je me daar gezien.'

'Dat zou kunnen. Ben je al bij de nieuwe concurrent geweest? Heel indrukwekkend. De Red Divine, bedoel ik. We zijn er vrijdag geweest.'

'Nee. Ik ben eerlijk gezegd niet zo'n clubganger. Zal wel komen doordat ik zo vaak zie wat de nasleep van zo'n avondje kan zijn.'

'Wat goed van je,' zei Max stralend vanaf de andere kant van de tafel. 'Dat probeer ik ook steeds tegen ze te zeggen: het zou veel verstandiger zijn eindelijk eens volwassen te worden en al dat geld aan verstandige dingen uit te geven, of nog beter: het ergens in te investeren.'

'Hou toch op, ouwe krent,' zei Ekstertje plagerig. 'Trek je maar niets van opa aan, meiden. Hij is vergeten hoe hij lol moet maken.'

'Ik weet prima hoe ik lol moet maken.'

'Met de radio aan en de kruiswoordpuzzel in de krant, ja.'

We aten en kletsten, en om de zoveel tijd stak Lee zijn hand onder tafel en vond dan mijn dijbeen, waar hij hem rustig neerlegde, warm en zwaar, zonder dat hij een reactie verlangde.

Toen ik klaar was met eten stak ik mijn hand onder tafel en kneep in de zijne. Hij keek me vragend aan. Zijn ogen waren inderdaad prachtig, zo open. Iedereen zat druk te kletsen en lette niet op ons.

Ik fluisterde in zijn oor: 'Ben je vandaag nog thuis geweest?'

Hij keek me vragend aan. 'Ik was aan het werk, hoezo?'

'Iemand heeft de vorken en messen andersom in de bestek-lade gelegd.'

Hij keek me aan met een blik die zei: waarom zou iemand dat in godsnaam doen? maar tegelijkertijd glinsterden zijn ogen.

'Wilde je een grapje met me uithalen?'

'Ik wilde gewoon dat je wist dat ik voor je zorg.'

Ik voelde dat ik bloosde. Ik weet niet waarom ik me ineens zo ongemakkelijk voelde, maar dat was wel zo.

'Je had ook een briefje voor me kunnen neerleggen.'

'Veel te voor de hand liggend,' zei hij met een knipoog en een glimlach.

Ik dronk mijn wijnglas leeg en dacht hier even over na terwijl ik lachte om iets wat Sylvia zei.

Lee streelde zacht met zijn duim over mijn handrug, wat me deed huiveren.

'Lee,' zei ik zacht.

'Hm?'

'Niet meer doen. Alsjeblieft.'

'Wat?'

'Mijn spullen verplaatsen. Oké?'

Zijn gezicht betrok een beetje, maar hij knikte. Even later, toen Ekstertje de borden kwam afruimen, liet hij mijn hand los. Hij pakte hem daarna niet meer vast.

DONDERDAG 13 DECEMBER 2007

Het was drukker in de praktijk dan de keer ervoor; er zaten meer mensen te wachten en het was luidruchtiger. Ik zat in een hoekje, met samengeklemde knieën, en probeerde me te herin-neren waarom ik mezelf dit aandeed. Recht tegenover me zat een man aan één stuk door te hoesten zonder zijn hand voor zijn mond te houden. Een peuter in een vieze pyjama gooide blokjes uit de speelgoedkist naar zijn broertje terwijl hun moeder het tweetal negeerde en met de vrouw naast haar over vleesbomen en *X Factor* praatte. Ik overwoog meer dan eens om op te staan en te vertrekken. Ik was per slot van rekening niet echt ziek – er zaten hier een heleboel mensen die er beduidend slechter aan toe waren dan ik. Het was wel duidelijk dat ik hun tijd zat te verdoen. Toch?

'Cathy Bailey?' De stem kwam uit een zijgang, en toen ik opkeek, zag ik een man om de hoek kijken.

Ik sprong op alsof ik door een insect was gestoken.

Ik haastte me met dokter Malhotra door de gang een spreekkamer in, waar het tot mijn afgrijzen naar desinfecterende handreiniger op alcoholbasis stonk.

'Ben je een vriendin van Stuart?' was het eerste wat hij vroeg.

'Ja,' zei ik, en ik vroeg me af hoe hij dat wist.

'Stuart is een goeie vent.'

Sanjeev Malhotra was chic gekleed in een donkere pantalon, een roze overhemd met stropdas en een hippe bril. Hij was slank en had een keurig bijgehouden baard. 'Wat kan ik voor je doen?' vroeg hij.

Ik vertelde hem over het controleren en de paniekaanvallen. Ik vertelde hem dat het steeds erger werd. Hij vroeg of ik weleens overwoog mezelf iets aan te doen. Ik zei van niet. Hij vroeg of er iets was gebeurd wat aanleiding had gegeven tot de aanvallen en ik vertelde hem over Robin. En toen moest ik hem de rest natuurlijk ook vertellen. Ik hield het kort. Ik zei dat ik mijn uiterste best deed om het allemaal achter me te laten.

Hij klikte een paar keer iets op zijn beeldscherm aan. Zoals Stuart al had gezegd, zei hij dat hij me zou doorverwijzen naar de GGZ. Hij zei dat het waarschijnlijk een paar weken zou duren voordat ik een afspraak zou kunnen maken.

En daarmee leek het consult afgelopen te zijn.

'Ik hoorde dat Stuart een ongelukje heeft gehad,' zei hij uiteindelijk.

'Zijn schouder was uit de kom.'

'Vervelend voor hem. Maar dat betekent tenminste wel dat wij een kans hebben om zondag te winnen.'

Ik ging met de bus terug naar Talbot Street. Ik voelde me vreemd, alsof ik het hele bezoek had gedroomd, en ik was een beetje misselijk. Het enige waar ik aan kon denken, was hoe ik zo snel mogelijk naar huis kon om te gaan controleren. Ik had het gevoel dat het lastig zou worden om het goed te doen.

MAANDAG 22 DECEMBER 2003

De laatste maandag voor Kerstmis, 's avonds nog boodschappen doen, de laatste sprint voordat alles twee dagen dicht zou zijn.

Het was halfzeven en vreselijk druk in de stad. Ik had me op mijn werk omgekleed voor een avondje uit met de meiden en ging de stad in om een cadeautje voor Lee te zoeken voordat ik hen in de Cheshire zou treffen. Hij had die week gewerkt, niet bij de River maar bij die andere, onbenoemde baan waarvoor hij dagen achtereen op pad was en die hem uitgeput en af en toe humeurig bij me terugbracht.

Ik keek bij Marks & Spencer of ze een herenoverhemd voor hem hadden, iets wat het blauw van zijn ogen zou versterken.

Ik was volledig in beslag genomen door mijn taak, droomde over kerst en neuriede opgewekt mee met 'Santa Baby', dat nét hoorbaar uit de boxen klonk, toen er iemand in mijn blikveld verscheen, die bleef staan.

Ik keek op en zag Lee, die er enorm triomfantelijk uitzag.

Ik slaakte een gilletje terwijl hij me stevig omhelsde en me trakteerde op een lange, lange zoen. Hij smaakte naar pepermunt.

'Ik dacht dat je aan het werk was,' zei ik toen we een paar minuten later aan een tafeltje in de cafetaria zaten.

'Dat ben ik ook,' zei hij, 'maar ik heb even pauze genomen.'

Het was rustig in de cafetaria: alleen wij, een jong stel bij de deur en een ouder echtpaar, met een pot thee en twee visschotels bij de grote ramen, die uitkeken over de kerstverlichting in de winkelstraat. De medewerkers van de bar stonden de balie schoon te vegen en dingen in cellofaan in te pakken.

'Ik heb je gisteren gemist,' zei hij. 'Ik bleef maar aan je denken. En aan je natte kut.'

Ik voelde dat ik begon te blozen en keek om me heen. Er was niemand in de buurt die hem kon horen, maar hij had niet eens geprobeerd om te fluisteren.

'Ben je nu nat?' vroeg hij terwijl hij me recht bleef aankijken.

Ik kon mezelf er niet van weerhouden. 'Het gaat de goede kant op.'

Hij leunde achterover in zijn stoel en wierp een blik op zijn kruis. Ik begon een beetje misselijk te worden. Ik leunde naar voren over het tafeltje, volgde zijn blik en zag wat ik verwachtte te zien.

'Lee, doe normaal. Niet hier.'

Ik dacht even dat hij zou protesteren, me zou dwingen mijn hand onder tafel te steken, maar in plaats daarvan ging hij met een diepe zucht weer rechtop zitten. 'Wat ga je doen, in die kleding?'

'Ik heb met Louise en Claire in de Cheshire afgesproken.'

Hij bleef me recht aankijken en ik schoot uiteindelijk in de lach. 'Wat? Wat is er?'

'Heb je iets leuks gevonden? Tijdens het winkelen?'

'Dat gaat je niets aan.'

'Je bent overal geweest: Burton, Principles, Next, en nu hier.'

'Heb je me gevolgd?'

Hij haalde zijn schouders op, maar die brutale glimlach verscheen ineens weer op zijn gezicht. Ik wist niet zeker of hij me zat te sarren. 'Laten we het erop houden dat ik een van de vele mannen ben die vanavond verlekkerd heeft staan kijken naar jou in dat jurkje.'

'Nou, dan heb jij tenminste het geluk dat je degene bent die mag spelen met wat erin zit,' zei ik.

Hij dronk zijn koffie op en stond op. 'Ik moet terug naar mijn werk,' zei hij. Hij liet zijn hoofd zakken en kuste me hard op de mond. 'Niet te laat naar huis gaan.'

Het oudere stel bij het raam stond op, hun stoelen piepten over de vloer. Ze waren bezig hun vele tassen met aankopen te verzamelen toen een bediende naar hen toe liep en aanbood hun dienblad mee te nemen.

Ik bleef even zitten, met mijn koffiekop in mijn handen, en vroeg me af of ik nog wel zin had om naar de Cheshire te gaan toen hij ineens weer voor me stond, als een stenen muur tussen mij en de rest van de cafetaria.

'Doe je slipje uit,' zei hij.

Ik keek naar hem op. 'Je maakt een grapje.'

'Nee. Trek het uit. Niemand die het ziet.'

Ik bewoog zo min mogelijk terwijl ik mijn rok optrok en mijn onderbroek naar mijn knieën duwde, naar mijn enkels liet zakken, zo snel mogelijk wegtrok en er een balletje van maakte.

'Geef maar hier,' zei hij, en hij stak zijn hand uit.

'Waarom?' Maar ik had hem al gegeven.

Hij stak mijn slipje in zijn zak, kuste me nogmaals en zei, deze keer zacht: 'Braaf meisje.'

Ik zat doodstil, met mijn knieën tegen elkaar geperst, en staarde recht voor me uit tot ik zeker wist dat hij weg was, waarna ik naar de rand van mijn stoel schoof en opstond. Ik voelde me licht in mijn hoofd, bang en opgewonden tegelijk.

Ik had geen zin meer om te winkelen. Ik griste het eerste het beste blauwe overhemd dat ik zag uit een rek, liep ermee naar de kassa en rekende af.

De hele weg naar de Cheshire, terwijl ik het winkelende publiek ontweek en me achter rijen mensen langs perste die op de bus stonden te wachten, terwijl ik de koude avondlucht tussen mijn benen voelde waaien – een prettig gevoel, onder andere omstandigheden –, had ik het idee dat hij nog naar me keek, en ik vroeg me af of het een test was. Was het de bedoeling dat ik hem zou betrappen? Ik probeerde onopvallend om me heen te kijken naar de gezichten, in winkels en in steegjes, maar ik deed het vast juist heel opvallend. Ondanks het vreemde gevoel dat ik had doordat ik hier liep, in december, in een kort rokje en zonder ondergoed, viel niet te ontkennen dat zijn onverwachte actie me had opgewonden en dat ik min of meer wenste dat ik hem onder die tafel had gegrepen toen ik daar de kans voor had.

DONDERDAG 13 DECEMBER 2007

Ik was al anderhalf uur thuis en het controleren liep volledig uit de hand. Elke keer dat ik dacht dat ik klaar was, keerde die onzekerheid terug, en de angst. Als ik het niet goed deed, had het geen zin. Mijn handen beefden en ik huilde zo dat ik nauwelijks nog iets zag. Ik was nog steeds met de binnenkant van mijn voordeur bezig.

Deze keer hoorde ik de voetstappen; ik hoorde zijn deur boven open- en dichtgaan, en ik bleef staan, doodstil, met ingehouden adem, bang geluid te maken.

Hij klopte zacht aan, en ik schrok me rot. 'Cathy? Ik ben het. Gaat het?'

Ik kon niet antwoorden; ik snakte naar adem en snikte.

Ik dacht dat ik hem hoorde zuchten.

'Het gaat niet,' zei hij. 'Wat is er gebeurd?'

Ik haalde diep, bevend, adem. 'Niets. Het gaat prima.'

'Kun je de deur opendoen?'

'Nee. Laat me met rust.'

'Ik wil je alleen maar helpen, Cathy.'

'Je kunt me niet helpen. Ga weg.'

Ik begon harder te huilen, nu behalve bang ook boos, razend

dat hij bij mijn voordeur stond en me niet toestond in te storten.

Hij was niet van plan weg te gaan.

Ik probeerde uiteindelijk op te staan en trok mezelf op aan de deurknop. Ik zag hem door het kijkgaatje, zijn gezicht vervormd. Er was verder niemand in de gang.

Mijn handen beefden. Ik trok de bovenste grendel open, maar de sleutel kostte me meer moeite. En het steekslot nog meer. Tegen de tijd dat ik alles open had gekregen en de deur van de sloten af was hielden mijn knieën het niet meer, en ik zakte in een verfomfaaid hoopje op de vloer.

Hij duwde de deur van buitenaf open en kwam naar binnen, waarbij hij koude lucht en de geur van de winter met zich meenam. Hij sloot de deur en ging naast me zitten. Hij kwam niet te dichtbij, zat alleen maar naast me.

Ik kon hem in eerste instantie niet aankijken.

'Probeer diep in te ademen en je adem vast te houden,' zei hij.

Dat probeerde ik. Alleen een boel gesnotter. 'Ik ben zo... Ik ben zo moe. Ik kon niet... Ik kon het niet... Ik kon niet controleren.'

'Dat weet ik,' zei hij. 'Probeer aan je ademhaling te denken, en verder nergens aan. Alleen aan je ademhaling.'

Dat probeerde ik. Mijn vingers tintelden. Mijn gezichtshuid tintelde.

'Kun je mijn hand vasthouden?' Hij stak hem uit over de ruimte tussen ons in, stabiel.

Ik stak mijn hand uit, raakte de zijne aan, trok mijn hand weer terug, en toen pakte hij mijn hand. De zijne was ijskoud. 'Sorry, koude handen. Probeer nu nog eens adem te halen. Kun je me aankijken?'

Ook dat probeerde ik. Mijn ademhaling schoot nog steeds alle kanten op. Als ik niet snel goed zou inademen, zou ik flauwvallen.

'Denk alleen aan je ademhaling. Adem in. In... en vasthouden. Nog even vasthouden. Goed zo. En uit. Goed zo, kom maar, nog een keer...'

Het leek oneindig lang te duren, maar uiteindelijk werd het beter. Het gevoel in mijn handen keerde terug. Mijn ademhaling vertraagde en toen kreeg ik er weer controle over. Ik greep zijn hand alsof hij een reddingsboei was.

'Goed zo,' zei hij rustig, 'het is je gelukt.'

Ik schudde mijn hoofd, kon nog niet praten. De tranen bleven maar stromen. Ik keek naar hem op en zijn ogen, die vriendelijke ogen, keken geheel zonder oordeel terug. Ik bewoog een beetje naar hem toe, en hij strekte zijn benen voor zich uit. Hij zat met zijn rug tegen mijn voordeur, ik schoof dichter naar hem toe en toen sloeg hij zijn goede arm om me heen. Ik drukte mijn gezicht tegen zijn borstkas, die warm voelde en naar hem rook. Hij legde zijn hand op mijn hoofd en streelde over mijn haar.

'Het is goed, Cathy,' zei hij, en ik voelde zijn stem in zijn borstkas brommen. 'Het is goed. Je bent veilig. Het is in orde.'

Ik was zo moe dat ik ter plekke in slaap had kunnen vallen, op de vloer tegen hem aan, zolang hij tenminste zou blijven zitten en me niet zou loslaten. Ik deed mijn ogen open en zag zijn blauwkatoenen overhemd en de manier waarop hij bewoog en ademde. Ik vond dat ik moest bewegen. Alles begon pijn te doen, en angst begon plaats te maken voor een steeds dieper en verlammender gevoel van gêne.

Ik tilde uiteindelijk mijn hoofd op, en hij schoof rustig van me weg. 'Kom,' zei hij, 'dan zoeken we een comfortabeler plekje.'

Hij stond op, hielp me overeind en leidde me naar de bank. Ik ging zitten en rolde mezelf in een balletje op. Ik wilde dat hij naast me kwam zitten. Als hij dat had gedaan, zou ik weer tegen hem aan zijn gekropen.

'Zal ik een kop thee voor je zetten?' vroeg hij.

Ik knikte, rillend. 'Graag.'

Ik luisterde naar het geluid van de fluitketel, het gekletter van de mokken. Het openmaken van kastjes en het zoeken naar de thee. De koelkast die openging. Het water dat begon te koken. Het voelde vreemd dat hij in mijn huis was. Er had sinds ik hier woonde nog nooit iemand anders dan ikzelf een voet in het appartement gezet, behalve die loodgieter op de dag dat de leidingen waren gesprongen.

Tegen de tijd dat ik hem de mokken op het bijzettafeltje hoorde zetten, was ik ingedut.

'Gaat het weer?' vroeg hij.

Ik ging rechtop zitten en sloeg mijn handen om de mok. Ze beefden niet meer, maar mijn stem was hees en mijn strot voelde rauw. 'Ja,' zei ik. 'Het gaat wel weer. Dank je. Dank je voor de thee.'

Hij keek hoe ik dronk. Hij zag er ook doodmoe uit.

'Heb je gegeten?'

'Ja,' loog ik. 'Hoe is het met je schouder?'

Hij glimlachte. 'Pijnlijk.'

'Sorry dat ik je hier allemaal mee lastigval. Hoe wist je het?'

'Ik hoorde je huilen.'

'Je had me alleen moeten laten.'

Stuart schudde zijn hoofd. 'Dat kon ik niet.' Hij dronk wat thee. 'Worden ze erger, de paniekaanvallen? Heb je ze de laatste tijd vaker?'

'Volgens mij wel.'

Hij knikte. 'Was dit een erge?'

Ik haalde mijn schouders op. 'Ik heb ze wel erger gehad.'

Hij keek me rustig aan, bestudeerde me, als een verdomde arts. Zo keken ze ook altijd naar me in het ziekenhuis, alsof ze zaten te wachten tot ik iets zou doen, iets zou zeggen, een symptoom zou laten zien waardoor ze eindelijk overeenstemming konden bereiken over wat me mankeerde.

'Wat naar, ik hoopte dat het beter zou gaan. Sanjeev is een goede vent. Maar hij is af en toe een beetje achteloos. Wat vond hij ervan?'

'Het was prima. Hij is aardig. Hij heeft me doorverwezen voor een intake of iets dergelijks. Wat bedoelde hij toen hij zei dat ze misschien gaan winnen nu jij zondag niet kunt meedoen?'

Hij schoot in de lach. 'De opportunist. Ik zit met hem in het artsenrugbyteam. Sanjeev lijkt te denken dat ik als speler alleen maar in de weg loop.'

We dronken allebei onze thee op.

'Maar hoe dan ook, het is je gelukt,' zei hij, en hij keek me aan. 'Je hebt de eerste stap genomen.'

'Ja,' zei ik. Ik had zijn oogcontact beantwoord en kon nu niet meer wegkijken.

'Wil je het me vertellen?' vroeg hij, zo zacht dat ik hem nauwelijks verstond.

'Wat?'

'Waardoor dit allemaal is veroorzaakt?'

Ik gaf geen antwoord.

Na een tijdje zei hij: 'Wil je dat ik hier blijf terwijl je slaapt?'

Ik schudde mijn hoofd. 'Het gaat echt wel. Maar bedankt.'

Hij vertrok kort daarna. Ik was helemaal wakker en wilde dat hij me weer zou vasthouden, eerlijk gezegd wilde ik dat hij me stevig zou vasthouden en bij me zou blijven, maar ik vond het niet correct om dat van hem te vragen. Dus vertrok hij, en ik deed de deur achter hem op slot en ging naar bed.

Ik moet nadenken over hoe dit verder moet. De confrontatie met de rest van mijn leven aangaan. Dag voor dag, de ene voet na de andere. Ik trek dit niet meer. Ik hou het niet vol.

WOENSDAG 24 DECEMBER 2003

Tot kerst ging alles goed.

Nou ja, niet helemaal. Een relatie hebben met iemand die voor zijn werk dagen achter elkaar weg is, is helemaal niet goed, maar als hij er was, was alles fijn. Als hij een paar dagen weg moest, waarschuwde hij me van tevoren. En als hij dan weer terugkwam, was ik elke keer zo belachelijk opgelucht dat hij ongedeerd was dat elk verwijt dat ik hem had gemaakt, wegsmolt als sneeuw voor de zon.

Als hij er was, woonde hij zo ongeveer in mijn huis. Als ik naar mijn werk was, ruimde hij op, voerde reparaties uit en kookte voor me.

Als hij er niet was, miste ik hem meer dan ik voor mogelijk had gehouden. Ik vroeg me elke avond af of hij veilig was en of ik er ooit achter zou komen als er iets ergs met hem was gebeurd. Hoewel hij over het algemeen uitgeput, hongerig en smerig terugkwam, stond hij nooit meer gewond bij me op de stoep. Wat er die eerste keer ook was gebeurd, ik wilde geloven dat hij nu voorzichtiger was, vanwege mij.

Ik was niet voor het eerst in mijn leven alleen op kerstavond. Lee was ergens aan het werk – hij zei dat het zijn dienst was. Hij had geprobeerd eronderuit te komen zodat hij tijd met mij kon doorbrengen. Hij zei dat hij zou proberen vroeg te vertrekken, maar om tien uur op kerstavond had ik nog niets gehoord.

Dan niet, dacht ik.

Ik was niet lang bezig om me klaar te maken om uit te gaan. Mijn lievelingsjurk, pumps, een beetje make-up, haar opgestoken – terwijl enkele minuten later alweer strengen loskwamen – en toen was ik klaar.

Ik was om halfelf in de Cheshire; Sam en Claire waren er al. Ik liep meerdere drankjes achter en had wat in te halen. Claire had al een kandidaat gevonden voor een feestelijk avondje; hij zag er erg jong uit, en een tikje te dronken om iets te kunnen presteren.

'Ik vind die van haar niet echt een goede keuze,' schreeuwde ik in Sams oor, boven de herrie van Wizzard uit, die voor de miljoenste keer sinds oktober 'I Wish It Could Be Christmas Every Day' zong.

'Ja, maar dan heb je zijn vriend nog niet gezien,' schreeuwde

Sam terug, en ze wees met de hals van haar bierflesje naar een hoek, waar een donkere en veel aantrekkelijkere man naar hen stond te kijken met een gezichtsuitdrukking die moeilijk te peilen was.

'Vriendelijk type, vind je niet?'

'Dat is lastig te beoordelen.'

De vriend kwam naar ons toe en stelde zich voor, en hij bleek inderdaad heel aardig. Hij heette Simon en schreeuwde in mijn oor dat hij in het leger zat. Hij zou over twee weken naar Afghanistan vertrekken. Ik luisterde naar hem en keek ondertussen naar Sams ogen, die totale aanbidding uitstraalden, en een lichte gekwetstheid dat deze donkerogige seksgod iets te veel aandacht aan mij besteedde.

'Simon,' schreeuwde ik in zijn oor, 'dit is Sam. Ik ga naar huis. Fijne kerstdagen!' Ik kuste hem vluchtig op de wang, knipoogde naar Sam en ging mijn jas zoeken.

Tot zover de Cheshire. En ik was nog lang niet dronken genoeg, bedacht ik terwijl ik met tikkende hakken over Bridge Street liep om te kijken hoe druk het was bij de Hole in the Wall. Ik was dankbaar dat ik mijn jas had aangetrokken, want het begon te regenen. Het was niet koud genoeg voor sneeuw, maar ik had het niettemin ijskoud en vroeg me even af of ik niet beter thuis had kunnen blijven.

'Nee, vriend. Daar begin ik niet aan. Mooi niet. Rot op!'

Het geluid van een ruzie in een steegje, en iets maakte dat ik opkeek. Drie mannen waren verwikkeld in een discussie, een van hen stomdronken. Ze stonden half in de schaduw. Het zal wel om drugs gaan, bedacht ik afwezig terwijl ik mijn hoofd liet zakken. Doorlopen, hier wil je niets van weten.

Er stond een rij bij de Hole in the Wall, maar geen lange. Ik trok me terug in de portiek van de naastgelegen supermarkt, bij wat mensen die ik vaag kende.

Net op tijd om te zien dat twee van de drie mannen die in dat steegje hadden staan ruziën langs ons over Bridge Street liepen.

Een van hen was Lee.

Hij keek niet op of om, hij liep gewoon verder en lachte met zijn handen in de zakken van zijn spijkerbroek om iets wat de andere man zei.

Op dat moment tuimelde een berg dronken jongens de stoep op, op zoek naar een feestelijk broodje kebab. Het geluid uit de club viel met hen mee naar buiten. Kerstliedjes, voor de verandering, in combinatie met een vlaag warme lucht en de geur van bier en zweet.

'Kom je nog binnen of niet?' vroeg de portier, die de deur voor me openhield.

Kan mij het ook schelen, dacht ik. Ik gaf de portier een kerstkus op zijn wang en baande me een weg de warmte en de chaos in.

VRIJDAG 21 DECEMBER 2007

Toen ik thuiskwam lag er een briefje op me te wachten.

Het toverde een glimlach op mijn gezicht. Het lag bij mijn appartement, op de overloop, vlak bij mijn voordeur. Ik neem aan dat Stuart bang was dat ik er moeite mee zou hebben als hij het onder mijn deur door zou schuiven en het op de overloop had achtergelaten in de wetenschap dat er niemand langs mijn voordeur zou lopen behalve hijzelf.

Ik raapte het op voordat ik mijn deur ging controleren, stak het in mijn jaszak en las het anderhalf uur later, toen ik eindelijk in mijn woonkamer zat:

C,
Ik hoop dat het goed met je gaat. Ik moet veel aan je denken.
Zullen we zaterdag ergens wat gaan drinken?
S x

God, ja, dat wil ik, was mijn eerste gedachte, wat al genoeg was om van in de lach te schieten. Ik, eropuit voor een borrel? Met een man die wist dat ik psychische problemen had, die me had gezien tijdens een paniekaanval? Misschien dat het echt beter met me ging.

Ik had geoefend met diep ademhalen, zoals werd aangeraden in een van de artikelen die Stuart voor me had geprint. Ik had het een jaar geleden ook geprobeerd, toen het erger en erger werd, maar in die tijd bekropen de paniekaanvallen en angstaanjagende gedachten me en was ik al volledig in paniek voordat ik kon proberen mezelf te kalmeren. En dan raakte ik nog erger in paniek omdat ik niet goed ademde, het niet goed ging, waardoor ik in een negatieve spiraal terechtkwam.

Nu ik me meer bewust was van de dingen die een aanval aanwakkerden, zou het misschien wel werken. Dus voegde ik een nieuwe regel aan mijn dagelijkse regime toe, dat ik elke dag na mijn werk uitvoerde. Nadat ik mijn appartement had gecontroleerd ging ik op de vloer van mijn woonkamer zitten, sloot mijn ogen en ademde. Langzaam, in en uit. Ik begon met drie minuten. Ik zette de kookwekker. In eerste instantie was het een kwelling om mijn ogen zo lang te moeten dichthouden; ik schrok van elk geluid. De eerste keer voelde ik het oude perfectionisme, het verlangen controle over mijn leven te hebben, en berispte ik mezelf als ik het verkeerd deed door mijn ogen te openen voordat de kookwekker afging, of als ik mijn hoofd naar het raam draaide omdat ik buiten op straat iets hoorde.

Dat is hoe het altijd begint. Ik doe iets wat een goed idee lijkt. Je appartement afsluiten is per slot van rekening een uitstekend idee, toch? En dan doe ik het om de een of andere reden op een dag niet goed, en dat is niet best, want als je iets doet wat goed voor je is, moet je het wel op de juiste manier doen, anders heeft het geen enkele zin. En vervolgens ga ik me daar druk om maken en zie ik alle vreselijke dingen voor me die kunnen gebeuren als ik het verkeerd doe, als ik het verziek, zoals ik in mijn zinloze leven al zo vreselijk veel dingen heb verziekt.

Dus sloeg de eerste keer dat ik mijn ademhalingsoefeningen deed helemaal nergens op, zodat ik na twee vruchteloze pogingen mijn appartement drie keer heb gecontroleerd om dat te compenseren.

Dat was allemaal behoorlijk balen, en ik betrapte mezelf op de vraag of het wel slim was geweest weer contact op te nemen met een arts en me weer in de medische wereld te begeven. Het ging toch best goed met me? Ik leefde toch?

Ik probeerde het voordat ik naar bed ging nog een keer, en de tweede keer was minder erg. Terwijl ik zat te ademen dacht ik ineens aan Stuart, aan hoe hij mijn hand had vastgehouden, hoe hij me door het ademen heen had gepraat en op mijn koude vloer had gezeten. Met zijn geruststellende, kalme stem en zijn oplettende blik. Voordat ik het wist, ging de kookwekker af en was het me gelukt mijn ogen drie minuten dicht te houden.

Ik sliep die nacht beter dan ik in heel lang had gedaan.

Ik legde Stuarts briefje op de vloer voor me neer, ging in kleermakerszit zitten en luisterde even naar de geluiden in het pand en op straat, en toen deed ik mijn ogen dicht en begon. In. Uit. In. Uit. Me voorstellen dat Stuart naast me zat was de enige manier waarop het zou werken, besloot ik. Wat kon het mij ook schelen, als het maar werkte, toch? Dus liep ik in gedachten met hem weg van mijn koude, tochtige vloer en naar boven, zijn woonkamer in, met de brede, diepe banken, en ontspande me in hun zachtheid. Het was zonnig en warm, zonlicht stroomde door de ramen naar binnen en op zijn gezicht, en hij had een hand op mijn bovenarm gelegd en zei de dingen tegen me die hij al tegen me had gezegd, en nog wat meer.

Ik ben er. Het is goed, je bent veilig. Adem nu maar... in. En uit. En weer in... en uit. Goed zo, je doet het prima. In. En uit.

Vijf minuten later opende ik één oog en keek op de keukenklok.

Ik had verdomme vergeten de kookwekker te zetten.

Ik was om een uur of twee 's nachts thuis. Ik had het grootste deel van de weg naar huis gezelschap: drie dronken jongens en twee vriendinnen van hen wankelden mijn kant op en ik liep met ze mee, kletsend met een van de meiden, Chrissie, die een nichtje van Sam bleek te zijn.

Het laatste stuk over Queen's Road viel reuze mee. De wind was een beetje gaan liggen en hoewel het tegen het vriespunt was, had ik genoeg wodka gedronken om de ergste kou te weren. En mijn wollen jas was heerlijk warm. Ik bedacht dat ik thuis een lekkere kop thee zou zetten en morgen heerlijk zou uitslapen...

Er zat iemand op de trap bij mijn voordeur, die opstond toen ik aan kwam lopen.

Lee.

'Waar kom jij vandaan?' vroeg hij.

Ik viste mijn sleutels van de bodem van mijn tas. 'Ik ben uit geweest,' zei ik. 'Ik had geen zin om thuis te zitten. Ben je er al lang?'

'Tien minuten.' Hij gaf me een kus op mijn wang. 'Gaan we naar binnen? Mijn ballen vriezen er bijna af.'

'Waarom heb je je sleutel niet gebruikt?'

'Omdat jij hebt gezegd dat dat niet mag, weet je nog?'

'Pardon?'

'Je hebt gezegd dat ik niet naar binnen mag en je spullen niet overhoop mag gooien.'

'Zo bedoelde ik het niet. Natuurlijk mag je naar binnen.'

Eenmaal binnen draaide hij me om, duwde me tegen de muur, trok mijn jas open en nam met zijn mond beslag van de mijne. Zijn kus was hard en droog en smaakte naar hem – niet naar alcohol. Dus hij was niet dronken. Alleen hard.

'Ik heb de hele dag aan je lopen denken,' fluisterde hij in mijn hals, en zijn handen gleden over mijn satijnen jurk. 'Als je deze jurk aanhebt, wil ik je zo graag.'

131

Ik maakte zijn gulp open, rukte zijn riem eraf en trok zijn broek over zijn billen omlaag. Hier in de gang, dacht ik. Waarom niet?

'Ik wil alleen wel zeker weten,' zei hij kreunend in mijn haar, 'dat je niemand anders hebt geneukt in die jurk.'

'Nee,' zei ik. 'Alleen jou. Hij is van jou. Ik ben van jou.'

ZATERDAG 22 DECEMBER 2007

Het was vandaag heerlijk weer. Ik zie het als een teken. En het is natuurlijk een even dag, wat uitgaan voor een drankje een uitmuntend idee maakt.

Hij zat al op me te wachten toen ik aanklopte. Ik had voorgesteld dat ik hem zou halen als ik klaar was; dan hoefde hij geen halfuur te wachten terwijl ik mijn controles uitvoerde. Ik had alles gecontroleerd, en ik had het goed gedaan.

'Hoe is het met je schouder?' vroeg ik.

'Beter,' zei hij. Hij hoefde die mitella niet meer om. 'Die pillen werken eindelijk.'

Het was druk op High Street; er werd gretig gebruikgemaakt van de laatste dagen dat er kerstinkopen konden worden gedaan. Stuart leidde me naar een zijweg en daarna een smal steegje in. Aan het eind van de steeg was een pub, die heel geruststellend Rest Assured heette. Buiten op de stoep stond een schoolbord met daarop de mededeling: LEKKER ETEN. Stuart opende de deur voor me.

De pub was net open en we waren de eerste klanten. Het bargedeelte was klein, met twee diepe banken naast een open haard waar net wat verfrommelde kranten in lagen te branden en waar keurig wat houtblokken lagen opgestapeld. Rond de bar hingen kerstlampjes, en in een hoek stond een echte kerstboom, die smaakvol in zilver en wit was gedecoreerd. Er klonken godzijdank geen kerstliedjes.

Hij haalde een glas wijn voor me en ik liet me in de bank naast de open haard zakken. Ik stak mijn handen uit naar het vuur om ze te warmen, maar er kwam nog niet veel warmte af.

'Je ziet er moe uit,' zei ik toen hij tegenover me ging zitten. 'Heb je slecht geslapen?'

'Ik heb eerlijk gezegd geen oog dichtgedaan. Maar daar ben ik wel aan gewend. Als ik laat uit mijn werk kom, heb ik altijd moeite met inslapen.'

Ik nam een slok wijn, die ik vrijwel direct naar mijn hoofd voelde stijgen. Wat was het aan hem dat maakte dat ik me zo veilig voelde dat ik ook maar durfde te overwegen een borrel te nemen?

'Ik ben aan het oefenen met dat ademhalen,' zei ik. 'Er zat een heel hoofdstuk over in die stapel papieren die je me hebt gegeven.'

Stuart leunde naar voren en zette zijn Guinness op het tafeltje tussen ons in. 'Echt? Dat klinkt veelbelovend. Je moet gewoon blijven oefenen tot het een tweede natuur wordt, zodat je het als je het nodig hebt kunt inzetten zonder dat je er al te erg over na hoeft te denken.'

Ik knikte. 'Ik ben nooit zo goed geweest in ontspannen, maar tot dusver gaat het best aardig.'

Hij stak zijn glas naar me op. 'Op een nieuwe start dan maar.'

Er viel een stilte. Ik begon me slaperig te voelen.

'Heb je nog last gehad van die ellendige salesmanager?' vroeg hij.

Ik schudde mijn hoofd. 'Die heb ik gelukkig niet meer gezien. Ik heb geen idee wat ik zal zeggen als we elkaar tegen het lijf lopen, maar daar maak ik me wel zorgen om.' Ik dacht even na. 'Ik heb je nooit echt bedankt voor – nou ja, je weet wel. Dat je hem van me af hebt getrokken. En dat je eerlijk tegen me bent. Als je dat niet had gedaan, zou ik waarschijnlijk nu nog ergens in een verfrommeld hoopje liggen. Ik heb het gevoel dat ik eindelijk een beetje vooruitgang boek.'

Hij glimlachte. 'Graag gedaan. Trouwens, ik zou jou moeten bedanken.'

'Mij? Waarvoor?'

Hij zuchtte en keek me even aan, alsof hij zich afvroeg of hij moest zeggen wat hij dacht. 'Ik voelde me niet al te best toen ik verhuisde. Ik wilde helemaal niet weg uit mijn oude huis, maar ik had geen keuze. Maar dit huis, ik weet niet, het voelt als thuis. En volgens mij heeft dat veel met jou te maken.'

'Met mij? Hoezo?'

Hij haalde zijn schouders op, en het drong tot me door dat hij er een beetje ongemakkelijk uitzag. 'Ik heb geen idee... Ik kijk er gewoon naar uit om je te zien.' Hij begon een beetje te lachen, duidelijk een tikje gegeneerd, en ik besefte ineens dat hij me leuk vond. Hij vond me écht leuk, en dat probeerde hij me te vertellen zonder me de stuipen op het lijf te jagen.

Ik wilde zeggen: Je kent me helemaal niet, maar dat was niet waar. Hij wist veel meer van mij dan mijn collega's, en ik heb geen vrienden meer.

Ik hoorde mezelf met een stemmetje dat van ergens heel ver weg leek te komen, zeggen: 'Ik voel me veilig bij je.'

De sfeer veranderde daarna een beetje. Ik weet niet of ik te veel had gedronken – bijna een heel glas, stel je voor! – of dat het kwam doordat het ineens heel druk was geworden in de pub en het bargedeelte vol mensen stond. Stuart keek me lang aan, en ik hield zijn blik vast.

Iemand kwam onze glazen opruimen, en dat verbrak de betovering. 'Wil je nog iets drinken?' vroeg hij, en hoewel ik al opstond om te gaan bestellen, gebaarde hij me weer te gaan zitten.

De bank zat heerlijk, en ik had zo in slaap kunnen vallen.

'Zit hier iemand?' vroeg een jonge vrouw. Achter haar stond een oudere dame. Aan de tassen te zien een moeder die met haar dochter aan het winkelen was.

'Ja, maar gaat u daar maar zitten,' zei ik, en ik wees naar de bank tegenover me. Ik vroeg me af hoelang ik het zou volhouden voordat al dit contact met de buitenwereld me te veel zou worden.

Ik pakte Stuarts jas van de bank tegenover me en hing hem over de rugleuning van de bank waarop ik zat. Ik moest de drang eraan te snuiven weerstaan, wat me aan het giechelen maakte. O god, ik was nu al dronken. Ik zou nog één glaasje wijn nemen. Nog één.

Stuart kwam terug na wat als een eeuwigheid voelde, keek nauwelijks naar de twee vrouwen, die ondertussen druk zaten te kletsen over ene Frank en wat een vergissing het toch was geweest dat hij bij Juliette was weggegaan, en ging naast me zitten. Het was geen grote bank.

Ik zag het als een test. Als ik dit kon, als ik het aankon dat hij – en plein public – zo dicht bij me zat, als ik een gesprek kon voeren, of iets wat erop leek, met een man die ik nauwelijks kende maar toch instinctief aardig vond en vertrouwde, kon er misschien iets gebeuren. In de verre toekomst.

'Gaat het?' vroeg hij me.

Hoezo? wilde ik vragen, maar hij bedoelde natuurlijk dat hij zo dicht op me zat dat zijn dijbeen het mijne raakte. Behalve Robin, die zichzelf op me had gestort en Stuart, die voor me had gezorgd tijdens een paniekaanval, was dit de eerste keer dat ik fysiek contact had met een man sinds hém.

'Prima,' zei ik, en ik vroeg me af hoe rood mijn wangen waren. 'Ik vroeg me gewoon af... hoe het komt dat ik me zo... Ik weet het niet. Ik ben gewoon niet bang voor je. En ik ben bang voor iedereen. Letterlijk iedereen. En toch ben ik niet bang voor jou. En ik weet helemaal niets van je.'

Hij dronk in één teug zijn halve glas leeg en zette het kordaat op het tafeltje voor zich neer.

'Fijn dat je niet bang voor me bent. Dat hoeft ook niet.' Hij pakte mijn hand en bleef die vasthouden. Ik keek naar mijn vingers, in zijn hand, vroeg me af hoe mijn vingers zo koud konden blijven terwijl ik verder zo warm was, en bedacht vaag dat zijn handen groot en sterk waren, met korte nagels. Ik wachtte op de paniek, maar die kwam niet. Mijn hart sloeg behoorlijk snel, maar niet van angst.

'En wat betreft dingen over me weten... ik moet je het een en ander vertellen. Dat wil ik al een tijdje, maar ik heb er de kans nog niet voor gehad. Dus daar gaan we.'

Ik wilde zeggen dat ik hem nooit de kans gaf om ook maar één woord te spreken als we elkaar zagen, maar het lukte me gelukkig om mijn mond te houden.

'Voordat ik hier kwam wonen heb ik in Hampstead gewoond, met mijn vriendin Hannah. Of eigenlijk was ze mijn verloofde. Ik dacht dat we gelukkig waren, maar dat was blijkbaar niet het geval.'

Hij hield ineens zijn mond en keek naar zijn hand, die nu om de mijne was gekruld. Ik kneep zacht in de zijne. 'Wat is er gebeurd?'

'Ze had een ander. Een collega. Ze was zwanger van hem geraakt en heeft abortus laten plegen. Ik kwam er pas achter toen het allemaal achter de rug was. Dat was... moeilijk.'

'Wat vreselijk,' zei ik, en ik voelde zijn pijn.

Hij streelde zacht met zijn duim over de muis van mijn hand, wat me deed huiveren.

'Dus dan neem ik aan dat je nog niet aan een relatie toe bent?' vroeg ik, maar het klonk als een vanzelfsprekendheid, die ik probeerde te verzachten met een glimlach. Laten we het maar open en eerlijk houden, dacht ik, dat is wel zo duidelijk. Ik was benieuwd wat ik ging zeggen als ik nog een paar glazen wijn achter de kiezen had.

Hij glimlachte gelukkig terug. 'Niet echt, nee.' Hij dronk zijn glas leeg, keek weer naar onze handen en zei: 'Maar ik heb het gevoel dat dat voor jou ook geldt.'

Ik knikte. Ik dacht heel lang na, en uiteindelijk lukte het me te zeggen: 'Ik weet niet of ik daar ooit weer aan toe zal zijn.'

'Was het erg?' vroeg hij.

Ik knikte weer. Ik had er alleen iets over verteld toen ik werd ondervraagd door de politie, en toen alleen maar antwoord gegeven op directe vragen en geen enkel detail over wat er was gebeurd vrijwillig prijsgegeven. Ze hebben in het ziekenhuis geprobeerd me erover aan de praat te krijgen. Ik had al snel door wat ik moest zeggen om hen tevreden te houden, hen ervan te verzekeren dat ik herstellende was, enkel in de hoop dat ze me zouden vrijlaten en niet meer lastigvallen. Toen dat uiteindelijk gebeurde, was het de bedoeling dat ik nazorg zou krijgen, maar dat is nooit gebeurd. Niet dat ik daarnaartoe zou zijn gegaan. Het enige wat ik wilde was vluchten, vluchten en nooit meer omkijken.

Het laatste wat ik van plan was, was er nu over beginnen, maar het tuimelde mijn mond uit alsof iemand anders het woord nam en ik alleen maar achteroverzat en luisterde. 'Ik ben aangevallen.'

Hij was even stil. Toen vroeg hij: 'Hebben ze de dader gepakt?'

Ik knikte. 'Hij zit in de gevangenis. Hij heeft drie jaar gekregen.'

'Drie jaar? Wat weinig.'

Ik haalde mijn schouders op. 'Het is maar tijd, toch? Drie jaar, dertig jaar. Voor hetzelfde geld hadden ze hem nooit gevonden. Het was in ieder geval lang genoeg om te kunnen vluchten.'

DONDERDAG 25 DECEMBER 2003

Toen ik op kerstochtend wakker werd, was het stralend weer. Lee lag niet naast me in bed. Ik hoorde beneden het gekletter van potten en pannen, wat niet bevorderlijk was voor mijn hoofdpijn. Ik keek op mijn wekker: halftien.

Ik probeerde me enthousiast te voelen, en gelukkig, en kerstig, maar op dit moment voerde mijn hoofdpijn de boventoon.

Ik viel weer in slaap, en toen ik opnieuw wakker werd, stond Lee voor mijn neus met een dienblad vol ontbijt. 'Wakker worden, schoonheid,' zei hij.

Ik ging rechtop zitten en probeerde te negeren hoe ik me voelde. 'Wauw,' zei ik. Toast, sap en, omdat ik duidelijk nog niet genoeg had gedronken de afgelopen vierentwintig uur, champagne.

Lee trok zijn spijkerbroek en t-shirt uit en kwam naast me zitten. Hij pakte een snee toast en nam een hap. 'Vrolijk kerstfeest,' zei hij.

Ik kuste hem. En nogmaals, tot ik bijna het dienblad van het bed trapte, waarna ik goed ging zitten en wat sap dronk.

'Dat was niet netjes van me, gisteravond,' zei hij.

Ik keek hem verrast aan. 'Niet netjes? Hoe bedoel je?'

Hij keek me rustig aan. 'Ik was stinkjaloers dat je in die jurk was uitgegaan. Het spijt me, dat is niet goed.'

Er viel een lange stilte, die alleen werd onderbroken door zijn gekauw.

'Wat heb jij toch met rode jurkjes?' vroeg ik.

Hij haalde zijn schouders op. 'Ik heb het niet met alle rode jurkjes. Alleen met die van jou. Met jou erin.'

'Ik heb je gisteravond gezien in de stad,' zei ik. 'Je stond in een steegje met iemand te ruziën.'

Hij zei niets, zette alleen het dienblad naast het bed.

'Het zag eruit als een drugsdeal. Of zoiets. Is dat wat je doet? Dealen?'

'Het heeft geen zin me die vragen te stellen, Catherine. Je weet dat ik je geen antwoord ga geven.'

'Je werk maakt me bang,' zei ik.

'Dat is waarom ik er niets over zeg,' zei hij.

'Als je gewond raakt – zwaargewond – zou ik er dan ooit achter komen? Zou iemand me dan bellen?'

'Ik raak niet gewond.'

'Maar als dat nou wel gebeurt?'

'Ik raak niet gewond,' herhaalde hij. Hij pakte het lege glas uit mijn hand en zette het op het tafeltje naast het bed, trok me naar zich toe en kuste me.

'Lee, ik heb barstende koppijn.'

'Ik weet wel iets om je daarvan af te helpen,' zei hij.

Dat maakte het natuurlijk helemaal niet beter, maar het was het proberen waard.

ZATERDAG 22 DECEMBER 2007

Ik liet zijn hand los en nam een slokje, liet de koele wijn op me inwerken. Ik was een beetje misselijk, en ik vroeg me af of het door de wijn of het gespreksonderwerp kwam.

'Volgens mij ben ik dronken,' zei ik glimlachend.

Hij bestudeerde me.

'Je bent wel een beetje roze, ja...'

'Zullen we naar huis gaan?' vroeg ik. Ik wilde ineens niet meer hier zijn. Ongelooflijk, twee glazen wijn en ik was niets meer waard. Vroeger dronk ik de hele nacht door en was er de volgende dag niets aan de hand.

Toen ik buitenkwam, sloeg de koude wind me hard in het gezicht, en ik voelde dat ik onvast op mijn benen stond.

Hij sloeg zijn arm om me heen. 'Zo. Gaat het?'

Ik verstarde, maar alleen innerlijk, ik denk niet dat hij het merkte. Ik wilde dit – ik wilde hem, zo vreselijk graag, en toch voelde het alsof mijn lichaam me niet zou toestaan intiem met hem te worden. 'Ik heb nog nagedacht over wat je laatst tegen me zei, over sociale contacten. Dat een behandeling tegen OCD me misschien meer tijd geeft voor sociale contacten.'

'Ja?'

'Ja. En nu bedenk ik dat jouw manier van sociale contacten veel minder bedreigend is dan wat ik ben gewend.'

'Mijn manier? Moet dat een compliment voorstellen?'

Ik schoot in de lach. 'Misschien. Ik ben niet altijd zo geweest als ik nu ben,' zei ik. Ik klappertandde een beetje terwijl we door de drukte naar Talbot Street liepen.

'Niet?' vroeg hij lachend. 'Wat dan, was je vroeger geheelonthouder?'

Ik porde hem in zijn zij en trok toen zo snel ik kon zijn arm weer om me heen, voor de steun die ik nodig had. 'Nee. Ik bedoel dat ik een vreselijk feestbeest was. Elke avond uit. Véél uit. Ik was nooit thuis. Ontzettend stom, eerlijk gezegd.'

'Waarom stom?'

'Nou, omdat ik mezelf aan de lopende band in situaties bracht die heel slecht hadden kunnen aflopen. Ik was constant dronken, ging zonder erover na te denken met anderen mee en nam Jan en alleman mee naar mijn eigen huis. Ik werd regelmatig wakker op plaatsen waar ik nog nooit was geweest en herinnerde me dan niet eens hoe ik er was gekomen. Als ik daar nu op terugkijk, kan ik haast niet geloven dat ik nog leef.'

'Ik ben blij dat je nog leeft.'

'Je had me toen zeker wel willen leren kennen, hè?' zei ik grappend.

Hij kneep zacht in mijn zij. 'Ik ben gewoon blij dat ik je ken.'

O god, dacht ik, doe alsjeblieft niet zo aardig tegen me, dat kan ik niet aan, dat verdien ik niet.

'Luister,' zei ik, 'ik ben op een gesloten afdeling opgenomen geweest. Twee keer. Ik vind dat je dat moet weten.'

'Nadat je was aangevallen?'

'De eerste keer was onmiddellijk erna. Ze hadden me uit het ziekenhuis ontslagen nadat ik was hersteld van de lichamelijke verwondingen. Volgens mij hebben ze zich niet echt afgevraagd wat zich in mijn hoofd afspeelde. Voor mezelf zorgen was sowieso niet mijn sterkste kant. Ik ben uiteindelijk helemaal doorgedraaid, in een nachtapotheek, en toen kwamen de mannen in de witte jassen. Of wie het ook waren.'

'Waarschijnlijk ambulancebroeders, misschien met assistentie van de politie,' zei hij behulpzaam.

'Daarna heeft het nog ongeveer een jaar geduurd voordat de zaak voorkwam. Toen heb ik een terugval gehad; dat was de tweede keer.'

'Heb je goede hulp gehad? Therapie?'

Ik haalde mijn schouders op. 'Nee. Maar waar het om gaat is dat ik er nog ben. Ik ben uit een diep dal geklommen. Een héél diep dal.'

Hij knikte. 'Dat had ik wel begrepen, ja.'

'Ik wilde gewoon dat je het wist,' zei ik. 'Voor het geval dat.'

'Voor welk geval?'

'Voor het geval het iets uitmaakt.'

We stonden voor ons huis. Hij maakte de voordeur open en stapte opzij om me voor te laten gaan. In de gang deed hij een pas achteruit en zei heel rustig tegen me: 'Controleer hem maar een keer. Eén keer.'

Ik keek hem aan met een blik die zei: Ik laat me door jou écht niet vertellen hoe vaak ik die verdomde deur mag controleren. Maar ik deed het inderdaad maar één keer. En dat was genoeg, omdat hij erbij was.

Hij ging me voor de trap op en bleef iets voorbij mijn voordeur staan, zodat hij mijn weg niet blokkeerde. 'Ik vond het heel gezellig,' zei hij

Ik bleef even staan en keek hem aan; ik voelde de afstand tussen ons in en wilde hem overbruggen.

Ik weet niet wie het initiatief nam, hij of ik, maar hij had me ineens vast, en ik had mijn armen om hem heen, onder zijn jas, en omhelsde hem zo stevig mogelijk. Een van zijn grote handen lag om mijn achterhoofd, en het ging door me heen dat het vreemd aanvoelde, en toen besefte ik weer dat ik nu kort haar had. Het was alsof het me op dat moment ineens duidelijk werd dat ik die persoon niet meer was. Ik had plotseling de behoefte mijn haar weer te laten groeien, alleen maar om te kunnen voelen hoe het zou zijn als hij zijn vingers erdoor zou halen terwijl hij mijn hoofd vasthield.

Hij ademde uit, als een zucht, en ik tilde mijn hoofd op en kuste hem. Hij kuste in eerste instantie niet terug – hij stond even als aan de grond genageld, beweginloos. Toen gleed de hand die mijn achterhoofd ondersteunde naar mijn wang, zijn vingers voelden koel op mijn brandende huid, en kuste hij me terug. Hij smaakte een beetje naar Guinness. Ik voelde mijn knieën knikken, en zijn grip om mijn taille werd wat steviger. Hij voelde zo sterk, ondanks zijn gewonde schouder.

Ik zou in paniek moeten raken. Ik zou doodsangsten moeten uitstaan. Maar dat was niet zo. Ik wilde niet dat hij me losliet.

Hij maakte zich van me los om me aan te kijken, waarbij een van zijn handen mijn rug steunde en de andere tegen mijn wang lag. Misschien probeert hij in te schatten hoe dronken ik precies ben, bedacht ik nieuwsgierig. Maar dat was het niet. Zijn groene ogen stonden ongerust. Hij keek of het goed met me ging.

Hij concludeerde blijkbaar dat ik in orde was, want hij kuste me nogmaals, volgens mij een beetje hartstochtelijker dan zijn bedoeling was, en zijn stoppels van die dag schraapten langs mijn mond.

Hij begon me geleidelijk los te laten, en mijn hand, die ik onbewust onder zijn shirt had geschoven, gleed met tegenzin van de huid van zijn onderrug. Hij deed een stap achteruit om naar me te kijken.

Ik dacht: waag het niet om je excuses aan te bieden voor wat er net is gebeurd. Waag het verdomme niet om sorry te zeggen.

'Wil je mee naar binnen?' vroeg ik, en ik wierp een blik op mijn voordeur. Ik wilde zijn kleren uittrekken en ik wilde door hem geneukt worden. Op die plek, op dat moment, zou ik hem misschien zelfs hebben betaald om dat te doen.

Er viel een lange stilte, die elke seconde gruwelijker werd. Toen schudde hij zijn hoofd. Zo te zien was hij in overleg met zichzelf over wat hij moest doen, en toen was de interne strijd ineens beslist, want hij deed een stap naar me toe en kuste me nogmaals, snel, deze keer op mijn hete wang, en fluisterde: 'Tot morgen,' waarna hij zich omdraaide en met twee treden tegelijk de trap op rende. Ik hoorde hoe hij zijn sleutel in het slot stak, de deur opende en sloot, en toen was het stil en stond ik alleen voor mijn deur, alsof ik net uit mijn werk was gekomen.

Ware het niet dat ik licht heen en weer zwaaide, alsof het heel hard waaide. En ik pieste bijna in mijn broek.

DONDERDAG 25 DECEMBER 2003

Mijn mobieltje ging terwijl we nog lagen te vrijen. Ik had er geen enkele moeite mee het geluid buiten te sluiten, me te concentreren op Lees lichaam en zijn ritme. Hij trok een grimas en ik voelde hem gespannen raken; hij was afgeleid. 'Klotetelefoon,' mompelde hij, en hij veegde met een hand over zijn voorhoofd.

'Rustig maar,' zei ik. 'Laat maar gaan. Niet stoppen.'

Het veranderde de sfeer. Hij duwde me ruw van zich af, greep me bij mijn haar en draaide me op mijn buik. Ik slaakte een gil van de pijn, maar daar trok hij zich niets van aan, en hij ramde van achteren in me. Ik probeerde me los te maken, maar hij trok mijn hoofd naar achteren en ging verder, nog harder.

Het duurde nog maar een minuut. Ik hoorde het geluid dat hij maakte als hij klaarkwam, waarna hij zich direct uit me terugtrok en uit bed stapte, naar de badkamer liep en de deur zo hard dichtsloeg dat het raam ervan trilde.

Mijn hoofdhuid tintelde op de plek waar hij aan mijn haar had getrokken en ik lag stil te luisteren naar de hamerende hartslag in mijn borstkas. Wat gebeurde er in vredesnaam? Ik hoorde hem de douche opendraaien.

Toen de telefoon nogmaals ging, nam ik op.

'Schat! Vrolijk kerstfeest!' Het was Sylvia.

'Hé, lieverd. Hoe is het?'

'Niet dronken genoeg. En jij?'

'Het is pas halfeen,' zei ik terwijl ik op de klok keek. 'Ben je nu al begonnen?'

'Natuurlijk. Je gaat me toch niet vertellen dat je nog in bed ligt, hè?'

'Misschien wel.'

'Och ja,' zei ze hooghartig, 'als ik Lee had om me gezelschap te houden, zou ik waarschijnlijk ook nog in bed liggen.'

'Je mag hem hebben,' zei ik, 'hij is niet te harden vandaag.'

'Hm,' zei ze. 'Zal ik even komen om hem een schop onder zijn kont te geven?'

'Nee, maar bedankt,' zei ik, en ik moest lachen om het idee. 'Wat ben jij aan het doen?'

'O, je weet wel, van alles... Mijn moeder wil dat ik help met de lunch, maar ik wil op stap in mijn nieuwe kleertjes. Je kent het wel.'

Een paar minuten later beëindigde ik het gesprek. Ik trok een oude spijkerbroek aan met een sweater en warme sokken. Beneden in de keuken was het een bende, het aanrecht was bezaaid met toastkruimels en er lagen theezakjes in de gootsteen. Ik was halverwege de afwas, die ik deed terwijl ik meezong met de kerstliedjes op de radio, toen Lee naar beneden kwam. Hij had alleen een spijkerbroek aan. De spieren in zijn bovenlichaam waren gespannen en zijn huid was vochtig. Hij greep me vast en sloeg zijn armen om mijn middel, waarvan ik schrok.

'Gaat het een beetje?' vroeg ik.

Hij duwde zijn gezicht tegen mijn nek. 'Ja, hoor,' zei hij. 'Behalve dan die klotetelefoon. Wie was het?'

'Sylvia.'

'Dat had ik kunnen weten.'

'Je hebt me pijn gedaan.' Ik draaide me om in zijn armen zodat ik hem kon aankijken.

'Pijn gedaan? Hoezo?'

'Je trok aan mijn haren; dat deed echt pijn.'

Hij glimlachte raar en wreef over mijn hoofd. 'Sorry. Hou je niet van een beetje ruw?'

Daar dacht ik even over na. 'Dat weet ik niet,' zei ik. 'In ieder geval niet op deze manier.'

Hij liet me los en deed een stap achteruit. 'Alle vrouwen houden van ruw. Vrouwen die zeggen dat ze dat niet willen, liegen.'

'Lee!'

Maar hij lachte alleen maar en liep naar de woonkamer. Misschien maakte hij gewoon een grapje, dacht ik, misschien meende hij het niet. Ik liet mijn vingers van de haarwortels naar de punten van mijn haar gaan. Er kwam een hele pluk los. Ik keek ernaar en schudde het van mijn hand boven de pedaalemmer.

ZONDAG 23 DECEMBER 2007

Het was weer zondag, en het was bewolkt, dus op zich zou het een goede dag moeten zijn. Misschien dat ik straks even zou gaan hardlopen.

Maar op dat moment voelde alles extreem klote.

Nadat hij me bij mijn voordeur had achtergelaten en naar boven was gegaan, voelde ik me enorm gegeneerd. Het was een soort verdoofd bewustzijn en ik voelde me nog warm en soezerig van die twee glazen wijn (twee glazen! mijn god!), maar nu – in het koude licht van een grijze en winderige decemberochtend – kon ik alleen maar denken aan hoe opgewekt ik hem had verteld dat ik in een gesticht had gezeten, niet één keer maar twee keer, en hoe hij was verstard toen ik hem had gekust, hoe hij zich had losgewrikt uit mijn grijpende vingers en toen zo snel zijn benen hem konden dragen, naar boven was gerend.

Waar was ik in vredesnaam mee bezig? Hij moet de wanhoop uit me hebben voelen stromen. Geen wonder dat ik volledig geschift ben. Geen wonder dat ik mijn appartement niet kan verlaten zonder eerst alles tig keer te controleren. Ik ben een psychiatrisch geval, een wanhópig psychiatrisch geval dat zo graag wil neuken dat ze de enige man die het afgelopen jaar enige interesse in haar heeft getoond zo ongeveer probeert aan te randen. En alsof het niet nog erger kan, is die man psycholoog – als íémand weet hoe gekte eruitziet, is hij het wel.

Toen ik mijn appartement was binnen gelopen had ik mezelf in de spiegel gezien. Mijn gezicht was nat van tranen, die moesten zijn gaan stromen zonder dat ik het in de gaten had gehad toen hij me kuste. Onder de tranen waren mijn wangen vuurrood. Ik zag er niet uit alsof ik net was gezoend, ik zag eruit alsof ik net was gedumpt.

Wat, op een bepaalde manier, ook zo was.

Wat positief: dit had me allemaal zo afgeleid van mijn gebruikelijke ellende dat ik gisteravond was weggekomen met maar één controle. Eén.

Niet dat ik kon slapen. Ik lag uren wakker, te malen over alles wat hij had gezegd, alles wat ik had gezegd, in een poging de stukjes te analyseren waarvan ik dacht dat hij me ermee had proberen te vertellen dat hij me zag zitten, en alles wat ik me kon herinneren klonk nu belachelijk of kon anders worden geïnterpreteerd: dat hij nog niet klaar was voor een relatie (wat hij letterlijk had gezegd) en ik ook niet (wat hij ook had gezegd) en dat hij een rottijd met zijn verloofde achter de rug had. De onderliggende boodschap leek te zijn dat hij behoefte had aan mijn gezelschap en het leuk vond om bij me te zijn omdat, dat was wel duidelijk, als we allebei geen behoefte hadden aan een relatie, het volkomen veilig was om tijd met me door te brengen aangezien ik niet boven op hem zou springen. En dat had hij allemaal gezegd, vlak voordat ik boven op hem was gesprongen.

Shit.

Om een uur of drie stond ik op, zette de verwarming aan en zat een minuut of tien in mijn badjas en met een kop thee in mijn handen op de bank. Toen ik het een beetje warm begon te krijgen besloot ik nog een poging te wagen met dat ademha-lingsgedoe. Waarom niet? Ik had toch geen moer te doen.

Deze keer deed ik mijn uiterste best het te doen zonder aan Stuart te denken. Als ik nu aan hem zou denken was de kans groot dat het alleen maar erger werd in plaats van beter. Maar hoe meer ik mijn best deed niet aan hem te denken, hoe onmo-gelijker dat natuurlijk werd. Ik keek naar het plafond, luisterde naar de bulderende stilte in mijn oren en vroeg me af of hij ook moeite had met inslapen. Als dat zo was, kwam dat zeker doordat hij zich lag af te vragen wat hij in godsnaam tegen me moest zeggen als hij me tegenkwam: Eh, hoi, ja, ik weet dat ik je laatst heb gezoend, maar eerlijk gezegd scheer ik nog liever mijn wenkbrauwen af dan dat ik je nog eens zou kussen. Zou je willen proberen me niet meer aan te randen? Dank je.

Ik probeerde zelfs mezelf streng toe te spreken: Ik laat me hier niet door tegenhouden. Ik ben herstellende van ocd. Ik word elke dag een beetje beter. Ik herstel omdat ik dat kan. Het enige wat hij heeft gedaan is me daarop wijzen; hij maakt me niet beter, ik maak mezelf beter.

Daarna probeerde ik dat diepe ademhalen nog eens, en deze keer lukte het. Precies drie minuten, en ik was opgelucht toen de kookwekker afging. Ik voelde me nadien rustiger, kroop te-rug in bed, en het lukte me in slaap te vallen toen het net een beetje licht begon te worden.

Toen ik vanochtend wakker werd herinnerde ik me even al-leen het gevoel gekust te worden, hoe heerlijk hij smaakte; hoe sterk, warm en veilig hij voelde, en toen herinnerde ik me de hele context weer en werd misselijk. Na mijn kop thee van acht uur besloot ik dapper te zijn en te gaan hardlopen. Ik trok mijn trainingspak en gympen aan en staarde uit het raam naar de wolken, wenste vurig dat het zou gaan regenen. Dat zou afgrij-selijk zijn, bedacht ik, en het zou mijn verdiende loon zijn; een halfuur hardlopen in de regen, of nog beter: natte sneeuw. Dat zou pas mijn verdiende loon zijn.

Ik controleerde mijn appartement drie keer, wat niet slecht was, maar voor een dag in het weekend ook niet goed. Ik bevestigde mijn huissleutel met een grote veiligheidsspeld in de zak van mijn trainingspak, controleerde of hij goed vastzat, en toen kon ik eindelijk op weg.

Het waaide harder dan ik had gedacht en op mijn route naar het park had ik het grootste deel van de weg wind tegen. Op het moment dat ik door het hek van het park rende, voelde ik mijn gezicht niet meer. In het park lukte het me in een sprint de heuvel op te rennen, waarbij ik ademde tot mijn borstkas pijn deed. Op de top aangekomen liet ik mezelf even op adem komen terwijl ik uitkeek over het park, helemaal naar beneden naar de Theems, Canary Wharf en de Dome. De wolken snelden door de lucht, en het werd met de minuut donkerder en stormachtiger.

Ik rende de heuvel weer af, het hele park rond, en was net terug bij het hek toen de wolken braken en er ijskoude druppels regen begonnen te vallen. Ik overwoog te schuilen onder de markies van een café, dat dicht was, maar ik hou er niet van om langer dan nodig in het park rond te hangen, en al helemaal niet in het halfdonker als je niet kunt zien wie er op je afkomt. Dus rende ik verder.

En uiteraard, tegen de tijd dat ik terug was in Talbot Street miezerde het alleen nog maar. Ik was doorweekt, mijn haar stond in stekelige plukjes alle kanten op, van de regen en van mijn eigen zweet, en mijn wangen prikten van de kou.

Toen ik net bij het huis was gearriveerd ging de voordeur open. En Stuart kwam naar buiten. Hij was zo druk met controleren of de deur goed dichtzat dat hij me in eerste instantie niet opmerkte, en ik overwoog even de tuin van de buren in te duiken.

Te laat.

'Hé!' zei hij, en zijn stem klonk zo vrolijk en vriendelijk dat ik ervan in de war raakte.

'Hoi,' zei ik, hard ademend, wensend dat ik nét iets sneller had gerend en thuis was gekomen voordat hij naar buiten was gelopen.

'Ik ga even wat boodschappen doen voor het ontbijt. Kan ik iets voor je meenemen?'

'Eh... Ik moet me omkleden,' zei ik met mijn stomme hoofd.

'Prima,' zei hij, en hij bestudeerde mijn doorweekte trainingspak. 'Ga jij maar wat droogs aantrekken. En als je dan klaar bent, kom je naar boven, oké? Bacon met eieren?'

'Heerlijk,' zei ik.

Hij grijnsde naar me en liep langs me heen.

'Stuart,' zei ik.

Hij draaide zich met zijn sleutels in zijn hand om.

'Ik wilde alleen even zeggen... eh... bedankt. Voor gisteravond. Voor... je weet wel. Dat je niet bent binnengekomen. Dat je me hebt afgewezen. Sorry, volgens mij was de wijn een beetje naar mijn hoofd gestegen.'

Hij keek me verward aan. 'Ik heb je niet afgewezen.'

'Hè?' zei ik. 'Niet?'

Hij deed een stap naar me toe en legde een hand op mijn bovenarm, zoals hij dat die avond ook had gedaan, om me te kalmeren. 'Nee, dat heb ik niet gedaan. Ik wilde alleen geen misbruik van je maken.'

'Is dat niet hetzelfde?'

'Nee, dat is helemaal niet hetzelfde. Ik zou je nooit afwijzen.'

Hij glimlachte naar me terwijl mijn hart zo ongeveer mijn borstkas uit bonkte, en niet vanwege het rennen. Toen zei hij: 'Ik zie je zo,' waarna hij naar de winkelstraat liep. Ik bleef staan, met ingehouden adem, en keek hem na tot hij de hoek om sloeg.

DONDERDAG 25 DECEMBER 2003

We aten ons kerstmaal in een stilte die ik ongemakkelijk vond. Lee had gekookt: gesneden kalkoen, gebakken aardappels, jus en zelfs een potje cranberrysaus. Hij droeg een papieren hoedje dat hij uit een *christmas cracker* had getrokken en keek naar me terwijl hij dronk.

Ik was kwaad zonder goed te weten waarom. Ik had hiernaar uitgekeken, naar eerste kerstdag, ik had bedacht hoe heerlijk het zou zijn om die samen met iemand te vieren, maar nu wenste ik bijna dat hij er niet zou zijn. Ik vroeg me af of ik iets kon zeggen waardoor hij zou weggaan zonder dat ik er een ruzie mee uitlokte.

Kwam het door wat hij had gezegd, dat vrouwen van ruw houden? Ik overwoog de gedachte, maar voelde er geen boosheid bij. Misschien had hij zelfs wel gelijk. Ik had er niet echt van genoten, dat was waar, maar onder andere omstandigheden zou dat wellicht anders zijn geweest.

Nee, dat was het niet. Het was het gevoel dat Lee het aan het overnemen was.

Ik was naar boven gegaan om me aan te kleden, en toen ik weer beneden kwam en de keuken in wilde, trof ik de deur op slot aan. Hij had medegedeeld dat we de cadeautjes na het eten zouden openmaken, niet ervoor. Ik moest met mijn glas champagne op de bank gaan zitten en geduldig afwachten, had hij gezegd. Ik voelde me net een gast in mijn eigen huis.

Mijn oplossing om van dat ongemakkelijke gevoel af te komen was het besluit zo dronken mogelijk te worden, en dat begon al aardig te lukken.

'Het is heerlijk,' zei ik uiteindelijk, vooral om die drukkende stilte te doorbreken.

Lee knikte. 'Fijn dat je het lekker vindt.' Hij schonk mijn glas bij.

'Mag ik nu alsjeblieft mijn cadeautjes openmaken?' vroeg ik zodra hij klaar was met eten.

Ik stond zo wankel op mijn benen dat hij mijn hand moest pakken om me van tafel te helpen. Ik viel giechelend neer bij de kerstboom op de vloer, en Lee kwam naast me zitten.

'Zal ik je even helpen?' vroeg hij, en hij gaf me een prachtig ingepakt rechthoekig pakje aan.

'Nee,' zei ik, en ik greep het iets steviger vast dan had gehoeven. 'Ik kan het zelf wel, dank je.'

We waren, tussen nog meer glazen wijn door, een eeuwigheid bezig om alles uit te pakken: een paar cd's van artiesten van wie ik nog nooit had gehoord, een armband die glinsterde om mijn pols, een leren tasje en een zilveren vulpen met mijn naam erin gegraveerd. Lee stak de kaarsen op de schoorsteenmantel aan en dronk zijn wijn langzamer dan ik, en hij maakte zijn cadeautjes ook open. Hij kreeg er minder, voornamelijk omdat er voor mij ook pakjes van de meiden bij waren. Ik keek toe terwijl hij die van hem opende: voornamelijk kleding, maar ook aftershave en een nieuwe telefoon. Hij zag er tevreden uit, oprecht tevreden... of misschien had de wijn mijn beoordelingsvermogen vertroebeld.

Toen opende ik een doosje waarin ik tussen lagen tissuepapier lingerie aantrof, die ik natuurlijk onmiddellijk moest passen. Ik begon me onhandig uit te kleden, trok met van wijn ongevoelig geworden vingers aan mijn spijkerbroek tot hij me hielp, en die nieuwe lingerie trok ik natuurlijk niet aan, aangezien we al lagen te vrijen voordat ik de kans daarvoor had, naast mijn zielige poging tot een kerstboom – nog geen meter hoog en pover versierd met wat witte lampjes en een paar glazen ballen.

Ik snakte naar adem toen hij in me stootte. Mijn schouders schuurden over het vloerkleed en ik voelde me buiten mezelf, misselijk. Het deed me denken aan neuken na een avond uit, met een man die ik helemaal niet kende.

Ik vroeg me in een moment van plotselinge schokkende helderheid af of dit wel goed was, of hij wel de goede man voor me was. Was dit niet gewoon het logische gevolg van te veel nachten stomdronken naar huis gaan met zomaar een man die ik ergens had opgepikt? Beneden in de woonkamer neuken met iemand, mijn vingers en lippen gevoelloos van een overdaad aan alcohol? Uiteindelijk een orgasme faken omdat ik te moe was om het nog vol te houden, wachten tot hij eindelijk klaarkwam omdat ik alleen wilde zijn, omdat ik wilde slapen. Omdat ik wilde kotsen.

Lee moet mijn ongemak hebben aangevoeld, want hij vertraagde en draaide mijn wang naar zijn gezicht. Ik deed mijn ogen open. Zijn gezicht was recht boven dat van mij en zijn uitdrukking was onleesbaar. Zijn haar was vochtig van het zweet, zijn voorhoofd glinsterde in het kaarslicht, dat schaduwen over zijn wang wierp.

'Catherine,' fluisterde hij.

'Hm?' Ik dacht dat hij ging vragen of ik me wel goed voelde, en ik bereidde me voor op mijn mooiste bemoedigende glimlach, zodat hij snel klaargeneukt zou zijn en ik water kon drinken, ergens rustig kon gaan liggen en de kamer vredig om me heen kon voelen tollen.

'Wil je met me trouwen, Catherine?'

Ik had door geen andere woorden geschokter kunnen zijn dan ik op dat moment was.

'Wat?'

'Wil je met me trouwen?'

Toen ik uren later in bed lag, met weer een bonkende hoofdpijn, begreep ik dat ik hem had moeten kussen, dat ik het heft in handen had moeten nemen zodat hij zou zijn doorgegaan met waar hij mee bezig was, dat ik tactieken had moeten inzetten die me de tijd hadden gegeven om na te denken. Maar mijn hersenen waren verzadigd van de wijn en ik aarzelde een moment te lang.

Hij trok zich uit me terug en ging met zijn rug tegen de bank zitten.

Ik duwde mezelf onstabiel overeind. 'Mag ik erover nadenken?' vroeg ik.

Lee keek me aan en ik zag tot mijn afgrijzen tranen over zijn wangen biggelen. Hij huilde: die stoere vent die een baan had waarbij hij in steegjes met mensen ruziemaakte, die man die me bij mijn haar had gegrepen en had gezegd dat vrouwen van ruw houden – die huilde.

'O, Lee. Ga nou alsjeblieft niet huilen.' Ik ging schrijlings bij hem op schoot zitten, veegde de tranen van zijn wangen en duwde zijn gezicht een stukje opzij zodat ik hem kon kussen. 'Het is goed. Het kwam alleen totaal onverwacht, dat is alles.'

Maar ik had de intensiteit van zijn schaamtegevoel onderschat. Hij stond op, kleedde zich aan en gaf me een afscheidskus. 'Ik moet morgen werken,' zei hij kalm. 'Tot gauw.'

'Je hebt gedronken, Lee. Je kunt niet rijden.'

'Ik neem in de stad wel een taxi,' zei hij.

Ik had gekregen wat ik wilde: nog maar een paar minuten daarvoor had ik gewenst dat hij zou vertrekken, me met rust zou laten, en nu was hij weg. Wees voorzichtig met de dingen die je wenst, Catherine, zei ik tegen mezelf.

Wees voorzichtig.

ZONDAG 23 DECEMBER 2007

Tegen de tijd dat ik had gedoucht en me tien minuten druk had gemaakt over wat de geschiktste kleding zou zijn om in te ontbijten met iemand die ik gisteravond had gekust, kwam de geur van gebakken bacon de trap af en onder mijn deur door.

Het lukte me mijn deur af te sluiten, hem maar één keer te controleren en naar boven te lopen. De drang terug te gaan en hem nogmaals te checken was sterk, maar ik bedacht dat ik in Stuarts gezelschap genoeg zou zijn afgeleid om alleen aan leuke dingen te denken.

Hij had zijn deur open laten staan, maar ik klopte toch aan. 'Hallo?'

'Hier,' hoorde ik hem roepen, en ik volgde het geluid naar de keuken achter in zijn appartement. Het was er ontzettend licht:

zonlicht stroomde door de grote erker de woonkamer in, die hij had versierd. Er stond een kerstboom in een hoek en er hingen lampjes om de ramen. Het zag er warm, uitnodigend en feestelijk uit. Op de salontafel lag een stapel zondagskranten. Op de kleine keukentafel stonden een pot thee, een rekje met nog stomende toast erin en een potje sinaasappelmarmelade.

'Je bent net op tijd,' zei hij.

Hij zette twee volle borden op tafel. Ik ging tegenover hem zitten, schonk thee in en roerde er druppelsgewijs melk in tot hij exact de goede kleur had.

Ik voelde me zo oncontroleerbaar en onbegrijpelijk blij dat ik de grijns niet van mijn gezicht kreeg. Dat er iemand was, zo dichtbij, met wie ik een mooie dag als deze kon delen, was genoeg. Ik zat zo stom te grijnzen dat ik moeite had met kauwen. Ik keek steels naar hem op en zag dat hij geconcentreerd naar me keek.

'Je ziet er tevreden uit,' zei hij nieuwsgierig.

'Ik bén tevreden,' zei ik glimlachend met een mond vol toast met bacon en een klodder eigeel op mijn kin.

Hij moest blozen, ik had geen idee waarom. Het deed me aan gisteravond denken.

Ik veranderde lomp van onderwerp en zei: 'Je bent een goede kok, zeg. Zelfs nu je gehandicapt bent met die schouder.'

'Daar moest ik net nog aan denken,' zei hij.

'Waaraan?'

'Hm. Wat ga jij met de kerstdagen doen?'

Ik lachte smalend. 'Helemaal niets, net als vorig jaar. Binnen blijven en kloterige kerstprogramma's op tv kijken.'

'Alistair komt bij me lunchen. Hij heeft niemand om kerst mee te vieren. Heb je zin om ook te komen? Dan zijn we samen met kerst. Lijkt dat je wat?'

'Heb je geen familie, mensen met wie je de kerstdagen moet doorbrengen?'

Hij schudde kauwend zijn hoofd. 'Niet echt. Ik kan naar mijn zus, maar die woont in Aberdeen. Ralphie heeft zijn wereldreis weer opgepakt. En ik moet morgen en tweede kerstdag werken. Ik heb geluk gehad dat ik eerste kerstdag tenminste vrij heb.'

Ik dronk mijn thee op en vroeg me af of het onbeleefd zou zijn als ik zomaar nog een kop voor mezelf zou inschenken.

'Heb je het nou over die Alistair over wie je me al had verteld? 's Werelds grootste OCD-expert? En jij stelt nu voor dat ik de kerst met díé man ga doorbrengen?'

'Eh, ja. En met mij. Kom je?'

'Dank je voor het aanbod. Mag ik er even over nadenken?'

'Tuurlijk.'

Toen we klaar waren met eten verhuisden we met de rest van de thee naar de woonkamer. Ik zat op het ivoorkleurige kleed en spreidde de *Sunday Times* voor me uit, concentreerde me op andere delen van de wereld, trauma's van andere mensen, andere werelden, andere levens.

Hij ging met de *Telegraph* op de bank zitten en las af en toe iets voor wat hij grappig vond.

Toen ik last kreeg van slapende benen vouwde ik de krant netjes op en nam met het magazine naast hem op de bank plaats. Er stond een artikel over OCD in. Normaal gesproken vermeed ik zulke artikelen omdat ze veel te confronterend zijn, maar dit fascineerde me. Het ging over beroemde mensen met OCD, en hoe dat vaak verkeerd was geïnterpreteerd als excentriciteit.

Ik liet het aan Stuart zien, die naar me toe schoof en over mijn schouder meelas. Ik voelde zijn ademhaling op mijn huid.

Ik voelde me gespannen worden, vroeg me af of hij me weer ging kussen, en of ik dat zou aankunnen zonder geruststellende alcohol in mijn bloed. Hij stond ineens op, liep naar de keuken en zette nog een ketel water op. De zon verdween achter een wolk en de kamer werd donker.

'Laat ik maar weer eens naar huis gaan,' zei ik.

Ik dacht dat hij me niet hoorde. Hij kwam een paar minuten later terug met een verse pot thee, die hij zorgvuldig tussen de krantenbijlagen en advertenties voor rollators en rolstoelen zette.

'Als je dat wilt, moet je dat natuurlijk doen. Maar ik hoopte eigenlijk dat je zin had om nog even te blijven.'

'Echt?'

'Dat zeg je vaak,' zei hij terwijl hij naast me op de bank kwam zitten. 'Alsof je me niet gelooft.'

'Je kijkt naar me als een psycholoog,' zei ik met een gefronst voorhoofd.

'Ik ben een psycholoog.'

'Ik dacht dat je met ziekteverlof was.'

'Waarom word je nou boos?'

'Omdat je me zit te analyseren.'

Hij verborg een glimlach achter zijn hand.

'En omdat dat betekent dat jij weet hoe mijn geest werkt terwijl ik geen flauw idee heb wat jij denkt, en dat haat ik.'

Hij schonk thee voor me in, zich er ongetwijfeld volledig van bewust dat een kop thee – die overigens exact de goede kleur had – me ervan zou weerhouden op te staan en weg te lopen.

'Ik heb je gisteravond gezoend,' flapte ik eruit. Ik had geen idee wat ik daarmee wilde zeggen.

'Inderdaad,' zei hij.

'Het voelde alsof mijn leven erdoor veranderde.'

Hij keek me met zijn groene ogen afwachtend aan. 'Ja.'

'Als er iets in mijn leven verandert, maakt me dat altijd doodsbang.'

'Inderdaad.'

'"Ja" en "inderdaad"? Is dat alles wat je te zeggen hebt?'

Hij haalde zijn schouders op, weigerde te happen op mijn verhitte toon. 'Ik ben het met je eens. Natuurlijk is verandering angstaanjagend. Maar daar werk je je doorheen, en door deze verandering werk je je vast ook heen. Toch?'

Ik wist niet wat ik moest zeggen, voelde de kamer om me heen tollen. Dit ging niet goed. Hoe kon ik in godsnaam binnen een paar minuten van hemels geluk in deze ellende belanden?

Ik had vast ergens een enorme zelfvernietigingsknop in mijn lichaam zitten.

'Ik begrijp niet wat je van me wilt,' zei ik ellendig.

Toen deed hij dat oogcontactding weer, waar ik zo bang voor was omdat hij dan misschien zou zien hoe ik me voelde, maar wat me ineens raakte was hoe zijn ogen eruitzagen, hoe hij naar me keek. 'Cathy,' zei hij, 'het was maar een kus.'

Mijn wangen brandden. 'Vind jij dat het niets betekende?'

'Dat zei ik niet.'

'Waarom voel jij je zo gemakkelijk in een ongemakkelijk gesprek?'

Hij schoot in de lach. 'Misschien doordat ik vaker ongemakkelijke gesprekken heb dan gemakkelijke.'

Het gevoel bekroop me dat hij een snugger antwoord zou hebben op wat ik ook zei, dus hield ik mijn mond. Oogcontact: dat was dat andere ding waarin hij zo goed was. Ik liet hem deze keer winnen. Ik was bang dat ik zou gaan huilen als ik hem te lang aankeek, dus dronk ik mijn thee op en zette de mok vastberaden op de tafel.

'Het wordt echt tijd dat ik ga,' zei ik. 'Bedankt voor het ontbijt. Het was heerlijk.'

Hij liep met me mee naar zijn voordeur. 'Je bent altijd welkom,' zei hij.

Stuart had gelijk, natuurlijk had hij gelijk. Het was maar een kus, het was maar een gesprek, het was maar een ontbijt. Ik overwoog alles wat hij had gezegd terwijl ik de deur en de ramen en de keukenladen en verder alles controleerde, en ik vroeg me af waar ik het zo moeilijk mee had.

WOENSDAG 7 JANUARI 2004

'Hoi, schoonheid.'

'Shit! Jezus, Lee, ik schrik me rot.'

Ik was al in zijn armen tegen de tijd dat ik de zin volledig had uitgesproken, in de koude parkeergarage bij mijn werk. Ik was laat vertrokken, voorbereid op een eenzame rit naar huis in de spits, en daar stond hij, naast mijn auto te wachten. De parkeergarage was slecht verlicht, halfdonker.

Hij kuste me langzaam en warm.

'Wat doe je hier?' vroeg ik.

'Ik was vroeg klaar,' zei hij. 'Ik wilde je verrassen. Laten we uitgaan.'

'Mag ik eerst even naar huis om me om te kleden?'

'Je ziet er perfect uit.'

'Nee, echt, ik heb de hele dag op kantoor gezeten, ik wil even naar huis om me om te kleden...'

'Stap in.' Hij opende het portier van de auto die naast de mijne stond geparkeerd.

'Leuke auto,' zei ik terwijl ik op de passagiersstoel gleed. 'Wat is er met die van jou gebeurd?'

'Ik ben meteen uit mijn werk gekomen,' zei hij. 'Deze is van de zaak.'

'Aha. En welke zaak bedoel je daarmee?'

Daar gaf hij natuurlijk geen antwoord op. Hij was keurig gekleed, in een donker pak met een donkergrijs overhemd eronder, en hij had zich net geschoren. Ik vroeg me af of hij inderdaad zo uit zijn werk was gekomen of dat hij eerst naar de sportschool was geweest. Ik zag niets in de auto liggen wat hem zou onderscheiden van een andere: geen cd's, geen oude parkeerbonnetjes, geen parkeervergunning achter de voorruit.

We reden de stad uit. 'Waar gaan we naartoe?'

'Een keer naar iets anders.'

Hij legde tijdens de rit zijn hand op mijn been, maar hield zijn blik op de weg gericht. Het plotselinge lichaamscontact wond me op, hoewel ik doodmoe was. Zijn hand duwde mijn rok omhoog tot hij de blote huid van mijn been voelde. Ik dacht even dat hij verder zou gaan, maar dat deed hij niet; zijn hand bleef op mijn been rusten. Ik legde mijn hand op de zijne.

'We zijn vroeg,' zei hij even later. 'Volgens mij moeten we even stoppen. Wat denk jij?'

Hij had het natuurlijk niet over een pauze om het natuurschoon te bewonderen, hoewel hij gelukkig wel geduldig genoeg was om een enigszins aantrekkelijk stekje uit te zoeken. We reden een parkeerplaats op een heuvel op, die bij een natuurpark hoorde dat 's avonds en 's nachts was gesloten, maar waar ze niet de moeite hadden genomen het op slot te doen. We reden het park in, over een donker pad het bos in naar een open plek, vanwaar we de lichten van het stadje in het dal onder ons konden zien.

Lee maakte zijn gordel los en keek even naar het halfduister buiten. Er stond verderop nog een auto geparkeerd, maar daar zat zo te zien niemand in, hoewel het te donker was om het zeker te weten.

Het was heel oncomfortabel in de auto, ondanks het feit dat we de stoelen helemaal neer hadden gelaten, dus eindigden we buiten, leunend tegen het portier, mijn rok om mijn taille getrokken, mijn slipje uitgerukt en ergens op de grond gegooid. Ik stond met zijn gezicht tussen mijn borsten en mijn handen in zijn haar te rillen, van de kou of de opwinding, en mijn hakken zakten weg in de zachte grond.

'Ik zou dit niet moeten doen,' zei hij uiteindelijk. Het was niet meer dan een verzuchting tegen mijn strottenhoofd.

'Waarom niet?'

Hij hief zijn hoofd op. Het was zo donker dat ik hem nauwelijks kon zien, ik voelde alleen zijn solide lichaam tegen me aan en zag vaag zijn lichte haar, dat een beetje bewoog in de wind. 'Ik moet de hele tijd aan je denken,' zei hij. 'Ik heb de hele dag de minuten geteld tot ik je weer zou zien.'

'Dat is toch een goed teken?' fluisterde ik, en ik kuste zijn wang, zijn oorlelletje.

Hij schudde zijn hoofd. 'Niet als ik me op mijn werk moet

concentreren. Dat is alsof ik de boel bedrieg. En dat doe ik niet.'
'Bedoel je bedriegen zoals in met een ander neuken?'
Hij begon te lachen. 'Ik neuk niet met een ander. Alleen met jou. Als ik bij jou ben, denk ik niet aan mijn werk, en als ik aan het werk ben, zou ik niet aan jou moeten denken.' Hij deed een stap van me vandaan en trok zijn pak recht. Toen viste hij een balletje donkere stof uit zijn zak. 'Volgens mij is dit van jou.'

Ik opende het portier om terug de warmte in te kruipen. 'Wacht eens even. Dat had ik net niet aan.'

'Natuurlijk niet,' zei hij. 'Ik heb een schone voor je meegenomen. Ik had zo'n gevoel dat je die wel zou kunnen gebruiken.'

'Waar is mijn andere slipje?'

Hij haalde zijn schouders op. 'Dat zal hier wel ergens liggen.'

'Heb je een zaklamp? Ik laat mijn onderbroek hier niet zomaar slingeren.'

'Nee, ik heb geen zaklamp.' Hij startte de auto. 'Kom, we gaan. Ik heb honger.'

Een halfuur later zaten we in een prachtige pub aan de rivier op een tafeltje te wachten terwijl ik me opwarmde met een glas rode wijn en een haardvuur. Ik bestudeerde rustig de menukaart en Lee zat tegenover me. Hij bekeek me met een geamuseerde glimlach op zijn gezicht.

Toen merkte ik ineens een plotselinge spanning in hem op, en ik zag hem vanuit mijn ooghoek verstijven.

Ik zag dat Lee over mijn schouder naar iemand keek, of naar iets. Ik draaide me instinctief om. Ik keek naar het restaurantgedeelte achter me, waar alle tafeltjes bezet waren.

'Shit,' zei hij zachtjes.

'Lee? Wat is er?'

'Niet omkijken.' Zijn toon was kil. Toen stond hij op. 'Wacht hier maar even. Ik ben zo terug.'

Ik keek om en zag hem richting de toiletten lopen. Ik was misselijk. Wie had hij gezien? Een andere vrouw? Ik draaide me ondanks zijn instructies om en keek rond, wachtte tot hij weer zou verschijnen. De deur naar de toiletruimte zwaaide open, maar het was niet Lee: twee mannen, de eerste in pak en met een rugzakje om zijn schouder en de tweede, ouder, nonchalanter gekleed in een zwart leren jack met een spijkerbroek. Ze lachten ergens om. Ik verwachtte dat ze een plekje in de eetzaal zouden zoeken, maar in plaats daarvan kwamen ze op mij aflopen. Ik maakte me klein in mijn stoel en concentreerde me op de menukaart terwijl ze me passeerden. Ze liepen naar de deur van de pub en schudden elkaar de hand. De man in de spijkerbroek ging naar buiten en liep naar de parkeerplaats.

Toen Lee even later terugkwam sprak hij in een mobiele telefoon. Hij ging weer tegenover me zitten. 'Ja. Oké. Dan zie ik je buiten,' zei hij, waarna hij de telefoon dichtklapte en in de zak van zijn jasje liet glijden.

'Lee, wat is er aan de hand?'

'Het spijt me,' zei hij. 'We moeten even in de auto gaan zitten wachten.'

'Wat?'

'Ik moet met iemand praten. We kunnen hier niet wachten.'

'Je maakt een grapje!'

Hij leunde over me heen en drukte de autosleutels in mijn hand. 'Hou je bek en ga naar de auto. Ik kom er zo aan.'

Ik stampte zo demonstratief als ik kon naar de auto en sloeg het portier achter me dicht, hoewel er niemand was om de kracht van mijn woede te bewonderen. Toen ik eenmaal in de auto zat, opende ik het handschoenenvakje, in de hoop er iets aan te treffen wat iets zou verklaren, maar het was leeg. Helemaal leeg.

Even later zag ik de zijdeur van de pub opengaan en keek hoe Lee naar de auto kwam lopen. Hij opende het portier en nam een vlaag koude avondlucht mee naar binnen.

Ik keek hem verwachtingsvol aan.

'Die pub is waardeloos,' zei hij opgewekt. 'We gaan ergens anders naartoe.'

'Hè?'

Hij drukte zijn vingertoppen tegen zijn slapen en sloot zijn ogen alsof ik hem hoofdpijn bezorgde.

'Oké,' zei hij, 'dit is wat er gaat gebeuren. Over een paar minuten komen er nog een paar auto's aanrijden. Ik ga die jongens uitleggen wat er net is gebeurd, en als we geluk hebben kunnen wij daarna naar een andere pub rijden om wat te eten.'

'En als we geen geluk hebben?'

'Dan moet ik ze helpen. En jij blijft in de auto en houdt je gedeisd. En je houdt je mond.'

'En ga jij me nog vertellen wat er in godsnaam aan de hand is?'

'Als het achter de rug is. Dat beloof ik.'

Hij leunde naar me toe om me in de duisternis te kussen. Ik draaide in eerste instantie mijn gezicht weg, maar hij duwde me terug, vond mijn mond, en zijn andere hand gleed onder mijn jas en trok aan mijn blouse.

Een auto reed achteruit de parkeerplaats naast de onze op. Ik zag dat er drie gestalten in zaten, hoewel het te donker was om ze goed te kunnen onderscheiden. 'Goed,' zei Lee zachtjes. 'Dus jij wacht hier, oké? Je blijft in de auto. Begrepen?'

Ik knikte. Hij stapte uit en ging achter in de andere auto zitten. Het lampje ging niet aan toen hij het portier opende. Ik keek naar de figuren in de auto, maar kon ze niet duidelijk onderscheiden. Zo te zien zaten ze ergens over te discussiëren, maar ik hoorde niets. Na een paar minuten gingen alle portieren open, en ze stapten allemaal uit. Lee glimlachte en knipoogde naar me. Ik had geen zin om terug te glimlachen of te knipogen. Ze liepen naar de zijdeur van de pub en gingen naar binnen, als een stel vrienden die een pintje gaan pakken.

Het was koud in de auto. Ik overwoog de motor aan te zetten zodat het een beetje warmer zou worden, of misschien kon ik naar de radio luisteren. Ik overwoog zelfs heel even om naar huis te rijden en hem hier met zijn vrienden achter te laten. Niet zozeer omdat ons romantische etentje zo ruw was onderbroken, maar om de manier waarop hij bevelen naar me had geblaft. Ik begon in mijn hoofd de preek te oefenen die ik over hem zou uitstorten als dit – wat het ook was – voorbij was.

De zijdeur van de pub ging open en de hel brak los.

Ik ging op het puntje van mijn stoel zitten om het beter te kunnen zien, en dook in elkaar toen de man die ik eerder had gezien op de auto af kwam rennen, met zijn rugzak om zijn schouder, op de voet gevolgd door een tweede man, in een sweater met capuchon, en daarachter Lee. Lee schreeuwde iets en wierp zich toen op de man met de tas, waarna ze samen op de kiezels stortten, de deur weer openging en er nog twee mannen naar buiten kwamen rennen.

Nu ik erop terugkijk denk ik niet dat ik ook maar enigszins doorhad wat er aan de hand was. Pas toen ik zag dat Lee in zijn broekzak reikte en er iets uittrok wat een kabelbinder kon zijn, waarmee hij de polsen van de man achter diens rug samenbond, en de man met de capuchon van straat werd gevist door twee van Lees maten, die hem stevig vasthielden, drong het tot me door dat dit een arrestatie was.

Lee was de man met die rugzak aan het arresteren.

MAANDAG 24 DECEMBER 2007

Dit was de dag dat alles vreselijk misging. De dag dat mijn kwetsbare wereld volledig instortte.

Ik was om vier uur klaar met werken. Ik was bezig met een sollicitatiecampagne voor een nieuw distributiecentrum dat werd gebouwd om onze voorraad in op te slaan, op het industrieterrein naast het hoofdkantoor van het farmaceutische bedrijf waarvoor ik werkte. Het distributiecentrum moest in april in gebruik worden genomen en we hadden het grootste deel van het management al aangenomen. We moesten alleen de opzichters en arbeiders nog inhuren, die naar verwachting grotendeels in de directe omgeving konden worden aangetrokken. De vacatures zouden de eerste zes weken van het nieuwe jaar in de krant staan. Als we daarna niet genoeg goede kandidaten hadden, zouden we contact opnemen met een uitzendbureau.

Ik ging helemaal tot Kingston Street met de metro, nog geen kilometer van huis. Ik nam een omslachtige route, door het steegje zodat ik de gordijnen achter kon controleren en daarna nog een stuk door Talbot Street voordat ik naar de voordeur toe kon. Ik had bewust mijn best gedaan om twee dagen achter elkaar dezelfde metroroute naar huis te nemen en ik beperkte mijn controles zo veel mogelijk. Ik was er 's ochtends ongeveer een uur mee bezig, veel korter dan eerder.

Een paar passen van de voordeur vandaan hoorde ik achter me iemand roepen. Ik draaide me geschrokken om. Het was Stuart, die over Talbot Street kwam aanrennen.

'Jij bent vroeg klaar,' zei ik.

'Ja, godzijdank. Hoe is het?'

'Goed, dank je.'

Er viel een stilte. Ik vroeg me af hoe ik de voordeur moest controleren nu hij er was.

'Kom je even boven om wat te drinken?'

'Nu?'

'Ja, nu.'

'Ik ging net... eh...'

'Ga meteen mee, kom op.'

Hij liet me de buitendeur één keer controleren terwijl hij ongeduldig stond te wachten.

'Er ligt een briefje voor je,' zei hij, en hij wees naar het haltafeltje.

Ik klemde onwillekeurig mijn kaken op elkaar omdat hij me onderbrak. Als hij tegen me aan ging leuteren zouden we hier de hele avond staan. 'Ik moet dit even afmaken, en dan kijk ik ernaar.'

Toen ik bijna klaar was met mijn controle ging de deur van appartement 1 natuurlijk open, en mevrouw Mackenzie kwam in een bloemetjesschort met pantoffels eronder naar buiten. 'Ben jij dat, Cathy?'

'En ik ben er ook,' zei Stuart.

'O, wat leuk, jullie zijn met zijn tweetjes.' Ze staarde me geconcentreerd aan, zoals altijd als ze me betrapte terwijl ik de deur controleerde. We stonden allemaal even naar elkaar te kijken.

'Nou, ik kan hier niet de hele dag blijven staan, hoor,' zei mevrouw Mackenzie uiteindelijk, 'dan krijg ik helemaal niets meer gedaan.'

Ze liep terug haar woning in en Stuart en ik keken elkaar aan. 'Doet ze dat bij jou ook?' fluisterde hij.

Ik knikte. 'Begin alsjeblieft niet tegen haar over de kerstdagen, dat vindt ze niet fijn.'

'Dat weet ik. Die fout heb ik vorige week gemaakt. Hier heb je dat briefje.'

Het was een WE HEBBEN U NIET THUIS AANGETROFFEN-briefje, voorgedrukt, met mijn naam erop. In plaats van kruisjes bij de gebruikelijke vakjes was de enige informatie op het formuliertje een naam – Sam Hollands – met een mobiel en een vast nummer ernaast, en de boodschap: S.V.P. Z.S.M. BELLEN.

Hij had me het briefje al gegeven voordat ik er erg in had en nu was de deur door de onderbrekingen nog niet gecontroleerd en moest ik verdomme weer opnieuw beginnen.

'De deur zit echt dicht, Cathy,' zei hij vriendelijk, toen hij mijn gezichtsuitdrukking zag. 'We kunnen hier niet de hele avond blijven staan. Kom, dan gaan we wat drinken.'

'Ik kan hem niet zo achterlaten.'

'Jawel, hoor. Kom maar mee.'

'Waarom heb jij ineens zo'n haast?'

'Ik heb geen haast,' zei hij.

Hij was zo sereen, zo onmogelijk kalm dat ik er razend van

werd. 'Ga jij dan gewoon naar boven, en laat mij mijn ding doen, oké?'

'Ik ga je niet tegemoetkomen in je OCD.'

Ik barstte in lachen uit. 'Je gaat wát niet doen?'

'Cathy, je hebt mij niet nodig om je gerust te stellen. Je gaat je aandoening de baas worden. Als ik betrokken blijf bij je controlerituelen, al is het maar door te wachten terwijl jij ze uitvoert, ben jij minder gemotiveerd om ze los te laten.'

'Godallemachtig. Wat ben je toch een klotepsycholoog.'

'Inderdaad. En daar blijf je me maar op wijzen. Maar ik ben nu klaar met mijn werk en het lijkt me heel gezellig om met jou naar boven te gaan, nu meteen, om samen iets te drinken. Dus, ga je mee?'

Hij zorgde dat ik voor hem uit de trap op liep. Ik had het papiertje nog in mijn hand. Ik keek niet over mijn schouder naar de benedendeur. Ik bleef op de eerste verdieping even staan om naar mijn voordeur te kijken. De drang om naar binnen te gaan en te gaan controleren was enorm.

'Kom, Cathy, nu niet stoppen,' zei Stuart. Hij was al halverwege de volgende trap.

'Ik moet die persoon op dat briefje bellen, die...' – ik keek even – 'die Sam Hollands.'

'Dat kan ook bij mij,' zei hij.

Toen ik nog steeds niet in beweging kwam, liep hij de trap af naar me toe. 'Je appartement is nog net zo veilig als toen je vanochtend vertrok,' zei hij. 'Toch?'

Hij pakte voordat ik tijd had om erover na te denken mijn hand. 'Kom mee naar boven,' zei hij.

Toen kon ik me bewegen.

Het was in Stuarts appartement warmer dan in het mijne, en helder verlicht met de lampen aan. Hij zette de oven aan en begon in de keuken te rommelen. 'Nemen we thee, of zal ik een fles wijn pakken?' vroeg hij.

'Wijn, denk ik. Zal ik hem openmaken?'

Hij gaf me een fles uit de koelkast aan, en ik vond glazen in een kast. 'Bel die Sam Hollands maar even,' zei hij, 'voordat je het vergeet.'

Ik liep met het briefje naar Stuarts woonkamer en ging op de bank zitten. Ik keek angstig naar het papiertje. Het leek me op dit uur zinloos om het vaste nummer te proberen, dat zou wel een bedrijf zijn. Dus belde ik het mobiele nummer. Het ging vreselijk lang over. Er werd uiteindelijk opgenomen, door een vrouw.

'Met brigadier Sam Hollands.'

Brigadier? 'Goedenavond. Met, eh, Cathy Bailey. U hebt een briefje voor me achtergelaten.'

'Ogenblikje, alstublieft.' Er klonken gedempte geluiden, alsof brigadier Sam Hollands de telefoon tegen haar jas hield of zo.

Ik voelde mijn hartslag versnellen en mijn mond droog worden. Ik was misselijk. Wat wilde de politie in godsnaam van mij? Dit kon niets goeds betekenen, toch?

'Daar ben ik weer, sorry dat ik u moest laten wachten, mevrouw Bailey. Cathy, toch? Fijn dat je terugbelt.'

Nog meer gedempte geluiden.

'Ik werk op de afdeling Huiselijk Geweld in Camden. Ik bel over Lee Brightman.'

'Ja?' Mijn stem was nauwelijks hoorbaar.

'Ik wilde je laten weten dat meneer Brightman aanstaande vrijdag de 28e op vrije voeten zal worden gesteld.'

'Nu al?' Ik hoorde mijn eigen stem alsof hij van heel, heel ver weg kwam.

'Ik vrees van wel. Hij krijgt een adres in Lancaster, dus ik denk niet dat je je zorgen hoeft te maken dat je hem tegen het lijf zult lopen. Een collega uit Lancaster heeft me gebeld met de informatie, zodat we je die konden doorgeven.'

'Weet... weet hij waar ik ben?'

'Niet als jij hem dat niet hebt verteld. En wij zullen dat zeker niet doen. Ik ben ervan overtuigd dat hij niet ver zal reizen,

Cathy, dus er is geen reden tot bezorgdheid. Als je je toch zorgen maakt, mag je altijd bellen. Op dit nummer, of op het andere, dag en nacht. Oké?'

'Dank je,' kreeg ik nog net mijn strot uit voordat ik de verbinding verbrak.

Ik ging zitten en wachtte tot het zou beginnen. Ik voelde de paniek als een golf over me heen komen. Volgens mij zat ik nog steeds te wachten toen ik het geluid hoorde, een gejammer, hoog en angstaanjagend, en me even afvroeg waar het vandaan kwam, tot ik buiten adem raakte en besefte dat ik het zelf was. Ik kromp ineen op de bank en probeerde mezelf zo klein mogelijk te maken. Probeerde te verdwijnen.

Dit zijn de momenten die ik als gevaarlijk herken. De angst die mijn leven bepaalt, escaleert plotseling tot een nieuwe hoogte, en mijn bestaan wordt een zinloze oefening, een onmogelijke uitdaging.

Het was allemaal even een beetje wazig. Ik zag dat Stuart naast me ging zitten, maar de hele kamer schudde alsof er een aardbeving was. Ik voelde dat hij zijn armen om me heen sloeg, hoorde hem iets zeggen – *adem in*? Maar ik hoorde het verder niet precies. Ik duwde hem een paar seconden voordat ik begon te kokhalzen van me weg; hij griste de prullenbak van de vloer en hield die onder mijn hoofd toen ik overgaf.

Daarna alleen het geluid van mijn ademhaling, of zelfs dat niet – alleen kleine zuchtjes en naar adem snakken, en beven, zonder enige controle. En mijn vingers tintelden, maar het was al te laat, en de vloer kwam op me af deinen.

WOENSDAG 7 JANUARI 2004

Lee sprak op weg naar huis nauwelijks tegen me.

Hij was bij een snackbar in Prospect Street gestopt en had een zak patat gekocht. Die lag ongeopend op mijn eettafel, en de geur deed me het water in de mond lopen, ondanks het feit dat ik mijn eetlust helemaal kwijt was. We zaten in het donker op mijn bank. Hij was gaan zitten en had me op schoot getrokken. Ik was helemaal verstijfd en pruilde als een klein kind. Ik wist niet eens meer precies waarom ik zo kwaad was.

'We moeten erover praten,' zei hij rustig. Hij had zijn armen om me heen geslagen en duwde zijn gezicht tegen mijn hals.

'We hadden er een hele tijd geleden al over moeten praten.'

'Je hebt gelijk. Het spijt me. Het spijt me dat je dat vanavond allemaal hebt moeten meemaken.'

'Wie was dat? Die man met de rugzak?'

'Hij is een van onze doelen. Ik volg hem al weken. Ik had geen idee dat hij die pub als ontmoetingsplaats gebruikte, anders had ik je er natuurlijk nooit mee naartoe genomen.'

'Dus je bent politieman?'

Hij knikte.

'Waarom kon je me dat niet gewoon vertellen?'

Hij was even stil. Ik kon niet voorkomen dat ik milder werd. Hij zat met mijn hand te spelen, strengelde zijn vingers door de mijne, bracht mijn hand naar zijn mond zodat hij mijn vingertoppen kon kussen. 'Ik had niet bedacht dat dit kon gebeuren,' zei hij. 'Ik heb dit nog nooit meegemaakt. Ik val niet voor vrouwen. Ik blijf nooit zo lang bij een vrouw dat ik haar dingen moet gaan vertellen. Het is niet eenvoudig om erover te praten. Ik werk grotendeels undercover. Zo'n leven is gemakkelijker als je alleen bent.'

'Het leek gevaarlijk,' zei ik.

'Het zag er waarschijnlijk erger uit dan het was. Ik ben eraan gewend.'

'Was dat wat je aan het doen was, die eerste avond, toen je hier onder het bloed voor de deur stond? Ik dacht dat je had gevochten.'

'Ja. Dat was niet zo'n duidelijke zaak. Maar dat gebeurt bijna nooit. Over het algemeen zit ik gewoon in een auto te wachten tot er iets gebeurt, ben ik aan het overleggen in een of andere benauwde kamer zonder ramen, of moet ik driehonderd achterstallige mails doorploeteren.' Hij voelde achter zijn rug. 'Het lijkt wel of ik op een baksteen zit. Wat is dit?'

Het was mijn organizer. Ik had hem toen we binnenkwamen met mijn tas op de bank gekwakt.

Ik maakte me van hem los en stond op. 'Ik ga de patat pakken,' zei ik. 'Wil je er iets bij? Of iets drinken?'

'Nee,' hoorde ik hem zeggen.

Ik zette water op. Als ik ergens behoefte aan had, was het een kop thee.

'Mag ik even kijken?' riep hij.

Ik liep een paar minuten later met mijn mok thee de kamer in, en hij had het licht aangedaan. Mijn organizer lag open op zijn schoot en hij zat erin te bladeren.

'Wat doe je?'

'Ik was nieuwsgierig. Wie zijn al die mensen?'

Achter in mijn organizer zaten doorzichtige tabbladen vol visitekaartjes. 'Gewoon mensen die ik heb ontmoet op cursussen en zo,' zei ik. 'Ik vind het niet prettig dat je zo in mijn agenda kijkt.'

'Waarom niet?' vroeg hij, maar hij sloeg hem dicht en gaf hem me aan.

'Ik ben personeelsmanager, Lee. Er staan dingen in over personeelsleden. Disciplinaire gesprekken en dergelijke.'

Hij grijnsde. 'Oké. Is de patat nog warm? Ik sterf van de honger.'

MAANDAG 24 DECEMBER 2007

Ik kwam langzaam bij mijn positieven, met mijn gezicht tegen het tapijt en de geur van kots in mijn neus.

Ik raakte bijna meteen weer in paniek. Stuart probeerde me

zo ver te krijgen dat ik rustig zou ademen. Hij hield me vast, streelde mijn gezicht, zat kalm tegen me te praten, maar dat werkte in eerste instantie helemaal niet. Ik hoorde hem niet eens. Ik ging een tweede keer over mijn nek. Ik ademde gelukkig ondertussen genoeg om niet nogmaals van mijn stokje te gaan, maar eigenlijk zou de vergetelheid genadiger zijn geweest.

Ik hoorde hem uiteindelijk zeggen: 'Kom maar terug. Ademhalen, Cathy, kom op. Ik wil geen hulptroepen moeten inschakelen. Ademen, meid. Je kunt het, kom op.'

Het duurde heel lang voordat ik genoeg was gekalmeerd om me bewust te worden van zijn woorden en te begrijpen wat hij zei. Hij pakte wat schone kleren voor me uit zijn kast, een trainingsbroek en een T-shirt, omdat hij me niet alleen in het appartement wilde laten, en ik al helemaal niet van plan was om naar beneden te gaan. Ik was zo zwak dat ik nauwelijks kon staan, dus hielp hij me naar de badkamer en liet me daar achter zodat ik me kon uitkleden en het bad kon nemen dat hij voor me had laten vollopen. Hij wachtte pal achter de deur, die half openstond, en sprak tegen me terwijl ik daar zat te beven. Ik probeerde niet naar mezelf te kijken. Ik wilde de littekens en de betekenis daarvan niet zien.

Het voelde alsof híj weer in mijn hoofd zat. Of nog niet, maar wel alsof hij wachtte. De beelden van hem, de beelden die ik probeerde te bezweren, waren er nog. Ze waren minder heftig geworden. Maar nu...

Ik gebruikte Stuarts douchegel, waarbij mijn hand zo beefde dat ik over mijn pols en in het water knoeide, maar er zat genoeg op mijn handen om ze te kunnen wassen en te proberen de kotsgeur uit mijn haar en van mijn lichaam te krijgen. De geur van de douchegel, die vreemd bekend was, maakte dat ik me iets beter ging voelen. Ik waste mijn gezicht en mond met zepig badwater.

'Ik moest laatst nog denken aan de eerste keer dat ik je zag,' zei Stuart, en zijn stem klonk zo dichtbij dat het leek of hij naast me zat, maar die stem kwam vanaf de open deur. Hij zat in de gang op de vloer. Ik zag zijn benen, die hij voor zich uit had gestrekt. 'Die man van de woningbouwvereniging denderde gewoon naar binnen. Je zat vast midden in je ritueel. Je keek me ongelooflijk vuil aan.'

'Dat weet ik niet meer, echt waar?' Ik klappertandde. Ik had keelpijn. Had ik geschreeuwd? Zo te voelen wel.

'Zeker weten.'

'De deur was open, hij stond op een kier.'

Hij begon te lachen. 'Arm kind, hoe heb je dat ooit gered, met die open deur? Jezus.' Zijn toon veranderde. 'Je keek diepgeschokt naar me, dat iemand het lef had over de drempel te komen terwijl jij midden in je controle was. Ik vond je het mooiste kwaaie wezen dat ik ooit had gezien.'

Ik trok met mijn gevoelloze vingers aan de stop van het bad. Luisterde naar het water dat door het putje stroomde. Ik had in mijn bed naar dat geluid geluisterd, in het appartement beneden, het ruisen en gorgelen, en me afgevraagd waarom hij in godsnaam om drie uur 's nachts in bad ging.

'Ik ben niet mooi,' zei ik, en ik keek naar de littekens op mijn linkerarm en de diepere op mijn bovenbenen. De ergste waren nog rood, de huid nog steeds strak gespannen en jeukerig.

'Ik vrees dat ik daar anders over denk. Ben je klaar?'

Het lukte me om op te staan en een handdoek om me heen te slaan. Die was nog een beetje vochtig van toen hij had gedoucht. Ik was doodmoe, alsof alle energie uit me was gestroomd, en ik ging op de badrand zitten om te wachten tot mijn huid vanzelf zou zijn opgedroogd. Ik wilde mezelf niet aanraken.

'Kan ik even water gaan opzetten?' vroeg hij, en ik schrok van het geluid van zijn stem. 'En geef je kleren maar, dan doe ik ze in de was.'

'Oké,' fluisterde ik hees. Straks was ik mijn stem helemaal kwijt, dat wist ik nu al. Het deed me denken aan de dag erna, toen de politie probeerde me vragen te stellen en ik niet kon antwoorden. Ik had drie dagen geschreeuwd. Ze moesten dagen wachten voor ik mijn stem weer terug had en met hen kon praten. Maar tegen die tijd had hij natuurlijk al een heleboel gezegd.

Ik trok het T-shirt en de trainingsbroek aan die Stuart voor me had klaargelegd. Ze voelden raar en waren zo groot dat ik de broek vast moest houden omdat hij anders van mijn heupen gleed. Ik voelde me halfnaakt, vooral doordat mijn armen half-bloot waren. De littekens waren ernstig. Ik wilde niet dat hij ze zag. Er hing een marineblauwe badjas aan de deur. Ik trok hem aan; ik kon hem twee keer om me heen wikkelen en hij kwam bijna tot op de vloer. Prima.

Ik liep naar hem toe in de keuken. De wastrommel draaide rond met mijn kleren erin. Ik rook vaag een of ander desinfecterend middel. Hij zette een kop thee op de keukentafel en ik ging zitten; mijn blote voeten op de tegelvloer. Ik had mijn sokken nog nooit uit gehad in zijn appartement, laat staan al mijn kleren.

'Wil je erover praten?' vroeg hij.

'Ik denk niet dat ik dat kan,' fluisterde ik.

'Kun je vertellen wat er tegen je werd gezegd, aan de telefoon?'

Ik dacht na, en ik woog de woorden in mijn hoofd voordat ik ze eruit liet. 'Ze zei dat hij de 28e vrijkomt.'

'De man die je heeft aangevallen?'

'Ja.'

Hij knikte. 'Oké. Goed gedaan,' zei hij, alsof ik een goede leerling van hem was die een ingewikkeld wiskundevraagstuk had opgelost.

'Ze zei dat hij in Lancaster gaat wonen. Ze denkt niet dat hij hiernaartoe zal komen.'

'Weet hij waar je woont?'

'Volgens mij niet. Ik ben verhuisd. Drie keer. Ik heb nog maar contact met één iemand die me toen ook al kende: Wendy.'

'Denk je dat Wendy misschien in gevaar is?'

Daar dacht ik even over na, en toen schudde ik mijn hoofd. 'Ik denk niet dat hij weet dat we vriendinnen zijn geworden. Ik kende haar niet voordat ze me vond. En daarna is hij gearresteerd. Ze heeft wel getuigd tijdens de rechtszaak.'

Ik nam een slok thee, wat pijn deed in mijn keel, maar de thee deed zijn magische werk: ik voelde mezelf direct een beetje tot rust komen.

'Het komt goed,' zei hij kalm. 'Je bent nu veilig. Hij zal je nooit meer wat aandoen.'

Ik probeerde te glimlachen. Ik wilde hem vertrouwen. Nee, ik vertrouwde hem al. Ik zat per slot van rekening in zijn kleren aan zijn keukentafel. 'Dat kun je me niet beloven.'

Hij dacht na, en toen antwoordde hij: 'Nee, dat kan ik je niet beloven. Maar je staat hier niet meer alleen in. En je kunt ervoor kiezen je van deze vreselijke man af te keren en elke dag beter en sterker te worden tot je niet meer bang bent, of je kunt hem toestaan dat hij je pijn blijft doen. Dat is een keuze die jij kunt maken.'

Ik kon een glimlach niet onderdrukken.

'Blijf je vannacht hier?' vroeg hij.

Ik overwoog de mogelijkheden. Ik wilde naar huis om te controleren, maar ik was tegelijkertijd bang. Ik was bang om naar huis te gaan. Ik was bang om ergens zonder Stuart te zijn.

'Ja,' zei ik.

'Dan slaap ik op de bank.'

'Nee, dat maakt me niet uit. Jij hebt je lekkere bed nodig,' zei ik, en ik gebaarde naar zijn schouder.

'De laatste keer dat je op mijn bank hebt geslapen, werd je doodsbang.'

'Volgens mij is de kans dat ik doodsbang word kleiner als ik op je bank lig dan wanneer ik in je bed slaap.'

'Zolang je het zeker weet. Heb je honger?'

Dat had ik niet, maar de stoofschotel die hij uren daarvoor in de oven had gezet stond nog steeds te pruttelen, dus die aten we uit een schaaltje op schoot, met stukken brood om in de jus te dopen. Hij was heet en gekruid en prikte in mijn keel, maar hij smaakte goed. Stuart had de fles wijn waar we niet aan toe waren gekomen, meegenomen naar de kamer, en nu dronken we die eindelijk.

'Het zal wel geen goed idee zijn,' zei Stuart nadat hij zijn eerste glas op had.

'Wat niet?'

'Alcohol. Je hebt een zware avond gehad, en ik moet alert zijn om morgen de kerstlunch voor te bereiden.'

'Maar hij is wel lekker.'

Hij keek me glimlachend aan. Ik vond hem er doodmoe uitzien; hij had zwarte kringen onder zijn ogen. 'Ik heb vandaag op mijn werk de hele dag gedacht aan hoe vreselijk dronken ik vanavond zou worden.'

'Waarom?'

'De kerst vorig jaar was nogal een drama. Ik probeer het achter me te laten. Dronken worden is natuurlijk niet de manier, maar ik hoopte dat het zou helpen.'

'Wat is er vorig jaar dan gebeurd?'

Hij schonk nog een glas wijn voor zichzelf in en vulde dat van mij bij, hoewel ik pas een paar slokjes had genomen. 'Dat was het moment dat het allemaal mis begon te gaan met Hannah.'

'Je verloofde?'

Hij knikte. 'Ik had het kerstdiner gemaakt. We waren met zijn vieren: Hannah en ik, haar broer Simon en zijn vriendin Rosie. Simon was op de universiteit mijn beste vriend, zo heb ik Hannah leren kennen. We waren bijna klaar met eten toen Hannahs mobiel ging. Ze had geen dienst, maar ze zei dat het een noodgeval was en dat ze weg moest. Simon werd heel kwaad, gaf haar de wind van voren, waarop ze tegen hem zei dat hij zich er niet mee moest bemoeien, en toen pakte ze haar jas en vertrok. Simon was echt razend, ik begreep niet waarom, dus ik zei steeds dat hij erover moest ophouden. De sfeer werd heel ongemakkelijk en ze vertrokken kort daarna, en ik was alleen tot ze die nacht om drie uur thuiskwam. Ik ben op de bank in slaap gevallen terwijl ik op haar zat te wachten.'

Hij draaide zich naar me om, keek me aan en fronste zijn voorhoofd bij de herinnering. 'Het was echt een kutkerst. Later bleek dat ze hem had beloofd eerste kerstdag met hem door te brengen, met die man met wie ze een verhouding had. Simon wist ervan. Hij stond schijnbaar op het punt het mij te vertellen; vandaar dat Rosie hem dwong te vertrekken. Ze wilde mijn kerst niet verzieken.'

'Wanneer ben je erachter gekomen?'

'Pas in juli.' Hij leunde achterover op de bank en dronk zijn glas leeg. 'Maar daar wil ik het nu niet over hebben,' zei hij gedecideerd.

Hij deed de afwas terwijl ik het late nieuws keek, en toen pakte hij zijn dekbed uit de slaapkamer en sloeg het om me heen. Het was een gigantisch ding.

'Ik heb een slaapzak in de kast,' zei hij. 'Neem jij dit maar.'

'Dank je,' zei ik. Ik maakte even oogcontact met hem en voelde mijn hartslag versnellen. Als hij weer had geprobeerd me te kussen weet ik niet wat ik zou hebben gedaan. Maar hij glimlachte alleen maar naar me en liep naar zijn slaapkamer. Ik hoorde hem rommelen in het appartement, waarna hij de lichten in de keuken en gang uitdeed. Ik ging op de bank liggen met zijn warme en zachte dekbed over me heen, dat naar waspoeder en, vaag, naar zijn aftershave rook. Ik was ervan overtuigd dat ik geen oog zou dichtdoen. Ik lag te denken aan niet slapen tot het moment dat ik in slaap viel.

ZATERDAG 17 JANUARI 2004

Het feest van Sylvia was in de Spread Eagle, een van onze favoriete pubs die door de jaren heen de locatie van heel wat geweldige avonden was geweest. Sylvia had een knipperlichtrelatie met de manager gehad, eigenlijk meer uit dan aan, maar ze waren tussen de ruzies door vrienden gebleven.

We namen een taxi naar de Spread Eagle en Lee was in een grafstemming.

'Luister, als je er niets aan vindt, gaan we gewoon weer naar huis. Echt. Maximaal twee uurtjes, oké?'

'We zien wel.'

Als hij er niet zo waanzinnig goed had uitgezien had ik hem misschien wel naar huis gestuurd. Ik kon maar niet beslissen wanneer hij er het best uitzag: in zijn mooiste pak, geschoren en met die goddelijke aftershave op, of in een spijkerbroek en aan een douche toe. Hij was vandaag halverwege beide extremen: een spijkerbroek met een – schoon – marineblauw overhemd dat zijn ogen helderder en blauwer deed lijken dan ooit. Toen we naar de deur liepen en onszelf schrap zetten tegen de herrie die van binnen kwam, pakte hij mijn hand en kneep erin.

Het kwam allemaal door die stomme jurk.

Toen hij uit de douche was gekomen, afgedroogd en opschepperig naakt, mijn slaapkamer in kwam paraderen met die zelfverzekerde uitstraling waar alleen een man met een lichaam als het zijne mee kan wegkomen, stond ik mezelf in mijn zwartfluwelen jurk te hijsen.

'Trek je die aan?'

Hij liet zijn handen om mijn taille glijden en drukte zijn lichaam tegen me aan.

'Dat is wel duidelijk, toch?' zei ik geamuseerd.

'Waarom niet die rode?'

'Omdat we maar naar de Spread Eagle gaan. Dat is een pub. En bepaald geen chique. Daar kan ik niet in een roodsatijnen jurk naartoe, dan ben ik vreselijk overdressed.'

Hij tuurde in de open kledingkast en haalde de roodsatijnen jurk van het haakje, een fel glinsterend juweel tussen al het paars en zwart. Ik dacht even dat hij hem naar me toe zou gooien, maar in plaats daarvan ging hij op het bed zitten en begon de knoopjes op de rug een voor een los te maken.

'Lee?'

Het was net alsof hij was vergeten dat ik er was. Hij kwam naast me staan en drukte zijn gezicht tegen mijn hals, likte met zijn tong over mijn huid, ademde in mijn oor, waarop de haartjes op mijn hele lichaam overeind gingen staan. 'Trek de rode aan,' zei hij zacht.

'Lee, nee. Echt niet. Wat is er mis met deze?'

'Niets. Hij is prachtig. Jij bent prachtig. Maar je ziet er zó goed uit in rood.'

'In zwart zie ik er ook prima uit,' zei ik terwijl ik onze reflectie in de spiegeldeur van de kast bekeek. 'Toch?'

Hij streelde met een hand over mijn bovenbeen, liet hem toen naar voren glijden, en ik smolt. Zijn andere hand trok mijn jurk omhoog, en voor ik er erg in had, had hij me op het bed getrokken en mijn jurk over mijn hoofd uitgedaan. Ik viel achterover op het dekbed, lachend terwijl hij luchtkusjes tegen mijn buik blies en me ondertussen uit de mouwen friemelde.

Ik liet hem me uitkleden. Ik liet hem het daaropvolgende halfuur al zijn aandacht op mijn lichaam storten. Nadat hij zich daarna had aangekleed en naar beneden was gegaan, had ik de zwarte jurk weer aangetrokken, en ik was net klaar toen de taxi kwam voorrijden. Hij sprak de hele weg naar de pub geen woord tegen me.

DINSDAG 25 DECEMBER 2007

Toen ik op kerstochtend mijn ogen opendeed, scheen de zon door het raam op mijn gezicht, waardoor het wel zomer leek. Ik hoorde Stuart in de keuken. Pannen kletterden en het drong ineens tot me door dat het kerst was, en dat Alistair over een paar uur zou komen.

Hij zag dat ik rechtop ging zitten. 'Hoi,' zei hij. 'Vrolijk kerstfeest.' Hij had een spijkerbroek met een sleets grijs T-shirt aan. 'Ik zal even theewater opzetten.'

'Laat ik maar eens opstaan,' zei ik, met het dekbed tot aan mijn kin om me heen getrokken.

Hij kwam op de bank naast me zitten en huiverde een beetje toen hij met zijn schouder draaide. 'Weet je,' zei hij terwijl hij me aankeek, 'ik kan Alistair wel afzeggen, als je dat wilt.'

'Wat? Kerst afzeggen?'

'Als je liever alleen wilt zijn. Na gisteren. Dat snapt hij heus wel.'

Ik glimlachte naar hem. 'Heel aardig van je, maar ik voel me prima. Echt.'

Ik trok het dekbed wat strakker om me heen, me ineens bewust van hoe weinig ik aanhad. Herinneringen aan het overgeven en de paniekaanval van gisteravond drongen zich aan me op.

'Ga je maar aankleden,' zei hij opgewekt. 'Zal ik beneden wat kleren voor je halen, of zijn die van gisteren goed? Alles is schoon.'

Ik dacht even na over hoe het zou zijn om naar mijn appartement te gaan, en er alleen te zijn terwijl ik kleren uitzocht. Als de zon niet zo heerlijk had geschenen, denk ik dat hij met me mee had moeten gaan. Ik keek naar het raam, waardoor het zonlicht naar binnen stroomde. Op zo'n schitterende dag als deze kon er niets ergs gebeuren.

'Volgens mij gaat het wel. Ik ga me aankleden en dan kom ik weer naar boven.'

'Neem dan meteen wat spullen mee,' zei hij terwijl hij opstond.

'Spullen?'

'Je weet wel, een tandenborstel en zo. Als je vanavond wilt blijven slapen, tenminste.'

Ik bleef vanavond niet slapen. Hij zou geluk hebben als ik ooit mijn appartement nog zou verlaten. Ik bedacht dat ik minimaal twee uur bezig zou zijn met controleren en liep met mijn kantoorkleren, keurig opgevouwen en mijn schoenen erbovenop, de kille trap af.

Alles in mijn appartement was naar behoren. Het was er natuurlijk koud, want op een gewone doordeweekse dag zou ik ondertussen op mijn werk zijn, en de centrale verwarming gaat om zes uur uit. De gordijnen waren in orde, ze hingen er nog net zo bij als toen ik was vertrokken; alles in mijn appartement was zoals het hoorde te zijn. Ik controleerde de hele woning en bedacht hoe gek het was dit te doen gekleed in Stuarts T-shirt en veel te grote trainingsbroek.

Toen het me was gelukt om na drie keer controleren te stoppen, ging ik douchen om wat op te warmen, en ik waste mijn haar om het weer enigszins in model te krijgen. Ik keek in mijn kledingkast en vroeg me af of ik überhaupt iets bezat wat me niet in de vijftig deed lijken of mijn lichaam geheel verhulde in een vormeloze berg stof.

Ik vond uiteindelijk een nauwsluitend zwart shirt dat ik normaal gesproken op mijn werk onder een jasje droeg, en een zwarte rok die kort genoeg was om enigszins uitdagend te zijn. En een zwarte panty. Ik leek wel een ninja in opleiding. Ik trof uiteindelijk helemaal achter in de kast een lichtroze kasjmieren vest aan. Zo zag je tenminste de littekens op mijn armen niet. Ik deed de knoopjes niet dicht, maar knoopte de voorpanden rond mijn middel aan elkaar.

Ik bekeek verdrietig al mijn verstandige schoenen, die allemaal heel geschikt waren voor onder een broek en perfect voor het geval ik behoefte zou hebben om een sprintje te trekken, maar allemaal verre van elegant.

Ach, ik had helemaal geen schoenen nodig, ik ging alleen maar naar boven.

Ik wreef mijn haar droog met de handdoek en maakte me een beetje op, heel licht, ik wilde hem niet laten schrikken. Daarna keek ik lang in de spiegel. Ik zag er heel raar uit, en broodmager. Helemaal niet als mezelf. Als hij me komt zoeken, bedacht ik, herkent hij me waarschijnlijk niet eens.

Daar wilde ik niet over nadenken. Ik pakte een tas en propte er wat spullen in: een tandenborstel, trainingsbroek, T-shirt en schoon ondergoed. Genoeg spullen om later niet weer naar beneden te hoeven als ik daar geen zin in had.

Ik zette mijn tas klaar bij de deur en begon te controleren.

ZATERDAG 17 JANUARI 2004

Het was druk in de Spread Eagle, bijna allemaal vrienden van Sylvia van de *Lancaster Guardian*. Het was er een enorme herrie en er was zelfs een dj, hoewel de muziek geheel werd overstemd door de schreeuwende en lachende mensen. Afgaand op het geluidsniveau en hoe iedereen eruitzag, waren ze al een groot deel van de dag aan de drank.

Sylvia, die audiëntie hield bij de bar, zag er nog mooier en specialer uit dan gewoonlijk, in een magentakleurige rok met een smaragdgroene blouse die haar ogen prachtig deed uitkomen en zo ver openstond dat er een aanzienlijk decolleté en een glimp van een kersrode beha te zien waren. Toen ze me zag slaakte ze een gil, trok zichzelf los van een stel mannen in pak aan haar beide zijden, trippelde naar me toe en omhelsde me. Ze rook naar dure parfum, gin en uitgebakken zwoerd.

'O, mijn god! Geloof jij het al? Ik ga verdomme naar de *Daily Mail*!'

We stonden samen even op en neer te springen, en toen herinnerde ik me dat ik Lee bij me had en deed een stap opzij.

Sylvia deed met haar mooiste kokette glimlach een pas naar voren, gaf Lee haar hand en maakte een buiginkje. 'Leuk je weer te zien, Lee.'

Lee was zo gracieus naar haar te glimlachen en haar op de wang te kussen. Dat was duidelijk niet genoeg voor Sylvia, die haar armen om zijn nek sloeg en hem vereerde met een omhelzing. Hij keek me over Sylvia's schouder aan en knipoogde naar me.

Daarna leek hij te ontspannen. Ik scharrelde door de pub, kletste met bekenden, dronk veel meer dan ik had moeten doen en nam drankjes aan van mensen die ik alleen vaag kende en zelfs van een paar die ik nog nooit had ontmoet. Ik merkte Lee af en toe in het voorbijgaan op, en zo te zien vermaakte hij zich prima. Hij kletste voornamelijk met Carl Stevenson, Sylvia's redacteur toen ze net bij de krant was komen werken. Later die avond zag ik Lee met een groepje waar Sylvia ook bij stond, die af en toe met hem kletste en dan weer met anderen. Hij zag me kijken, en glimlachte en knipoogde weer.

Laat die twee uurtjes maar zitten, dacht ik terwijl ik geamuseerd toekeek hoe Lee aan de bar geanimeerd met Len Jones zat te praten, de belangrijkste misdaadverslaggever. Hij had de zomer ervoor onvermoeibaar achter Sylvia aan gezeten, ondanks het bestaan van een mevrouw Jones, die meer dan eens had gedreigd hem te castreren met een nagelschaartje.

Ik schoof naast Lee aan de bar en kroop onder zijn arm, waar hij op reageerde met een naar bier stinkende kus vlak boven mijn oor.

'Hé, je hebt me helemaal niet verteld dat deze heerlijke deerne bij jou hoort!' zei Len terwijl hij een klotsend glas bier naar me opstak.

'Hoi, Len,' zei ik.

'Cath, lekker ding. Hoe is het met jou, en waarom ben je niet naar me toe gekomen om een babbeltje te maken?'

'Dat doe ik nu toch?' zei ik. 'Wat natuurlijk helemaal losstaat van het feit dat ik hoopte dat Lee nog een drankje voor me zou bestellen.'

Lee schreeuwde naar de barman, stak een briefje van tien omhoog en kreeg een glas wodka aangereikt. Len deelde mee dat hij even ging pissen.

'Dus je hebt het toch wel naar je zin?' vroeg ik hard in Lees oor.

Hij knikte en keek me aan. Ik begon hem steeds beter te lezen. Ik kon zo'n beetje letterlijk zien wat hij dacht, en ik kreeg er knikkende knieën van. Ik legde zonder het oogcontact te verliezen bewust mijn hand op zijn kruis en voelde hoe hard hij was. Ik gaf hem een waarderend kneepje, keek toe hoe hij zijn ogen sloot en hoe hij rood werd, en toen liet ik hem los en nam een slok wodka.

'Wat ben je toch een godvergeten kwelgeest,' gromde hij in mijn oor.

'Wacht maar tot we thuis zijn,' zei ik.

De blik in zijn ogen vertelde me dat hij niet van plan was zo lang te wachten.

Ik moet eerlijk toegeven dat ik dat plagen een beetje té leuk vond. Ik ging dansen met Sylvia, die haar Louboutins had uitgetrokken en blootsvoets stond te swingen op het smerige stukje laminaat dat doorging voor een dansvloer.

Ik zag dat hij naar ons keek, en het viel Sylvia ook op. Ze trok me naar zich toe en zoende me vol op de mond.

'Wat ben je toch een brutaal nest, Sylvia!' schreeuwde ik tegen haar toen ze me eindelijk losliet.

'Jammer!' schreeuwde ze terug. 'Dus ik kan een triootje voordat ik naar Londen vertrek wel vergeten?'

Ik schoot in de lach en keek naar hem. De blik in zijn ogen was onbetaalbaar. 'Hm,' zei ik, 'wat denk jij dat hij zou zeggen als ik het hem vroeg?'

Ze sloeg haar arm om mijn taille en we draaiden ons samen naar hem om om hem eens goed te bekijken. 'Wat is hij toch heerlijk!' schreeuwde ze.

'Dat weet ik. En hij is helemaal van mij!'

We omhelsden elkaar lachend, waarna we samen dansten op 'Lady Marmalade'.

Sylvia's onverdeelde aandacht was echter al snel weer op iets anders gericht, en ze werd weggetrokken door twee zweterig uitziende mannen die ik niet herkende. Volgens mij waren ze niet eens van de krant, maar daar leek Sylvia niet mee te zitten.

Lee was verdwenen. Ik bleef op de dansvloer, waar ik zo ongeveer overeind werd gehouden door alle lichamen om me heen. Mijn oren suisden van de herrie en ik wenste dat ik iets koelers had aangetrokken dan die fluwelen jurk.

Ik besloot uiteindelijk dat ik te nodig moest plassen om verder te kunnen dansen; dus wankelde ik naar de damestoiletten, wierp een blik op de rij en liep door naar de heren.

'Ik kijk niet, hoor,' zei ik terwijl ik mijn gezicht afwendde van de mannen die bij de urinoirs stonden, en ik sloot mezelf op in een hokje, waar ik me opgelucht op het toilet liet zakken.

Toen ik klaar was ging ik Lee zoeken, waarbij ik me een weg moest banen tussen de dronken lichamen door. Hij zat weer aan de bar met Len te kletsen.

'Wil je ons even excuseren?' schreeuwde ik beleefd, waarop Len een wenkbrauw optrok en knikte, zich naar de barman omdraaide en nog een biertje bestelde.

Ik nam Lee bij de hand en trok hem de gang door, langs de toiletten de binnenplaats op. Die stond vol met mensen die behoefte hadden aan frisse lucht, maar ik liep een stukje verder, het hek door en een speeltuin in. Het was hier in de zomer overdag altijd vreselijk druk, maar nu was het er volkomen verlaten.

Ik hoefde hem niet mee te sleuren: toen tot hem doordrong wat ik van plan was, nam hij het over en begon mij te trekken.

Ik struikelde over een graspol, parkeerde mezelf op een picknicktafel, trok mijn rok op, blij dat ik kousen aanhad en geen panty en ook blij dat ik mijn slipje op het herentoilet in de prullenbak had achtergelaten.

Ik zag alleen zijn silhouet tegen de vage oranje gloed van de skyline, maar ik hoorde hem ademen. Ik haakte een vinger achter de tailleband van zijn spijkerbroek en trok hem naar me toe, maakte zijn riem en broek los terwijl hij met één hand over de binnenkant van mijn dijbeen streelde. Toen hij merkte dat ik geen slipje aanhad, kreunde hij.

Hij kuste me, ruw, drong mijn mond binnen, waarna hij zijn mond naar mijn oor bracht en hees fluisterde: 'Wat ben je toch een vuile slet...'

'Mond houden,' zei ik. 'Maar je bent nu zeker wel blij dat ik toch deze jurk heb aangetrokken, of niet?'

Het duurde wat langer doordat hij behoorlijk veel had gedronken. Hoewel ik het zeer naar mijn zin had terwijl hij me hard neukte in de winterkoude nachtlucht, begon een deel van me zich toch zorgen te maken dat iemand ons hoorde. En een ander – aanzienlijk – deel van me begon zich zorgen te maken over mogelijke splinters in mijn kont.

Toen trok hij zich uit me terug, draaide me om, duwde me met één hand voorover op tafel, trok met zijn andere mijn rok weer omhoog, tot die om mijn taille zat, waarna hij van achteren in me stootte en geluid maakte dat tussen samengeklemde kaken uit klonk. Ik kwam zo hard op de tafel terecht dat ik naar adem snakte, en ik voelde het ruwe mos op het hout onder mijn vingers, zette me schrap voor elke stoot. Hij hield mijn heupen vast, duwde me tegen de tafel, en zijn grip was sterk en deed me pijn.

Ik hoorde tussen het stoten door andere geluiden – maakte hij die? Ze klonken te ver weg. Toen, dat wist ik zeker: een giechelende vrouw. Het was duidelijk dat er nog iemand genoot van een wip in de buitenlucht, en de speeltuin was blijkbaar een geschikte locatie. Ik wist niet of ik er iets van moest zeggen en spande een beetje aan; dat had het gewenste effect, want hij kwam klaar, waarbij hij zo hard in me stootte dat ik een felle pijnscheut in mijn buik voelde, die langs de ruwe rand van de tafel schuurde.

Hij trok zich direct terug en knoopte zijn gulp dicht terwijl ik een tikje gegeneerd mijn jurk naar beneden trok. Ik hoorde Lee zijn keel schrapen terwijl ik twee mensen van achter de glijbaan vandaan zag komen – de felroze rok was zelfs bij dit gebrek aan licht onmiskenbaar. Achter Sylvia liep Carl Stevenson, die haar hand vasthield alsof ze een reddingsboei was. Hij zag er schaapachtig uit en veegde met de achterkant van zijn hand zijn mond af.

'Goedenavond,' zei Sylvia giechelend. Ze knipoogde naar me en liep langs ons heen terug naar de pub.

Wij liepen hand in hand via het zijhek naar de parkeerplaats en vanaf daar naar de voorkant van de pub, op zoek naar een taxi. Ik liep weer te rillen.

'Waarom dragen vrouwen toch nooit een jas?' vroeg hij terwijl hij zijn arm om me heen sloeg.

'Ik heb jou om me warm te houden,' zei ik, en ik kuste hem in zijn hals.

Dat deel van de avond was prima. De taxirit naar huis was prima, vooral gezien het feit dat hij zijn hand alweer onder mijn rok had en me de hele weg naar huis zat te vingeren.

Maar toen we thuiskwamen veranderde er iets.

'Ik ga even douchen,' zei ik terwijl ik mijn schoenen in de kast onder de trap gooide. Hij stond in de woonkamer, met een betrokken gezicht en zijn handen in zijn zakken.

'Ik ga naar huis,' zei hij.

Ik liep terug naar de woonkamer, er niet zeker van dat ik hem goed had verstaan met mijn suizende oren. 'Zei je nou dat je naar huis gaat? Waarom? Blijf je niet slapen?' Ik ging naar hem toe en liet mijn handen om zijn middel glijden. Hij bleef even staan, met zijn handen in zijn zakken, maar toen pakte hij me bij mijn bovenarmen vast en duwde me zacht maar gedecideerd van zich af.

'Wat is er?' vroeg ik, terwijl een deprimerend gevoel mijn toestand van tevreden dronkenschap begon over te nemen.

Hij keek me uiteindelijk aan, en zijn ogen waren donker van een razernij die ik nog nooit had gezien. 'Wat er is? Weet je dat echt niet? Jézus.'

'Lee, vertel me dan verdomme wat er is. Wat heb ik gedaan?'

Hij schudde zijn hoofd om het leeg te maken. 'Waar ging dat over? Wat deed jij in de heren-wc? En je hebt daar zeker per ongeluk je onderbroek achtergelaten?'

'Ik ben daar alleen maar naartoe gegaan omdat er zo'n lange rij bij de dames stond. Dat doen Sylvia en ik altijd als het druk is,' zei ik met een iel stemmetje.

'Sylvia!' explodeerde hij. 'Dat is precies het andere probleem! Heb je lekker met haar staan tongen op de dansvloer? Voelden haar tieten goed?'

'Ik dacht dat je het opwindend zou vinden,' zei ik, en ik voelde tranen in mijn ogen opwellen. Dit ging helemaal de verkeerde kant op. 'Ik zou nooit echt iets met haar doen.' Dit was duidelijk niet het moment om een triootje voor te stellen.

'O, waag het niet om te gaan janken,' brulde hij. 'Haal het verdomme niet in je hoofd om te gaan janken.'

Ik verbeet de tranen. 'Lee! Ik heb mijn slipje weggegooid in die wc omdat ik van plan was jou meteen te zoeken.'

'Ja, tuurlijk. En hoe moet ik dat weten? Voor hetzelfde geld heb je daar met iemand anders staan neuken. Vuile kuthoer.'

Die opmerking raakte een gevoelige snaar. 'Je moet mij niet uitschelden omdat jíj ineens moeilijk gaat lopen doen. Toen je me stond te neuken in de speeltuin heb ik je niet horen klagen.'

'En dan ook nog regelen dat die vriendin van je kwam toekijken!'

'Ik wist helemaal niet dat ze er was!'

'Doen jullie dat wel vaker? Zo naar elkaar kijken? Jezus!'

'Nee!' Dat was niet helemaal waar. We hadden dat weleens gedaan, voor de lol. Dan deden we een wedstrijdje wie er het eerst iemand mee naar de speeltuin kreeg. Maar vanavond was dat niet het geval geweest...

'Lee...' Ik raakte zijn arm aan, teder, probeerde hem tot bedaren te brengen, te kalmeren, maar hij trok zich van me los.

'Het spijt me, Lee. Zo is het echt niet gegaan.' Ik probeerde hem nog een keer aan te raken, en nu duwde hij me hard van zich af, met beide handen. Ik viel achterover op de bank en snakte naar adem.

Hij ademde scherp in en draaide zich van me af. 'Ik kan beter gaan.'

Ik bleef zitten, verlamd door de intensiteit van zijn razernij en doodsbang hem te verliezen. 'Ja, doe dat maar.'

Ik stond het eerste uur nadat hij was vertrokken onder een hete douche, waarna ik van kamer naar kamer ijsbeerde terwijl ik overdacht wat hij allemaal had gezegd, hoe hij mijn gedrag had uitgelegd. Ik had niemand anders geneukt, ik had niet eens met iemand anders geflirt, aangezien Sylvia niet meetelde want zij was mijn beste vriendin. Hij was over een grens gegaan. Maar toen bedacht ik dat hij niemand op dat feest kende behalve mij, dat ik hem alleen had gelaten en de hele avond druk was geweest met anderen, dat ik had staan lachen en grappen, me eigenlijk best verleidelijk had gedragen. En dan die scène met Sylvia op de dansvloer. Mijn god.

Het tweede uur zat ik in elkaar gedoken op de bank met mijn armen om mijn knieën uitdrukkingsloos naar de televisie te staren. De beelden drongen niet tot me door en het effect van de alcohol was ondertussen verworden tot een naar gevoel in mijn maag.

Toen ik me net afvroeg of ik naar bed zou gaan, wetende dat ik nooit zou kunnen slapen, werd er zacht aangeklopt. En toen was alles weer goed, want hij was het; het ganglicht scheen op zijn gezicht en op de tranen, en op de pijn, de vreselijke, kwetsbare pijn in zijn ogen. Hij liep onzeker op me af en zei: 'Het spijt me, Catherine. Het spijt me zo vreselijk...'

Ik omhelsde hem en trok hem naar binnen, kuste hem teder, kuste de tranen van zijn oogleden. Hij was ijskoud. Hij had kilometers gelopen. Ik trok zijn kleren uit en zette hem onder de douche. Het was bijna een herhaling van die eerste nacht, toen hij bebloed en met drie gebroken ribben mijn huis in was getuimeld.

'Het spijt me zo vreselijk,' fluisterde hij terwijl ik in bed tegen zijn rug aan lag en probeerde hem met mijn lichaam een beetje op te warmen.

'Nee, Lee, je hebt gelijk. Ik ben buiten mijn boekje gegaan. Het spijt me. Ik zal je nooit meer zo in verlegenheid brengen.'

Toen hij met me vree, was hij heel teder.

Uren later, terwijl ik in de duisternis van mijn slaapkamer lag te luisteren naar zijn ademhaling, regelmatig en diep, vond de vraag die al door mijn hoofd spookte sinds het moment dat ik die razernij in zijn ogen had gezien, eindelijk een fluisterstem: 'Wie heeft je hart gebroken, Lee? Wie heeft je dat aangedaan?'

Het duurde zo lang voor hij antwoordde dat ik dacht dat hij sliep... en toen klonk het woord, dat werd gefluisterd als een bezwering: 'Naomi.'

Ik kon me de volgende ochtend niet herinneren hoe ik aan de blauwe plekken op mijn armen was gekomen. Maar die naam vergat ik nooit meer, evenals de manier waarop hij hem had uitgesproken, met zo veel eerbied: een uitademing, een zucht.

DINSDAG 25 DECEMBER 2007

Toen ik weer naar boven ging, hoorde ik al stemmen voordat ik het appartement in liep. Ze hadden de deur open laten staan, wat me normaal gesproken zou hebben doen doordraaien, maar dit was niet mijn appartement.

Stuart stond in de keuken. Toen ik de gang door liep, naar hem toe, nadat ik de deur stevig achter me had dichtgedaan, hield hij midden in een zin op met praten.

Ik kwam de keuken in en daar stond hij: Alistair Hodge. 'Aha, dan ben jij zeker de lieftallige Cathy. Ik heb al veel over je gehoord. Hoe is het met je?'

'Goed, dank je. Leuk dat je er bent.'

Ik schudde hem de hand en nam een glas wijn van hem aan,

189

waarbij ik bedacht dat ik het rustig aan moest doen.

'Kom je gezellig bij me zitten? Dan kijk ik of ik ergens wat feestelijke muziek kan vinden.'

Ik wierp een blik over mijn schouder naar Stuart terwijl Alistair me naar het woongedeelte leidde. Stuart knipoogde glimlachend naar me en wendde zich weer tot het eten.

Alistair was een goedgebouwde man, nonchalant, met voortijdig grijzend haar, net als ik. Hij had een enorme buik, die zijn overhemd strak trok en over de tailleband van zijn corduroybroek hing. Hij was ondanks zijn buik opmerkelijk lichtvoetig en sprong opgewekt van de bank op om nog een paar cd's uit Stuarts collectie te pakken nadat we het eerste stapeltje hadden bekeken.

'Stuart, vriend, je hebt helemaal geen kerstliedjes.'

'Misschien op de televisie,' riep Stuart terug.

'Ik moet toegeven dat ik ze ook niet heb,' zei ik.

'Hè, wat jammer nou toch. Zonder kerstliedjes kom ik niet in de kerststemming.' Hij zapte langs de kanalen tot hij wat koorknapen tegenkwam, hun monden in engelachtige cirkels, hun wenkbrauwen opgetrokken tot ergens onder hun haarlijn.

Mijn wangen begonnen warm te voelen. Ik had pas een half glas wijn op.

'Hoe is het met je schouder?' riep Alistair.

'Beter. Het gaat de goede kant op.'

Alistair leunde samenzweerderig naar me toe. 'Heeft hij je verteld wat er is gebeurd?'

'Alleen dat hij door een patiënt tegen zijn schouder is getrapt.'

'Ha, dan heb je de gecensureerde versie gekregen. Dat had ik kunnen weten. Deze dokter Richardson is een held. Hij heeft zich tussen een agressieve patiënt en een verpleegster geworpen. Hij heeft die man tegen de vloer gewerkt...'

'Hij overdrijft,' zei Stuart, die ineens met een wijnfles in de kamer stond en onze glazen bijschonk.

'... en eigenhandig in bedwang gehouden tot de hulptroepen arriveerden.'

Ik keek naar Stuart.

'Zo erg is het meestal niet,' zei hij. 'De meeste patiënten voelen zich te ellendig om in beweging te komen. Ik tref maar heel zelden agressieve mensen.'

Alistair trok zijn wenkbrauwen op. Ik keek van de een naar de ander.

'Maar goed, Al, genoeg over het werk. Volgens mij heeft Cathy geen enkele behoefte om alle gruwelijke details te horen, toch?'

'Heeft hij je al over zijn prijs verteld?'

'Nee,' zei ik.

Stuart maakte een afkeurend geluid en vertrok naar de keuken.

'Hij heeft de Wiley Prijs gewonnen, voor zijn onderzoek naar depressie bij jongvolwassenen. Hij is de eerste psycholoog in het Verenigd Koninkrijk die die prijs ooit heeft weten te bemachtigen. We zijn apetrots op hem in het ziekenhuis. Oké, oké, ik hou er al over op. Maar ik wist dat je niets tegen haar zou hebben gezegd, Stuart, dus moest ik het doen.'

'Werken jullie op dezelfde afdeling?' vroeg ik.

'O, nee, niet meer. Ik werk op het Centrum voor Angst- en Stressstoornissen. Ik zit in een ander pand. Stuart doet de polikliniek Depressie en Stemmingsstoornissen, en hij werkt op de crisisafdeling. Maar hij is bij mij begonnen. Hij is verdomd briljant.'

'Ik hoor je wel, hoor,' riep Stuart vanuit de keuken.

'Dat weet ik, schat, daarom zeg ik ook van die aardige dingen over je.'

Alistair richtte zijn blik op het televisiescherm en het overdadige interieur van de kapel van King's College, in Cambridge, en ik ging kijken of ik Stuart in de keuken kon helpen.

'Kan ik wat doen?'

'Nee, alles is onder controle.'

Hij liet me uiteindelijk de tafel dekken, hoewel het voor twee mensen al een kleine tafel was, laat staan voor drie. Ik maakte nog een fles wijn open, aangezien de eerste leeg was. Alistair had christmas crackers meegenomen, dus ik legde er een op elke placemat en ging daarna weer bij Alistair zitten.

Toen ik op het punt stond flauw te vallen van de honger en bijna werd overmand door de heerlijke geuren uit de keuken, zei Stuart eindelijk: 'We kunnen aan tafel.'

De maaltijd was grandioos. Stuart had hertenbout met pruimenjus, groente, gebakken aardappels, geroosterde pastinaak en yorkshirepudding gemaakt. Het vlees leek wel fluweel en smolt op de tong. De wijn die we dronken, verwarmde me, en ik werd meer dan een beetje dronken.

We trokken onze crackers open en lachten om de belachelijke grappen, dronken nog meer wijn en zaten uiteindelijk om een uur of zes 's avonds – propvol – aan het dessert. Alistair schepte van alles meermalen op en at terwijl Stuart en ik naar elkaar keken en glimlachten alsof we samen een grapje deelden.

Ik zei tegen Stuart dat hij op de bank moest blijven zitten terwijl Alistair en ik de afwas deden, wat hij niet deed. Hij kwam na een paar minuten naar de keuken en ging aan tafel zitten, van waar hij toekeek hoe we bezig waren en zich in het gesprek mengde terwijl ik Alistair vertelde over de gelukzalige wereld der farmaceutica en hoe druk ik was met het rekruteren van mensen voor het nieuwe distributiecentrum. Het klonk allemaal hopeloos saai vergeleken bij de angstaanjagende wereld van de geestelijke gezondheidszorg, maar ze luisterden aandachtig. Stuart sneed nog een stuk hertenbout af, dat hij in aluminiumfolie verpakte en klaarlegde voor Alistair om mee naar huis te nemen.

Toen alles was opgeruimd zette ik thee. Het was buiten donker en het was gaan regenen; de druppels tikten tegen de ramen. Het was een fijne avond om thuis te zijn.

'Dat was een heerlijke lunch,' verklaarde Alistair terwijl hij zijn enorme buik als een trofee presenteerde en er toegeeflijk op klopte.

'Mooi zo,' zei Stuart. 'Hoewel het al een tijdje geen lunchtijd meer is.'

Alistair had zichzelf genoeglijk tussen ons in op de bank genesteld. 'Ik ga zo weg,' zei hij, en hij knipoogde samenzweerderig naar me. 'Jullie willen natuurlijk veel liever met zijn tweetjes zijn.'

Ik voelde dat ik begon te blozen, en Stuart kuchte.

'We zijn gewoon vrienden,' zei ik snel.

'Natuurlijk,' zei Alistair met een enorme grijns op zijn gezicht.

'Rijden er vandaag veel bussen?' vroeg Stuart achteloos.

'Nauwelijks,' zei Alistair. 'Schandalig, eigenlijk. Kerst of geen kerst, een mens wil toch kunnen reizen.'

'Kun je vanavond dan wel naar huis?'

'Hm? O, daar ga ik wel van uit, ja.'

Er viel een lange stilte.

'Laat ik maar eens opstappen,' zei ik. Ik werd ineens overvallen door het gruwelijke gevoel dat Stuart om de een of andere reden probeerde Alistair de deur uit te werken. We hadden samen drieënhalve fles wijn geconsumeerd en de kamer tolde een beetje. Stel dat hij van plan was me in bed te krijgen? Ik dacht aan de avond ervoor, aan slapen op zijn bank, onder zijn dekbed, in zijn kleren.

'Wat ga jij morgen doen, Al?' vroeg Stuart, in een volgende poging.

'O, man, ik heb nog een hele berg papierwerk liggen. Het zal eens niet.'

'Dan zou ik maar niet te laat naar bed gaan.'

'Hm?' Alistair keek op naar Stuart. 'O! Ja, natuurlijk, ik moet er echt vandoor. Jemig, is het al zo laat?' Hij stond verrassend kwiek op.

'Dan zal ik ook maar gaan,' zei ik.

'Nou, meid, dan neem ik aan dat wij elkaar binnenkort weer zullen zien, hè?'

'Eh... Ja. Wie weet.'

'Ik kijk er nu al naar uit.'

Ik zocht met brandende wangen zijn jas, en Stuart vond zijn tas, waarna Stuart zei dat hij hem volgende week wel zou zien en dat ze dan koffie zouden drinken om iets te bespreken, en daarna werd Alistair razendsnel de deur uit gewerkt en liep Stuart met hem mee naar beneden om hem het pand uit te escorteren. Ik stond ondertussen in de keuken nerveus van mijn ene op mijn andere voet te huppen en probeerde niet om te vallen.

Ik luisterde naar de echoënde stemmen die beneden in de hal klonken: 'Heerlijk gegeten, Stuart, echt top... Dank je wel dat je me hebt uitgenodigd...'

'Leuk dat je er was, echt...'

'En,' zijn stem klonk nu zachter, maar niet zo zacht dat me werd bespaard wat volgde: 'Ik begrijp wat je in Cathy ziet. Wat een schat. En een stuk. Veel leuker dan Hannah. Goed gedaan, vriend. Het is je gegund. Nou, laat ik de regen maar eens gaan trotseren...'

Daarna het geluid van de deur, die in het slot viel, en even later Stuarts voetstappen, die met twee treden tegelijk de trap op kwamen.

Ik stond als aan de grond genageld, met bonzend hart.

'Gaat het?' vroeg hij.

'Ik voel me een beetje... ik weet niet... dronken, denk ik.'

Hij keek me vertwijfeld aan. 'Je bent ineens helemaal bleek. Ga even zitten.'

'Nee,' zei ik kordaat. 'Ik ga naar huis.'

'Weet je het zeker? Je mag best blijven, hoor.'

'Nee.'

'Cathy? Wat is er? Ik dacht...'

'Nee!'

Ik liep de kamer uit, gleed in de gang bijna uit op het laminaat en trok de deur open. Ik ging de trap af, dankbaar gebruikmakend van de leuning, zocht mijn sleutel, opende mijn deur, liep naar binnen en sloeg hem met bonkend hart achter me dicht.

Toen ik uren later mijn appartement had gecontroleerd en uitgeput en net gedoucht opgekruld op de bank zat, stuurde ik Stuart een sms: SORRY VAN NET. BEDANKT VOOR HET ETEN. C

Ik wachtte en wachtte op antwoord. Dat kwam, bijna een halfuur later. Vier woorden; meer dan ik verdiende, maar toch zonk de moed me in de schoenen. GEEFT NIET. LAAT MAAR.

VRIJDAG 30 JANUARI 2004

Ik belde Sylvia in januari, een week nadat ze met haar nieuwe baan was begonnen. De eerste keer dat ik belde, kreeg ik de voicemail. Ik was van plan haar een sms te sturen, maar ik kon de goede woorden niet vinden, ze niet in de juiste volgorde zetten. Ik had ook een slechte dag gekozen om contact op te nemen: ik had barstende koppijn en overduidelijk last van iets hormonaals, want ik kon maar niet stoppen met huilen.

Die avond probeerde ik het nog een keer, en toen lukte het wel. Ik verwachtte bargeluiden op de achtergrond, maar het was stil. 'Hoi Sylvia, met mij.'

'Catherine, hoe is het met jou?'

'Prima, schat. En met jou? Ik wil alles horen. Is het een waanzinnige baan? Heb je tijd om te kletsen?'

'Goed. Ik moet over een uur de deur uit, maar ik was hier net aan het doen alsof ik zat te lezen. Het gaat geweldig. Hartstikke druk, op het manische af. De *Lancaster Guardian* lijkt een eeuwigheid geleden.'

'En hoe is je appartement?'

'Dat is een heel ander verhaal. Ik zit ingeklemd tussen iemand die de hele dag snoeihard de Carpenters draait en een stel dat óf luidkeels aan het ruziën is, óf luidkeels ligt te neuken. Ik heb mezelf er vandaag op betrapt dat ik "We've Only Just Begun" liep mee te zingen. De hele dag. Dus ik ben op zoek naar iets anders.'

'Ik mis je, Syl.'

'Dat weet ik, schat. Ik mis jou ook. Hoe is het in Lancaster?'

'Regenachtig.'

'En op je werk?'

'Vermoeiend, druk, stressen.'

'En de meiden?'

'Die heb ik al een tijdje niet gezien.'

'Wat? Ben je ziek of zo? Ben je helemaal niet uit geweest?'

'Wel met Lee. Maar de meiden heb ik al eeuwen niet gezien.'

Er viel een lange stilte aan de andere kant. Ik hoorde haar zoeken in zo te horen een berg schoenen.

'Ik maak me zorgen, Syl. Het begint allemaal mis te gaan.'

'Wat, schat?' vroeg ze. Ik hoorde nog steeds allerlei geluiden en toen een gemompeld scheldwoord.

'Met Lee. Ik ben... ik ben af en toe een beetje bang.'

Ze hield eindelijk op met waar ze mee bezig was. 'Waarvoor dan? Toch niet voor Lee? Hij is een schatje. Ben je bang om hem kwijt te raken?'

Ik was even stil terwijl ik probeerde de juiste woorden te vinden. 'Hij is niet altijd een schatje.'

'Hebben jullie ruzie?'

'Ik denk het. Zoiets. Ik weet het niet... Ik ben moe en hij werkt veel. En áls ik hem zie, is het altijd op zijn voorwaarden, en hij vindt het niet prettig als ik zonder hem uitga.'

Sylvia zuchtte. 'Eerlijk gezegd heeft hij daar wel een punt, schat. Denk eens terug aan hoe je was – hoe we allemaal waren – toen hij je leerde kennen. Je ging elke avond stappen met maar één bedoeling. Geen wonder dat hij zich zorgen maakt als je alleen de hort op gaat.'

Ik reageerde niet, dus ze vervolgde: 'Je hebt nu een relatie, schat. Een ander leven.'

Haar stem werd milder.

'Lee is een goede vent, Catherine. Denk maar eens terug aan al die klootzakken met wie je uit bent geweest. Hij wil je gewoon beschermen. En behalve het feit dat hij om op te vreten is, houdt hij ook nog van je, echt. Dat zei iedereen, na mijn etentje. Hij is overduidelijk stapelgek en dolverliefd op je. Dat willen we allemaal. Ik wou dat ik zo iemand had. Ik wou dat ik had wat jij hebt.'

'Dat weet ik.' Ik deed mijn uiterste best om mijn tranen niet te laten doorklinken.

'Luister, schat, ik moet ervandoor. Bel je me in het weekend nog even?'

'Oké. Veel plezier. En goed voor jezelf zorgen, hè?'

'Ik zal braaf zijn! Ciao, schat.' En toen was de verbinding verbroken.

WOENSDAG 26 DECEMBER 2007

LAAT MAAR.

Ik heb mijn appartement de afgelopen vierentwintig uur zo vaak gecontroleerd dat ik er van uitputting mee moest stoppen. De opluchting die normaal gesproken volgt kwam niet, maar de paniek keerde evenmin terug. Ik dacht aan Stuart en vroeg me af of ik het had verpest. Ik vroeg me af of de enige vriend die ik hier had ooit nog een woord tegen me zou zeggen.

Hij begreep het niet. Hoe kon hij ook? Hij had geen idee.

Hoe dan ook, ik deed hem een plezier. Hij was ook gekwetst, hij was verraden door Hannah. Hij had geen behoefte aan nog een verknipte relatie, aan iemand zoals ik.

Ik hoorde vanochtend ergens in huis stemmen. Ik kroop naar de deur en luisterde, concentreerde me om ze te kunnen verstaan. Het waren Stuart en mevrouw Mackenzie, beneden.

'... een beetje warm?'

Ik kon verder niet goed verstaan wat ze antwoordde. Ze leek

maar door te ratelen, alsof ze geen moment pauzeerde tussen haar zinnen. Ik overwoog de deur open te doen om het beter te kunnen horen, maar dan zou ik alle controles opnieuw moeten uitvoeren.

Toen hoorde ik haar lachen, en hem ook. 'Er is wel een hoop veranderd hè, sindsdien?' zei hij.

Toen mevrouw Mackenzie weer: hier en daar een woord, zinsdelen die ik herkende van onze gesprekjes bij de voordeur: 'Ik wil je niet ophouden... ik ben druk...'

En Stuart: 'Laat u het even weten als ik iets voor u kan doen? U kunt me gewoon roepen...'

Toen geluiden die aangaven dat hij de trap op kwam. Ik duwde mezelf tegen de deur, met ingehouden adem, mijn oog tegen het kijkgaatje. Controleerde ik of hij het wel was? Of wilde ik hem gewoon graag zien, weten dat hij in orde was?

Ik zag zijn silhouet, vervormd door de lens in het kijkgaatje. Hij droeg een tasje waar een brood uitstak. Ik wilde dat hij zou stilstaan, aarzelen, de kant van mijn deur op zou kijken, maar dat deed hij allemaal niet. Hij liep verder naar de tweede verdieping, met twee treden tegelijk.

MAANDAG 2 FEBRUARI 2004

Mijn geluk kwam en ging als het tij. Ik deinde de hele maand januari heen en weer, van ernaar uitkijken dat Lee aan het werk ging naar hem missen, en er weer naar uitkijken dat hij weer aan het werk zou gaan.

Toen ik de voordeur opendeed was mijn eerste gedachte dat Lee weer in huis was geweest en dingen had verplaatst. Ik rook iets; er kwam ergens tocht vandaan. Het voelde koud in huis, vreemd. Hoewel ik wist dat hij aan het werk was, aangezien hij me eerder die dag sms'jes had gestuurd, riep ik toch: 'Hallo? Lee?' Het zou me niet verbazen als hij eerder zou zijn thuisgekomen om me te verrassen, dus liep ik behoedzaam de zitkamer in voor het geval hij zich er had verstopt en me zou bespringen.

Het was er geen puinhoop, het zag er niet uit zoals je zou verwachten bij een huis waar is ingebroken. Pas toen ik zag dat mijn laptop was verdwenen, compleet met de oplader, keek ik naar de tuindeuren en zag dat ze op een kier stonden en dat het slot van buiten kapot was, alsof iemand erdoorheen had geboord.

Ik pakte mijn telefoon uit mijn tas en belde Lee.

'Hoi,' zei hij. 'Wat is er?'

'Volgens mij is er iemand in mijn huis geweest,' zei ik.

'Wat?'

'De achterdeur staat open. Mijn laptop is verdwenen.'

'Waar ben je?'

'In de keuken, hoezo?'

'Ik wil dat je niets aanraakt en dat je in de auto op me wacht, oké? Ik kom eraan.'

'Moet ik de politie bellen?'

'Dat doe ik wel. Ik ben er zo. Oké? Catherine?'

'Ja. Ja. Niets aan de hand.'

Toen ik in mijn auto zat te wachten begon ik te beven en te huilen. Niet om mijn laptop. Het was de gedachte dat er iemand binnen was geweest, dat er iemand had ingebroken en aan mijn spullen had gezeten. Misschien was hij er nog wel.

De patrouillewagen arriveerde een paar minuten eerder dan Lee, en hoewel ik halverwege mijn verhaal was over wat er was voorgevallen, schudde Lee de agent de hand en liep met hem naar binnen, mij bij de auto achterlatend. Een halfuur later arriveerde er een wit busje van Forensische Opsporing met een rechercheur. Ze vertelde me hoe ze heette, maar ik was haar naam een paar seconden later alweer kwijt. Ik liep met haar het huis in en liet haar het slot zien, en de eetkamertafel waar mijn laptop had gestaan.

Lee en de agent in uniform kwamen kort daarna de trap af

lopen. Iedereen schudde elkaar de hand, er werden wat grapjes gemaakt en toen vertrok de agent.

Ik zette een kop thee voor de dame van de recherche terwijl ze wat oppervlaktes met poeder bewerkte voor vingerafdrukken. Ik vond het er allemaal erg willekeurig uitzien.

Toen ze was vertrokken, begon ik weer te huilen.

'Sorry,' zei ik terwijl Lee me in zijn armen nam en me vasthield.

'Dat geeft niks,' zei hij. 'Je bent veilig. Ik ben bij je.'

'Ik word gek van de gedachte dat er iemand in mijn huis is geweest,' zei ik.

'Ik heb een slotenmaker gebeld,' zei hij. 'Die is al onderweg. Maak je geen zorgen. Wil je dat ik vannacht hier blijf?'

'Je moet toch werken?'

'Daar kan ik wel onderuit komen. Maar dan moet ik wel mijn telefoon in de gaten houden voor als er problemen zijn, oké?'

Ik knikte.

Later, uren later, met een nieuw slot op de deur, lag Lee met me te vrijen, teder en rustig deze keer. Ik lag te denken over wie de inbreker was, vroeg me af of hij hier was geweest, in de slaapkamer. Ik vroeg me af wat hij verder had aangeraakt.

Lee was zo teder, zo liefdevol, dat wat hij deed me uiteindelijk afleidde van de inbreker zodat ik mezelf verloor in de sensaties die Lees vingers en mond bij me opwekten.

Toen ik uiteindelijk mijn ogen opende lag hij met een glimlach naar me te kijken. 'Dat zou je vaker moeten doen,' mompelde hij.

'Wat?'

'Je laten gaan.'

'Lee, wil je alsjeblieft blijven?'

'Ik blijf hier. Ga maar lekker slapen.' Hij streelde met zijn vingers over mijn slaap, over mijn wang. 'Heb je nog nagedacht over wat ik je heb gevraagd?'

Ik vroeg me af of het de moeite zou zijn om te doen alsof ik niet wist waarover hij het had. 'Ik heb erover nagedacht,' zei ik.

'En?'

Ik opende mijn ogen en keek hem slaperig aan. 'Blijf het vooral vragen,' zei ik. 'Op een dag verras ik je door ja te zeggen.'

Hij glimlachte, strekte zijn arm en streelde mijn wang, een lange en zachte aanraking die begon op mijn gezicht en eindigde op de zijkant van mijn dijbeen. Hij zei dat hij van me hield, zijn stem nauwelijks een fluistering. Ik hield van hem als hij zo was: lief, kalm, tevreden.

VRIJDAG 28 DECEMBER 2007

Toen ik vanochtend opstond was ik misselijk. Ik haalde net de badkamer. Ik hing een paar minuten boven het toilet terwijl ik me afvroeg of ik iets verkeerds had gegeten, of dat het een uitgestelde reactie was op de hoeveelheid alcohol van eerste kerstdag.

Toen ik daar rillend op de tegelvloer zat herinnerde ik het me ineens weer: hij kwam vandaag vrij.

Het was iets na vijven, nog donker buiten. Toen ik in staat was op te staan, poetste ik mijn tanden en probeerde weer naar bed te gaan, maar dat lukte niet. Mijn voeten schoten naar de voordeur van mijn appartement.

Ik wist dat hij op slot zat, maar ik moest het niettemin controleren. Terwijl ik hem checkte, zes keer, één-twee-drie-vier-vijf-zes, zei ik tegen mezelf dat hij op slot zat. Ik herinner me nog dat ik hem op slot heb gedaan. Ik herinner me nog dat ik goddomme uren met de controle bezig ben geweest. Hoe dan ook: misschien zat hij wel niet op slot, misschien had ik een fout gemaakt. En als ik hem nou open had gemaakt, zonder het te beseffen? Als er nou iets was misgegaan bij het controleren, als ik niet goed had opgelet?

Opnieuw. Vanaf het begin.

Het gevoel dat hij er is, is sterk vandaag. Ik ruik hem, voel hem in de lucht. Ik weet nog hoe het voelde: op hem wachten tot hij zou terugkomen, weten dat ik niets kon doen om weg te komen, dat het geen zin had om te vluchten, dat het geen zin had om te vechten. Het was gemakkelijker om gewoon op te geven.

En nu?

Ik maakte de controle van de deur af, maar het voelde nog steeds niet goed.

Ik moest opnieuw beginnen. Mijn voeten waren ijskoud, mijn huid vol kippenvel. Ik had een trui moeten pakken, warme sokken. Maar het voelde niet goed. De deur had net zo goed wijd open kunnen staan, met hem aan de andere kant, wachtend. Wachtend tot ik een fout maakte.

Ik controleerde de deur geconcentreerd. Mijn ademhaling versnelde, mijn hart bonsde in mijn borst. Ik kon het beeld dat hij aan de andere kant van de deur stond maar niet uit mijn hoofd krijgen, dat hij wachtte tot ik zou stoppen met controleren, dat hij stond te wachten tot ik zou weglopen zodat hij daar misbruik van kon maken.

Dit was niet best, het was helemaal niet best. Mijn telefoon lag in de keuken, Stuart was op zijn werk, en ik had hem sowieso niet meer gezien of gesproken sinds die sms... Ik kon niet bij de deur weg, ik durfde niet eens naar het toilet.

Eén keer, zei ik streng tegen mezelf. Nog één keer en dan is het goed. Nog één keer en dan kan ik van de deur weg. Ik probeerde diep adem te halen, probeerde dieper te ademen dan alleen wat naar lucht happen, probeerde mijn adem vast te houden, probeerde aan Stuarts stem te denken.

Ik maakte een serie controles af en stopte.

Ik begon te kalmeren, mijn ademhaling werd wat rustiger. Zodra ik de kans kreeg ging ik naar mijn slaapkamer, keek niet naar de gordijnen en kroop direct in bed. Mijn maag draaide zich om en ik rilde van de kou. Mijn wekker zei dat het tien voor halfacht was. Twee uur, alleen om de deur te controleren.

Ik stapte weer uit bed, trok sokken en een fleecetrui met capuchon aan, liep naar de keuken en zette de verwarming aan.

Ik pakte mijn telefoon en belde mijn werk. Ik was sinds ik er werkte nog geen dag thuisgebleven, maar vandaag kon het niet anders. Er was geen enkele kans dat ik vandaag in staat zou zijn het huis te verlaten.

Het lukte me de volgende controle nog een halfuur uit te stellen, en toen besloot ik dat ik de gordijnen moest openen, en daarmee begon alles van voren af aan. Gelukkig moest ik om acht uur stoppen voor de dwangmatige kop thee.

Ik zat met mijn thee op de bank en pakte het boek waarin ik bezig was. Het was een van de boeken over OCD die Stuart me had aangeraden. In een hoofdstuk stond het advies een lijst te maken met alle obsessieve handelingen, alle regels, en die naar belangrijkheid te rangschikken. Ik pakte mijn organizer en haalde er een velletje papier en een pen uit.

Ik was er heel lang mee bezig, dacht heel zorgvuldig na, streepte heel veel door en begon steeds opnieuw, maar uiteindelijk zag mijn lijstje er zo uit:

DWANGMATIG

    VOORDEUR CONTROLEREN

    RAMEN EN GORDIJNEN CONTROLEREN

    VOORDEUR BENEDEN CONTROLEREN

    KEUKENLADE CONTROLEREN

VERMIJDEN

    RODE KLEDING

    POLITIE

    DRUKKE PLAATSEN

ORDENEN

    THEEDRINKEN

    WINKELEN OP EVEN DAGEN

    STAPPEN TELLEN

De buitendeur was ongetwijfeld nummer één. Ik bedacht dat het sinds Stuart in het pand was komen wonen, voelde alsof het me op de een of andere manier was gelukt de verantwoordelijkheid voor de voordeur aan hem over te dragen. Ik vroeg me af of ik mezelf geleidelijk uit deze put zou kunnen werken door wat op zijn schouders over te hevelen, en of dat wel eerlijk was.

Ik keek op de klok: halfnegen.

Hoe laat werden mensen uit de gevangenis gelaten? Zou hij al vrij zijn? Hoe zou hij eruitzien? Zou hij nog geld hebben? Waar zou hij naartoe gaan?

Ik sloot mijn ogen en probeerde aan iets anders te denken.

Hoelang zou het duren? Hoelang zou het duren voor hij me gevonden had? Ik probeerde me voor te stellen dat hij de gevangenis uit liep, ergens naartoe ging, misschien naar een vriend, daar had hij er vast nog een heleboel van. Misschien zou hij een ander vinden, een ander meisje. Misschien had de tijd in de gevangenis hem veranderd. Misschien zou hij me helemaal niet komen zoeken.

Maar nu zat ik mezelf gewoon voor te liegen.

Hij zou achter me aan komen, de vraag was alleen wanneer.

Ik was net op tijd weer in de badkamer om over te geven. Niets meer in mijn lichaam, behalve de pijn.

DINSDAG 24 FEBRUARI 2004

Die inbraak veranderde heel veel voor me. Ik voelde me daarna nooit meer veilig, zelfs niet als Lee er was. Als hij er niet was, als ik de stad uit was of op mijn werk, of zelfs als ik van mijn werk naar huis reed, had ik steeds het gevoel dat ik in de gaten werd gehouden. Als ik alleen thuis was had ik het gevoel dat er iemand in huis was.

Wat ook niet hielp was dat ik steeds vaker dingen kwijt was. Als er niet was ingebroken, zou ik hebben kunnen denken dat ik ze achteloos ergens had neergelegd, maar het waren dingen die ik niet vaak gebruikte en waarvan ik vrij zeker wist waar ik ze had opgeborgen. Zoals mijn paspoort. Dat zat in een tasje achter in mijn kledingkast, samen met een portemonnee met euro's, die ook was verdwenen. Een oud dagboek. Ik had geen flauw idee waarom dat was meegenomen, maar het was weg. Mijn oude mobieltje – dat het niet eens meer deed – dat op de boekenplank in de woonkamer had gelegen.

Elke keer als ik iets niet kon vinden, voelde het alsof er weer was ingebroken.

Lee zei dat het heel normaal was bij dit soort inbraken. Hij zei dat ze het huis grondig en netjes hadden doorzocht. Dat mensen heel vaak geen idee hadden wat er allemaal verdwenen was. Hij zei dat er in mijn wijk de afgelopen maanden meerdere inbraken waren geweest, en dat er bij sommige mensen zelfs vaker dan eens was ingebroken.

Als hij niet aan het werk was sliep hij altijd bij mij, en soms stond hij, als hij wel aan het werk was, ineens onverwacht op de stoep, liet zichzelf binnen zodat ik me elke keer doodschrok. Op een avond kwam hij heel erg smerig aanzetten, in kleding die rook alsof hij op straat had geslapen. Hij kleedde zich in de woonkamer uit, liet de stinkende berg liggen en liep naar boven om te douchen.

Toen hij weer beneden kwam rook hij een stuk aangenamer, en hij zag er ook aanzienlijk beter uit. Ik kookte voor hem en daarna vree hij met me in de woonkamer, heel teder, zacht en liefdevol. Hij luisterde naar mijn onbelangrijke verhalen over mijn werk, streek mijn haar zachtjes van mijn rood aangelopen wangen, kuste me op mijn bezwete voorhoofd en zei dat ik het mooiste was wat hij die week had gezien. Daarna kleedde hij zich weer aan, in dezelfde smerige kleren, en verdween de nacht in.

Er gingen twee dagen zonder hem voorbij, zonder bericht, zonder telefoontje, en die dinsdag kwam ik vroeg uit mijn werk thuis. Ik had het gevoel dat er weer iemand binnen was geweest. Ik had geen idee waarom ik dat dacht; de deur zat op het dubbele slot, de ramen waren goed dicht, maar het huis voelde anders. Ik controleerde alles terwijl ik mijn jas nog aanhad, op zoek naar dingen die niet op hun plaats stonden. Niets, geen enkel spoor. Misschien had ik het me ingebeeld, wat het ook was, deze aanwezigheid, het gevoel dat Lee was geweest. Misschien hoopte ik dat hij het was geweest.

Ik kookte en belde na het eten Sam om te kletsen. Ik keek naar iets nietszeggends op de televisie. Ik waste af en ruimde de vaat op, en ik neuriede mee met de muziek op de radio.

Om kwart voor twaalf zette ik de televisie uit en overwoog naar bed te gaan. Het was ineens pijnlijk stil in huis, nu het geluid weg was. De centrale verwarming was een uur daarvoor afgeslagen en het was koud.

Ik controleerde de voordeur en de achterdeur en deed tijdens mijn ronde de lichten uit. Ik trok de gordijnen in de voorkamer een stukje open en dacht toen dat ik buiten iets zag: een vorm, een schaduw, aan de andere kant van de straat, naast het huis dat al maanden te koop stond. Een brede vorm van een man, die in de duisternis tussen de voorkant van het huis en de garage stond.

Ik wachtte tot de vorm zou bewegen, tot mijn ogen zich zouden hebben aangepast aan de duisternis en ik zou kunnen zien wat het was.

Ik stond roerloos en hoe meer ik mijn ogen samenkneep, hoe helderder ik me herinnerde dat daar een struik stond, of een boom, of zoiets. Hij zag er gewoon raar uit in het donker.

Ik trok de woonkamerdeur dicht, deed het ganglicht aan en liep behoedzaam naar boven. Ik kleedde me uit, trok een pyjama aan en poetste mijn tanden. Daarna deed ik mijn nachtlampje aan en sloeg mijn dekbed open.

Dus dat was het.

Onder het dekbed, fel gekleurd tegen het schone witte laken, lag een foto.

Ik staarde er even naar en mijn hart sloeg op hol.

Het was een uitdraai van een digitale foto van mij. Ik pakte hem op, waarbij mijn hand zo trilde dat de afbeelding vaag werd, maar ik herkende de foto en wist precies wat erop stond: ikzelf, naakt, op dit bed, met mijn benen wijd, mijn gezicht rood aangelopen en strengen haar aan mijn wangen geplakt, mijn blik recht op de camera gericht, een blik van pure wellust, pure verleiding, puur en naakt verlangen.

Hij had die foto genomen het eerste weekend dat we samen hadden doorgebracht; hetzelfde weekend dat we tegen de wind hadden gevochten op het strand bij Morecambe, het weekend dat hij voor het eerst tegen me had gezegd dat hij van me hield. We hadden foto's van elkaar gemaakt. Nadien hadden we er de grootste lol om gehad en daarna had hij me ze van de geheugenkaart laten verwijderen. Maar duidelijk niet voordat hij eerst een kopie had gemaakt.

Ik staarde even in mijn eigen ogen en vroeg me af wat voor iemand ik toen was geweest, wie het was die dit zo graag wilde. Ik zag er zo gelukkig uit. Ik zag eruit of ik verliefd aan het worden was.

Wie diegene ook was, zo was ik niet meer. Ik scheurde de foto in kleine stukjes, gooide ze in het toilet en spoelde door. De snippers dreven vrolijk terug naar het wateroppervlak en dansten rond als confetti in de wind.

WOENSDAG 9 JANUARI 2008

Caroline was vandaag eindelijk terug op het werk na een lange vakantie met haar kinderen. Ik zag haar door de open deur van mijn kantoor lopen. Ik zat te bellen; ze zwaaide met een gebruinde hand naar me.

'Jij ziet er goed uit,' zei ik, toen ik even later naar haar kantoor liep. 'Heb je het leuk gehad?'

'Geweldig,' zei ze. Ze was van top tot teen gehuld in herfst-kleuren, van haar roodbruine haar tot haar gebruinde huid tot haar donkergroene rok en een jasje in de kleur van herfstblade-ren. 'Het was snoeiheet, de kinderen hebben het naar hun zin gehad en ik heb met mijn voeten omhoog naast het zwembad vier dikke romans gelezen. En ik heb Paolo leren kennen.'

'Nee... Echt?'

'Ja, en die was ook geweldig.'

We liepen naar de kantine, hoewel ze nog maar net haar jas had uitgetrokken. 'Ik moet niet denken aan alle mails die op me wachten,' zei ze. 'Was het hier heel vreselijk?'

'Het viel mee. Maar ik zie wel op tegen volgende week. De directeur komt over het nieuwe distributiecentrum te praten.'

Caroline kreunde. 'Kom, ik heb chocola nodig.'

We zaten met onze thee aan het raam, dat uitkeek over een groen, gemanicuurd gazon en kleurrijke struiken.

'En hoe was jouw kerst?' vroeg ze terwijl ze een stukje van haar chocolademuffin trok.

'Prima, dank je.'

'Heb je hem met Stuart doorgebracht?'

'Ik heb bij hem geluncht. Zijn vriend Alistair was er ook,' voegde ik snel toe, voordat ze kans zou hebben al te opgewon-den te raken.

'Alleen geluncht?'

'Alleen geluncht.'

Ze staarde me geconcentreerd aan.

'Het is allemaal nogal misgelopen,' zei ik.

'Hoezo?'

'Ik hoorde zijn vriend over me praten. Ik ben er gewoon een beetje van geschrokken. Ik ben 'm gesmeerd en volgens mij heb ik hem daarmee gekwetst. Ik heb sindsdien niets meer van hem gehoord.'

Het was nu twee weken geleden. Ik nam aan dat hij thuis was en elke dag naar zijn werk ging, maar ik had hem niet meer gezien. Hij had niet bij me aangeklopt, geen briefjes voor me achtergelaten en geen sms'jes gestuurd. Dat verraste me niet, aangezien ik hem met kerst zo had laten zitten – eerlijk gezegd zou het me niet verbazen als hij ondertussen op zoek was naar een nieuwe woning. Wie wil er per slot van rekening een gestoord wijf als benedenbuurvrouw?

'Ik dacht dat je hem aan de haak had geslagen,' zei ze opgewekt.

'Nee,' zei ik. 'Maar dat geeft niet. Ik ben toch liever alleen.'

Caroline klopte op mijn hand, waarbij ze wat muffinkruimels achterliet. 'Het komt vast wel goed,' zei ze. 'Je kent mannen: ze kunnen soms onvoorstelbaar overgevoelig zijn.'

Ik zei even niets en dronk wat thee. 'Vertel eens over Paolo,' zei ik toen. 'Is hij piepjong en waanzinnig aantrekkelijk?'

'O mijn god, breek me de bek niet open. Hij was een van de obers in het hotel. Heel banaal allemaal, maar hij was binnen handbereik en ik hoefde de kinderen nooit langer dan een uur bij mijn moeder te laten. Ze dacht steeds dat ik even ging wandelen met iemand anders die we hadden leren kennen: Miranda. Wat een giller.'

Een halfuur later liepen we terug naar ons kantoor. Terwijl ik de trap op liep, dacht ik aan Stuart en wenste dat ik al naar huis mocht.

VRIJDAG 27 FEBRUARI 2004

Lee en ik gingen op vrijdagavond om negen uur de stad in. Hij beloofde me dat we later die avond naar de Red Divine zouden gaan, waar we met de meiden hadden afgesproken.

Ik had nog nooit zo naar een avond uitgekeken en er tegelijkertijd zo tegen opgezien. Ik zou eindelijk de Red Divine vanbinnen kunnen bekijken, ik zou de hele avond gaan dansen, lachen en met mijn vriendinnen kletsen, en ondertussen zou

Lee al die tijd vlak naast me staan. Ik wilde bij hem zijn – maar vanavond niet.

Toen we in de club arriveerden was het al na elven. Ondanks de rij, die bijna tot aan Bridge Street stond, zag de portier Lee, en hij gebaarde ons naar de vip-ingang. Lee werd onderweg naar binnen de hand geschud, op zijn rug gemept en begroet door vijf of zes gorilla's in pak die er als portier werkten. Ik hield mijn mond en stond plichtsgetrouw een stapje achter hem, ijskoud en rillend.

Er waren om de een of andere reden nauwelijks woorden vuilgemaakt aan wat ik vanavond had aangetrokken. Ik koos een kort zwart jurkje met smalle bandjes en nepdiamantjes langs de zoom. Hij keek ernaar en zei: 'Zolang je er een panty onder aantrekt mag je dat aan.' Oké, dacht ik, het is toch te koud voor blote benen.

Ik trok in de Red Divine mijn jasje uit en bracht het naar de garderobe. Lee stond met iemand bij de deur te praten, een kleine bebaarde man die net was gearriveerd. Ik dacht dat het de eigenaar kon zijn; ik had zijn foto in de krant gezien. Barry? Brian? Zoiets.

Ik overwoog de spiegeldeuren door te lopen, naar het geluid, de lichten en de warme lucht, de meiden te vinden, een drankje te bestellen, te ontspannen terwijl hij er even niet bij was, maar die gedachte ging niet lang door me heen. Ik kon beter even op hem wachten.

Hij kwam even later naar me toe, pakte me bij de arm, kuste me op mijn wang en duwde die prachtige spiegeldeuren voor me open.

Het was een grote club, met meerdere ruimtes met dansvloeren en overal bars, waardoor het er, hoewel het er gigantisch was, en vreselijk druk, tegelijk heel intiem was. Een groot deel van de oorspronkelijke kerkarchitectuur was behouden: er stonden wat kerkbanken langs de muren, booggewelven leidden van de ene naar de andere ruimte en er hing inderdaad, zoals

Sylvia had verteld, een enorm verlicht glas-in-loodraam boven een bar. Daarachter opende zich een ruimte die het schip van de kerk moest zijn geweest, waar een dj op de plek van het altaar stond. De dansvloer was gevuld met oorverdovend geluid, lichten en dansende mensen; boven hun hoofd zweefden net buiten bereik twee trapezes met lappen rode zijde eraan. Twee dansers, in rode body's en met hoorntjes op hun hoofd, schommelden heen en weer, heel indrukwekkend in de maat van de muziek. Hoog boven de dansvloer waren balkons onder de stenen bogen; mensen met een drankje in de hand keken leunend over chromen balustrades naar de dansende clubgangers.

Terwijl we ons een weg door de menigte baanden, mijn borstkas bonzend van de beat, zocht ik de meiden. Lee liet mijn hand pas los toen we bij een van de rustigere bars kwamen, waar hij een drankje voor me bestelde terwijl ik met mijn rug naar hem toe stond en snakte naar een plek om te dansen, te ontspannen.

Ik voelde een tikje op mijn schouder. Godzijdank, Claire. Ik omhelsde haar. 'Wat is het hier waanzinnig, hè?' schreeuwde ze in mijn oor.

'Nou! Waar is Louise?' schreeuwde ik terug.

Claire haalde haar schouders op en wees vaag in de richting van de dansvloer. 'Waar is Lee?' schreeuwde ze.

Ik wees achter me naar de bar. Hij had Claire gezien en maakte een wil-je-wat-drinken-gebaar.

Ze schudde haar hoofd en hield een flesje met een rietje erin omhoog. 'Wat een schatje, hè?' schreeuwde ze in mijn oor.

Even later kwam hij met onze drankjes naar ons toe. Ik dronk de helft van mijn glas in één teug leeg, gaf het aan Lee en nam Claire bij de hand. 'Dansen?' Ik keek hem aan om toestemming te vragen. Hij glimlachte niet, maar hij zei ook geen nee. Ik wist dat hij al mijn bewegingen zou volgen.

Claire en ik baanden ons een weg naar de grote dansvloer. Toen ik eenmaal stond te dansen voelde ik me meteen beter. Na twee nummers vergat ik zelfs een fractie van een seconde dat

Lee er ook was. Ik was heel even weer single, zoals het vroeger was, toen ik kon dansen hoe ik wilde en met iedereen kon praten, flirten, kletsen en drinken tot ik nauwelijks nog op mijn benen kon staan, als dat was waar ik zin in had.

Toen keek ik op naar de balkons, en daar stond hij, bijna onzichtbaar in zijn donkere pak in een alkoof vol duistere schaduw, nu en dan heel even verlicht door het lichtorgel en dan weer in duisternis gedompeld. Ik zou het prettiger hebben gevonden als hij met iemand had staan kletsen, of gewoon om zich heen had gekeken, of er in ieder geval zou uitzien alsof hij het naar zijn zin had. Maar hij staarde alleen maar... naar mij.

Ik glimlachte naar hem, waar hij niet op reageerde. Misschien keek hij wel helemaal niet naar me.

Ik begon een beetje misselijk te worden.

Louise, die ons op de dansvloer had gevonden, keek naar me. Ze pakte me bij de arm en schreeuwde iets in mijn oor, waar ik geen woord van verstond in die herrie.

Maar ze hoefde ook niets te zeggen, want ik werd ineens van achteren door iemand bij mijn taille gegrepen, die provocerend tegen mijn billen begon te rijden. Ik schrok me kapot, keek over mijn schouder en zag dat het Darren was, een collega van Louise, met wie ik een jaar daarvoor een korte affaire had gehad. Hij kuste me boven mijn oor en leek blij me te zien, maar toen hij mijn gezicht zag, verging het lachen hem snel.

Het lukte me iets van een glimlach op mijn gezicht te toveren, waarna ik van hem weg bewoog en verder danste. Darren bleef echter bij ons in de buurt dansen, wat, gezien de drukte op de dansvloer, heel dichtbij was. Toen ik genoeg moed had verzameld, keek ik steels op naar het balkon.

Hij was weg.

Ik overwoog of dit mijn kans was. 'Lou,' schreeuwde ik, 'waar zijn de toiletten?'

'Wat?' Ze zette haar hand naast haar oor, alsof dat enig verschil zou maken.

Ik pakte haar hand en begon haar van de dansvloer te trekken, maar ik was net te laat. Ik voelde in de mensenmassa van lichamen die aan alle kanten tegen me aan duwden ineens een aanraking die iets te intiem was. Een arm sloot zich om mijn lichaam, een ferme hand om mijn borst. Ik werd naar achteren getrokken, voelde warme adem in mijn hals, en zijn tong was plotseling op mijn huid, zijn stem hard, maar niettemin nauwelijks hoorbaar in mijn oor. 'Waar ga jij naartoe?'

Louises grip op mijn hand verslapte terwijl de golfbeweging van de dansende menigte haar terug de massa in dreef en ik even met mijn minnaar danste, die me nog steeds van achteren vasthield, waardoor ik zijn gezicht niet kon zien. Ondanks alle lichamen voelde ik elke centimeter van het zijne tegen me aan, zo goed kende ik het. Ik liet mijn hoofd tegen zijn schouder rusten, en hij veegde met zijn vrije hand mijn haar uit mijn hals zodat hij me kon kussen, kon bijten. Mijn lange haar wond hij om zijn vuist als een strak zwart touw, en hij trok mijn hoofd naar achteren om meer huid te ontbloten, tot ik niets anders meer zag dan de draaiende lichten hoog boven me tegen het gewelfde plafond en het heen en weer zwiepen van de twee trapezes, waardoor ik het gevoel kreeg dat ik zelf op een schommel zat.

Mijn knieën begonnen te knikken. Hij trok me uit de menigte, een smalle gang en een donkere hoek in. Er liepen aan twee kanten mensen voorbij, die boven de muziek uit schreeuwden, lachten en ons geheel negeerden. Hij drukte me met zijn lichaam tegen de muur en hield met één hand mijn gezicht vast terwijl hij me kuste. Met zijn andere hand duwde hij allebei mijn polsen boven mijn hoofd, tegen de stenen muur. Ik voelde iets in mijn huid boren en probeerde me aan zijn grip te ontworstelen. Hij duwde harder tegen mijn polsen. Ik wilde niet gekust worden. Ik had het benauwd en raakte in paniek.

'Pijp me,' zei hij. Zijn stem klonk laag uit zijn keel.

'Nee,' zei ik zo zacht dat hij het niet kon horen.

Hij probeerde me op mijn knieën te dwingen, maar ik verzette me. Ik voelde plotseling zijn hand, ferm om mijn wang, en hij trok me in het licht van een andere ruimte.

'Ik voel me niet goed,' riep ik.

Hij keek me bedenkelijk aan.

'Volgens mij moet ik overgeven,' zei ik.

Hij moet me hebben geloofd, want hij leidde me de gang door naar de wc, waar hij me ineens losliet zodat ik in volle vaart de toiletruimte in tuimelde.

Het was er verrassend stil, de muziek nu alleen een laag gebonk van heel ver weg. De ruimte was gevuld met meiden die om de spiegels en de wastafels dromden en moisturizer uit de aanwezige flesjes pompten, ondanks de vochtige lucht.

Het achterste hokje was vrij. Ik wankelde er naar binnen en deed de deur achter me op slot. Ik ging zitten en begon te huilen. Mijn benen trilden. Ik boog voorover over mijn knieën en wiegde mezelf huilend.

Er verstreken minuten, of misschien waren het seconden. Ik wilde overal op de planeet zijn behalve hier. Ik trok wat toiletpapier van de rol en veegde mijn wangen af, keek naar het vocht, de zwarte mascara en eyeliner, keek hoe mijn hand trilde. Wat was er mis met me? Wanneer was het allemaal begonnen zo fout te lopen?

'Catherine!' Ik hoorde Louise schreeuwen en daarna een klop op de toiletdeur. 'Zit je hier, schat? Laat me eens binnen. Gaat het een beetje?'

Ik stak mijn arm uit, haalde de deur van het slot en ze kwam binnen, zag mijn gezicht en deed de deur achter zich dicht. Ze ging gehurkt naast me zitten, nam mijn hand in de hare en hield hem vast, probeerde het beven te stoppen. 'Wat is er, lieverd? Wat is er aan de hand?'

'Ik... ik voel me gewoon niet goed,' zei ik, en ik begon alweer te huilen.

Ze sloeg haar armen om me heen en ik liet mijn hoofd tegen

haar haar zakken. Ze rook naar parfum, haarlak en zweet. Ik hield van haar en wenste tegelijkertijd dat ze Sylvia was.

'Het komt goed, het komt goed,' zong ze zacht terwijl ze me in haar armen wiegde. Ze pakte wat toiletpapier en veegde mijn gezicht af. 'Zal ik Lee voor je gaan zoeken? Moet hij je naar huis brengen?'

Ik schudde zo hard mijn hoofd dat het hokje om me heen ervan ging tollen. 'Nee,' zei ik. 'Het komt wel goed. Ik heb alleen wat tijd nodig om bij te komen.'

Ze veegde het haar uit mijn gezicht en probeerde mijn blik te vangen. 'Wat is er, lieverd? Je bent jezelf niet. Wat is er aan de hand?'

'Het gaat helemaal verkeerd,' lukte het me te zeggen voordat de tranen weer kwamen. 'Ik kan het niet... ik kan niet meer.'

Er klopte nog iemand op de deur. 'Lou? Ik ben het. Laat me eens binnen.'

Het was Claire. Louise deed de deur open en Claire kwam ook binnen; het lukte maar net om de deur weer dicht te krijgen. Met zijn drieën in een hokje voor één. Dat was een tijd geleden. De gedachte aan vroeger met de meiden bracht een weemoedig glimlachje op mijn gezicht.

'Kijk, dat gaat de goede kant op,' zei Claire. 'Je miste mij gewoon, hè, schat? Louise, wat ben je toch een loser. Kom eens hier, lieverd.' Ze duwde Louise met haar elleboog aan de kant en trok me tussen haar honderd procent natuurlijke en trotse dubbel G-cups tot ik letterlijk geen adem meer kon halen.

'Laat eens los, dat arme kind stikt, zie je dat niet?'

Uiteindelijk zaten we bijna te giechelen. Ik huilde niet meer en de misselijkheid was gezakt. We omhelsden elkaar, maakten het hokje open en tuimelden eruit.

'Je moet even wat worden bijgewerkt,' zei Louise, die op zoek naar make-up haar piepkleine tasje doorspitte. Ze bestudeerden gezamenlijk mijn verlopen gezicht.

'Maar wat is er allemaal aan de hand?' vroeg Claire. 'Je weet dat je het ons kunt vertellen, hè? Wat het ook is, schat. We komen er wel uit, toch?'

'Het is... Ik weet het niet. Ik weet het niet zeker. Het loopt niet lekker op mijn werk. Ik ben de hele tijd doodmoe. Ik slaap slecht... En Lee. Ik heb twijfels over Lee.'

'Wat is dit?'

Claire had mijn handen vast, en in het felle kunstlicht keek ze naar de rode striemen op mijn polsen. Er zaten een paar lange krassen op van de ruwe muur waartegen hij me had gedrukt, en er waren kleine bloeddruppeltjes uit gekomen.

'Geen idee,' zei ik, 'ik zal wel ergens langs geschaafd zijn.'

Louise en Claire wisselden een fractie van een seconde een blik uit terwijl ik doodstil stond en Louise eyeliner op mijn onderste oogleden liet aanbrengen.

'Zo... Dat is beter,' zei ze even later, en ze draaide me om naar de spiegel.

Ik herkende mezelf even niet.

'Kom, Lee vraagt zich vast af waar we blijven,' zei Claire. 'Ik heb tegen hem gezegd dat ik even naar je toe ging.'

'Staat hij te wachten?' vroeg ik.

'Ja, op de gang. Hij kwam me zoeken. Hij zei dat je ziek was.'

'O.' Ik stond nog steeds doodstil.

'Je hebt het zo met hem getroffen, Catherine,' zei Claire terwijl ze me nogmaals omhelsde. 'Hij is onwaarschijnlijk aantrekkelijk en houdt overduidelijk zielsveel van je. Had ik maar zo'n vent.'

'Hij is... wel erg intens. Soms,' zei ik.

De toiletruimte was ineens weer gevuld met vrouwen die zich om de wastafels verdrongen en tegen elkaar schreeuwden.

Louise gaf me een kus op mijn wang. 'Is hij niet precies wie we allemaal zouden willen? Iemand die je recht in de ogen kijkt? Die op de gang bij de toiletten op je staat te wachten? We zijn te veel gewend aan wat het ook is dat het tegenovergestelde van intens is, Catherine. Veel te gewend aan kerels die geen reet om ons geven. Je hebt niet alleen iemand aan de haak geslagen die om je geeft, je bent in alle opzichten zijn eerste prioriteit. Je bent letterlijk het enige waar zijn wereld om draait. Heb je enig idee hoe waanzinnig dat is? Dat je zo'n vent hebt gevonden?'

Daar had ik natuurlijk geen antwoord op, maar daar had ze ook geen behoefte aan: ze zigzagden al tussen pailletten, naald-hakken en zwarte jurkjes door richting de deur, waar hij, zoals ze hadden gezegd, stond te wachten.

Ik toverde mijn beste glimlach tevoorschijn en zette mijn ene voet voor de andere terwijl ik overpeinsde wat er later zou kunnen gebeuren en hoe ik de schade zo veel mogelijk kon beperken.

ZATERDAG 12 JANUARI 2008

Stuart en ik waren op weg naar de metro. Het was nog zo vroeg dat het net licht aan het worden was, de wegen verlaten omdat het zaterdag was, hoewel wij dus al wakker waren en op straat liepen.

'Ik dacht dat je niet meer met me wilde praten,' zei ik uiteindelijk, en ik probeerde hem bij te houden. Ik liep te klappertanden.

'Waarom?' zei hij. 'Hoe kom je daarbij?'

'Ik dacht dat je kwaad was dat ik je eerste kerstdag zo heb laten zitten.'

'O, dat. Niet echt. Ik had vast gewoon te veel gedronken. Hoe dan ook, dat is al een eeuwigheid geleden.'

Hij had me de avond daarvoor een sms gestuurd; de eerste sinds 'laat maar': C, HEB JE MORGEN PLANNEN? ALS DAT NIET ZO IS, GAAN WE WAT DOEN. ZORG DAT JE OM 07.00 UUR KLAAR-STAAT. S X

Een halfuur later stonden we op station Victoria naar het bord met de dienstregeling te kijken. Ik had Stuarts enorme jack aan, de jas die eruitzag alsof hij bedoeld was om mee op poolexpeditie te gaan, want het was nog steeds onder nul en ik kreeg het maar niet warm. Het jack hing tot op mijn knieën; ik moet eruit hebben gezien als een klein kind, maar ik rilde tenminste niet meer. Hij had me tevens een muts opgezet en fleecehandschoenen aangetrokken.

Het begon nu eindelijk echt licht te worden en er scheen buiten een zwak winterzonnetje dat tussen de donkergrijze wolken door piepte. Het was nog rustig op het station op deze vroege zaterdagochtend, alleen wat toeristen, een stel onbevreesde duiven die zich te goed deden aan de broodkruimels op de vloer en een schoonmaker op een piepende vloerboenmachine. Ik keek even naar hem. Zo te zien reed hij er opzettelijk mee op mensen af die naar het enorme bord stonden te kijken, waardoor ze hun tassen moesten oppakken en ergens anders moesten gaan staan.

'Perron 14,' zei Stuart. 'Kom.'

Het was warm in de trein. We gingen tegenover elkaar zitten. Ik trok meteen die enorme jas uit en zette de muts af. Ik zat nu in mijn eigen fleecetrui, en Stuart legde zijn jas in het rek boven ons hoofd.

'Ik zal de rest van de dag zeker met die jas lopen zeulen, hè?' merkte ik op.

'Nee hoor, wacht maar af. Het wordt winderig. Je zult nog blij zijn dat we hem hebben meegenomen.'

Hij had natuurlijk gelijk. Het was koud en tochtig op het station van Brighton, en toen we heuvelafwaarts naar de zee liepen werd de wind steeds sterker. Tegen de tijd dat we aan het strand waren, had ik zelfs de capuchon over de muts heen getrokken, en Stuart hield mijn hand stevig vast om te voorkomen dat ik zou wegwaaien. De zee was grijs en onstuimig, en een witte wind van druppeltjes en schuim prikte in ons gezicht. We stonden een tijdje bij het blauwgeschilderde hek dat ons scheidde van het kiezelstrand, en lieten de natuurkracht over ons heen komen.

Stuart zei iets wat ik niet verstond, de wind griste de woorden uit zijn mond en voerde ze weg. Toen pakte hij mijn hand, en we vluchtten naar de beschutting van de straatjes achter het strand.

Het was nog vroeg, maar niettemin was het druk in de winkeltjes; het was januari-uitverkoop. Ik trok Stuart een sportwinkel in en kocht een andere muts, een kleiner, donkerblauw model met gratis handschoenen erbij, zodat Stuart die van hem kon aantrekken. We liepen een tijdje rond en slenterden toen de Laines in. Ook daar was het druk, drukker zelfs, omdat daar minder ruimte tussen de winkels was, maar de wind was er niet zo sterk en de sfeer ontspannener.

Maar ik verwachtte Lee te zien.

Ik had al een paar van die momenten gehad: een man die langs ons heen liep in de trein: een dikke blauwe jas met blond haar erboven. Ik zag zijn gezicht niet, maar zijn vorm was genoeg om me de stuipen op het lijf te jagen. En toen we in de wind bij het strand stonden, liepen er een man en vrouw met een hond, een Duitse herder, over de boulevard. Het kon hem helemaal niet zijn, met een vrouw en een hond, stel je voor, maar toch werd ik er misselijk van.

Het liep tegen tien uur: theetijd. We vonden in de Laines een koffietent, aan een pleintje waar in de kou een straatmuzikant stond te spelen, met vingerloze handschoenen op een akoestische gitaar, met een rockstem maar zonder begeleidende drums of band. We bestelden een kan koffie en een potje thee, die we dronken aan een tafeltje van donker hout, op houten stoelen, in een gezellig hoekje van de ruimte. Toen kwam er een man binnen, die langs ons tafeltje liep en achter in de koffietent ging zitten. Ik dook in elkaar op mijn stoel en wendde mijn hoofd af.

'Wat?' vroeg Stuart. 'Wat is er?'

Ik riep mezelf tot de orde. 'Niets. Wat zei je?'

'Die man?' vroeg hij zacht.

Ik knikte. 'Er is niets aan de hand. Echt niet. Sorry.'

'Hoe heet hij?' vroeg Stuart.

Ik zei even niets. Ik keek weg, probeerde te bedenken of ik er klaar voor was om het te delen. Hij bleef naar me kijken, zijn blik rustig en constant. Hij zou er niet over ophouden. Hij zou me ook niet dwingen, maar hij zou het er niet bij laten zitten.

'Lee,' zei ik. 'Hij heet Lee.'

Hij knikte. 'Lee. En je denkt dat je hem ziet.'

'Ja.' Ik keek naar mijn hand, die op mijn schoot lag; mijn nagels duwden in mijn handpalm.

'Dat geeft niet,' zei hij. 'Dat hoort bij het verwerkingsproces.'

'Ik zag hem ook toen hij nog gevangenzat. Daarom ga ik zo weinig de deur uit.'

Hij glimlachte naar me. 'Je moet de gedachten gewoon laten komen,' zei hij. 'Vecht er niet tegen. Laat ze maar komen, accepteer ze, voel je er niet schuldig of slecht om. Het hoort er allemaal bij. Als je ertegen vecht wordt het alleen maar moeilijker.'

Hij keek over zijn schouder naar de man die ik had gezien. 'Hij zit de krant te lezen,' zei hij. 'Kijk maar rustig even naar hem.'

Ik keek Stuart aan alsof hij gek was geworden. Zijn gezichtsuitdrukking veranderde niet. 'Ik ben bij je,' zei hij. 'Je bent veilig. Kijk maar, het kan, echt.'

Ik geloofde mezelf niet, maar ik draaide me om en tuurde langs de muur naar de andere kant van de zaak: nog meer donkere tafeltjes, stelletjes die net als wij iets zaten te drinken, een gezin met twee kinderen met ijsjes – hoe bedenk je het – en helemaal achterin een blonde man die met een stomende kop voor zich op tafel de *Daily Express* las.

Mijn adem stokte in mijn keel en ik wilde me instinctief wegdraaien, verstoppen. Maar ik bleef kijken. Het was hem niet. Ik wist al dat hij het niet was, maar dat had de angst niet doen verdwijnen, de plotselinge paniek niet doen afnemen. Ik zag nu dat hij het niet was: deze man was ouder, zijn haar was meer grijs dan blond, de huid rond zijn ogen gerimpeld, zijn gezicht smaller. Hij was niet zo breed als Lee; nu hij zijn jas had uitgetrokken zag ik dat hij zelfs mager was.

Hij voelde de kracht van mijn starende blik en keek op van zijn krant. Er was een moment van oogcontact en hij glimlachte. Hij glimlachte nota bene naar me. En toen leek hij ineens helemaal niet meer op Lee en was hij gewoon een vreemde, vriendelijke man die van zijn koffie zat te genieten en naar me glimlachte.

Ik glimlachte terug.

'Beter zo?' vroeg Stuart toen ik achteroverleunde in mijn stoel.

'Ja,' zei ik.

'Je kunt dit, hoor,' zei hij. 'Je bent dapperder dan je zelf denkt.'

'Misschien,' zei ik, en ik nam een slok thee. Hij was warm en heerlijk.

Ik glimlachte nog steeds toen we het koffietentje uit liepen en de Laines weer in. De zon scheen zwakjes, maar vrolijkte toch alles op. We liepen terug naar de pier.

De wind was iets afgenomen, maar op de pier waaide het nog steeds flink. We gingen in een schuilhokje aan de rustige kant zitten en keken naar de golven, en de zeemeeuwen die probeerden op de hekken te blijven zitten. De wolken boven zee waren zwart en gigantisch, de zon achter ons maakte alles helder en glanzend, reflecteerde met een glinsterende schittering op de natte planken.

'Stevig windje, hè?' zei een oude man tegen me. Hij had zijn muts ver over zijn oren getrokken, en grijze plukjes haar wapperden wild om zijn hoofd. Zijn bril zat vol druppeltjes zeewater.

'Zeg dat wel,' stemde ik met hem in.

Hij hield de hand van zijn vrouw stevig vast. Ze hadden oude handen, de huid gevlekt en gerimpeld, en de trouwring van zijn vrouw was versleten tot een heel smal bandje dat los achter grote knokkels hing. Ze had rossige wangen en blauwe ogen, en een gedessineerd sjaaltje hield haar haar in bedwang en haar oren warm. Hij grinnikte en wees naar een jonge meeuw, vol bruine vlekken en met enorme poten met zwemvliezen, die van het hek werd geblazen en vechtend tegen de wind in een grote boog wegvloog.

We liepen zo ver als kon. De kermisattracties waren bijna allemaal gesloten; zeildoeken flapperden in de wind en de stoeltjes waren nat. De andere kant van de pier was onbegaanbaar. De wind sloeg onze spijkerbroeken tegen onze benen en de zeewaterdruppels belaagden ons als horizontale regen. De geest van de westelijke pier dreef op het zeeoppervlak als de beenderen van een dood zeemonster.

We liepen terug naar de andere kant van de boulevard en gingen een snackbar in waar het vol stond met mensen in vochtige jassen die grappen maakten over de wind. We aten een grote portie patat, met onze vingers, terwijl we buiten op een muurtje zaten en luisterden naar de krijsende zeemeeuwen om ons heen, die wachtten tot we wat eten voor ze zouden neergooien. Ik verwachtte zelfs half dat er een in een duikvlucht een patatje uit mijn vingers zou grissen.

Ik luisterde naar Stuarts verhalen over tripjes naar de kust die hij als kind had gemaakt, naar de speelhal aan het einde van de pier, met zonverbrande benen en visnetjes op bamboestokken.

'Wat is er met je ouders gebeurd?' vroeg ik.

'Mijn moeder is aan kanker gestorven toen ik vijftien was,' zei hij. 'Pa woont bij Rachel in de buurt. Het gaat best goed, hij redt het wel. Ik heb hem een paar maanden geleden even gezien. Volgende maand ga ik naar hen toe, dan heb ik een paar dagen vrij.'

'Is Rachel je zus?'

'Ja. Ouder en veel wijzer. En jouw ouders?'

'Die zijn omgekomen bij een auto-ongeluk toen ik op de universiteit zat.'

'Dat moet heftig zijn geweest. Wat vreselijk voor je.'

Ik knikte.

'Geen broers of zussen?'

'Ik ben enig kind.'

De patat was vrijwel op, er lagen alleen nog wat harde stukjes op de bodem. Stuart negeerde de bordjes waarop stond dat je de meeuwen niet mocht voeren, leegde de verpakking in de goot en gooide die toen in een vuilnisbak.

'Ik heb zin om een vakantie te boeken,' zei hij terwijl we de heuvel op naar het centrum liepen. 'Zullen we wat folders gaan halen?'

VRIJDAG 27 FEBRUARI 2004

Hij bracht me linea recta naar huis, wat goed en slecht was. Ik wist niet eens meer wat ik wilde.

We wisselden geen woord op weg naar huis in de taxi, maar hij had wel mijn hand vast, zacht maar stevig. Ik staarde uit het raam, keek, maar zag niets door de regendruppels die het raam bedekten en glinsterden als oranje juweeltjes in het licht van de straatlantaarns.

Hij pakte mijn sleutels en maakte de voordeur voor me open, deed een stap opzij en liet mij als eerste binnen. Ik ging niet zitten, en hij ook niet. Ik ving een glimp van zijn gezicht op, en hij zag er tot mijn verrassing zo gebroken uit dat ik hem niet durfde aan te kijken.

'Volgens mij moeten we het een tijdje wat rustiger aan doen,' zei ik. Zodra de woorden mijn mond uit waren voelde ik een golf van opluchting door me heen gaan.

'Pardon?'

'Ik zei...'

'Ik heb je gehoord. Ik geloof het alleen niet. Waarom?'

'Ik voel me gewoon... Ik denk dat ik wat ruimte nodig heb. Ik wil vaker met mijn vriendinnen uit. Ik wil wat tijd voor mezelf. Om na te denken.'

Toen ging ik zitten, op het randje van de bank, mijn knieën stijf tegen elkaar aan gedrukt. Ik voelde de spanning in de lucht als een vloedgolf aanzwellen.

'Je hebt hartstikke veel tijd voor jezelf als ik aan het werk ben.'

'Dat weet ik,' zei ik, 'en dat vind ik fijn. Wat ik niet fijn vind is thuiskomen en ontdekken dat je binnen bent geweest terwijl ik er niet was. Ik wil mijn reservesleutel terug.'

'Vertrouw je me niet?'

'Ik ben gewoon op mijn eigen ruimte gesteld. Ik vind het prettig om te weten waar alles staat.'

'Waar gáát dit ineens over?'

'Je komt hier binnen als ik er niet ben. Je laat briefjes voor me achter. En die foto in mijn bed.'

'Ik dacht dat je dat leuk zou vinden. Weet je niet meer wat er gebeurde toen ik die foto maakte? Wat we aan het doen waren? Ik weet het nog wel. Ik denk er constant aan.'

'Ik weet nog dat je tegen me hebt gezegd dat je hem had verwijderd. Niet dus.'

Daar gaf hij geen antwoord op.

'Ik ben bang, Lee. Sinds de inbraak. Ik vind het niet prettig als je binnenkomt terwijl ik er niet ben. Het voelt alsof mijn huis niet meer van mij is.'

Er viel een stilte. Ik zag hem vanuit mijn ooghoek, links van de deur. Hij stond doodstil, had zijn jas nog aan. Hij leek een solide schaduw, een zwarte geest, een nachtmerrie.

'Je wilt er weer op los neuken,' zei hij op ijzige toon. 'Je wilt je oude leventje weer oppakken.'

'Nee,' zei ik. 'Ik wil alleen een beetje ruimte. Ik wil helemaal niemand zien, behalve mijn vriendinnen. Ik wil gewoon... nadenken. Zeker weten dat dit goed is.'

Hij zette een stap naar me toe, onverwachts, en ik moet zijn teruggedeinsd of iets dergelijks, want toen ik naar hem opkeek stond hij weer als versteend. Zijn gezicht zag er kalm uit, onbeweeglijk, maar zijn ogen spuwden vuur. Hij zei niets en deed een stap terug, liep de deur uit. Ik hoorde de voordeur open- en weer dichtgaan, met een zachte klik.

Hij was weg.

Ik zat een tijdje bewegingloos te wachten tot er iets zou gebeuren. Ik weet niet wat ik verwachtte. Misschien dat ik dacht dat hij zou terugkomen. Misschien zou hij terugkomen om me te slaan, iets naar mijn hoofd te gooien, of te schreeuwen en vloeken.

Ik ging uiteindelijk naar boven en trok dat idiote zwarte jurkje met die belachelijke glitterdingen uit; ik had al besloten dat ik het nooit meer zou aantrekken. Het zou in de eerste de beste zak voor de kringloop verdwijnen die ze door mijn brievenbus zouden duwen, wat het ook had gekost. En dat rode ook. Ik wilde van allebei af.

Toen ik uren later klaarwakker in bed lag en me afvroeg wat er nou precies was gebeurd, hoe het allemaal was verlopen, drong tot me door dat hij me mijn sleutel niet had teruggegeven.

MAANDAG 14 JANUARI 2008

Caroline en ik waren op weg naar Windsor voor een vergadering met het seniormanagementteam. Zij zou een praatje houden over budgetten, en ik zou de personeelsplannen presenteren voor het nieuwe distributiecentrum dat dat jaar geopend zou worden. Caroline reed en kletste vrolijk door over het werk terwijl we over de M14 raasden. Ik was uitgeput en had keelpijn.

Werken buiten mijn kantoor is altijd een ellende voor me. Dan raakt mijn routine in de war. Ik zat de controles voor als ik thuiskwam al te plannen, zei tegen mezelf dat ik ze goed zou moeten doen, zoals het hoorde, zodat het er niet op zou uitlopen dat ik weer de hele godvergeten nacht bezig zou zijn, waarbij ik zo'n herrie zou maken dat Stuart me boven hoorde.

'Je ziet er doodmoe uit, schat,' zei ze toen.

'O, ja?'

'Is het gisteravond laat geworden?'

'Niet echt. Volgens mij word ik verkouden of zo.'

Ik staarde uit het raampje. Als ik even een dutje kon doen, een paar minuutjes maar, zou ik me vast beter voelen.

'Hoe is het met die aanbiddelijke bovenbuurman?'

'O, die praat blijkbaar toch nog tegen me. We zijn een dagje op stap geweest.'

'Dat klinkt veelbelovend.'

'Het was gezellig.'

'Je klinkt niet al te overtuigd.'

'We zijn gewoon vrienden, Caroline,' zei ik.

'Ja hoor,' antwoordde ze.

Ik kon een lach niet onderdrukken. 'Hij is verder niet geïnteresseerd, echt niet.'

'Hou maar eens op met om elkaar heen te dansen en doe wat,' zei ze.

'Luister,' zei ik. 'Er gaat niets gebeuren. Als er iets zou gebeuren, was het al gebeurd. Ik vind hem aardig; dat denk ik tenminste. Maar ik ben liever alleen.'

'Voel je je dan nooit eenzaam?'

'Nee.'

'O. Ik wel. Sinds Ian weg is... Ik vind het een drama. Ik probeer het allemaal bij elkaar te houden voor de kinderen, maar die gaan in het weekeinde naar hun vader, en dan is het huis zo leeg. Ik overweeg bij een clubje te gaan of zo. Wat denk jij?'

'Bedoel je nou een alleenstaandenclub? Een relatiebureau?'

Haar wangen waren roze geworden. 'Nou ja, waarom niet? Het is niet eenvoudig om spontaan een leuke vent te leren kennen, toch? Ik hoopte eigenlijk... dat jij misschien...'

'Dat ik misschien wat?'

'Dat je misschien met me mee zou willen?'

Ik staarde naar de zijkant van haar gezicht terwijl zij haar ogen op de weg hield gericht, haar vingers strak om het stuur. Ik probeerde te bedenken wat ik kon zeggen.

'We zijn er,' zei ze, en ze reed de parkeerplaats op. 'Ben je klaar om voor de leeuwen te worden gegooid?'

VRIJDAG 12 MAART 2004

Ik voelde me de eerste paar dagen vreemd leeg, alsof ik een enorme prestatie had geleverd maar dat nog niet helemaal besefte. Tegelijkertijd was ik bang. Ik deed elke avond zodra ik thuiskwam de voordeur op het dubbelslot. Ik ging meteen op zoek naar signalen dat hij in huis was geweest, maar er stond niets op een andere plaats, er was niets veranderd. In ieder geval niet voor zover ik het concreet kon aanwijzen.

Ik dacht dat het allemaal goed was afgelopen, ik dacht dat hij inzag dat hij zich vreemd had gedragen, dat hij misschien niet zo erg was als ik had gedacht, en toen begon ik te denken dat ik me had vergist; hij was fantastisch in bed, maakte elke keer dat we het deden anders, opwindend. Ik overwoog hem te sms'en en hem te vragen of hij terug wilde komen, maar uiteindelijk stopte ik mijn telefoon in mijn tas, uit het zicht, en liet hem daar.

Ik heb hem na die avond twee weken niet gezien. Ik huilde 's nachts en miste hem, op een bizarre manier. Ik realiseerde me dat het mijn probleem was, dat ik degene was die volledige toewijding eiste en dat het dus geen wonder was dat hij het moeilijk had gevonden om samen met mij te zijn. Ik stuurde een paar sms'jes, die niet werden beantwoord. Als ik hem mobiel belde kreeg ik direct zijn voicemail.

Twee weken nadat hij was vertrokken, belde Claire.

Ik zat op mijn werk en was druk met het afronden van een presentatie die die middag klaar moest zijn en toen belde Claire ineens. Ze klonk gespannen. Ze vroeg hoe het met me was.

'Prima, schat. En met jou?'

'Ik vind alleen dat je een enorme fout hebt gemaakt.' Ik hoorde tranen in haar stem, bijna aan de oppervlakte, hoewel ze haar best deed ze te onderdrukken.

'Een fout? Wat bedoel je?'

'Met Lee. Hij heeft me verteld dat je het hebt uitgemaakt. Ik kon mijn oren niet geloven. Waarom heb je dat in godsnaam gedaan?'

Ik wilde iets zeggen, maar daar gaf ze me de kans niet toe.

'Hij zei dat hij van plan was met je op vakantie te gaan. Hij zei dat hij er vreselijk naar uitkeek, dat je zijn leven zo hebt veranderd, dat je hem zielsgelukkig maakt terwijl hij dacht dat hij nooit meer gelukkig zou zijn. Weet je het van zijn laatste vriendin, Catherine? Heeft hij je over Naomi verteld? Wist je dat ze zelfmoord heeft gepleegd? Ze heeft een briefje voor hem achtergelaten waarin ze hem vroeg naar haar toe te komen, zodat ze zeker wist dat hij degene zou zijn die haar zou vinden. Hij is er nog steeds niet overheen. Hij heeft me verteld dat hij nog nachtmerries heeft waarin hij haar lichaam ziet. En toen vertelde hij dat je het hebt uitgemaakt, dat je had gezegd dat je vaker uit wilt en andere mensen wilt ontmoeten... Hoe kun je dat nou doen, Catherine, hoe kun je hem dat aandoen?'

'Wacht, Claire... zo is het helemaal niet gegaan...'

'Heb je enig idee,' ging ze verder, en ze huilde nu, hapte naar lucht tussen haar woorden in, had moeite ze uit te spreken. Ik zag haar haarscherp voor me: haar prachtige teint vlekkerig van woede, van dikke tranen die over haar wangen biggelden, '... heb je enig idee hoe oneerlijk dit allemaal is? Ik zou alles overhebben voor een man als Lee. Ik zou er echt alles, alles op de hele wereld voor opgeven om iemand te hebben die me zo toegewijd is als Lee jou toegewijd is. Hij houdt van je, Catherine, hij houdt zielsveel van je. Je hebt verdomme alles wat je hartje begeert en je gooit het allemaal weg, en... en... ondertussen breek je zijn hart. Ik kan het niet aanzien.'

'Zo zit het helemaal niet,' zei ik.

Ze was eindelijk klaar met haar monoloog; er klonk alleen

nog wat gesnotter. Ze hing tenminste niet op.

'Je hebt geen idee hoe het is om met hem te leven. Hij volgt me. Hij laat zichzelf in mijn huis als ik er niet ben...'

'Je hebt hem een sleutel gegeven, Catherine. Waarom zou je hem godverdomme een sleutel geven als je hem alleen in huis wilt hebben als je er zelf bent?'

Daar had ik even geen antwoord op. Zelfs ik wist dat het nergens op sloeg als je het zo stelde.

'En weet je wat het nog erger maakt? Zelfs na wat je hem allemaal hebt aangedaan, zelfs nadat je zijn hart hebt gebroken, is hij nog steeds dolverliefd op je. Hij heeft me verteld wat je allemaal tegen hem hebt gezegd, en meteen daarna vroeg hij me of ik je wilde vragen naar hem toe te gaan. Hij werkt weer in de River. Hij zei dat hij je wil zien, dat hij zeker wil weten of het goed met je gaat. Hij zei dat hij niet naar je huis wil komen omdat je hem hebt gevraagd uit de buurt te blijven. Ga je erheen?'

Ik zei dat ik erover zou nadenken.

Dat was duidelijk min of meer wat ze had verwacht, aangezien ze haar laatste offensief inzette: 'Ik kan nog steeds niet geloven wat je hebt gedaan; ik hoop dat je trots bent op jezelf', en vervolgens ophing.

Ik moest vreselijk huilen na het gesprek, dus ik sloot mijn kantoordeur en hoopte dat er niemand zou binnenkomen. Claire had nog nooit zo tegen me gepraat. Ze was een trouwe vriendin, iemand die begreep dat vriendinnen altijd vóór mannen gaan, dat wat mannen ook tegen je zeggen over het algemeen niet te vertrouwen is, en al helemaal niet als de man in kwestie kwaadspreekt over een vriendin.

Ik bracht de rest van de dag in een mist van ellende door. Ik raffelde mijn presentatie af en gaf die ongeïnspireerd en zonder enthousiasme. Claires woorden bleven door mijn hoofd spoken. Ik moest me echt hebben vergist, als zíj zo tegen me sprak. Ik dacht na over wat ze tegen me had gezegd, over hoe ongelukkig hij zonder me was, hoeveel hij van me hield. Ik dacht aan zijn vorige vriendin, die Naomi – hij had haar naam nooit meer genoemd na die ene fluistering in de nacht – en waarom hij ervoor had gekozen met Claire over haar te praten en niet met mij. En ik dacht dat hij heel wat ellende moest hebben doorstaan, en dat hij gelukkig was geweest. Dat ik hem gelukkig had gemaakt.

Ik vertrok direct na de presentatie van mijn werk, zei dat ik hoofdpijn had, wat ook zo was. Ik ging naar huis en huilde nog meer, dacht aan Claire en hoe ik het me niet kon veroorloven een van mijn beste vriendinnen te verliezen, een van mijn oudste vriendinnen. Later, toen ik uren had liggen malen in bed, trok ik mijn pyjama uit en deed mijn rode jurkje aan. Het zat niet zo goed als de laatste keer dat ik het had gedragen: het zat te los om mijn taille en borst, alsof iemand die groter was dan ik het had opgerekt toen ik even niet oplette. Maar ik hield het toch aan, deed wat make-up op en ging naar de River om hem te zoeken.

Wat ik echt wilde, ondanks alles, was een herhaling van die keer dat hij me in het kantoortje van de River had geneukt. Ik wilde dat hij naar me zou kijken alsof ik het perfectste wezen was dat hij ooit had gezien, ik wilde dat hij me bij de hand nam en me de gang door naar het kantoor trok, alsof hij geen seconde kon wachten om me te nemen.

Hij stond te lachen met Terry, de hoofdportier, toen ik langs de rij mensen naar de vip-ingang liep. Mijn borstkas voelde benauwd toen ik hem zag, zijn blonde haar kort op zijn schedel. Hij was ondanks de kou en regen nog steeds onmogelijk bruin; zijn donkere pak, goed gesneden, accentueerde zijn spieren en de vorm van zijn getrainde lichaam.

'Hoi,' zei ik.

'Catherine. Wat doe jij hier?' vroeg hij. Hij probeerde onderkoeld te klinken, maar ik had de reactie in zijn ogen al gezien.

'Ik hoopte dat je me zou binnenlaten zodat ik naar mijn vriendinnen kan,' zei ik, waarbij ik naar hem glimlachte en nauwelijks zichtbaar knipoogde.

Terry kwam aanlopen. 'Sorry, schat. We zitten helemaal vol vanavond. Je zult in de rij moeten aansluiten.'

Ik was niet van plan om me bij het klootjesvolk in de rij te voegen. 'Laat maar,' zei ik. 'Dan ga ik wel ergens anders naartoe.' Ik wierp Lee nog een laatste blik toe en liep in de richting van het centrum.

Ik hield de eerste taxi aan die ik zag en liet me direct naar huis brengen. En ja hoor, om drie uur 's nachts hoorde ik hem aankloppen.

'Waarom heb je je sleutel niet gebruikt?' zei ik terwijl ik opendeed. Ik kreeg geen tijd om verder nog iets te zeggen, en hij zou ook geen antwoord geven.

Hij pakte me bij mijn bovenarmen en duwde me achteruit de woonkamer in, nam niet de moeite het licht aan te doen of de deur achter zich te sluiten. Hij ademde luidruchtig, en toen ik zijn gezicht aanraakte, voelde ik dat het nat was. Ik kuste hem, likte de tranen van zijn wangen. Er ontsnapte een hese snik uit zijn keel en hij verslond mijn mond, kuste me zo hard dat ik bloed proefde. Hij gaf me met een kreun een ongelooflijk harde duw, waardoor ik op mijn rug en wijdbeens op de bank terechtkwam, en voordat ik ook maar iets kon zeggen, had hij mijn pyjamabroek al uitgerukt; hij maakte zijn eigen pantalon zo snel en lomp los dat ik er een knoop af hoorde springen. Ik had net tijd om te bedenken dat dit pijn ging doen of hij was me al aan het neuken. Toen hij in me duwde slaakte ik een gil.

Zei ik nee? Die keer niet. Verkrachtte hij me? Niet echt, die keer niet. Ik had hem per slot van rekening binnengelaten. Ik was eerder die avond naar die club gegaan met de bedoeling door hem geneukt te worden. En dat deed hij nu, en ik had niet het gevoel dat ik het recht had erover te klagen.

Maar het deed pijn. De binnenkant van mijn lip deed pijn van hoe zijn mond de mijne had verslonden; ik had de volgende dag zo'n pijn tussen mijn benen dat ik nauwelijks kon lopen. Maar hij was terug, in ieder geval voor een paar uur. Toen ik de volgende ochtend wakker werd, was hij al vertrokken.

WOENSDAG 23 JANUARI 2008

Tijd om de balans op te maken.

Ik had vandaag de intake en ik heb het gevoel dat ik een nieuw pad in ben geslagen.

Het team van de GGZ was gevestigd in het Leonie Hobbs House, een straat verder dan Willow Road. De voorgevel was die van een gewoon woonhuis, het leek een beetje op dat van ons, met imposante erkers en een voordeur die wel een verfbeurt kon gebruiken. Aan het hek was een koperen bord bevestigd en voor de ramen hingen posters waarop van alles werd gepropageerd, van stoppen met roken tot een zelfhulpgroep voor vrouwen met een postnatale depressie.

Het regende, waardoor het er allemaal grimmiger uitzag dan op een zonnige dag. De ramen leken te huilen.

Ik duwde de deur open en trof in de hal een receptie en een trap naar de eerste verdieping aan. De voormalige voorkamer van het pand, achter de receptie, was gevuld met bureaus, waar vrouwen zaten die met paperassen in de weer waren terwijl ze ondertussen thee dronken en met elkaar kletsten. De muren hingen vol posters. Als je hier specifieke informatie kwam zoeken, zou je die nooit vinden.

'Ik heb een afspraak voor een intake,' zei ik tegen de vrouw achter de receptie.

'Dat is boven. Dat is geen plaatselijk accent, toch? Waar kom je vandaan?'

Ze moet achter in de veertig zijn geweest, met lang grijs haar in een dikke vlecht op haar rug, en plukjes rond haar gezicht. 'Het noorden,' zei ik. Dat zei ik altijd als er in Londen iemand naar vroeg en dat werd altijd zonder verdere vragen geaccepteerd, alsof het noorden een amorfe klodder is die ergens boven de gemeentegrens begon.

Maar deze dame zou de uitzondering worden.

'Je komt uit Lancaster,' zei ze, maar ze wachtte gelukkig niet op mijn antwoord. 'Ik heb er twintig jaar gewoond. En toen ben ik hiernaartoe verhuisd. Het betaalt hier beter, maar de mensen zijn veel minder aardig.'

Ik wierp een blik in de drukke kamer achter haar, waar de zes of zeven vrouwen opeens met hun lippen strak op elkaar naar elk woord zaten te luisteren.

Ik liep de trap op. Op de overloop hing een vel papier met ezelsoren waarop heel behulpzaam in zwarte viltstiftletters stond: GGZ LINKSAF. Ik ging een korte gang door, waarna ik nog een receptie aantrof, deze strak geverfd in geruststellend beige en gebroken wit. Er zat niemand achter, dus ging ik in een fauteuil zitten wachten. Ik was te vroeg voor mijn afspraak.

Uit een deur aan de rechterkant van de ruimte kwam een vrouw. Ze had een ruimvallende top met een spijkerbroek aan en haar haar zat in twee slordige knotten aan weerszijden van haar hoofd. Ze had een piercing in haar lip en een prachtige lach rond een gelijkmatig wit gebit.

'Hoi,' zei ze. 'Ben jij toevallig Cathy Bailey?'

'Ja,' zei ik.

'Hij komt er zo aan. Ik ben Deb, een van de psychiatrisch verpleegkundigen.' Ze glimlachte nog steeds. 'Heb je de vragenlijsten meegenomen?'

'O, eh ja...' Ik zocht in mijn tas.

Deb nam ze van me aan. 'Dat scheelt een hoop tijd als je straks binnen bent.'

Ik wachtte. Van de andere kant van de gang, uit mijn zicht, kwam het geluid van een deur die openging en voetstappen die steeds dichterbij kwamen tot het hoofd van een man om de hoek verscheen. 'Cathy Bailey?'

Ik stond op en liep achter hem aan. Ik bleef maar aan Stuart denken. Ik dacht aan hem terwijl ik alle vragen beantwoordde die de psychiater me stelde. Hij heette dokter Lionel Parry. Hij zag eruit als een slecht geschoren das, met een grijs-zwarte baard die naadloos overliep in het grijs-zwarte haar aan de zijkant van zijn hoofd dat ook weelderig uit zijn oren groeide. Toen hij me vroeg hoeveel tijd ik bezig was met het controleren van de deur en hoeveel tijd het me kostte om de ramen, laden en alle andere dingen te checken, overwoog ik te liegen. Het voelt zo waanzinnig idioot, deuren controleren. Ik weet dat het nergens op slaat. Maar ik kan mezelf er niet van weerhouden.

Dus vertelde ik hem de waarheid. Soms kost het uren. Soms kom ik er uren te laat door op mijn werk en moet ik die uren 's avonds inhalen. Een sociaal leven? Laat me niet lachen. Ik heb een goede baan en heb hoe dan ook geen behoefte om 's avonds uit te gaan, toch?

Daarna vroeg hij naar Lee. Ik vertelde hem over de flashbacks, de plotselinge gedachten, als flitsen in mijn geheugen, de dingen die hij heeft gedaan. Dingen die ik had proberen te vergeten. En de rest. De nachtmerries, de paniekaanvallen, het 's nachts om vier uur wakker liggen en te bang zijn om weer te kunnen slapen. De dingen die ik probeer te vermijden: sociale gebeurtenissen, drukke plaatsen, de politie, rode kleding.

Hij luisterde, maakte aantekeningen en keek me nu en dan even aan.

Ik rilde.

Ik huilde niet, nog niet; erover praten maakte me gewoon rillerig.

'Ik doe ademhalingsoefeningen,' flapte ik eruit. 'Ik probeer er de paniek mee onder controle te krijgen. Dat lukt soms.'

'Dat is mooi,' zei hij. 'Dan weet je al dat jij hier zeggenschap over hebt. Als je de paniek soms onder controle kunt krijgen, is het alleen een kwestie van oefenen en een paar andere technieken leren om dat altijd te kunnen. Je hebt al een begin gemaakt, je doet het goed.'

'Dank u. Maar dat heb ik aan Stuart te danken, niet aan mezelf.'

'Stuart?'

'Een vriend. Hij is psycholoog.'

'Hij heeft je misschien de goede richting gewezen, maar je
hebt zelf de keuze gemaakt te proberen je paniek onder controle te krijgen. Dat kan niemand anders voor je doen, dat kun
je alleen zelf.'

'Dat zal wel.'

'En vergeet niet dat je, als je dit al hebt bereikt, tot nog meer in
staat bent. Dat betekent dat je je controles ook in de hand moet
kunnen krijgen. Dat gebeurt niet direct, het kost tijd, maar je
kunt het wel.'

'Hoe gaan we dat aanpakken?'

'Ik ga je naar een cognitieve gedragstherapeut verwijzen. En
verder denk ik dat het goed is medicatie te proberen die je kan
helpen bij de paniekaanvallen. Het duurt even voordat die effect heeft, dus maak je geen zorgen als je er niet direct baat bij
hebt. Je moet het een paar weken geven.'

'Ik heb al eerder medicijnen geprobeerd. Die gebruik ik liever
niet.'

'Ik heb je formulieren bekeken, en in het ziekenhuis heb je
iets anders gekregen. Van deze word je niet suf of gedesoriënteerd. Ik wil graag dat je ze probeert omdat ik in de informatie
die je me hebt gegeven signalen zie van een posttraumatische
stressstoornis, ook wel PTSS, en van OCD.'

'Stuart zei dat het goed zou zijn als ik naar dokter Alistair
Hodge verwezen zou worden.'

'Ja, die wilde ik inderdaad al voorstellen. Hij heeft hier een
kliniek, maar ook een in het Maudsley. We sturen je een brief
en dan moet je zijn secretaresse bellen. Voor zover ik weet heeft
hij geen lange wachtlijst. Ondertussen geeft Deb je het nummer
van het crisisteam, voor het geval je dat nodig hebt. Maar dat
denk ik niet.'

'Hoelang denkt u dat het zal duren? Om beter te worden?' Hij haalde zijn schouders op. 'Dat is moeilijk in te schatten. Het is bij iedereen anders. Maar je zou na een paar sessies al vooruitgang moeten boeken. Je moet wel bereid zijn er hard aan te werken; het is zoals met zoveel dingen in het leven: hoe meer je erin investeert, hoe meer je eruit haalt.'

Toen ik ten slotte weer op straat stond was het al donker. Het was eindelijk gestopt met regenen. Het verkeer stond stil, vast door een ongeluk op de noordelijke ringweg. Op de busbanen, voor zover die er waren, was het redelijk rustig, maar snel ging het allemaal niet.

Ik had het gevoel dat ik een nieuw pad in mijn leven was ingeslagen, dat er geen weg terug was. Dat was juist waar ik na het ziekenhuis het bangst voor was geweest; nadat ik zo volledig elke vorm van controle was kwijtgeraakt, nadat mijn leven zo volledig in handen was gekomen van vreemdelingen die ik niet aardig vond en niet vertrouwde, toen ik hun tijdschema en hun instructies had moeten volgen, en me werd verteld wanneer ik moest eten, wanneer ik moest slapen, wanneer ik naar het toilet mocht.

Toen ik voor de tweede keer uit het ziekenhuis was gekomen, wist ik dat ik liever zou sterven dan dat ik ooit terug zou gaan. Ik vertrok uit Lancaster, met een opgewekte, lege glimlach en de loze belofte dat ik direct contact zou opnemen met de lokale GGZ. Ik ging weg van de artsen en verpleegsters en het maatschappelijk werk en het angstaanjagende systeem waar ik niets van begreep. Het had zijn doel gediend. Het had me overeind getrokken en me er nogal lomp op gewezen dat ik niet dood was, dat ik nog bestond en dat ik mezelf maar beter tot de orde kon roepen en verder moest. Ik bedacht niet voor het eerst dat het barmhartiger zou zijn geweest te sterven, in plaats van het herstelproces te moeten doormaken. Maar door te verhuizen begon ik wel te beseffen dat als iémand de controle over mijn leven zou krijgen, ik dat zelf moest zijn. Er was geen alternatief. Ik nam de controle, ik had de controle over elk moment van mijn leven, organiseerde alles tot op de seconde, telde mijn stappen, plande mijn kopjes thee; het gaf me een doel, gaf me een reden om elke dag weer de ene voet voor de andere te zetten, hoe ellendig, hoe wanhopig of hoe eenzaam ik me ook voelde.

Dat wil ik niet opgeven. Het geeft me een gevoel van veiligheid, al is het maar heel even.

DINSDAG 16 MAART 2004

Ik schrok van het geluid van mijn mobieltje. Ik had zitten wachten tot er iets zou gebeuren, tot hij zou terugkomen, zou bellen; ik hoopte en zag er tegelijk tegenop. Maar de naam op het schermpje was niet die van Lee; het was SYL MOB.

'Sylvia?' zei ik met mijn allervrolijkste stem. 'Hoe is het met jou?'

'Goed, schat. En met jou?'

'Prima. Hoe gaat het in Londen?'

'Hoe is het echt?'

Ik kon even geen antwoord geven. Ik hield mijn telefoon strak in mijn hand geklemd, staarde naar een vlekje op de muur en deed heel, heel hard mijn best niet in te storten.

'Goed,' herhaalde ik.

'Louise zegt dat je raar doet. Ze maakt zich zorgen om je.'

'Raar? Ik doe helemaal niet raar. Waar slaat dat nou weer op?'

Haar stem klonk vreemd kalm en, voor Sylvia's doen, geruststellend. 'Ze bedoelt er niets mee, ze is gewoon bezorgd. Ze zei dat je striemen op je armen had. Ze zei dat jullie vorige maand zijn uit geweest en dat je na een halfuur al naar huis bent gegaan. En Claire vertelde dat Lee laatst bij haar is komen uithuilen, dat jullie ruzie hadden gehad of zo.'

Toen ik geen antwoord gaf, zei ze: 'Hallo? Catherine?'

'Ik ben er nog.'

'Moet ik naar je toe komen, lieverd? Zal ik in het weekend een dagje langskomen?'

'Nee, nee. Echt. Het gaat prima. Het gaat... het gaat gewoon niet zo goed met Lee en mij.'

'Wat is er aan de hand?'

'Hij... hij... Syl, ik ben soms zo bang voor hem. Hij behandelt me af en toe zo ruw. Ik vind het niet prettig.'

Er viel een lange, lange stilte. Ik had het gedaan. Ik had toegegeven dat mijn perfecte relatie met mijn perfecte man niet zo perfect was als iedereen dacht. En nu kwam het allemaal goed, want Sylvia wist het, en Sylvia, mijn beste vriendin in de hele wereld, zou precies de goede dingen zeggen om het op te lossen. Ik wachtte tot ze iets medelevends zei, ik wachtte tot ze zou gaan zeggen dat ik het moest uitmaken, dat ik uit de relatie moest stappen, dat ik tegen hem moest zeggen dat hij moest oprotten, dat ik 'm moest smeren en nooit meer om moest kijken. Nooit.

Toen ze begon te praten was ik zo geschokt dat ik even vergat te ademen.

'Catherine, ik denk dat het misschien goed is als je met iemand gaat praten.'

'Wát?'

'Je hebt de laatste tijd erg veel meegemaakt, veel stress op je werk; je hebt veel onder druk gestaan, toch?'

Ik gaf geen antwoord. Ik kon mijn oren niet geloven.

'Ik weet dat Louise bezorgd om je is. Dat zijn we allemaal. Lee maakt zich ook zorgen. Ik vind dat je met iemand moet gaan praten. Je huisarts? Of iemand op je werk?'

'Wacht even,' zei ik. 'Maakt Lee zich zorgen om mij?'

Ze aarzelde. 'Schat, hij houdt van je. Hij denkt dat je mij mist, of zoiets, maar er is meer, dat weet ik zeker. Hij zegt dat je jezelf pijn doet. Dat je je armen hebt verwond. Raak alsjeblieft niet overstuur, schat. Ik kan er niet tegen als je overstuur bent en ik niet in de buurt ben om je te helpen...'

Ik hoorde mijn stem overslaan tot een hysterische toon. 'Sylvia! Hij is verdomme angstaanjagend. Hij vertelt me wat ik aan moet trekken. Hij vertelt me wanneer ik uit mag. Hoe je dat ook wilt uitleggen, dat is verdomme geen normale relatie!'

Toen was ze stil.

'Wat hij ook tegen je heeft gezegd, het is niet waar, oké?'

'Raak nou niet overstuur, Catherine, alsjeblieft, ik...'

'Niet overstuur raken?' herhaalde ik. 'Wat wil je verdomme dan dat ik zeg? En sinds wanneer bellen jij en Lee trouwens met elkaar?'

'Hij heeft Louise gesproken en zij heeft hem verteld dat ze zich zorgen om je maakt. Louise heeft me gisteravond gebeld en Lee daarna ook. We zijn allemaal vreselijk bezorgd om je, C. Je doet echt raar en we willen gewoon allemaal verschrikkelijk graag dat je jezelf weer bent...'

'Ik geloof mijn oren niet. Dit gebeurt niet.'

'Luister, lieverd. Lee zegt dat hij er alles aan doet om te zorgen dat het goed met je gaat, maar het lijkt me toch beter als je met iemand gaat praten. Luister naar me, Catherine. Ik wil dat je hulp inschakelt. Zal ik wat telefoonnummers voor je opzoeken?'

Ik hield de telefoon een eindje van mijn oor af en staarde er even geschokt naar, en toen drukte ik op beëindigen en smeet hem keihard tegen de muur. Het mobieltje brak in minstens drie stukken, en het belangrijkste onderdeel lag op mijn vloerkleed een zwak, vreemd hoog geluid te maken waardoor het net een lijdend dier leek.

Ik sloeg mijn hand voor mijn mond om te stoppen met... wat? Gillen? Ik had niemand meer. Helemaal niemand. Ik was alleen. Met hem.

De bus kroop door de avondspits. Het was donker, maar de stad was fel verlicht: etalages, straatlantaarns, verkeerslichten, overal gereflecteerde glinstering op de natte straten. Het was warm en vochtig in de bus, en het rook er naar honderden mensen en een smerig interieur.

Ik bel liever niet in de bus, maar ik wilde Stuarts stem zo graag horen. Ik sprak zacht.

'Hoi, met mij.'

Hij klonk heel, heel ver weg. 'Hoe is het gegaan?'

'Prima. En moeilijk. Maar ik heb het gedaan. Hij verwijst me door naar Alistair. En ik heb pillen gekregen.'

'Wat voor pillen?'

'Weet ik niet, het recept zit in mijn tas. Iets met ss-nog-wat.'

'ssri's. *Selective Serotonine Reuptake Inhibitors.* Ofwel selectieve serotonine-heropnameremmers.'

'Als jij het zegt. Volgens hem heb ik zowel een posttraumatische stressstoornis als ocd.'

'Dat is fijn.'

'O, ja?'

'Ik bedoel dat het fijn is dat hij dat denkt. Ik dacht het ook. Maar het is niet aan mij om je te diagnosticeren.'

'Inderdaad. Hoe is het op je werk?'

'Prima. En nu ben ik weer thuis.'

De man aan de andere kant van het gangpad zat naar me te staren. Hij leek in de verste verte niet op Lee, maar ik werd toch onrustig van hem. Hij was jong, met sluik haar dat slordig om zijn oren was geknipt; hij had roofjes bij zijn mond en neus, donkere kringen onder zijn ogen en hij staarde me aan.

Er stapten de volgende halte wat mensen uit en ik overwoog hetzelfde te doen en verder naar huis te lopen. De man aan de andere kant stond ook op en ik dacht dat hij ging uitstappen; dus bleef ik zitten. In plaats daarvan bleef hij even in het pad staan, tot de bus weer in beweging kwam, en toen ging hij op het bankje voor me zitten.

Hij stonk, naar schimmel, naar kleren die een paar dagen nat in de wasmachine hebben gelegen. Hij had vlekken in zijn nek en haalde elke paar seconden zijn neus op – niet alsof hij verkouden was, maar alsof hij de lucht opsnoof.

Ik stapte bij de volgende halte uit. Ik was bang dat hij me zou volgen, maar hij bleef zitten. Ik stond bij de bushalte in de regen en keek hoe de bus optrok, zag hem door het raam, die ogen, die nog steeds naar me staarden.

VRIJDAG 19 MAART 2004

Ik ging onderweg naar huis naar het postkantoor om een aanvraagformulier voor een paspoort te halen. Ik snuffelde wat in een kledingwinkel maar had geen zin om iets te gaan passen. Ik wilde gewoon nog niet naar huis. Lee werkte vandaag; ik had sinds de vorige avond niets van hem gehoord.

Toen ik de voordeur opende bekroop me direct het gevoel dat er iets niet klopte. Het was geen tocht, geen geur, niets tastbaars. De enige auto op de oprit was die van mij. Die van Lee stond er niet, en er stonden ook geen andere. Ik wist eenvoudigweg dat er iemand in huis was geweest toen ik niet thuis was.

Ik bleef even op de deurmat staan, de deur achter me nog open, en vroeg me af of ik naar binnen moest gaan of weer in de auto moest stappen en wegrijden. De gang was leeg, ik kon helemaal kijken tot in de keuken achterin. Alles was zoals ik het had achtergelaten.

Dit is belachelijk, zei ik tegen mezelf. Er is niemand binnen geweest, het komt door die klootzak van een inbreker en je overactieve verbeeldingskracht.

Ik legde mijn sleutels en mijn tas in de keuken, liep naar de woonkamer en stond als aan de grond genageld. Lee zat op de bank televisie te kijken; het geluid stond uit.

Ik hapte naar lucht van schrik. 'Jezus, ik schrik me te pletter!'

Hij stond op en kwam op me aflopen. 'Waar heb jij in vredesnaam gezeten?'

'In de stad,' zei ik. 'Ik moest naar het postkantoor. En wil je niet zo tegen me praten? Wat maakt het uit waar ik ben geweest?'

'Moet ik geloven dat je twee uur op het postkantoor bent geweest?'

Hij stond vlak bij me. Ik voelde zijn lichaamswarmte, de kracht van zijn woede. Zijn handen hingen ontspannen langs zijn zij, zijn stem was gelijkmatig.

Niettemin was ik bang.

'Als je zo tegen me blijft praten ben ik weg,' zei ik, en ik draaide me om.

Ik voelde zijn vingers om mijn bovenarm, met zo veel kracht dat ik een stukje van de grond werd opgetild. 'Waag het niet om van me weg te lopen,' zei hij in mijn gezicht, zijn adem heet tegen mijn wang.

'Het spijt me,' mompelde ik.

Hij liet me los en ik viel tegen de deurpost. Op het moment dat hij van me terugstapte zette ik het op een rennen, naar de voordeur, jammer dan dat mijn sleutels nog in de keuken lagen – ik moest weg, ik moest vluchten.

Ik redde het niet. Hij was eerder bij de voordeur dan ik, en voordat ik wist wat me overkwam, kwam zijn vuist neer op de zijkant van mijn gezicht, boven op mijn ooghoek.

Ik lag op de vloer bij de trap. Hij stond over me heen gebogen naar me te kijken. Ik was zo geschokt dat mijn adem stokte; ik snikte en voelde aan mijn wang of die bloedde. Toen ging hij op zijn hurken naast me zitten, en ik deinsde terug, bang dat hij me nogmaals zou slaan.

'Catherine,' zei hij met een schokkend zachte, kalme stem. 'Dwing me niet om dat nog eens te doen, begrepen? Je komt óf op tijd thuis, óf je laat me weten waar je bent. Zo eenvoudig is het. Voor je eigen veiligheid. Er lopen levensgevaarlijke types rond. Ik ben de enige die op je let, dat weet je toch? Dus maak het jezelf niet zo moeilijk en doe wat je wordt gezegd.'

Het voelde als een keerpunt. Het was alsof de ontkenning over de aard van mijn relatie met Lee voorbij was. Ik wist nu waartoe hij in staat was, wat hij kon doen, en wat hij van mij verwachtte. Het was alsof er een deur was dichtgeslagen in het gezicht van de oude, naïeve, zorgeloze Catherine. Wat er over was, was ik: iemand die altijd bang was, iemand die over haar schouder keek of ze werd gevolgd, die wist dat wat de toekomst ook in petto had, het niets goeds kon zijn.

Toen ik uren later eindelijk de moed had verzameld om in de spiegel te kijken, was er nauwelijks iets aan mijn gezicht te zien. Het had gevoeld alsof hij mijn jukbeen had gebroken. Mijn hoofd deed pijn, maar aan de oppervlakte zat alleen een nauwelijks zichtbare zwelling en een rood vlekje. Alsof hij me helemaal niet had geslagen.

DONDERDAG 31 JANUARI 2008

Ik stapte uit de bus bij halte Denmark Hill. Aan de overkant was het King's College-ziekenhuis, fel verlicht, en een ambulance met gillende sirenes en flikkerende lichten reed via de zijingang de spoedeisende hulp binnen. Ik stond bij de voetgangersoversteekplaats naar de ambulance te kijken, tot het tot me doordrong dat er een auto was gestopt om me te laten oversteken. Ik liep naar het prachtige oude Maudsley-ziekenhuis met de enorme witte zuilengang, die afstak tegen de rode bakstenen ernaast.

Ik stond er even naar te kijken en bedacht dat het er honderd jaar geleden precies zo moest hebben uitgezien, misschien met minder verkeer op straat. De laatste keer dat ik een ziekenhuis was in gegaan, was via de achteringang, op mijn hurken in elkaar gedoken in een hoekje van een ambulance. Ik had mezelf beloofd er nooit meer een voet binnen te zetten, dat ik me nooit meer zo zou laten meenemen. En nu stond ik hier, voor een psychiatrisch ziekenhuis, en ik zou naar binnen lopen door de voordeur, als een normaal persoon. Als ik tenminste genoeg moed kon verzamelen om in beweging te komen.

'Zoek je iemand?'

Het was Stuart. Hij droeg een overhemd dat nodig gestreken moest worden, de mouwen opgerold tot aan zijn ellebogen, zijn ziekenhuispasje met een clip aan zijn borstzak.

'Ik was bijna vergeten hoe je eruitzag,' zei ik. Ik had hem een paar dagen daarvoor nog gezien, hij draaide wisseldiensten en ik was ook aan het werk geweest, maar het voelde als jaren.

'Zullen we naar binnen gaan?' vroeg hij.

Ik keek naar hem en toen weer naar de ingang. Ik zag dat er binnen mensen rondliepen.

'Ik weet het niet,' zei ik.

'Als je wilt kunnen we ook ergens anders naartoe gaan,' zei hij rustig, 'maar ik heb niet heel veel tijd.'

Ik haalde diep adem. 'Nee, we gaan naar binnen. Maar wil je alsjeblieft in de gaten houden of ze me ook weer naar buiten laten?'

We liepen door de hoofdentree en een eindeloze gang, langs artsen, bezoekers, verpleegsters en zaalhulpen, tot er aan de linkerkant een restaurant verscheen. 'Ik neem jou altijd mee naar de mooiste plekjes, hè?' zei hij.

'Dit is prima. Doe niet zo gek.'

Ik ging aan een leeg tafeltje zitten terwijl hij wat te eten en drinken haalde. Ik keek naar hem terwijl hij in de rij stond. Ik werd altijd nerveus van veel mensen om me heen, maar hierbinnen was het nog erger. De medische staf kon je makkelijk herkennen, die mensen hoorden hier allemaal overduidelijk thuis; anderen, ik nam aan bezoekende familieleden, stonden naar het schoolbord met het menu te kijken, waarop alles behalve de gepofte aardappels was uitgeveegd, en discussieerden of ze de laatste paar sandwiches of de uitgedroogde cake zouden nemen. Misschien dat sommigen van hen patiënten waren.

Achter Stuart stonden drie mensen in de rij, en een man die met zijn rug naar me toe stond, gaf me een ongemakkelijk gevoel. Hij was met andere mensen, lachte en kletste met een meisje, maar iets aan hem herinnerde me aan... zijn lach? Ik hoorde hem vanaf waar ik zat. Ik concentreerde me op Stuart, keek naar hem, maar de man was er nog steeds. Hij was gespierd, met brede schouders. Ik begon misselijk te worden.

Ik draaide me op mijn stoel om naar de muur, concentreerde me op de witte stuclaag en probeerde aan andere dingen te denken. Ik telde tot zes. Het komt allemaal goed. Het is hem niet.

'Salade met ham of met kaas?' Stuart zette het dienblad op tafel en ik schrok.

'Kaas, graag,' zei ik. Hij zette hem voor me neer en begon zijn hamsalade uit te pakken.

'Zullen we komend weekend wat leuks gaan doen?' vroeg hij. 'Waar heb jij zin in? Laten we zaterdag gaan, dan wordt het mooi weer, toch? Zondag heb ik een rugbywedstrijd, als mijn schouder het tenminste aankan.'

Op dat moment liep de man die achter Stuart in de rij had gestaan voorbij. Hij leek meer op hem dan die man in die koffietent in Brighton. Maar ik keek. Ik deed het. Ik keek naar hem en dwong mijn hersenen de verschillen te registreren.

Stuart volgde mijn starende blik, keek toe hoe de man een paar tafeltjes verderop ging zitten, met zijn vrienden en het meisje met wie hij had staan praten. Ze lachten nog steeds.

'Dat is Rob,' zei hij. 'Hij zit bij mij in het rugbyteam.'

'O,' zei ik.

Ik keek op en zag dat Stuart naar me keek. Geconcentreerd. 'Gaat het?'

'Ja.'

'Weet je het zeker?'

'Ja.'

'Je ziet een beetje... bleek.'

Ik probeerde te lachen. 'Ik ben altijd bleek. Echt, het gaat prima.'

'Hoelang ben je vanochtend bezig geweest met je controles?'

Ik haalde mijn schouders op. 'Dat heb ik niet bijgehouden.'

Hij keek nog steeds.

'Stuart, het gaat echt prima met me. Hou maar op, oké?'

'Sorry.'

Toen we klaar waren met eten liepen we de lange gang naar de hoofdentree door. De hal was druk met arriverende en vertrekkende mensen. Ik telde mijn stappen naar de deur, dacht aan niets anders dan naar buiten gaan, en heel gek, aan wat er zou gebeuren als ik het op een lopen zou zetten, en toen stonden we al buiten in de kou, waar ik eindelijk de koude buitenlucht en de uitlaatgassen kon inademen, de buitengeluiden kon horen, en ik weer vrij was. Ik was me er niet eens echt van bewust dat hij nog bij me was, tot hij mijn hand pakte.

Ik keek hem verrast aan.

'Ik weet dat dit niet het goede moment of de juiste plaats is,' zei hij, 'maar ik wil je iets vertellen.'

Ik wachtte tot hij verder zou gaan en keek naar zijn hand, die de mijne vasthield. Ik zag dat hij nerveus was.

'Weet je nog, toen ik je heb gekust? En dat ik de volgende dag zei dat het maar een kus was? Weet je dat nog?'

'Ja.'

Ik was te bang om oogcontact met hem te maken, dus staarde ik naar de weg, naar het verkeer dat op weg was naar het zuiden, naar drie bussen die allemaal de verkeerde kant op gingen, niet richting de rivier en mijn huis.

'Het was niet gewoon een kus voor me. Dat zei ik omdat... ik weet het niet. Ik weet niet waarom ik dat zei. Het was stom. Ik denk sindsdien nergens anders aan.'

Op dat moment zag ik haar.

Boven in lijn 68, op weg naar West Norwood. Mijn aandacht werd getrokken door een felroze baret die scheef op een berg blonde krullen stond. De bus reed van me weg, maar ze keek geconcentreerd naar me. Staarde naar me.

Het was Sylvia.

Ik draaide me naar hem om. 'Wat zei je?'

ZATERDAG 20 MAART 2004

Lee had zaterdag vrij en we gingen nog een keer naar Morecambe. Ik wilde eigenlijk niet, maar het was beter dan thuisblijven. Mijn gezicht deed nog pijn, mijn wang voelde beurs als ik er met mijn vingers tegenaan duwde, maar als je het niet wist zag je er niets van. Hij had zowat de tanden uit mijn mond geslagen, maar hij had geen sporen achtergelaten.

Het was warm, de zon scheen aan een wolkeloze blauwe hemel. Het was druk en we waren lang bezig om een parkeerplaats te vinden. We wandelden uiteindelijk via de boulevard terug naar de stad. Hij hield mijn hand vast. Ik voelde me nerveus bij hem in de buurt.

'Sorry van laatst,' zei hij. Het was de eerste keer dat hij erover begon.

'Wat bedoel je precies?' vroeg ik.

'Je weet wel.'

'Ik wil dat je het zegt.' Misschien was dat de goden verzoeken. Maar ik voelde me hier veiliger – in het bijzijn van andere mensen, gezinnen, fietsende kinderen – dan in mijn eigen huis.

'Sorry van die ruzie.'

'Lee, je hebt me geslagen.'

Hij keek me oprecht verbijsterd aan. 'Niet waar.'

Ik bleef staan en keek hem aan. 'Neem je me nou in de maling? Je hebt me op mijn gezicht gestompt.'

'Ik dacht dat je viel,' zei hij. 'Hoe dan ook, het spijt me.'

Dat was waarschijnlijk het beste excuus dat ik ooit zou krijgen. We liepen een eindje verder. Het was zo warm dat ik mijn trui uittrok. Het was eb en de zee was zo ver weg dat ik hem nauwelijks zag achter het enorme strand.

'Lee, het spijt mij ook,' zei ik.

Hij trok mijn hand naar zijn mond en kuste hem. 'Je weet toch dat ik van je hou, hè?'

Ondanks alles trapte ik bijna weer in die blik in zijn ogen en zijn aarzelende, scheve lach.

'Het heeft geen zin,' zei ik. 'Ik kan dit niet. Ik word bang van je, Lee. Ik wil niet met je verder. Deze relatie doet ons allebei geen goed.'

Ik zag zijn gezicht betrekken, niet van woede, misschien was het teleurstelling? Ik verwachtte dat hij mijn hand zou loslaten, maar in plaats daarvan pakte hij hem steviger vast.

'Niet doen,' zei hij zacht. 'Doe dit niet. De laatste keer heb je er spijt van gekregen.'

'Dat klopt. Maar sindsdien is er veel gebeurd.'

'Wat dan?'

'Om te beginnen heb je me geslagen. En je hebt met Claire over me gepraat, en met Sylvia. Ze denkt dat ik gek ben geworden, Lee. Het is niet eerlijk. Ze is mijn beste vriendin en je hebt haar tegen me opgezet.'

'Hè?' Hij lachte kort. 'Is dat wat ze tegen je heeft gezegd?'

Ik voelde de tranen achter mijn oogleden prikken. Ik wilde niet huilen, niet hier. Ik ging op een bankje zitten. Hij kwam naast me zitten en pakte mijn hand weer.

'En heeft ze je ook verteld hoe ik aan haar telefoonnummer ben gekomen? Dat heeft ze me die avond in de Spread Eagle gegeven. Ze kwam aan de bar naar me toe en vroeg een drankje van me, terwijl jij god-mag-weten-waar was. Ik heb wat voor haar besteld, en toen legde ze haar hand op mijn kont, kneep erin, liet een stukje papier in mijn zak glijden en zei dat ik haar mocht bellen als ik me verveelde.'

'Dat geloof ik niet.'

'Jawel hoor,' zei hij zacht. 'Je gelooft me wel, want je kent haar.'

Ik wreef kwaad met de achterkant van mijn hand over mijn wang.

'Kom eens hier,' zei hij zacht, en hij trok me in een omhelzing. 'Niet huilen. Er is niets aan de hand.'

Hij omhelsde me zacht, met beide armen om me heen; mijn hoofd rustte tegen zijn schouder. Hij haalde zijn vingers door mijn haar en veegde het uit mijn gezicht. 'Je hoeft niet bang te zijn, Catherine. Je hoeft echt niet bang te zijn. Het komt door die idiote baan. Ik ben niet goed in het uiten van mijn emoties, ik raak gestrest en word kwaad en dan vergeet ik wie ik voor me heb. Het spijt me als ik je bang heb gemaakt.'

Ik maakte me van hem los zodat ik hem kon aankijken. 'En als ik de politie nou had gebeld, Lee? Wat als ik hun had verteld wat je hebt gedaan?'

'Dan was iemand je verklaring komen opnemen, die was ergens gearchiveerd, en verder was er niets gebeurd.'

'Echt niet?'

'Of anders had men een oneindig lang durend intern onderzoek verricht en had het me mijn baan en pensioen gekost.' Hij streelde met een vinger over mijn wang en veegde de laatste traan weg. 'Ik heb iets voor je,' zei hij. 'Ik wil dat jij het krijgt, wat er ook gebeurt.'

Het was een ring; hij zat in een zwartfluwelen doosje. Een platinaring met een grote diamant erin, die schitterde in het zonlicht. Ik wilde hem niet aanraken, maar hij drukte hem in mijn hand. 'Ik weet dat we een woelige tijd hebben gehad,' zei hij, 'maar het wordt beter, dat beloof ik je. Ik laat me over een paar maanden overplaatsen naar een functie met minder stress, naar iets waarbij ik meer thuis kan zijn. Zeg alsjeblieft dat je erover wilt nadenken. Catherine? Wil je er in ieder geval over nadenken?'

Ik dacht erover na. Ik dacht na over wat ik moest doen om te voorkomen dat hij me weer zou slaan; over op tijd thuis zijn, over hem in detail vertellen wat ik deed als hij niet bij me was, over de kleding die ik van hem moest dragen en over de dingen die hij me opdroeg te doen. 'Oké,' zei ik. 'Ik zal erover nadenken.'

Toen kuste hij me, in het schitterende zonlicht, en ik liet me door hem kussen.

Ik had altijd gedacht dat mishandelde vrouwen die in een relatie blijven dom zijn. Er moest per slot van rekening een moment zijn dat het tot je doordringt dat het fout zit en dat je ineens beseft dat je bang bent voor je partner – en dat moest het moment zijn dat je opstapte. Vertrekken en niet meer omkijken, had ik altijd gedacht. Waarom zou je blijven? Ik had vrouwen op televisie gezien en interviews gelezen waarin dingen werden gezegd als: 'Zo eenvoudig is het niet,' en dan had ik altijd gedacht: zo eenvoudig is het dus wel, je moet gewoon weggaan, gewoon weglopen.

Nu begreep ik, buiten het moment dat het tot je doordringt, dat al achter me lag, dat weglopen toch niet zo eenvoudig was. Ik had het geprobeerd en had de fout gemaakt hem terug te vragen. Dat ik nog van hem hield, van het lieve, kwetsbare deel van hem dat ergens in hem zat verstopt, was niet alles: het was ook de gruwelijke angst voor wat er zou gebeuren als ik iets zou doen wat hem zou provoceren.

Het ging niet langer over weglopen. Het ging over vluchten.

Het ging over ontsnappen.

De zon scheen en het was bijna warm, dus we namen de metro naar de rivier en liepen langs de zuidelijke oever tot we uitgeput waren. We zaten op een bankje bij het Tate Modern en dronken hete thee uit plastic bekertjes. Het voelde als de eerste lentedag.

'Toen ik donderdag met je bij het ziekenhuis stond, dacht ik dat ik iemand zag die ik kende.'

'Lee?' vroeg hij.

'Nee. Iemand anders. Sylvia.'

Stuart leunde naar voren op het bankje en draaide zijn gezicht naar me toe. 'Wie is Sylvia?'

Ik had sinds donderdag nergens anders aan gedacht: ik moest het hem vertellen. Ik had aan één stuk door nagedacht over hoe ik het kon uitleggen.

'Ze was voordat het allemaal gebeurde mijn beste vriendin. Ze is naar Londen verhuisd omdat ze een fantastische nieuwe baan had gekregen.'

'Is het contact tussen jullie verwaterd?'

Ik knikte. 'Meer dan dat. Ze geloofde me niet. Toen het mis begon te gaan met Lee heb ik geprobeerd het haar te vertellen. Ik had haar hulp nodig. Ik weet niet waarom ze die niet heeft geboden. Uiteindelijk heb ik geen contact meer met haar opgenomen.'

Hij wachtte tot ik verder zou gaan, zette zijn bekertje onder het bankje op de stoep. De stoom dwarrelde in een prachtig patroon omhoog.

'Ik heb nagedacht over wat je zei.'

'Over wat ik zei?'

'Over... de kus.'

'Aha,' zei hij. 'Ik vroeg me eerlijk gezegd af of je me wel had gehoord.'

'Het overviel me alleen een beetje. Ik dacht dat je niet in me was geïnteresseerd.'

Hij lachte kort. 'Dan ben ik beter in het verbergen van mijn gevoelens dan ik dacht.'

Er viel een stilte terwijl ik probeerde te bedenken wat ik verder wilde zeggen.

'Luister,' zei hij, 'maak je er maar niet druk om. Ik weet dat je een moeilijke periode doormaakt. Ik wil niet dat dit ons ervan weerhoudt vrienden te zijn.'

'Dat is het niet,' zei ik. 'Ik moet je erover vertellen. Ik wil dat je begrijpt wat er met me is gebeurd. Je kunt niet beslissen hoe je je voelt tot je het weet.'

'Bedoel je nu meteen?'

Ik knikte. 'Ik doe het liever hier,' zei ik. 'Hier stort ik niet in, met al die mensen die voorbijlopen.'

'Oké,' zei hij.

'Het is erg.'

'Ja.'

Ik haalde diep adem. 'Ik had een foute relatie. Het werd steeds erger. Uiteindelijk heeft hij me bijna vermoord.'

Er viel een lange stilte. Hij keek naar me, naar mijn handen. Ten slotte zei hij: 'Heeft iemand je gevonden?'

'Wendy. De buurvrouw. Ze moet zich kapot zijn geschrokken.'

'Wat vreselijk,' zei hij zacht. 'Wat afschuwelijk dat je dat hebt moeten meemaken.'

'Ik was in verwachting toen hij me aanviel. Ik wist het niet eens tot ze me nadien in het ziekenhuis vertelden dat ik de baby had verloren. Ik weet niet of ik ooit nog kinderen kan krijgen. Ze zeiden dat de kans heel klein is.'

Hij keek weg.

'Dat moest ik je vertellen,' zei ik.

Stuart knikte. Ik zag dat hij tranen in zijn ogen had. Ik legde mijn hand op zijn rug. 'Raak alsjeblieft niet van streek. Ik wil je niet van streek maken.'

Hij sloeg zijn armen om me heen, trok me in een stevige omhelzing, en we bleven even zo zitten.

'En weet je wat nog het ergste was?' zei ik uiteindelijk tegen zijn schouder, 'niet het daar in die kamer zitten wachten tot hij zou terugkomen om me te vermoorden. Niet dat ik werd geslagen, niet de pijn, niet eens dat ik werd verkracht. Het ergste was dat niemand, zelfs mijn beste vriendin niet, me naderhand geloofde.'

Ik leunde achterover en staarde naar de rivier, waar een schip langzaam stroomafwaarts gleed. 'Ik moet weten dat jij me gelooft, Stuart. Dat heb ik meer nodig dan wat dan ook in mijn hele leven.'

'Natuurlijk geloof ik je,' zei hij. 'Ik zal je altijd geloven.'

Stuart veegde de tranen met zijn vinger weg en bewoog naar me toe om me te kussen. Ik drukte mijn vingers tegen zijn lippen. 'Wacht,' zei ik. 'Denk eerst rustig na over wat ik je heb verteld. Ik moet zeker weten dat je dit aankunt.'

Hij knikte. 'Oké.'

We stonden op en begonnen aan de wandeling terug naar Waterloo Bridge. 'Waarom geloofde ze je niet?' vroeg hij. 'Ze klinkt niet bepaald als een beste vriendin.'

'Het kwam door hem. Hij was vreselijk charismatisch. Hij was ongelooflijk innemend tegen al mijn vrienden en vriendinnen. Ze vonden me ondankbaar, ze konden zich niet voorstellen dat hij was zoals ik zei dat hij was. En toen begon hij met hen te praten als ik er niet bij was, vertelde hun dingen over me die niet waar waren. Hij praatte met Sylvia, en mijn andere vriendinnen praatten weer met haar, over de dingen die hij hun had verteld. Voordat ik wist wat me overkwam waren ze met zijn allen druk aan het bespreken dat ik gek was geworden.'

Een jongetje rende voor ons langs achter zijn oudere broertje aan en viel op zijn knieën. Zijn moeder hielp hem overeind en wreef de pijn al weg voordat hij de kans kreeg om te huilen.

'En haar heb je laatst gezien? Die Sylvia?'

'Ze zat in de bus die naar het zuiden reed. Bovenin.'

'Heeft ze jou ook gezien?'

'Ze staarde naar me. Het was zo gek.'

'Maak je je er zorgen om?'

'Waarover? Dat ik Sylvia heb gezien? Volgens mij niet. Ik schrok alleen heel erg toen ik haar zag. Ik dacht dat ik haar nooit meer zou zien en toen was ze daar ineens. Ik wist wel dat ze ergens in Londen woonde... maar toch...'

We waren bijna terug bij de metro.

'Kom, dan gaan we naar huis,' zei hij, en hij trok me in een omhelzing.

Ik kon niets bedenken wat ik liever wilde.

VRIJDAG 2 APRIL 2004

Ik liep exact om twaalf uur 's middags van mijn bureau weg, zette het beeldscherm van mijn computer uit en pakte mijn jas van de haak aan de deur. Het was druk in de stad, maar dat was het altijd op vrijdag: mensen die aan het winkelen waren, gepensioneerden, moeders met peuters, studenten en mensen die eigenlijk op hun werk moesten zijn, maar dat om de een of andere reden niet waren. De zon scheen, en dat bracht altijd meer mensen naar het centrum. Ik rook de lente in de lucht, hoewel het wel koud was. Misschien zou het een goed weekend worden.

Ik haat menigten. Ik zou veel liever door het centrum wandelen zonder ook maar iemand tegen te komen, maar ik had vandaag een afspraak met Sam.

Sam zat in Café Bolero aan een tafeltje bij het raam op me te wachten.

'Zullen we achterin gaan zitten? Ik krijg het altijd zo koud bij het raam.'

Sam trok haar wenkbrauwen op, maar ze pakte haar tassen en haar jas en volgde me naar een ander tafeltje, achter in het café.

Ik was hier niet meer geweest sinds een andere eigenaar het had overgenomen. Vroeger heette het de Green Kitchen, een vegetarisch-veganistisch winkeltje waar lokale biologische producten werden verkocht, met een kleine eethoek achterin. Het had een tijdje bestaan, maar de lange zomers zonder studenten waren uiteindelijk de nekslag geweest. Het was net na kerst heropend als Café Bolero en deed het veel beter nu er speciale aanbiedingen voor gepensioneerden waren (zoals thee met cake voor één pond).

'Gefeliciteerd met je verjaardag,' zei ik uiteindelijk, en ik kuste Sam op de wang. 'Hoe is het?'

'Prima, dank je,' antwoordde Sam. Ze zag er prachtig uit in een rode kasjmieren trui, die ze cadeau had gekregen van haar nieuwe vriendje. Nou ja, hij was niet echt nieuw meer. Ze had hem met kerst in het Cheshire leren kennen. Maar voor mij voelde hij nog nieuw. Ik had haar sinds de kerst maar één keer gezien.

'Maar wat belangrijker is: hoe gaat het met jou?'

'Belangrijker? Waar slaat dat op?' vroeg ik. Ik had hier helemaal geen zin in, en al helemaal niet zo snel.

'Ik heb je een eeuwigheid niet gezien,' zei ze. 'Ik ben gewoon benieuwd.'

Op dat moment kwam de serveerster, wat een welkome afleiding was. Ik bestelde een grote beker thee met een snee volkorentoast. Sam bestelde een latte en een kaastosti.

'Hoe is het met Simon?' vroeg ik.

Daar kwamen we het daaropvolgende halfuur mee door, tot halverwege Sams lunch. Ze was nog helemaal vol van de nieuwe man in haar leven, van de toekomst, over misschien wel gaan trouwen als hij de volgende keer verlof had... alles erop en eraan.

'En met jou?' vroeg ze uiteindelijk, nadat ze haar laatste slok koffie had opgedronken. 'Hoe is het met jou en Lee?'

'O, goed,' zei ik. 'Prima.'

'Dus hij heeft je geen aanzoek gedaan of zoiets dramatisch?'

'Jawel... zoiets, tenminste.'

'Zoiets?'

Ik wierp een blik naar het raam; je kon nooit weten. 'Hij doet me om de haverklap een aanzoek. Elke verdomde keer dat hij met zijn ogen knippert.'

'Wat... En je gaat het niet doen? Heb je geen ja gezegd?' Sam begreep er niets van, dat zag ik aan haar.

'Ik zou niet weten waarom. Het gaat prima zo, we kunnen goed met elkaar opschieten, met af en toe de gebruikelijke ruzietjes. Maar die heeft iedereen. Waarom zou ik daar iets aan veranderen?'

'Waarom? Om te beginnen vanwege de bruiloft, natuurlijk! Een jurk, een huwelijksreis, cadeaus! Een flink zuipfeest met al je vrienden!'

Ik haalde mijn schouders op. 'Ik zeg niet dat het nooit gaat gebeuren, ik zeg alleen dat er belangrijkere dingen zijn. Ik heb het ontzettend druk op mijn werk. En ik wil me geen zorgen maken om een bruiloft als ik zo veel andere zaken aan mijn hoofd heb.'

'Nou,' zei Sam terwijl ze op mijn hand klopte, 'maar het is wel duidelijk dat hij stapelgek op je is, hè?'

Ik roerde langzaam in mijn thee en keek naar de patronen die aan het oppervlak van de vloeistof draaiden en kronkelden. 'Ja,' zei ik.

'Waarom ben je dan zo verdrietig?' vroeg ze.

Dit ging niet helemaal zoals ik het had gepland, dacht ik. Het was mijn bedoeling geweest om het vrolijk, opgewekt en blij over haar verjaardag te hebben, maar het lukte me niet om haar te bedotten.

'Ik mis Syl,' zei ik, wat helemaal waar was, ondanks ons laatste afgrijselijke gesprek.

'Ze is maar in Londen, hoor. Zo ver weg is dat nou ook weer niet.'

'We hebben het allebei vreselijk druk.'

'Ik heb gehoord dat jullie ruzie hebben gehad.'

'O ja?'

Ze knikte. 'Van Claire. Ze vindt dat je raar doet sinds je met Lee bent.'

'Dat weet ik.'

'Wat is er dan?'

Ik haalde mijn schouders op, overwoog haar mijn kant van het verhaal te vertellen en vroeg me af of dat enige zin zou hebben. 'Dat weet ik zelf ook niet zo goed.'

Ik vertrouwde haar niet, niet volledig. Ze was de enige met wie ik nog contact had, zij het sporadisch. Misschien had zij ook wel met Lee gepraat. Misschien zou ze hem, zodra ik straks wegging, wel bellen om verslag uit te brengen van wat ik had gezegd, van wat ik aanhad en wat ik had gegeten. Iemand liet in de keuken een bord vallen; ik schrok van het geluid. Toen ik Sam weer aankeek, was haar gezichtsuitdrukking moeilijk te peilen.

'Claire heeft gelijk. Je bent veranderd.'

Ik schudde mijn hoofd en sloeg mijn laatste restje thee achterover. 'Nee hoor. Ik heb gewoon te veel stress op mijn werk. En ik ben moe. Je weet hoe dat gaat,' zei ik.

Ze leunde naar voren en klopte nogmaals op mijn hand. 'Als je wilt praten, ben ik er voor je. Dat weet je toch, hè?'

Het lukte me een opgewekte glimlach voor haar op mijn gezicht te toveren. 'Natuurlijk. Maar het gaat prima, echt. Volgens mij ben ik gewoon aan vakantie toe. En hoe was het gisteren? Was het druk in de Cheshire? Zijn jullie nog naar een club geweest?'

'Ja. Het was vreselijk druk in de stad. Geen idee waarom.'

'Vandaag begint de vakantie. Dus het was de laatste avond dat al die studenten stomdronken konden worden voordat ze met hun vuile was naar het ouderlijk huis gaan.'

Sam begon te lachen. 'Maar er waren niet alleen studenten, er waren allerlei mensen. Ik heb Emily en Julia gezien, die vroegen nog naar je. En Roger, die ex-collega van Emily, was er ook.

Herinner je je die nog? Die heeft toch ook nog eens achter je aan gezeten?'

Ik grimlachte. 'Ik vrees van wel. Uiteindelijk werd het nogal een nachtmerrie. Hij bleef me maar op mijn werk bellen.'

'En Katie. Die vroeg ook waar je was.'

'Jammer dat ik het heb gemist. Zo te horen was het leuk.'

'Je bent al een eeuwigheid niet uit geweest.'

'Dat weet ik. Hé,' zei ik, om over iets anders te beginnen, 'als we volgend weekend nou eens naar Manchester gaan? Schoenen kijken en lekker lunchen?'

'Volgend weekend kan ik niet. Ik ga op huizenjacht,' zei ze. 'Maar ik bel je, oké? Dan gaan we binnenkort. Leuk idee. Maar dan moet je wel zorgen dat ik niet te veel uitgeef.'

Ik betaalde de lunch, hoewel Sam dat probeerde te voorkomen. Voor haar verjaardag, daar stond ik op. Ze was de enige van mijn vriendinnen met wie ik nog contact had. Ook al was ik niet zeker over haar, ze was wel de enige die ik nog had.

Ze omhelsde me buiten in de kou zo stevig dat het pijn deed. Ze sloeg haar armen om me heen en klopte en wreef mijn rug, alsof ze probeerde wat warmte naar binnen te duwen.

'Jezus, wat ben je mager geworden,' zei ze.

'Dat weet ik,' zei ik. 'Heerlijk, hè?'

Ze keek me quasistreng aan. 'Weet je zeker dat het goed met je gaat? Beloof je dat? Want ik heb het gevoel dat er iets is.'

'Sam, het gaat prima.'

Ik kon het niet beloven. Als ze me nog een keer zou vragen het te beloven, zou ik instorten. Volledig doordraaien. Ik kon mijn geliег maar in beperkte mate volhouden, en ik nam beloftes serieus.

'Weet je het zeker?'

'Ik weet het zeker.'

Ze omhelsde me nogmaals, precies op de verkeerde plek. Ik deed mijn uiterste best niet te huiveren, maar het deed pijn. Mijn hele lichaam deed pijn.

'Je weet me te vinden, hè?' vroeg ze.

Ik knikte, en toen vertrok ze de heuvel op, terug naar de vakgroep van de universiteit waar ze werkte. Ik vroeg me af of ze had geraden wat er was. Ze wist dat er iets was, maar ze kon het niet benoemen.

Ik had er wel woorden voor, maar die kon ik niet hardop uitspreken.

Ik keek even om me heen op Market Square, voor het geval ik hem zou zien, maar ik zag hem niet. Dat betekende niet dat hij er niet was. Soms was hij er wel, soms was hij er niet. Ik voelde het verschil niet meer. Ik had het gevoel dat ik constant werd bekeken, elke minuut van de dag. Soms maakte dat het juist gemakkelijker, veiliger. Dan was de kans kleiner dat ik een fout maakte.

Ik telde mijn stappen terug naar kantoor: 424. Dat was tenminste in orde.

DINSDAG 12 FEBRUARI 2008

Toen ik vanavond thuiskwam was het nog niet helemaal donker. De ochtenden begonnen ook alweer lichter te worden, en bloembollen piepten in alle parken en perken in het grijze Londen tevoorschijn.

Ik gaf toe aan mijn drang een omslachtige route naar huis te nemen en genoot van de schemer terwijl ik bedacht wat ik als avondeten zou maken.

Tegen de tijd dat ik in Talbot Street arriveerde was het donker, en het begon snel kouder te worden. Ik liep het steegje achter het huis in en keek op naar mijn appartement, naar het balkon en de gordijnen. Ik keek naar het hek, dat half uit zijn scharnieren hing, en het dikke gras erachter.

De gordijnen hingen exact zoals ik ze had achtergelaten. Ik keek naar het gelige oppervlak van de ruiten, staarde geconcentreerd, probeerde de kamer erachter te zien.

Het zag er allemaal goed uit, precies zoals ik het had achtergelaten.

Ik liep naar het eind van het steegje, ging de hoek om, terug naar de straat. Toen ik de duisternis uit kwam passeerde er een figuur, aan de overkant van de straat, weg van het huis. Iets aan zijn vorm deed me terugdeinzen in de schaduw.

Het was Lee.

Zoals het Lee altijd was, elke keer dat ik een lange man zag, die doelgerichte tred, het blonde haar, de brede schouders. Ik hapte naar lucht en dwong mezelf te kijken terwijl de man de hoek om ging en overstak naar High Street. Ik zag hem niet lang genoeg om het zeker te weten. Het is hem niet, zei ik tegen mezelf. Je geest houdt je weer voor de gek. Het is hem niet, het is hem nooit. Je verbeeldt het je.

Ik liep over Talbot Street terug naar huis, probeerde het gevoel van me af te schudden, probeerde me weer te voelen zoals net, toen ik uitkeek naar mijn avondeten, een douche, televisiekijken, luisteren naar Stuarts voetstappen op de trap en gaan slapen.

Ik liep het huis in, sloot de deur achter me en controleerde hem: ik ging met mijn vingers langs de sponning, checkte of de deur goed in het slot was gevallen en controleerde de deurklink één, twee, drie, vier, vijf keer. Controleerde hem nogmaals, draaide eraan.

Ik maakte mijn controle af en wachtte. Er was iets mis. Er was iets heel erg mis. Ik begon opnieuw, helemaal vanaf het begin, en controleerde de deur, liep het slot na.

Wat was er? Wat was er aan de hand?

Het was niet de deur...

Ik staarde er even naar; al mijn zintuigen waren gespannen, ik luisterde. Toen draaide ik langzaam mijn hoofd om.

Ik keek naar de voordeur van appartement 1.

Stilte.

Mijn voeten wilden niet in beweging komen, maar ik dwong

ze. Ik liep naar de deur en klopte aan, wat ik nog nooit had gedaan of ook maar had overwogen.

'Mevrouw Mackenzie? Bent u thuis?'

Stilte, volledige, echoënde stilte. Geen *EastEnders*, niet het geluid van het nieuws of waarvan dan ook. Ik keek achter me naar de buitendeur, het haltafeltje, de slordige stapeltjes post. Er was niets aan de hand. De deur zat nog dicht.

Ik klopte nogmaals aan. Misschien was ze er niet. Misschien was ze ergens naartoe, of op vakantie of zo; die gedachte ging door me heen op exact hetzelfde moment dat ik zeker wist dat er iets met haar was gebeurd.

Ik slikte moeizaam, ineens doodsbang. Ik legde mijn hand op de deurklink, trok hem toen weer terug. Ik voelde in mijn zak naar mijn mobieltje.

Dit was belachelijk. Wat moest ik zeggen? 'O, hoi, Stuart, wil je alsjeblieft naar huis komen? Mevrouw Mackenzie heeft het geluid van haar televisie zachter gezet.'

Ik legde mijn hand weer op de klink en draaide eraan. De deur zwaaide open voordat ik ook maar de kans had hem tegen te houden, en hij zwiepte met een harde knal, die helemaal tot boven doorklonk, tegen de binnenmuur.

De lichten in huis waren aan; ik voelde een vlaag warme lucht en ik rook oude etensluchten.

'Hallo?'

Ik verwachtte geen antwoord. Ik stapte over de drempel, één stapje maar. Haar appartement had dezelfde indeling als dat van mij: de woonkamer recht vooruit, aan het einde rechts de keuken, die uitkeek over de tuin; badkamer, en rechts van me de slaapkamer. Ik kon haar van waar ik stond niet zien, dus deed ik nog een stap. Het tapijt onder mijn voeten had een druk motief en was tot op de draad versleten.

Ik kon de woonkamer in kijken en zag de televisie: een gigantisch ding, geen wonder dat hij zo veel herrie maakte. Maar hij stond uit, het enorme scherm was zwart.

Ik stond nu naast de slaapkamer. Ik keek rechts van me: ik kon erin kijken, de lichten waren aan, maar hij was leeg. Ik keek achter me naar de open voordeur, naar de trap die naar mijn appartement en dat van Stuart erboven leidde.

'Mevrouw Mackenzie?' Mijn stem klonk me raar in de oren. Ik wilde hem horen om mezelf gerust te stellen, maar dat hij beefde maakte me alleen maar banger.

Ik deed nog een stap. Ik zag de kamer, de ramen links voor me, de gordijnen dicht. Voor me aan de rechterkant het keukengedeelte. Naast me, ook aan de rechterkant, een kleine eettafel, met een keurig witkanten tafelkleed, een Kaaps viooltje in een pot in het midden. De gordijnen erachter open en buiten enkel duisternis.

Ze was in de keuken. Het enige wat ik zag was een voet met een pantoffel.

Ik rende naar haar toe. 'Mevrouw Mackenzie? Hoort u me? Bent u in orde?'

Ze lag op haar zij, er zat bloed aan de zijkant van haar gezicht, maar ze ademde, nauwelijks; ik greep in mijn zak naar mijn mobieltje en belde het alarmnummer.

'Dit is het alarmnummer, met welke dienst moet ik u doorverbinden?'

'Ambulance,' zei ik.

Ik vertelde waar ze naartoe moesten komen, ik vertelde dat mevrouw Mackenzie bewusteloos was, dat ze nauwelijks ademde, dat er bloed op haar gezicht zat.

Ik hield haar hand vast. 'Het komt allemaal goed, mevrouw Mackenzie. De ambulance is onderweg, hij komt eraan. Hoort u me? Ik ben bij u, het komt goed.'

Ze maakte een geluid. De huid rond haar mond was droog. Ik pakte een theedoek van het aanrecht, maakte die nat, kneep hem uit en depte rond haar mond.

'Het komt goed, het komt goed,' zei ik zacht. 'Maakt u zich maar geen zorgen, ze komen u helpen.'

'Cath...'

'Ja, ik ben het. Maakt u zich maar geen zorgen, de ambulance komt eraan.'

'O...' Ze had tranen in haar ogen. 'Mijn... hoofd...'

'U bent hard gevallen,' zei ik. 'Blijft u maar stil liggen, ze zijn er zo.'

Haar hand was koud. Ik liep haar slaapkamer in om iets warms te zoeken. Op het bed lag een gehaakte sprei, zo te zien met de hand gemaakt, die ik van het bed trok en mee naar de keuken nam, waar ik hem over haar heen legde.

Ik hoorde buiten een sirene, heel ver weg, die dichterbij kwam. Ik zou moeten gaan opendoen, maar ik stond als aan de grond genageld.

'De deur...' zei ze. Haar stem klonk zwak.

'Daar zijn ze al, mevrouw Mackenzie. Ik laat ze binnen. Maakt u zich maar geen zorgen.'

'De deur... hij was... ik zag... buiten...'

De sirene ging uit, recht voor de deur.

'Ik ben zo terug, mevrouw Mackenzie...' Ik rende naar de voordeur; mijn handen beefden.

Groene uniformen. Een lange man en een kleine vrouw.

'Deze kant op. Ze ligt op de vloer.'

Ik deed een stap opzij zodat ze hun werk konden doen.

'Weet u wat er is gebeurd?' Ze zag er jong uit, de ambulanceverpleegster, kleiner dan ik, met kort donker haar.

'Nee, ik heb haar zo aangetroffen. Ze moet zijn gevallen of zo. Ik woon in het appartement op de eerste verdieping. Ze komt altijd even gedag zeggen, en de televisie staat altijd aan. Ik vond het gek dat ze niet naar buiten kwam, dus heb ik aangeklopt...'

Ik was me ervan bewust dat ik als een waanzinnige stond te ratelen.

'Prima, rustig maar,' zei ze. 'We zullen goed voor haar zorgen. U beeft helemaal. Bent u draaierig?'

'Nee, nee, het gaat wel. Doet u... voorzichtig met haar?'

Tegen de tijd dat ze in de ambulance lag, begon ik wat te kalmeren. Ik stond in de deuropening toe te kijken hoe ze de kar, of de stretcher, of hoe zo'n ding ook heet, achter in de ambulance plaatsten.

Ik hoorde iemand over de stoep rennen, keek de straat af en zag Stuart op het huis af sprinten. 'Cathy... o, mijn god... ik dacht...' Hij was helemaal buiten adem en boog zich voorover, zette zijn handen op zijn knieën. 'Toen ik die ambulance zag dacht ik...'

'Het is mevrouw Mackenzie. Toen ik thuiskwam merkte ik ineens op dat ik de televisie niet hoorde. Haar voordeur zat niet op slot, dus ik ben naar binnen gegaan en toen heb ik haar gevonden, in de keuken.'

'Hoe is het met haar?'

Ze sloten de achterportieren van de ambulance. 'Er zat bloed op haar gezicht. Ze moet ergens tegenaan zijn gevallen of zo.'

Uiteindelijk reed de ambulance Talbot Street uit.

'Kom,' zei Stuart, 'dan gaan we naar binnen.'

Hij liet me de deur controleren terwijl hij het appartement van mevrouw Mackenzie in liep om de lichten uit te doen. Toen ik klaar was, stond ik in de deuropening op hem te wachten.

'Wat doe je?'

'Ik zocht een sleutel. Ik heb hem al.'

Hij deed de laatste lamp in het appartement uit en kwam naar me toe lopen. Hij sloot de deur achter ons af en stak de sleutel in zijn zak.

'Heeft ze familie? Vrienden?'

'Niet dat ik weet.'

We bleven op de eerste verdieping allebei staan. 'Kom je wat drinken?' vroeg hij.

'Oké.'

Ik zette thee in Stuarts keuken terwijl hij ging douchen.

Ik zat een beetje in de war aan zijn keukentafel met mijn mok in mijn handen. Ik dacht aan hoe mevrouw Mackenzie op de vloer had gelegen en iets probeerde te zeggen, me iets probeerde te vertellen. De deur... iets over de deur.

Ze had buiten iets gezien.

Ik vroeg me af of het hetzelfde was: die vorm, de donkere figuur van een man. Ik dacht terug aan de figuur die ik weg had zien lopen, de figuur die op Lee leek. Was hij bij mijn huis geweest? Had ze hem bij de voordeur betrapt, was ze van hem geschrokken?

'Probeer je geen zorgen te maken,' zei Stuart, die de keuken in kwam lopen. 'Het komt vast wel goed met haar. Als je wilt, kunnen we morgen bij haar op bezoek.'

Hij was warm en rook naar douchegel; hij had een t-shirt met een spijkerbroek aan. Toen ik hem zo zag, verdwenen alle gedachten aan kwaadaardige figuren als sneeuw voor de zon. Alle keren dat ik de afgelopen weken had gedacht dat ik Lee zag, bleek het alleen verbeelding te zijn. Waarom zou het deze keer echt zijn?

Ik gaf Stuart zijn mok thee aan. Hij begon al koud te worden. Ik zou hem zo niet hebben kunnen drinken.

'Dank je.' Hij ging tegenover me zitten en voordat ik tijd had om weg te kijken had hij mijn blik al gevangen.

'Ik ga donderdag naar Aberdeen,' zei hij uiteindelijk.

'Naar je familie?'

Stuart knikte. 'Mijn vader is jarig. Ik ga vrijwel elk jaar rond deze tijd.' Hij zette zijn mok zorgvuldig op tafel. 'Ik wilde eigenlijk vragen of je zin hebt om mee te gaan.'

Ik kreeg het ineens vreselijk heet.

'Maar dat is wel een beetje kort dag.'

'Dat denk ik wel.' En een donderslag bij heldere hemel, dacht ik. Waarom vraag je me mee als het veel te laat is om het te regelen? Aangenomen dat ik mee zou willen. 'En ik heb vrijdag mijn eerste afspraak.'

'O ja, natuurlijk... Dat was ik vergeten.'

Helemaal niet, dacht ik, want dat had ik je niet verteld. En ik betwijfel om de een of andere reden dat Alistair het je heeft gezegd. Waarom zou hij? Het had geen zin van alles in te gaan vullen. Ik was weer kwaad, zonder enige reden.

'Ik wilde je ook nog laten weten dat ik heb nagedacht over wat je me hebt verteld.'

Ik gaf geen antwoord en dronk mijn mok leeg om mijn ongemak te verbergen. Ik voelde me gespannen en geïrriteerd, alsof ik een wollen trui aanhad die twee maten te klein was.

'Ik denk dat we het rustig aan moeten doen,' zei hij. 'Ik wil eerst zeker weten dat het beter met je gaat.'

'Goh, wat nobel van je,' snauwde ik.

'Cathy...'

'Als we nu eens net zo rustig aan doen als we tot nu toe steeds doen?' zei ik terwijl ik zo snel opstond dat de stoel bijna omviel. 'Of als we het nou eens nog rustiger aan doen dan dat en er gewoon helemaal mee ophouden?'

'Dat wil ik niet.'

'Fijn voor je. En hoe zit het met wat ik wil?'

'Wat wil jij?'

'Ik wil... ik wil me normaal voelen. Voor de verandering, verdomme. Ik wil me weer een normaal mens voelen.'

Ik kon niet meer naar hem kijken, zoals hij daar zat, helemaal ontspannen en zeker van zichzelf, dus draaide ik me om en liep naar de voordeur.

'Cathy, wacht even. Alsjeblieft.'

Ik draaide me terug. 'Ik heb geen idee hoe je je waar dan ook over voelt,' zei ik.

'Als ik vind dat je in een bui bent om te luisteren, vertel ik je dat graag.'

'Je bent af en toe zo verdomde neerbuigend, Stuart.'

'Sorry,' zei hij, en hij deed een stap in mijn richting, en toen nog een. 'Dus je wilt weten hoe ik me voel.'

Ik knikte, bleef staan, kin omhoog, kwaad genoeg om het aan te kunnen, waarmee hij me ook ging confronteren, wat hij me ook naar mijn hoofd zou gooien, verbaal of fysiek.

'Luister je?'

Ik knikte. 'Ga je gang.'

En toen zoende hij me.

Het overrompelde me volledig. Hij kuste me, duwde me zacht tegen de muur in zijn tochtige gang, legde zijn hand op mijn wang. Elke keer dat ik dacht dat het voorbij was, kwam er meer. Zijn lichaam voelde warm en solide, de druk waarmee hij me tegen de muur hield. Hij was zoveel langer dan ik, langer dan Lee, atletischer gebouwd. Ik had doodsbang moeten zijn. Ik had net zo moeten reageren als toen Robin ongeveer hetzelfde deed, op straat, twee maanden geleden. Maar in plaats daarvan merkte ik dat ik me openstelde, uitrekte, dat mijn gespannen ledematen ontspanden en mijn koude vingers warm werden.

Na een paar lange momenten deed Stuart abrupt een stap naar achteren en keek me met een opgetrokken wenkbrauw uit-dagend aan.

'O,' zei ik.

Hij deed nog een stap naar achteren, naar de keuken, gaf me de ruimte.

'Dat is hoe ik me voel,' zei hij.

'Oké.'

Toen begon hij te glimlachen, Een brede, gelukkige glimlach.

Ik schraapte mijn keel. 'Nou, ik denk dat we het hier nog maar eens over moeten hebben... misschien een andere keer.'

'Ja,' zei hij.

'Misschien als je terug bent uit Schotland.'

'Prima.'

'Dan ga ik nu naar huis.'

'Oké. Tot volgende week.'

Mijn moeder zou vandaag vijfenzestig zijn geworden. Ik vroeg me vaak af hoe het zou zijn geweest als ze nog had geleefd, of we dan uit eten zouden zijn gegaan, of dat ik haar een verwendag zou hebben gegeven. Of misschien een weekendje weg. Ik vroeg me af of we goede vriendinnen zouden zijn geweest, of ik haar spontaan had gebeld, om te kletsen, te worden getroost, omdat ik behoefte had haar lieve stem te horen.

Ik miste haar.

Als ze nog zou leven, had mijn leven er heel anders uitgezien. Als ze niet allebei waren omgekomen in het laatste jaar van mijn studie, was ik me misschien niet zo gaan gedragen als ik heb gedaan. Dan had ik me misschien niet elke avond bezat, was ik misschien niet met Jan en alleman het bed in gedoken, had ik geen drugs gebruikt en was ik nooit wakker geworden in vreemde huizen terwijl ik me afvroeg hoe ik er terecht was gekomen en wat ik de avond ervoor had gedaan. Dan had ik misschien betere cijfers gehaald en was ik ondertussen CEO geweest, zou ik een multinational leiden in plaats van de afdeling Personeelszaken van een plasticfabriek.

Dan was ik die eerste avond, op Halloween, misschien wel helemaal niet naar de River gegaan, in dat roodsatijnen jurkje, met mijn hart wagenwijd open, gereed om gebroken te worden. Dan had ik dat jasje misschien niet gedragen, met die bon in de zak van de laatste keer dat ik thee had gedronken in de sportschool. Dan had ik die bon misschien niet in de zak laten zitten, waar hij hem heeft kunnen zoeken en vinden om me zo op te kunnen sporen. Dan was ik misschien weggekomen zonder hem ooit nog te zien.

Dan was ik misschien ontkomen.

En zelfs zoals het er nu voorstaat, zouden mijn ouders me, als ze nog hadden geleefd, misschien duidelijk hebben kunnen maken dat hij niet goed voor me was. Zouden ze gezien hebben dat hij gevaarlijk was. Zou ik hebben geluisterd? Misschien niet. Als mama nog had geleefd zou ik ondertussen misschien getrouwd zijn met een vriendelijke, stabiele en eerlijke man; misschien had ik wel een kind gehad, of twee, of drie.

Maar het heeft geen zin om na te denken over hoe het geweest zou kunnen zijn. Vandaag is de dag dat ik begin met terugvechten, besloot ik... zoals ik dat elke dag besloot, tot hij bij me op de stoep verscheen, zichzelf binnenliet en alles zo draaide dat hij het allemaal volledig onder controle had.

Maar vandaag was het anders.

Ik kreeg een mail van Jonathan Baldwin. Ik herinnerde me hem nog, maar zag hem niet meteen voor me. We hadden samen een cursus van een maand gedaan, vier jaar daarvoor, in Manchester. Hij had een extraverte, enthousiaste indruk gemaakt, we hadden samen gelachen en ik herinnerde me dat we hadden afgesproken dat we contact zouden houden, maar daar was het nooit van gekomen. Hij mailde me totaal onverwacht op mijn werk om te vragen hoe het met me ging. Hij schreef dat hij in New York een tak van zijn managementconsultancybureau aan het opzetten was en vroeg of ik iemand kon aanraden. Ik mailde terug dat ik erover zou nadenken en het hem zou laten weten. Het voelde als een voorteken. Ik vroeg me af of New York het antwoord kon zijn.

Toen ik thuiskwam uit mijn werk was Lee er al.

Hij zat niet op de stoep te wachten, zoals ooit, nee: hij was binnen, in de keuken, waar hij druk stond te koken. Dat deed hij vroeger ook, en toen maakte het me blij. Toen ik vandaag de voordeur opendeed en de etenslucht rook, wilde ik alleen maar heel hard wegrennen. Maar wegrennen had geen enkele zin.

Hij liet zichzelf binnen wanneer hem dat schikte, hij kwam en ging zoals hem dat uitkwam. Ik dacht terug aan de tijd dat ik me daar zo druk om had gemaakt, nog niet zo lang geleden. Ik had behoefte aan mijn eigen ruimte, aan een voordeur die ik

269

achter me op slot kon doen in de wetenschap dat er niemand zonder mij binnenkwam. Ik herinnerde me hoe ik hem had verteld dat ik die ruimte weer wilde, hoe ik hem de sleutel had teruggevraagd, en hoe hij was weggelopen. Hoe hij eenvoudigweg was vertrokken, zonder ook maar een woord te zeggen.

Toen ik terugdacht aan die tijd kon ik me niet meer voorstellen dat hij me zo gemakkelijk had laten gaan, en ik bedacht hoe stom, hoe onwaarschijnlijk stom het was geweest dat ik hem was gaan zoeken. Ik had weg kunnen komen. Als ik niet achter hem aan was gegaan, als ik hem volledig zou hebben gemeden en gewoon mijn oude leventje met mijn vriendinnen weer zou hebben opgepakt, had ik vrij kunnen zijn.

Maar dat had ik niet gedaan.

WOENSDAG 13 FEBRUARI 2008

Stuart belde me om halftwee. Ik zat in mijn kantoor met Caroline te praten over de vacatures voor het distributiecentrum. 'Met Cathy.'

'Hoi, met mij. Heb je even?'

'Tuurlijk.'

'Ik kom net bij onze benedenbuurvrouw vandaan.'

'Hoe is het met haar?'

'Niet zo goed. Sinds ze is opgenomen is ze niet meer bij bewustzijn geweest. Ze hebben allerlei scans gedaan. Het ziet ernaar uit dat ze haar hoofd harder heeft gestoten dan we in eerste instantie dachten.'

'Wat afschuwelijk.'

'Ze vragen of we weten of ze familie heeft.'

'Ik heb geen idee.'

Caroline keek me vragend aan: of ik wilde dat ze wegging. Ik gebaarde haar terug in haar stoel.

'Misschien kunnen we de woningbouwvereniging proberen.

Misschien hebben ze daar iemand op een lijstje staan... Ik heb echt geen idee.'

'Zodra ik tijd heb zal ik meteen even bellen,' zei Stuart.

'Anders kan ik het wel doen.'

'Ik laat het je nog weten.'

Er viel een korte stilte. Ik vroeg me af of hij aan die kus dacht. Ik had er heel veel aan gedacht.

'Hoe laat vertrekt je vlucht morgen?'

'Vroeg. En ik ben zondagavond weer terug. Zal je me missen?'

Ik schoot in de lach. 'Nee, natuurlijk niet. Ik zie je sowieso nauwelijks doordeweeks, je bent altijd op je werk.'

'Hm. Misschien moet ik nog eens goed overwegen waar mijn prioriteiten precies liggen.'

'Misschien.'

Was hij nou met me aan het flirten? Zo voelde het wel. Ik vroeg me af hoe dit gesprekje zou zijn verlopen als hij in plaats van Caroline bij me op mijn kantoor had gezeten.

'Mag ik je morgen bellen?'

Zeker weten dat hij met me flirtte.

'Je hebt vast wel belangrijkere dingen te doen.'

'Je maakt een grapje. Ik ga alleen maar naar mijn vader en Rachel, hoor.'

'Dat kan wel wezen, maar je hebt zelf gezegd dat je hen niet vaak genoeg ziet. Maak er nou maar een leuke tijd van. En je kunt ook wel wat rust gebruiken, je werkt ontzettend hard.'

'Ik wil weten hoe je afspraak met Alistair verloopt. Hoe voel je je erover?'

'Prima. Eerlijk gezegd probeer ik er niet over na te denken.'

'Dan bel ik je morgenavond. Als je geen zin hebt om te praten zet je je telefoon maar uit.'

'Oké. Ik kijk wel hoe ik me voel. Zeg, ik moet weer aan het werk. Goeie reis. Dan zie ik je volgende week.'

'Oké.'

Ik verbrak de verbinding.

'Laat me raden,' zei Caroline. 'Stuart?'

'Onze benedenbuurvrouw is laatst gevallen; ze is per ambulance naar het ziekenhuis gebracht. Stuart is net even op bezoek geweest. Het gaat niet goed.'

'Wat naar.'

'Misschien dat ik morgenavond bij haar langsga, dan is ze er misschien alweer wat beter aan toe.'

'Gaat hij op vakantie?'

'Naar Aberdeen, bij zijn vader en zus op bezoek.'

'Je maakt het hem wel moeilijk,' zei ze.

'Vind je? Niet waar. Echt?'

Ze trok alleen haar wenkbrauwen op.

'Hij vroeg me of ik hem zou missen,' zei ik, en ik probeerde me te herinneren of ik me de toon in zijn stem had ingebeeld.

'Natuurlijk zal je hem missen.'

'Het is maar vier dagen, Caroline, doe normaal. Hij werkt zulke lange dagen dat ik hem sowieso af en toe een hele week niet zie, dus dat is heus niet anders als hij in Aberdeen zit.'

'Gaat hij je bellen?'

'Hij zegt van wel.'

'Dan wordt het nu duidelijk,' zei ze. 'Als hij je elke dag belt tot hij weer terug is uit Aberdeen, weet je het zeker.'

'En wat precies weet ik dan zeker?'

'Dat hij van je houdt.'

Daar schrok ik van. Zo had ik er helemaal nog niet over nagedacht. Ik zag Stuart als iemand die ik kon vertrouwen, iemand die begreep wat zich in mijn hoofd afspeelde, zelfs als iemand die me aantrekkelijk vond en waarschijnlijk seks met me wilde. Maar niet als iemand die misschien verliefd op me was. Niet als iemand op wie ik verliefd zou kunnen zijn.

'En wie ben jij? Een of andere waarzegster?' vroeg ik, en ik moest lachen om haar ernstige gezicht.

'Let op mijn woorden,' zei ze. 'Wacht maar af.'

Ik dacht dat hij aan het werk was, maar hij arriveerde dronken. Hij liet zichzelf binnen met zijn sleutel terwijl ik naar het journaal zat te kijken. Ik was een fractie van een seconde blij – zoals in de tijd dat ik ernaar uitkeek hem te zien, zoals het geweest had moeten zijn: ontspannen, gelukkig, blij met mijn relatie. In plaats daarvan struikelde hij zo'n beetje naar binnen, en toen ik opstond om hem te verwelkomen, raakte zijn vuist met een keiharde knal de zijkant van mijn gezicht, waardoor ik achterwaarts tegen het bijzettafeltje viel.

Ik was zo geschokt dat ik niet bewoog, alleen maar op de grond lag, het tapijt onder me zag en me afvroeg wat er in godsnaam was gebeurd. Toen de pijn, in mijn hele hoofd, afgrijselijke pijn terwijl hij een handvol haar pakte en me op mijn knieën sleurde.

'Hoer,' zei hij hijgend, 'jij vuile hoer... jij gore, smerige slet.'

Hij sloeg me met zijn linkerhand, een stekende slag tegen mijn wang. Ik zou nogmaals achterover zijn gevallen, ware het niet dat hij me bij mijn haar vasthad.

'Wat heb ik gedaan?' piepte ik.

'Je begrijpt er niets van hè, vuile slet?' Zijn stem was ijskoud; hij stonk naar bier.

Op dat moment liet hij mijn haar los, en voordat ik achterover kon vallen of kon opstaan, stootte hij zijn knie omhoog tegen mijn neus, die ik hoorde kraken. Ik gilde en probeerde weg te kruipen, probeerde op te staan, nog steeds verbijsterd. Tranen stroomden over mijn wangen en vermengden zich met het bloed dat uit mijn neus en mijn gescheurde lip stroomde.

'Je bent van mij,' zei hij, 'je bent godverdomme mijn hoer. Je doet precies wat ik je zeg. Begrepen?'

Ik jammerde en greep me met gesloten ogen en glibberige vingers vast aan een poot van de eetkamertafel. Ik voelde hem mijn haar weer grijpen, me bij de tafel wegtrekken, en toen een stem die de mijne moet zijn geweest, die hem smeekte: 'Laat me alsjeblieft los, alsjeblieft, alsjeblieft...'

Hij maakte met zijn linkerhand zijn spijkerbroek los, liep ondertussen naar de bank en sleurde me achter zich aan als een lappenpop, terwijl ik probeerde op te staan om de druk op mijn scalp te verminderen.

Hij liet zich met een zucht op de bank zakken, zijn spijkerbroek halverwege zijn dijen, zijn pik stijf – alsof het hem opwond me gehavend en bloedend te zien – en zei dat ik hem moest pijpen.

Huilend en met bloed op mijn handen en in mijn mond deed ik wat me werd gezegd. Ik wilde zijn lul eraf bijten en hem in zijn gezicht spugen. Ik wilde hem met mijn vuist zo hard in zijn ballen stompen dat ze ze chirurgisch uit zijn bekkenbodem zouden moeten verwijderen.

'Kijk me aan. Kuthoer, ik zei dat je me aan moet kijken!'

Ik keek naar hem op en zag twee dingen die me doodsbang maakten. Ten eerste zijn grijns, de blik in zijn ogen die me vertelde dat hij me precies had waar hij me wilde hebben en dat dit nooit meer zou ophouden. En ten tweede een knipmes met een zwart handvat dat hij op luttele centimeters van mijn gezicht hield.

'Als je het goed doet,' zei hij, 'laat ik je neus er misschien aan zitten.'

Ik deed het goed, ik deed mijn uiterste best, terwijl bloed, snot en tranen op zijn kruis dropen, en hij sneed me niet – toen niet, in ieder geval.

Ik moet ontsnappen. Ik moet zorgen dat ik wegkom zonder dat hij het in de gaten heeft, want ik krijg maar één kans.

Ik nam donderdag na mijn werk de Northern Line die zuidelijk langs de rivier reed. Ik kocht bij een stalletje op station Victoria een bosje bloemen, fresia's met roze rozen, en nam toen de bus naar Camberwell en het King's College-ziekenhuis. Het voelde een beetje raar om uit te stappen op dezelfde plek waar ik Sylvia nog niet zo lang geleden had gezien. Ik bleef om me heen kijken voor het geval ze er weer zou zijn, maar dat was natuurlijk niet zo. Niet in een bus en ook niet op de stoep. Het voelde ook vreemd om zo dicht bij Stuarts werk te zijn terwijl hij honderden kilometers verderop was.

Het kostte me een eeuwigheid om de afdeling te vinden; ik liep via de hoofdingang naar binnen en kwam uiteindelijk uit in een pand naast de bushalte, tegenover het Maudsley. Ik vond mevrouw Mackenzie op afdeling Byron, in een privékamertje. Ze lag óf te slapen, óf ze was bewusteloos, en ze ademde luidruchtig door haar open mond. Ze was afgevallen, of misschien leek dat maar zo. Hoe dan ook, ze zag er piepklein en kinderlijk uit, helemaal verloren in dat grote ziekenhuisbed. Er stond al een vaasje bloemen op het kastje naast haar bed, narcissen, die uitbundig bloeiden. Naast de vaas lag een kaartje.

'Dag, mevrouw Mackenzie,' zei ik zacht. Ik wilde tegelijkertijd wel en niet dat ze wakker zou worden. 'Ik heb nog een bosje bloemen voor u meegenomen. Hoe is het nu?'

Wat een belachelijke vraag. Ik zat op de bezoekersstoel naast het bed en pakte haar hand, die verrassend warm aanvoelde. De handrug was helemaal blauw van alle naalden die onder de huid waren ingebracht.

'Ik vind het zo naar dat ik u niet eerder heb gevonden,' zei ik. 'Was ik maar vroeger thuisgekomen.'

Ik dacht dat ik een lichte druk op mijn hand voelde. Ik kneep zachtjes in haar vingers.

'Bent u gevallen, mevrouw Mackenzie? Was het een ongeluk?'

Mijn stem beefde een beetje. 'Ik vroeg me af of u misschien ergens van bent geschrokken. Of u iemand hebt gezien, of iets, waarvan u bent geschrokken.'

Nu voelde ik het weer, meer een spiervertrekking dan wat anders, alsof ze droomde en haar hand willekeurig bewoog.

'U bent hier veilig,' zei ik. 'Ze gaan u beter maken. En wij houden een oogje in het zeil, Stuart en ik. U hoeft zich nergens zorgen om te maken.'

Het was moeilijk om deze monoloog op gang te houden. Ik wierp een blik op het kaartje: een tekening met rode bloemen met de boodschap BETERSCHAP erop gedrukt. Ik kon mijn nieuwsgierigheid niet bedwingen. Er stond in: *We hopen dat u snel weer beter bent, hartelijke groet van Stuart (appartement 3) en Cathy (appartement 2).*

Nou, dacht ik. En nu maar hopen dat ze zich ons nog herinnert als ze weer bij bewustzijn komt. Ik propte mijn bloemen slordig tussen de narcissen omdat ik geen vaas wilde zoeken, en vulde hem bij met water uit de kraan in de hoek van de kamer.

'Laat ik maar weer gaan,' zei ik nadat ik nog een kneepje in haar hand had gegeven. 'Maar ik kom gauw nog eens langs, afgesproken?'

Mijn telefoon ging zodra ik hem weer had aangezet, toen ik bij halte Denmark Hill op de bus stond te wachten.

'Met Cathy.'

'Hoi, met mij.'

'Hoi, mij.'

'Ik zei toch dat ik zou bellen?'

'Inderdaad. Hoe was je reis?'

'Niet slecht, dank je. Hoe gaat het?'

'Prima. Ik sta bij het King's College op de bus te wachten.'

'O, ja? Ben je bij mevrouw M geweest?'

'Ja. Ze sliep.'

'Hebben ze gezegd hoe het met haar is?'

'Ik heb verder niemand gezien. Ik ben maar heel even gebleven. Daar komt mijn bus.'

'O. Kunnen we praten terwijl je in de bus zit?'

Ik stond in de rij om in te stappen, achter een ouder echtpaar en een groepje tieners met skateboards.

'Dat kan, maar dat vind ik niet prettig.'

'Mag ik je straks dan nog even bellen?'

Ik begon te lachen. 'Als je dat wilt.'

'Hoe laat?'

'Over een paar uur. Je weet wat ik allemaal moet doen als ik thuiskom.'

MAANDAG 19 APRIL 2004

De eerste keer dat Lee me pijn deed, ik bedoel de eerste keer dat hij fysieke sporen achterliet, moest ik een week vrij nemen. Ik zei dat ik griep had, en ik zal ook best hees hebben geklonken toen ik maandagochtend naar kantoor belde. Het duurde een week voordat ik mijn verwondingen goed met make-up kon verhullen. Het enige wat je nog zag was de snee in mijn lip, die er uiteindelijk uitzag als een vreselijk erge koortslip. Mijn neus bleek godzijdank niet gebroken, en als hij toen was gebroken, was het geen erge breuk.

Ik hoef natuurlijk niet te vertellen dat ik niet naar een dokter ben geweest.

Lee bleef vijf dagen bij me. De dag erna was hij afstandelijk. Hij keek naar me alsof ik zo onvoorstelbaar stom was geweest om op straat tegen een lantaarnpaal aan te lopen. Niettemin maakte hij soep voor me en hielp verrassend teder mijn gezicht schoonmaken.

De dag daarna was hij uitzonderlijk lief; hij zei dat ik de enige vrouw was van wie hij ooit had gehouden. Hij zei dat ik de zijne was, alleen de zijne; dat hij elke man die ook maar naar me

277

keek, zou vermoorden. Hij zei het geringschattend, alsof het een betekenisloze opmerking was die je in een achteloos gesprekje kon maken, maar ik geloofde dat hij ertoe in staat was. Hij meende wat hij zei.

Ik speelde het spelletje mee. Ik probeerde die vijf dagen de persoon te zijn die hij wilde dat ik was. Ik zei tegen hem dat ik de zijne was, alleen de zijne. Dat ik me had vergist toen ik het had uitgemaakt. Dat ik van hem hield.

Toen hij woensdag naar zijn werk vertrok, overwoog ik mijn mogelijkheden. Ik bleef in eerste instantie thuis, keek televisie en deed alsof er niets was gebeurd. Ik wachtte en wachtte, voor het geval hij weer thuis zou komen. Voor het geval dit een test was.

Ik wilde de politie bellen, maar ik wist dat hij mijn telefoon controleerde. Ik wilde het huis verlaten en zo snel ik kon naar het politiebureau rennen, en hopen dat ze me zouden beschermen. Maar dat zou natuurlijk niet gebeuren. Als ik geluk had zou hij worden verhoord, en dan zou er een of ander onderzoek volgen, maar dan zou hij ondertussen gewoon vrij rondlopen en me alsnog kunnen verwonden of vermoorden. Het was het risico niet waard.

Donderdag belde ik een slotenmaker en liet de sloten op de voor- en achterdeur vervangen.

Die avond was de eerste avond dat ik serieus begon met controleren.

De maandag daarop had ik nog steeds niets van hem gehoord. Ik vroeg me af of hij voorgoed was vertrokken; een deel van me hoopte dat hij wroeging voelde voor wat hij had gedaan, misschien anders over me was gaan denken en had besloten me met rust te laten.

Ik was in die tijd tenminste nog deels een optimist.

Maandag ging ik naar mijn werk en kreeg veel medeleven van mensen, dat ik niet echt verdiende. Niemand twijfelde eraan dat ik griep had gehad; ik was in één week een kilo of drie afgevallen, ik zag er bleek en vermoeid uit en had een korst op mijn lip. De zwelling op mijn neus was weg, en de blauwe plekken waren nu gemakkelijk te verhullen onder een paar lagen foundation.

Ik bleef niet lang; ik vertrok om vier uur van mijn werk. Ik was maar kort van huis.

Toen ik die maandagmiddag thuiskwam was ik een minuut of twintig bezig met het controleren van ramen en deuren. Alles was veilig en ik slaakte een zucht van verlichting.

Ik controleerde de slaapkamer natuurlijk niet; dat leek nergens voor nodig.

Toen ik om een uur of tien naar bed ging, lag er op mijn bed een stel glanzende sleutels, met een briefje: *Heb nog wat reservesleutels voor je nieuwe sloten laten maken. Tot zo. XX*

Ik bracht het volgende uur door met het nalopen van alle mogelijke ingangen tot mijn woning, terwijl de tranen over mijn wangen stroomden, op zoek naar de manier waarop hij binnen was gekomen, maar ik kon niets vinden.

Ik had die nacht mijn eerste paniekaanval, de eerste van vele.

VRIJDAG 15 FEBRUARI 2008

Ik nam de vrijdagmiddag vrij voor mijn eerste afspraak met Alistair. Ik had verwacht nerveuzer te zijn dan ik daadwerkelijk was. Ik wachtte boven in het Leonie Hobbs House en dacht aan eerste kerstdag.

Het was deze keer drukker in de kliniek, er zaten vrij veel mensen in de wachtruimte, en ik hoopte maar dat ze niet allemaal een afspraak met Alistair hadden. Er waren meerdere spreekkamers, en een gestage stroom mensen liep in en uit. Vandaag geen teken van Deb met haar lippiercing; achter de receptie op de eerste verdieping zat nu een breed geschouderde dame van in de vijftig met grijs haar en een kaartje op haar donkerblauwe vest waarop stond dat ze Jean heette.

Ze had mijn naam gevraagd, maar verder niets tegen me gezegd. Ze maakte geen oogcontact met wie ook in de wachtruimte, keek enkel geconcentreerd naar haar beeldscherm en de pen die met een lange ketting aan haar bureau zat vastgeklonken.

'Cathy?'

Ik sprong op en liep de gang door naar de enige open deur, waar Alistair alweer naar binnen moest zijn geglipt voordat ik hem had gezien.

'Kom binnen, kom binnen. Hoe is het, meid? Leuk je weer te zien.'

Hij verwelkomde me zo hartelijk dat ik half verwachtte dat hij me zou zoenen, maar gelukkig voor ons allebei deed hij dat niet. Hij zat in een leren leunstoel naast een tweede stoel en een bank. Hij zag er goed uit, glimlachte naar me en gebaarde me te gaan zitten.

Ik koos de stoel. 'Hallo,' zei ik. 'Ben je goed thuisgekomen met de kerst?'

'Ja, hoor. Ik had voor het eind van de straat al een taxi te pakken, ik was verrast dat het zo eenvoudig ging. Geestige vent. Dank je, ik vond het reuzegezellig. En ik vond het leuk je te leren kennen nadat ik al die mooie dingen over je had gehoord van Stuart.'

Nu begon ik ineens nerveus te worden.

'Maar goed,' ging Alistair verder. 'Ik heb je formulieren bekeken. Je bent bij dokter Parry langs geweest, toch?'

'Ja.'

'En die heeft je een ssri voorgeschreven?'

'Ja.'

'Mooi, mooi. En die neem je nu, even kijken, sinds een week of drie?'

'Zoiets.'

'Soms duurt het even voordat je er iets van merkt. Het kan wel een tijdje duren voordat ze echt effect hebben.'

'Ik voel me er in ieder geval niet wazig van. Daar maakte ik me wel zorgen om.'

'Hm, nee, ik zie op je formulier dat dit een heel ander middel is dan wat je eerder hebt gehad. Dit is veel beter toegesneden op jouw situatie. Ik heb de indruk dat je daar een afgrijselijke tijd hebt doorgemaakt. De laatste keer dat je in behandeling bent geweest, bedoel ik.'

Ik gaf geen antwoord.

'Ik zal er verder maar niet op ingaan, maar... ehm. Hoe dan ook. Zo te zien heb je last van twee aandoeningen. Ik zie in je formulieren duidelijk terug dat je OCD hebt, op een niveau dat we op de *Yale-Brown Compulsive Symptoms*-checklist, de Y-BOCS, als matig tot zwaar classificeren. Maar dokter Parry heeft opgemerkt, en ik ben het met hem eens, dat je ook veel symptomen hebt die meer passen bij een PTSS, een posttraumatische stressstoornis. Die symptomen kunnen erg op die van OCD lijken, maar bij PTSS horen ook flashbacks, nachtmerries, overdreven schrikreacties en paniekaanvallen.'

Hij bladerde door de paperassen. 'En zo te zien heb je daar allemaal last van...'

'Ja. Inderdaad.'

'En heb je het gevoel dat het erger wordt?'

'Erger en beter. Ik ben begin december hevig geschrokken. Toen heb ik een week of twee meerdere behoorlijk heftige paniekaanvallen en nachtmerries gehad. Toen was de OCD ook erger. En daarna ging het weer een tijdje beter, maar toen is er op kerstavond iets gebeurd waardoor het allemaal weer slechter werd. Momenteel gaat het wel aardig.'

Alistair zat te knikken en klopte eerbiedig op zijn enorme buik, alsof er een baby in zat en hij niet uit vet bestond. 'Het is die ellendige twijfel, hè? Je weet heel goed dat de deur op slot zit, dat de kraan dicht is en het licht uit, maar toch twijfel je, en dan moet je terug om het nogmaals te controleren...'

Hij bladerde nog wat in zijn paperassen en schreef een paar

regels op iets wat eruitzag als een kladje met ezelsoren. 'Het goede nieuws is dat de therapie die wij aanbieden zowel bij ocd als bij ptss kan helpen. Dan moet je er wel thuis aan willen werken, in je eentje; hoe meer je eraan werkt, hoe beter het resultaat zal zijn. Je zult waarschijnlijk een paar keer teugvallen, maar als je tijd en energie investeert, zou het uiteindelijk moeten verbeteren. Oké?'

Ik knikte.

'Laten we bij het begin beginnen. Kun je me wat vertellen over hoe je als kind was?'

Dat vertelde ik hem, in eerste instantie aarzelend, maar toen kwam het hele verhaal eruit, dat onvermijdelijk leidde tot, maar steeds maar niet uitkwam bij, het moment dat ik Lee had leren kennen, het moment dat mijn onbestendige leven op de afgrond was gaan afstevenen. Dat zou later komen.

De eerste sessie duurde anderhalf uur, die de week erna zou een uur zijn, en dat zou zo blijven, eens per week, tenzij ik het gevoel had dat ik vaker nodig had. Ik had ermee ingestemd thuis het een en ander te proberen. Ik ging een gedragstherapeutische aanpak doen die 'blootstelling en voorkomen van reactie' heet. Dat kwam er heel praktisch gezien op neer dat ik mezelf moest blootstellen aan waargenomen gevaar, vervolgens moest wachten tot de angst minder werd, en dat zonder een van de controles of rituelen uit te voeren waarmee ik normaal gesproken de angst bezwoer. In theorie zou de angst dan vanzelf moeten verdwijnen. Over me heen laten komen en herhalen, herhalen, herhalen en herhalen.

Ik was er sceptisch onder, maar beloofde het te proberen.

Mijn telefoon ging toen ik nog meer dan een kilometer van huis was. Het was rustig op straat, alleen het naschoolse verkeer. Ik overwoog net nog even te gaan hardlopen om wat met de rest van de middag te doen, hoewel het al donker begon te worden.

'Met Cathy.'

'Hoi, met mij. Hoe ging het?'

'Prima. Het was oké. Is dit alles wat je doet?'

'Zo'n beetje wel, ja. Simpel hè?'

'Dat zal wel, als je het elke dag doet. Je zult het wel saai vinden, al die verhalen aanhoren.'

'Helemaal niet. Vergeet niet dat iedereen weer anders is. Iedereen reist vanuit een andere richting naar dat moeilijke punt. Wat ben jij nu aan het doen?'

'Ik was op weg naar huis om alles drie keer te gaan controleren. Hoezo?'

'Dan bel ik je later nog even, oké? Ik ga met mijn vader naar het tuincentrum. Ik wilde je alleen even... ik wilde je alleen even laten weten dat ik aan je denk.'

'Zal ik jou anders bellen? Als ik klaar ben met controleren? Is dat goed?'

'Leuk. Dan hou ik mijn telefoon bij de hand.'

Ik bleef maar denken aan een van de dingen waarover ik het met Alistair had gehad. Theorie A en theorie B – om te overwegen. Theorie A: als ik om de een of andere reden mijn appartement niet goed controleer, breekt er iemand in. Niet zomaar iemand. Dan breekt Lee in, zonder dat ik in de gaten heb dat hij het heeft gedaan. Als ik niet goed controleer, ben ik oprecht in gevaar. Theorie B: één keer controleren is genoeg, steeds opnieuw controleren maakt de situatie niet veiliger en de reden voor al die controles is eenvoudigweg dat ik me extreem veel zorgen maak dat ik in gevaar ben. Die twee theorieën staan lijnrecht tegenover elkaar en kunnen niet allebei waar zijn. De rationele theorie is natuurlijk theorie B: dat herhaaldelijk alles controleren het niet veiliger maakt dan alles één keer controleren.

Zelfs als ik accepteer dat theorie B mogelijk is, hoe kan ik zeker weten dat ze waar is? De enige manier om daarachter te komen, volgens Alistair, is een of ander wetenschappelijk experiment uit te voeren waaruit blijkt welke theorie steekhoudend is, en welke naderhand nergens op slaat.

Het is allemaal volkomen duidelijk welke kant dit op gaat. Ik controleer minder, en er gebeurt niets engs, ergo: het is verspilde tijd om alles steeds maar opnieuw te controleren, dus moet ik er onmiddellijk mee ophouden.

Ik ben niet dom – zelfs ik zie dat het verspilde tijd is. Maar dat weerhoudt me er niet van het te blijven doen.

En waar ik me echt zorgen om maak, is dat die 'wetenschappelijke test' helemaal geen rekening houdt met het feit dat mijn angsten bepaald niet zijn gebaseerd op een of ander belachelijk ingebeeld gevaar.

Ze zijn gebaseerd op het feit dat Lee daar ergens is en me zoekt.

Aangenomen dat hij me niet al heeft gevonden.

MAANDAG 26 APRIL 2004

Lee was er zondag een paar uur; daarvoor was hij aan het werk, of wat hij ook doet als hij hier niet is. Toen hij zichzelf gisteravond had binnengelaten dacht ik eerst dat hij me weer ging slaan, maar hij leek heel blij, tevreden met zichzelf, alsof hij iets heel slims had gedaan.

'Waarom heb je de sloten laten vervangen?' vroeg hij achteloos terwijl we zaten te lunchen.

Ik verstarde onwillekeurig. 'Dat weet ik eigenlijk niet,' zei ik opgewekt. 'Maar na die inbraak... het leek me veiliger.'

'Was je van plan me een nieuwe sleutel te geven?'

'Uiteraard.'

Hij begon te lachen, hoewel ik het allesbehalve grappig vond.

Toen ik vanochtend op mijn werk was heb ik Jonathan Baldwin een mail gestuurd om meer details te vragen over wat voor iemand hij zoekt, en ik kreeg 's middags antwoord:

Catherine,

*Fijn van je te horen. Ik zoek in eerste instantie iemand die
me kan helpen om de vestiging in NY op te zetten, het liefst
iemand met ervaring in consultancy, hoewel ik het nog belangrijker vind dat iemand enthousiast en toegewijd is, en
flexibel genoeg om kansen te zien als ze zich aandienen.
Ik herinner me van jaren geleden dat jijzelf overkwam als
iemand die uiteindelijk ergens een grote organisatie zou leiden.*

*Ik kan voor een werkvergunning zorgen en heb een
huurcontract voor een appartement in de Upper East Side
(niets spectaculairs, maar met een balkon op het zuiden,
wat heel zeldzaam is). In de toekomst, als het allemaal goed
gaat lopen, is er uitzicht op een partnerschap in het bedrijf.*

*Het vervelende is dat ik haast heb. Ik word aan de lo-
pende band uit NY gebeld met zakelijke kansen die ik moet
afslaan vanwege verplichtingen in Engeland, dus hoe eerder
ik iemand heb die daar aan de slag kan, hoe beter.*

Heb jij nog goede ideeën?

Groet,

Jonathan

Ik vraag me af of ik het zou kunnen. Als ik het allemaal per mail
en telefoon kan afhandelen en hem op mijn werk kan spreken
om over de essentiële details te overleggen, kan dit mijn kans
zijn om te ontsnappen. Dan zou ik in New York zitten voordat
Lee iets in de gaten had. Als ik met een kortlopend contract
naar New York kan, al is het maar drie maanden, geeft me dat
in ieder geval de tijd om te bedenken hoe het verder moet. Misschien dat ik wel een sabbatical van mijn werk kan krijgen.

Ik heb alleen maar genoeg tijd nodig om van hem weg te komen.

Het was druk in High Street. De laatste hoek om en Talbot Street in. Ik was moe, ik zou me extra op mijn controles moeten concentreren om te voorkomen dat ik fouten maakte.

De steeg aan de achterkant van het pand in. Ik keek op naar de ramen, allemaal, het balkon met de acht ruitjes, de slaapkamer, waar de gordijnen helemaal dicht waren. In Stuarts appartement brandde licht in de slaapkamer. Ik had hem een van mijn tijdschakelaars gegeven. Hij zou om elf uur uitgaan. Beneden in het appartement van mevrouw Mackenzie was het donker. Het zag er goed uit. Ik liep naar het einde van het steegje, naar de voorkant van het huis.

Toen ik binnen was en de voordeur dicht had gedaan, realiseerde ik me dat ik alleen in huis was. Ik zou vannacht de enige zijn die in dit grote pand zou liggen te slapen. Geen mevrouw Mackenzie, geen Stuart. Alleen ik. Ik had gisteravond uren met Stuart zitten praten, dus toen voelde het alsof hij er was; ik had niet het gevoel dat ik alleen was. Vanavond was dat heel anders.

Ik controleerde de deur, ging met mijn vingers langs de sponning, op zoek naar wat dan ook: bobbeltjes of verhogingen die zouden aangeven dat er iemand aan de deur had gezeten. Toen de klink. Daarna het slot. De klink draaien, zes keer naar de ene kant en zes keer naar de andere. Ik miste het geluid van de televisie van mevrouw Mackenzie. Ik miste het dat ze niet naar buiten kwam om me te begroeten.

Na de eerste serie controles wachtte ik even. Dit was normaal gesproken het moment dat ze de deur achter me opende.

Ik weet niet zeker of ik iets voelde of aanvoelde: misschien toch, de geur van eten dat lang geleden was gekookt, een vlaag koude lucht. Ik draaide me langzaam om en keek naar de deur. We hadden hem dichtgedaan, en op slot, op de avond dat mevrouw Mackenzie in de ambulance was meegenomen. Stuart had de woningbouwvereniging gebeld en verteld wat er was gebeurd. Ze zouden iemand sturen om de sleutel op te halen, maar tot nu toe was er niemand geweest.

Ik fronste mijn wenkbrauwen, kneep mijn oogleden half-dicht. De deur zag er anders uit.

Ik deed er een stap naartoe.

Hij stond een heel klein stukje open, een bijna onzichtbaar streepje zwart bij de rand. Ik voelde die tocht weer, duidelijk deze keer, een fluistering koude lucht die vanbuiten kwam.

Ik trok aan de klink en de deur zwaaide open. Hij zat niet op slot. Binnen was alles donker, donker als de hel.

Ik duwde de deur weer dicht, stevig. Hij viel in het slot en toen ik deze keer aan de klink trok, ging hij niet open. Ik had Stuarts reservesleutels in mijn tas. Hij had de sleutel van het apparte-ment van mevrouw Mackenzie daar ook aangehangen.

Ik vond de sleutels, stak de rechtersleutel in het slot en draai-de eraan. Ik trok aan de deurklink, stak de sleutel in het yaleslot en de andere in het steekslot en hield de deur vast. Hij zat echt dicht en op slot. Als er iemand binnen was, zou hij een sleutel nodig hebben om eruit te kunnen.

Ik liep terug naar de buitendeur voor mijn tweede serie con-troles. Die hielp niet, want ik kon alleen maar aan de deur van het appartement van mevrouw Mackenzie denken, waar ik met mijn rug naartoe stond. Als ik hem nou niet goed op slot had gedaan? Als de deur weer open was gezwiept terwijl ik het niet kon zien? Wat als hij uit zichzelf weer open was gegaan terwijl ik niet keek?

Ik controleerde hem nogmaals. Hij zat nog steeds op slot. Ik probeerde het yaleslot.

Ik controleerde de buitendeur een derde keer om alles weer in balans te krijgen. Ik begon me eindelijk beter te voelen. Ik liep de trap op en liet mezelf mijn appartement binnen. Het licht in de eetkamer was aan, zoals ik het had achtergelaten; de rest van het appartement was donker en koud. Ik bleef even bij de voor-deur staan, luisterde naar de geluiden in huis, concentreerde me op geluiden die ongebruikelijk waren, anders dan anders. Niets.

Ik begon aan de controle van mijn voordeur en voelde me vaag ongemakkelijk, maar ik wist niet waarom. Ik kreeg de gedachte dat ik alleen in het pand was maar niet uit mijn hoofd. Helemaal alleen.

Tegen de tijd dat ik klaar was met mijn controles was het bijna negen uur. Ik had verwacht dat er iets mis zou zijn, maar alles was precies zoals het hoorde. En dat was maar goed ook.

Ik ging uiteindelijk zitten om Stuart te bellen.

'Hoi, met mij.'

'Eindelijk, ik begon de hoop al op te geven!' Hij klonk moe.

'Hoe is het met je vader?'

Stuart zuchtte en ging wat zachter praten. Ik hoorde vaag op de achtergrond een televisie. 'Prima, eigenlijk. Maar hij is een stuk zwakker dan de laatste keer dat ik hem heb gezien. Volgens mij valt het Rachel niet zo op, maar die ziet hem ook elke dag.'

'Ben je nog naar dat tuincentrum geweest?'

'Ja, maar het regent. Uiteindelijk hebben we alleen binnen gekeken. Ongelooflijk, naar hoeveel planten die man kan kijken zonder zich te gaan vervelen. En het was er koud ook. Ik mis je, Cathy.'

'Echt?' Ik voelde dat ik begon te blozen, en het drong tot me door dat ik hem ook miste. Ook al zagen we elkaar doordeweeks nauwelijks, nu hij echt weg was deed zijn afwezigheid fysiek pijn.

'Ja. Ik wou dat je hier was.'

'Zondag kom je alweer terug. Het is voorbij voor je het weet.'

'Nee, hoor. Voor mij niet, in ieder geval. Wat ga jij zaterdag doen?'

'Dat weet ik nog niet. Naar de wasserette. Misschien wat hardlopen. Dat heb ik al een tijdje niet gedaan.'

Er viel een korte stilte. Toen vroeg hij: 'Dus het is goed gegaan, bij Alistair?'

'Ja, hoor. Ik moet huiswerk maken. Lijstjes bijhouden, dat soort dingen.'

'En hoe voel je je nu?'

Ik wist wat hij bedoelde. Hij probeerde in te schatten hoe groot de kans was dat ik de symptomen zou bespreken die later tot een paniekaanval zouden leiden. 'Het gaat prima. Ik maak me drukker om het feit dat ik alleen thuis ben. Zonder mevrouw Mackenzie beneden en jou boven. Alleen ik en de spoken.'

'Lekker rustig, bedoel je.'

'Nou. O, maar ik wilde nog iets vragen. We hebben haar voordeur toch op slot gedaan? Met de sleutels?'

'Ja. Hoezo?'

'Toen ik thuiskwam, was hij open. De deur van mevrouw Mackenzie. Hij stond een stukje open.'

'Dan zal de woningbouwvereniging wel iemand langs hebben gestuurd. Dat zouden ze toch doen?'

'Ja, maar die had dan toch moeten afsluiten in plaats van de boel open achterlaten?'

'Misschien was die gewoon slordig. Maar ik durf te wedden dat de deur nu wel goed op slot zit.'

'Dat hoop ik dan maar.'

'Cathy, je hebt hem op slot gedaan. Echt.'

Ik gaf geen antwoord.

'Toen ik je net leerde kennen deed je dit allemaal alleen. Je sloot jezelf elke avond op, controleerde of de deuren in orde waren en dat ging allemaal prima. En nu gaat het ook prima, net als toen.'

Ik probeerde opgewekt te klinken. 'Ja, dat weet ik. Het gaat goed hoor, echt.'

'Ga je de volgende keer met me mee naar Aberdeen?'

'Misschien. Als je het wat eerder vraagt.'

'Rachel popelt om je te leren kennen.'

'Stuart, doe me een lol. Heb je haar over mijn ocd verteld?'

'Nee. Waarom zou ik?'

'Zodat ze een volledig en accuraat beeld van me heeft.'

'Die OCD is toch geen karaktereigenschap van je? Het is alleen maar een symptoom. Zoals snot bij verkoudheid hoort.'

'Wat zeg je dat weer mooi. Wat heb je dan verteld?'

'Ik heb verteld dat ik een meisje heb leren kennen met zilverkleurig haar en donkere ogen, dat geestig en slim en charmant, en nu en dan spectaculair lastig is. Dat ze vijftig koppen thee per dag achteroverslaat en iedereen uiteindelijk doet wegkijken met haar strakke blik.'

'Dan snap ik dat ze me graag wil leren kennen.' Ik probeerde een gaap te onderdrukken, maar dat lukte niet.

'Verveel ik je?'

'Ik ben ontzettend moe. Sorry. Ik heb afgelopen nacht nauwelijks geslapen en ik ben vandaag helemaal terug komen lopen, de bussen zaten allemaal tjokvol.'

'Ben je komen lopen vanaf het Leonie Hobbs House?'

'Zo ver is het niet. En ik hou van wandelen.' Ik gaapte nogmaals.

'Neem je telefoon maar mee naar bed, oké?'

'Hoezo?'

'Zodat je me kunt bellen als je vannacht wakker wordt. Beloof je dat?'

'Ik wil jou niet wekken, dat is niet eerlijk.'

'Dat maakt me niet uit. Als jij wakker bent, wil ik samen met jou wakker zijn.'

'Stuart. Het is allemaal zo raar.'

'Hoezo, raar?'

'Als je zondag terugkomt zal het niet hetzelfde zijn, hè? Het is allemaal veranderd. Sinds laatst.'

'Sinds ik je heb gezoend, bedoel je.'

'Ja.'

'Je hebt gelijk, het is veranderd. Ik was vastbesloten om afstand te houden zodat jij je kon concentreren op het onder con-

trole krijgen van je OCD. Maar dat lukt me niet meer. Is dat erg?'
'Dat weet ik niet. Volgens mij niet.'
'Mijn vlucht landt zondagavond rond een uur of negen. Mag ik even langskomen als ik thuiskom? Het zal wel laat zijn.'
Dat was het moment, het keerpunt.
Ik aarzelde even voordat ik antwoordde, in de wetenschap wat het zou betekenen als ik ja zei, en wat het zou betekenen als ik nee zei.
'Cathy?'
'Ja. Kom maar langs. Het maakt me niet uit hoe laat.'

VRIJDAG 21 MEI 2004

Lee werkt dit weekend; hij heeft het me voor de verandering van tevoren laten weten. Misschien is het een test om te zien of ik zal proberen ervandoor te gaan. Ik weet zeker dat hij het niet weet, van New York, dus ik denk dat hij verwacht dat ik zal proberen op een andere manier aan hem te ontsnappen. Hij zei zelfs dat ik vanavond met mijn vriendinnen moest gaan stappen.

Hij gedraagt zich de afgelopen weken steeds meer alsof we een volkomen normale relatie hebben. Hij is niet agressief geweest; hij is niet onverwachts langsgekomen, hij heeft niet eens onredelijke dingen van me geëist. En hij is nog vriendelijk geweest ook: vorige week was ik verkouden en heeft hij me verzorgd, heeft hij gekookt en boodschappen gedaan. Als ik die andere kant van hem niet zou hebben gezien, denk ik dat ik heel tevreden zou zijn over onze relatie.

Het werd beter toen ik hem zei dat ik overwoog een sabbatical op te nemen. Dat heb ik als voorzorgsmaatregel verteld; zodat ik iets had om op terug te vallen als er iemand van mijn werk belt of ik me per ongeluk iets laat ontglippen. En hij wilde altijd al dat ik stopte met werken, al vanaf het begin. Ik dacht in eerste instantie dat hij dat wilde om mij vaker te kunnen zien, maar het ging hem natuurlijk alleen maar om de controle, zelfs toen al.

Ik ken hem nu zoveel beter. Als ik op mijn werk ben belt hij me op rare tijden. Als ik terugkom bij mijn bureau en zie dat ik een telefoontje van hem heb gemist, moet ik hem direct terugbellen. Hij vraagt aan de lopende band wat ik aan het doen ben, of ik nog vergaderingen heb – hij kent mijn agenda beter dan ikzelf. Ik zat laatst een paar uur in een bespreking met de manager; toen ik hem terugbelde verwachtte ik dat hij kwaad zou zijn, maar dat was hij niet. Later bleek dat hij naar mijn werk was gereden, mijn auto in de parkeergarage had gezocht, die met zijn sleutel had opengemaakt (die heeft hij ook; ik heb hem mijn autosleutel niet gegeven, maar die heeft hij wel) om de kilometerstand te controleren zodat hij kon zien dat ik niet weg was geweest zonder het hem te vertellen. Hij weet exact hoeveel kilometers ik rijd, hoeveel kilometer het naar mijn werk is en terug naar huis. Ik kan niet van de route afwijken.

Ik heb niet geprobeerd ertegen in te gaan. Ik weet dat dat fout is. Ik weet dat hij me volledig in zijn macht heeft. Het feit dat ik het allemaal weet is mijn persoonlijke vorm van rebellie. Hij weet niet wat zich in mijn hoofd afspeelt. Hij weet niet dat ik op zoek ben naar een vluchtweg, of dat ik weet dat ik maar één kans heb. Ik weet dat hij me zal vermoorden als het mislukt.

Ik heb contact met Jonathan gehad. Ik heb hem direct laten weten dat ik de baan in New York wil. Ik kan me niet herinneren dat ik iemand ooit heb verteld dat ik in de toekomst een eigen bedrijf hoop te hebben, maar het zou me niet verbazen als ik het in beschonken toestand tijdens een etentje op zo'n cursus eens heb laten vallen. Hoe dan ook, het kan me niet schelen wat voor baan het is, hoewel ik hard zal werken. Het enige waar het om gaat is dat hij me de ontsnapping biedt die ik nodig heb. Het kan gelukkig allemaal worden afgehandeld via de mail op mijn werk, er hoeft niets naar mijn thuisadres. Ik heb mijn nieuwe paspoort, nadat ik het vorige week had opgehaald, meegenomen naar mijn werk en het daar in een bureaulade gelegd.

En nu maar hopen dat Jonathan me aanneemt, want ik ga er al bijna van uit dat dit allemaal door zal gaan. Ik denk niet dat ik geestelijk gezond kan blijven als dat niet zo is. Ik krijg al heel lang geen papieren afschriften meer van mijn creditcard, dus als ik een vlucht boek, merkt Lee daar niets van. Ik controleer mijn mail op mijn werk. Ik heb sinds de inbraak geen nieuwe laptop gekocht. Dat leek geen nut te hebben.

Dus laat hij me maar bespioneren wat hij wil; Lancaster is bijna verleden tijd.

Ik ben bijna vrij.

ZONDAG 17 FEBRUARI 2008

Ik hoorde Stuart op de trap, hij zeulde zijn rugzak met zich mee en stootte ermee tegen de muur. Ik zat op de bank met mijn voeten onder me, mijn zenuwen gespannen als schrikdraad. Toen ik hem hoorde vroeg ik me af of ik hem helemaal naar boven moest laten lopen met zijn rugzak, hem moest laten thuiskomen, opruimen, de kans geven te douchen, wat te drinken, of wat mensen ook doen als ze terugkomen van een reis. Ik vroeg me af of hij was vergeten naar me toe te komen, hoewel we het er vrijdagavond nog over hadden gehad, hoewel hij het gisteravond nog had gezegd, hoewel hij me op Heathrow nog een sms had gestuurd dat het vliegtuig was geland en dat hij onderweg was naar huis.

Toen herinnerde ik me ineens zijn schouder, en voordat ik tijd had er verder over na te denken was ik al naar de voordeur gerend, haalde hem van alle sloten en deed open.

Hij stond net op de overloop.

Hij was een beetje buiten adem, zijn rugzak lag aan zijn voeten als aangeschoten wild en zijn hand zat door de lus alsof hij hem naar zijn hol ging slepen. 'Jezus,' zei hij, 'dat ding weegt een ton.'

'Wat zit erin?'

'Een hele stapel boeken. Ik snap niet waarom ik het in mijn hoofd heb gehaald om ze mee terug te nemen. Ze lagen in Rachels garage.'

Ik keek hem aan. 'Zal ik je even helpen?'

Hij gaf in eerste instantie geen antwoord. Hij keek me aan alsof hij was vergeten waar hij was en wat hij aan het doen was. Hij zag er verloren uit.

'Mag ik binnenkomen?' vroeg hij uiteindelijk.

Ik knikte en deed een stap opzij. Hij liet de rugzak op de overloop liggen.

Zodra hij binnen was deed ik de deur dicht, sloot af en controleerde en telde zo snel ik maar kon zonder fouten te maken terwijl Stuart achter me stond te wachten.

Uiteindelijk zei hij: 'Cathy, in vredesnaam. Dit is een kwelling.'

'Ik doe het zo snel ik kan.'

'Ik meen het. Alsjeblieft. Hij zit echt dicht, je bent klaar.'

'Hoe meer jij gaat praten, des te langer ik erover doe, dus hou gewoon even je mond, oké?'

Hij wachtte. Hij moet met me mee hebben staan tellen, want precies op het moment dat ik klaar was, voordat ik opnieuw kon beginnen, kwam hij achter me staan en liet zijn arm om mijn taille glijden. Ik deinsde niet terug. Hij liet zijn hoofd tegen het mijne rusten en zijn adem voelde warm op mijn haar. Ik keek naar beneden, naar zijn onderarmen om mijn middel. Ik draaide me langzaam om en keek op zodat ik zijn gezicht kon zien; zijn uitdrukking was moeilijk te duiden.

'Je bent zenuwachtig,' zei ik.

Hij glimlachte. 'Valt het op?'

'Het is goed,' zei ik, en ik kuste hem.

Na die eerste kus werd het gemakkelijker. Ik nam hem mee naar mijn slaapkamer. Hij begon me uit te kleden, maar heel onhandig, dus deed ik het zelf.

Het was donker in de slaapkamer, alleen in de woonkamer brandde licht, maar ik was me niettemin bewust van de littekens. Hij moet ze hebben gevoeld, in het donker, toen hij mijn huid streelde. Maar hij zei niets. Hij moet ze met zijn mond hebben gevoeld toen hij me kuste, met zijn tong. Hij zei geen woord.

Het gekste was dat ik het voelde; ik voelde alles. Normaal gesproken voel ik niets anders dan jeuk, ongemak, een strak gespannen huid, pijn. Mijn huidoppervlak is minder gevoelig door de littekens, een groot deel is geheel ongevoelig – zenuwschade, zeggen ze. Maar toen hij me aanraakte, voelde ik alles. Het was alsof ik een nieuwe huid had.

DINSDAG 25 MEI 2004

Jonathan belde me gisteren mobiel; er was godzijdank niemand in mijn kantoor. Het moest een soort sollicitatiegesprek voorstellen, maar ik begreep meteen dat het alleen een formaliteit was. Ik probeerde hem voor me te zien, maar ik vond geen gezicht bij de stem. Ik was nerveus en probeerde het niet in mijn stem te laten doorklinken. Ik overdreef mijn ervaring met management consultancy enigszins; hoe dan ook, het werkte. Hij zei dat hij me zou aannemen met een tijdelijk contract van drie maanden, om alles te kunnen opstarten. Als ik het leuk vond en hij tevreden was over mijn werk zou hij het verlengen. Hij boekte een vlucht voor me en mailde me de tijden; ik moest de tickets afhalen op het vliegveld.

Ik had aan het einde van de dag een afspraak bij mijn baas en diende mijn ontslag in. Ik heb nog vakantiedagen tegoed, wat betekent dat ik nog maar twee weken hoef te werken. Ze was niet blij. Ik deed alsof ik er vreselijk mee zat dat ik haar zo opscheepte met de taak zelf een nieuwe personeelsmanager te vinden, maar eerlijk gezegd was ik in de zevende hemel.

Dus ging ik vandaag de stad in, hoewel ik behalve om naar mijn werk te gaan vrijwel nooit meer de deur uit ging. Hoewel ik naar het postkantoor wilde om dollars te halen deed ik dat niet, voor het geval Lee me in de gaten hield. Hij had gezegd dat hij ergens aan het werk was, maar dat betekende niet dat hij me niet volgde. Dat zou niet voor het eerst zijn; hij deed het zo vaak dat ik zijn gezicht overal zag. Ik beeldde het me vast een deel van de tijd in, maar niet altijd.

Ik liep wat rond in een drogisterij, deed alsof ik zwanger-schapstesten bekeek – dat zou hem wel even afleiden, bedacht ik, als hij toekeek – en daarna wat make-up.

Er was een vlucht geboekt voor vrijdag 11 juni om vier uur 's middags. Mijn laatste werkdag in Engeland zou de donderdag ervoor zijn. Ik besloot een koffer te kopen, die op mijn werk achter te laten en belangrijke spullen mijn huis uit te smokke-len, kleding, één of twee dingen tegelijk, meer als hij er niet was. Ik kon de koffer in de opslagruimte op mijn werk zetten – ik was gelukkig de enige die daar ooit kwam. Het was niet ide-aal, en ik had nog nooit op dergelijke wijze een koffer ingepakt, maar het moest maar. Ik zou een minimale hoeveelheid kleding meenemen en alles nieuw kopen in New York.

Er was thuis nog een boel werk te verzetten. Ik kon niet ge-woon doen alsof ik had besloten mijn huis uit te mesten, dat was een te groot risico. Ik zou met mijn inkomen in New York in staat zijn de woning in Lancaster aan te houden. Misschien dat ik over een paar maanden kon terugkomen om de sleutels bij de huisbaas in te leveren en de boel leeg te ruimen. Ik had maar een paar maanden nodig, zo lang dat hij me zou vergeten en zijn leven zonder mij zou oppakken.

Ik keek toevallig op, over een rek heen, en daar was hij: aan de andere kant van de winkel, naast de ingang – het viel me op dat hij zijn pak vandaag aanhad, dus misschien had hij een gesprek met zijn leidinggevenden gehad.

Ik moest doen alsof ik hem niet zag, hoewel ik vreselijk veel

zin had om even naar hem te zwaaien. Maar wel slim dat ik
geen geld was gaan wisselen, dus. Ik zou het morgen nog eens
proberen en tegen hem zeggen dat ik een pakje voor een vriendin ging ophalen of iets dergelijks.

Ik schrok op uit een diepe, donkere slaap en was acuut klaarwakker. Mijn hart bonkte.

Ik lag in Stuarts bed en het was donker. Geen geluid behalve
zijn ademhaling. Ik luisterde met mijn hele lichaam, probeerde
te achterhalen wat me had gewekt.

Stilte.

Ik keek naar Stuart, zijn vorm enigszins verlicht door het vage
schijnsel dat door het raam naar binnen kwam, zijn schouder
een bleke boog. Ik was er nog niet helemaal aan gewend bij hem
te slapen, hoewel we sinds hij terug was uit Aberdeen elke vrije
minuut samen hadden doorgebracht. Elke keer dat ik naast
hem wakker werd, kostte het me een paar seconden om rustig
te worden en het me weer te herinneren.

Ik had over Sylvia gedroomd. Stuart was bij me, we waren
naakt, lagen in bed te vrijen alsof we helemaal alleen waren,
zoals we dat een paar uur daarvoor nog hadden gedaan. Ik had
in mijn droom opgekeken en toen was ze er, in de deuropening,
die roze baret stevig op haar blonde haar, haar mond samenge-
knepen in een zuinig lachje.

Toen hoorde ik het weer: een geluid. Het was niet in het appartement, het kwam van buiten. Ik stapte uit bed en kroop
om het bed heen, naar het raam, terwijl ik ondertussen Stuarts
overhemd van de haak aan de deur griste en het omsloeg.

De zon was nog onder, het was nog donker, de hemel begon
net een heel klein beetje grijs te worden. Ik keek opzij van het
raam de achtertuin in, de muur een rechthoek van duisternis,

een keurige vorm, het gras er in grijze kluiten onder. Ik kon de schuur vanaf hier niet zien, mijn balkon hieronder was in mijn zichtlijn. Ik leunde op de vensterbank en tuurde de duisternis in, begon te ontspannen toen er plotseling... iets bewoog.

Toen begon Stuart ineens te praten; ik schrok me rot. 'Wat doe je daar? Kom je terug naar bed?'

'Er is iemand in de tuin,' zei ik op dringende fluistertoon.

'Wat?' Hij zwaaide zijn benen uit bed en rekte zich even uit voor hij naast me kwam staan. 'Waar?'

'Daar,' fluisterde ik. 'Bij de schuur.'

Ik deed een stap van het raam vandaan om zijn zicht niet te blokkeren.

'Ik zie niets.' Hij sloeg zijn arm om mijn schouder en gaapte. 'Je bent helemaal koud, kom terug naar bed.'

Hij zag mijn gezichtsuitdrukking en keek nogmaals uit het raam, en trok toen tot mijn afgrijzen het rolgordijn omhoog. Hij maakte zo veel herrie dat het leek of de poort naar de hel openging. 'Kijk,' zei hij plotseling, en hij wees ergens naar.

Er rende een vorm over het gras, een donkere vorm, maar beslist geen menselijke. 'Een vos,' zei hij. 'Het is een vos. En kom nu maar terug naar bed.'

Hij rolde het gordijn weer dicht, haalde zijn overhemd van mijn schouders en trok me terug het warme bed in. Mijn huid voelde koud tegen de zijne, maar hij warmde me snel op, met zijn tong, zijn handen en zijn hele naakte lichaam tegen dat van mij, tot ik al snel de vorm die ik had gezien was vergeten; tot ik was vergeten dat het helemaal geen vos was geweest, maar groter, donkerder, breder; hoe hij op mijn balkon leek te staan, op de verdieping onder ons; en hoe ik de reflectie van de grijze lucht had gezien, tegen iets wat lang, smal en glanzend was, als een lang mes.

Ik had al niet durven hopen dat Lee zou werken op de dag dat ik mijn ontsnapping had gepland, en hij was inderdaad vrij. Maar op een bepaalde manier was het beter om hem thuis bij me te hebben. Als hij thuis was om me in de gaten te houden, wist ik precies waar hij was. En als het me zou lukken vroeg genoeg te vertrekken, zou ik misschien een voorsprong hebben.

Hij liet zichzelf gisteravond laat binnen, toen ik op de bank een film zat te kijken. Mijn hoofd tolde ervan, van de gedachte bij hem weg te komen, van de angst dat het allemaal gruwelijk zou mislukken. Toen ik zijn sleutel in het slot hoorde, dwong ik mezelf te glimlachen, rustig te blijven, niets te verraden.

Hij had vandaag een pak aan. Hij hing zijn jasje over een stoel in de eetkamer en kwam me een kus geven.

'Kan ik iets te eten of te drinken voor je pakken?' vroeg ik.

'Lekker, een biertje graag,' zei hij. Hij zag er moe uit.

Ik pakte een flesje uit de koelkast en gaf het hem.

'Weet je wat?' zei hij. 'Als wij nou eens op vakantie gaan? Lijkt je dat wat? Even weg van alles, alleen wij tweetjes?'

'Dat klinkt goed.'

'Heb je al een nieuw paspoort aangevraagd?'

Ik keek hem aan en hoopte maar dat hij me niet had zien schrikken. 'Ik heb de formulieren opgestuurd, ja, maar ik heb er nog niets over gehoord. Wat duurt dat lang, hè?'

Lee trok zijn wenkbrauwen op en nam een slok bier. 'Ik heb altijd al naar Amerika gewild, maar ik ben er nog nooit geweest. Jij?'

'Ik ook niet.'

'Vegas, misschien. Of New York. Wat zou jij kiezen?'

Mijn hart bonkte zo hard dat hij het moest horen. 'Hm.'

'Je weet toch dat ik van je hou, hè, Catherine?'

Ik glimlachte naar hem. 'Natuurlijk.'

'Ik vind het heel belangrijk dat we eerlijk zijn tegen elkaar. Hou je ook van mij?'

'Ja.'

'We zouden in Vegas kunnen trouwen. Wat vind je ervan?'

Op dat moment zou ik overal mee hebben ingestemd om hem de mond te snoeren. Ik hoefde het nog maar een paar uur vol te houden.

'Ik vind het een geweldig idee,' zei ik. En ik kuste hem.

DONDERDAG 28 FEBRUARI 2008

Ik had vandaag weer een paniekaanval.

Ik heb ze wel erger gehad en ik denk niet dat ik ooit nog zo'n erge zal krijgen als op kerstavond, nadat ik Sam Hollands had gesproken, maar net toen ik begon te denken dat de pillen aansloegen zodat ik me minder angstig voelde, gebeurde er iets wat me weer uit mijn precaire balans haalde.

Ik bleef helemaal tot halte Park Grove in de bus zitten, om de hoek van mijn appartement. Ik nam de gebruikelijke omweg via het steegje en stond even naar mijn gordijnen te kijken, controleerde elk ruitje zodat ik zeker wist dat ze goed hingen. Ik keek naar het hek dat scheef aan zijn scharnieren hing. Ik wist zeker dat een of ander dier deze route gebruikte: het gras was vertrapt tot een paadje en er zaten plukjes grijs haar aan het ruwe hout. Het hek zag er onaangeraakt uit. Als er iemand op mijn balkon was geweest moest hij over de muur zijn geklommen. Ik keek omhoog. Bijna twee meter hoog, solide gebouwd, niet eenvoudig om overheen te klimmen.

Ik dacht weer aan mevrouw Mackenzie, en wat ze tegen me had gezegd over iets wat ze buiten had gezien. Misschien had ze bedoeld dat ze was geschrokken van iets in de tuin, en was ze daarom gevallen.

Ik keek goed over het hek heen naar de ramen op de begane

grond, naar haar tuindeuren. Alles zag er prima uit. Het was donker in het appartement beneden, precies zoals we het hadden achtergelaten.

Stuart was al thuis, hij stond boven eten te maken. Ik zou me even omkleden en schone kleren voor morgen meenemen.

De controles voelden vanavond als een zware taak, vooral omdat Stuart al boven was en elke minuut die ik hier doorbracht met het geklooi aan mijn deuren en ramen een verspilde was.

Ik was al bezig in de slaapkamer toen het misging. Het duurde even voor ik het opmerkte.

De gordijnen waren open.

De schok voelde in eerste instantie als een emmer ijswater. Ik voelde dat mijn hart begon te bonzen, zo hard dat ik het bloed in mijn oren hoorde suizen. Ik kon even niet ademhalen. En toen begon ik hard en snel te ademen. Ik voelde mijn hoofd al tollen voordat tot me doordrong wat ik moest doen: diep ademhalen. Langzaam. In – vasthouden – en uit.

Ik ben er ondertussen heel goed in geworden: rationaliseren. Er is hier niemand geweest. Je bent veilig. Er is niemand geweest, je hebt de laatste keer dat je hier was gewoon de gordijnen opengelaten. En ademen. Diep ademen.

Het begon 's ochtends als ik opstond alweer licht te worden. Ik had vanochtend de gordijnen in Stuarts slaapkamer opengedaan, had het licht naar binnen laten stromen. De laatste keer dat ik in mijn eigen appartement was geweest, was... wanneer? Maandagavond? Ik was op klaarlichte dag vertrokken, en naar boven gegaan om aan het eten te beginnen voordat hij uit zijn werk was gekomen. En toen ik net een paar minuten geleden in de steeg naar de ramen had staan kijken? Waren de gordijnen toen open? Ik probeerde het voor me te zien, maar ik wist het niet zeker. Ik had naar het balkon gekeken, en naar het appartement van mevrouw Mackenzie. Ik kon me niet herinneren of ik naar het slaapkamerraam had gekeken. Als ik de gordijnen open had gelaten, zou dat me zeker zijn opgevallen? Toch?

Ik had ze opengelaten. Er was niemand binnen geweest, ik had ze gewoon opengelaten. Dat was de enig mogelijke verklaring.

Dat zou ik kunnen hebben accepteren: dat het licht was, dat ik dus de gordijnen niet had dichtgedaan, ware het niet dat alle andere gordijnen in het appartement – behalve natuurlijk de balkongordijnen, die precies op de goede afstand openhingen – dicht waren.

Was ik maandagavond misschien helemaal niet in mijn slaapkamer geweest? Had ik het appartement maandag wel goed gecontroleerd? Of had ik zo'n haast gehad dat ik de slaapkamer in zijn geheel had overgeslagen en de gordijnen open had gelaten? Ik probeerde me de maandag te herinneren, wat ik had gedaan, maar alles smolt samen met afgelopen woensdag en de maandag ervoor.

Ik bleef diep ademen tot ik het gevoel had dat ik weer kon bewegen. Ik liep naar de gordijnen en keek even naar de tuin, keek of er iets was veranderd; her en der in de borders bloeiden narcissen, het gras moest nodig gemaaid. Er was geen enkel teken dat er in de tuin iets anders was of niet klopte. Niets om me zorgen om te maken.

Ik controleerde het raam en voelde aan het kozijn. Hier was ook niets mis. Ik sloot de gordijnen en kleedde me om, zei de hele tijd tegen mezelf dat ik dom bezig was, dat ik stom was. Mijn spijkerbroek lag op bed, precies zo opgevouwen als ik hem had achtergelaten. Ik trok hem aan en pakte een schoon t-shirt. Ik pakte een schone blouse voor de volgende dag uit de kast, een lange rok en de donkerblauwe pumps die er zo mooi bij stonden, en vouwde alles in een keurig stapeltje, met de schoenen bovenop.

Ik deed de kleding in een tasje en zette dat bij de voordeur klaar voordat ik het appartement weer doorliep om te controleren of alles veilig was. Deze keer deed ik het goed. Ik liet de gordijnen dicht, alle gordijnen behalve die in de eetkamer, de kamer die ik vanuit het steegje kon zien. Die liet ik precies tot halverwege open, waarbij ik de stof zo drapeerde dat ik zeker wist dat ik de plooien zou herkennen.

Ik voelde me zelfs goed toen ik op weg ging naar het appartement van Stuart. Ik voelde me goed terwijl we zaten te eten en ik hem vertelde hoe ik bijna was doorgedraaid in mijn slaapkamer omdat ik was vergeten dat ik de gordijnen had opengelaten. We lachten er samen om en dat voelde ook goed; ik voelde me nog steeds goed toen we samen op de bank in Stuarts woonkamer lagen en een comedy keken die zo grappig was dat de tranen ervan over mijn wangen rolden.

Ik voelde me goed tot het moment dat ik mijn hand in de zak van mijn spijkerbroek stak op zoek naar een zakdoekje en er in plaats daarvan een knoop uit trok, een met rood satijn beklede knoop, met een stukje rood satijn eraan, strak in elkaar gedraaid alsof iemand had gedraaid en gedraaid tot de stof uiteindelijk was gescheurd.

En toen voelde ik me helemaal niet meer goed.

VRIJDAG 11 JUNI 2004

Vanmiddag om vier uur ben ik vrij.

Toen ik vanochtend mijn ogen opendeed lag Lee naast me, diep in slaap, zijn wimpers tegen zijn wang als de vleugels van een vogel. Hij zag er zo mooi uit, vredig, alsof hij niet in staat was iemand pijn te doen.

Het was belachelijk vroeg, maar ik was klaarwakker; mijn hoofd zoemde van nerveuze energie. Ik had het gevoel dat ik het podium op moest in de Royal Albert Hall, of een waanzinnige juwelenroof ging uitvoeren. Ik had de hele dag tot op elk miniem detail gepland, met noodplannen voor als er iets zou misgaan. Voor als hij achterdochtig werd; voor als er iets onverwachts gebeurde.

Ik had gisteravond gezegd dat ik vandaag vroeg naar mijn werk zou gaan; dat ik vanmiddag een vergadering had en me moest voorbereiden. Hij had niet eens bezorgd gekeken, niet of hij aan iets twijfelde – volgens mij luisterde hij niet eens. Tot dusverre ging alles goed.

Kwart voor zes. Ik stond zo zacht als ik kon op, doodsbang hem wakker te maken. Ik kleedde me in de badkamer aan, in mijn donkerblauwe pak, schoenen met een laag hakje, dezelfde kleren die ik vorige week had aangehad. Ik wilde ontbijten, maar mijn maag was zo van streek dat ik bang was dat ik zou overgeven.

Ik moest overgeven.

Ik was net op tijd in het benedentoilet, waar waterig braaksel uit mijn mond kwam. Mijn god, ik moest nerveuzer zijn dan ik dacht. Ik spoelde mijn mond met koud water; mijn handen beefden.

Ik volgde mijn gewone routine, die zorgvuldig afgewogen precies zo verliep als op elke andere werkdag, hoewel Lee boven diep lag te slapen. Ik deed mijn haar in een keurige knot, maakte me op, dronk een glas water, spoelde het om en zette het in het afdruiprek. Ik stond even na te denken, spoelde toen een schoon ontbijtgranenschaaltje uit en zette dat ook op het afdruiprek.

Ik pakte mijn tas en sleutels en trok zacht de deur achter me dicht. Het was bijna halfzeven.

DONDERDAG 28 FEBRUARI 2008

'Zo, goed zo, dat is beter... kom maar. Diep ademen. En nog eens. Langzamer.'

'Het lukt niet... Het is heel erg...'

'Het gaat prima. Ik ben bij je en alles is goed, Cathy.'

Het stukje rode stof lag als een open wond op het tapijt. Ik kon er niet naar kijken. De televisie bulderde op de achtergrond van het lachen om mijn hysterie. Het zag er voor een buitenstaander vast reuze grappig uit.

Toen ik weer bijna kalm was nam hij me mee naar de keuken, waar hij me op een stoel aan de keukentafel neerplantte terwijl hij thee ging zetten.

'Wat is er gebeurd?' vroeg hij. Hij was altijd zo onverstoorbaar, zo verdomde rustig.

'Dat. Het zat in mijn zak.'

Stuart keek de keuken door, naar het tapijt. 'Wat is het?'

Ik schudde mijn hoofd tot ik me duizelig begon te voelen. 'Een... knoop. Maar daar gaat het niet om. Hoe is die in mijn zak gekomen? Ik heb hem er niet in gedaan. Hij zou er niet in moeten zitten. Het betekent dat hij in mijn appartement is geweest. Hij is binnen geweest en heeft hem in mijn zak gedaan.'

'Hé. Kom. Haal eens diep adem. Het is voorbij, je laat dit je niet nog een keer overkomen. Hier is je thee. Kom, neem een slok.'

Ik nam een paar slokken, verbrandde mijn tong, voelde me misselijk. Mijn handen beefden. 'Je begrijpt het niet.'

Hij ging met zijn thee tegenover me zitten en wachtte. Hij ook altijd met zijn oneindige klotegeduld, ik werd er doodziek van. Het herinnerde me aan die kloteverpleegsters in dat vreselijke ziekenhuis.

'Kunnen we er nu alsjeblieft over ophouden? Het gaat prima.'

Hij zei niets.

Ik dronk mijn thee. Ik begon onwillekeurig te kalmeren. Ik kon er nog steeds niet naar kijken, kon er niet aan denken, aan wat de knoop betekende. Uiteindelijk lukte het me om te fluisteren: 'Wil jij hem alsjeblieft buiten weggooien?'

'Dan moet ik je even alleen laten.'

'Ja. Als je maar niet te ver gaat.'

'Ik zal hem buiten in de vuilnisbak gooien. Is dat goed?'

Hij stond op van tafel. Ik sloeg mijn handen voor mijn gezicht zodat ik hem niet kon zien en hield mijn ogen stijf dicht tot ik de deur van het appartement hoorde dichtgaan – Stuart wist ondertussen wel beter dan die open te laten staan – en zijn voetstappen op de trap. Ik wilde gillen. Ik wilde gillen en nooit meer stoppen met gillen, maar ik hield me in, telde tot tien, zei tegen mezelf dat de knoop weg was, voor altijd weg, dat hij er misschien wel helemaal nooit was geweest, dat ik het me misschien wel had ingebeeld.

Hij kwam een paar minuten later terug en ging aan de keukentafel zitten. Ik dronk mijn thee en glimlachte naar hem, ik hoopte maar dat het een geruststellende glimlach was. 'Zie je nou wel?' zei ik. 'Niets aan de hand. Gewoon je gestoorde vriendinnetje dat weer eens doordraait om niets.'

Hij bleef me aankijken. 'Ik zou het fijn vinden als je het aan me zou kunnen vertellen,' zei hij. 'Volgens mij kan dat helpen.'

Ik gaf geen antwoord, overwoog of ik kon weigeren, en of hij zou ophouden als ik dat zou doen, of dat hij erover door en door en door zou gaan...

'Dit is een deel van mijn verleden. Ik wil ervan af, ik wil het vergeten,' zei ik.

'Het is een deel van je verleden dat een heel grote impact op het heden heeft.'

'Denk je dat ik hem zelf in mijn zak heb gedaan?'

'Dat zei ik niet.'

Ik beet op mijn onderlip. Ik had mijn thee pas voor de helft op, anders was ik waarschijnlijk opgestaan en weggelopen. Ik wilde naar beneden om te gaan controleren, om te ontdekken hoe hij in godsnaam was binnengekomen.

'Luister,' zei hij uiteindelijk, 'ik hoef helemaal niet te weten wat je denkt. Ik probeer je alleen te helpen. Kun je vergeten wat voor werk ik doe en het gewoon vertellen? Ik ben je therapeut niet, Cathy. Ik ben gewoon een arme stumper die verliefd op je is.'

Ik kon een glimlach niet onderdrukken. 'Sorry. Maar ik heb

het allemaal zo lang voor mezelf gehouden dat het niet eenvoudig is erover te beginnen, snap je dat?'

'Ja.'

Ik stond op en ging bij hem op schoot zitten, drukte mezelf tegen hem aan en liet mijn hoofd onder zijn kin rusten. Hij sloeg zijn armen om me heen en hield me vast.

'Ik had een rood jurkje. Ik had het aan toen ik hem leerde kennen. Hij was er nogal obsessief over.'

Ik zag het jurkje even voor me, toen ik het had aangeschaft, hoe perfect het had gezeten en hoe ik er bijpassende schoenen bij had gekocht. Ik was ooit stapelgek op die jurk. Ik wilde niets anders meer dragen.

'En die knoop herinnert je aan de knopen op die jurk?'

'Ja. Nee, het is meer dan dat. Het ís een knoop van die jurk, dat weet ik zeker... nee, of niet!' Ik probeerde de jurk voor me te zien, de exacte maat van de knoopjes, of de achterkant ervan van plastic of metaal was. Ik slingerde heen en weer tussen absolute zekerheid en twijfel. Nu die knoop buiten in de vuilnisbak lag kon ik het natuurlijk niet meer nakijken. Maar één ding wist ik wel honderd procent zeker. 'Dit is precies iets wat hij zou doen, Stuart. Het is precies het soort gestoord spelletje waarvan hij zo hield. Hij heeft dat... ding... in mijn zak gedaan om me te laten weten dat hij me heeft gevonden.'

Stuart streelde mijn onderarm, maar ik voelde aan de manier waarop hij me vasthield dat hij gespannen was. Ik wachtte tot hij zou zeggen: Het is maar een knoop, het betekent niets.

'Misschien dat je hem ergens hebt opgeraapt,' zei hij zacht.

'Nee,' zei ik. 'Ik raap niet zomaar dingen op. Jij wel? Raap jij zomaar troep van andere mensen op? Nee? Ik ook niet.'

'Misschien is hij in je wasgoed terechtgekomen,' zei hij, 'in de wasserette. Hij is piepklein. Misschien zat hij nog in de wasmachine, van degene die hem voor jou heeft gebruikt. Hij was toch helemaal in elkaar gedraaid? Misschien zat hij klem in de machine. Is dat een mogelijkheid?'

'Aan wiens kant sta jij eigenlijk?' Ik stond op, voelde me ineens verstikt door die armen om me heen. Ik liep naar de andere kant van de kamer, veranderde van gedachten en liep weer terug, ijsbeerde, probeerde de paniek en de woede en de volledige, afgrijselijke hopeloosheid van alles uit mijn hoofd te bannen.

'Ik was me er niet van bewust dat er kanten waren.'

'Hou je bek en doe niet zo idioot!' schreeuwde ik.

Hij hield zijn mond. Ik was over een grens gegaan en voelde me meteen schuldig. 'Sorry,' zei ik. 'Zo bedoelde ik het niet.'

'Misschien moet je de politie bellen,' zei hij uiteindelijk.

'Waarom? Die geloven me toch niet,' zei ik ellendig.

'Misschien wel.'

'Jij gelooft me ook niet, dus waarom zou de politie me wel geloven?'

'Het is niet dat ik je niet geloof. Ik denk dat je zwaar bent getraumatiseerd door wat je hebt meegemaakt, dat je nu bang bent en dat je daardoor negeert dat er rationele verklaringen zijn voor het feit dat die knoop in je zak terecht is gekomen.'

'Dat is precies het probleem, Stuart. Hij zat in mijn zak. Hij zat niet tussen de was, hij zat in mijn zak. Daar is hij niet uit zichzelf in gegleden, en ik heb hem er niet in gedaan, maar hij wel. Snap je het dan niet? Dit soort dingen deed hij altijd. Hij brak in mijn huis in als ik er niet was, liet boodschappen voor me achter, zette dingen anders neer. Dingen die nauwelijks opvielen. Daarom ben ik gaan controleren.'

'Brak hij bij je in?'

'Daar was hij... een expert in. Ik kwam er nooit achter hoe het hem lukte binnen te komen. Hij kon zo'n beetje overal inbreken zonder dat je ooit uitvond hoe.'

'Jezus. Zeg je nou dat hij een inbreker was?'

'Nee. Hij was geen inbreker. Hij was politieagent.'

Ik reed van huis weg en durfde niet om te kijken.

De zon scheen al helder, de lucht was blauw en wolkeloos, het was fris maar niet koud. Het zou een prachtige dag worden, een fantastische dag. Toen ik mijn straat uit reed, aangaf dat ik rechtsaf ging en de hoek om sloeg, voelde ik een schreeuw in me opborrelen, een lach, een manische lach van opluchting. Alle paniek die zich zo lang in me had opgebouwd.

Ik reed naar mijn werk, liet mezelf binnen door de achterdeur zodat ik de bewaking niet hoefde te begroeten en pakte mijn koffer uit zijn schuilplaats. In het zijvak zaten dollars, mijn paspoort met visum en de reisdocumenten. Mijn kantoor was kaal en leeg, er zou volgende week iemand anders in trekken. Ik rolde mijn koffer naar de achterdeur en hoopte maar dat de beveiliging niet precies nu op de camerabeelden zou kijken, hoopte dat niemand me zou zien, me zou vragen hoe het met me ging en of ik niet al weg had moeten zijn.

Deel één van het plan was goed verlopen.

Toen ik eenmaal op de snelweg reed, zat ik te zingen. Ik passeerde twee knooppunten op de snelweg naar Preston en laveerde door het steeds drukker wordende spitsverkeer op weg naar het treinstation. Een straat verderop was een occasiondealer, waar ik de auto parkeerde. Op de bijrijdersstoel legde ik het serviceboekje en de papieren, met een briefje ernaast: *Aan wie dit leest. Zorg alsjeblieft goed voor deze auto. Ik heb hem niet meer nodig. Bedankt.*

Ik liet de sleutels in het contact achter. Hopelijk zou degene die de auto vond niet de behoefte voelen het aan de politie te melden.

Ik haalde mijn koffer uit de achterbak en rolde hem naar de ingang van het station. Ik kocht een enkeltje Londen, betaalde contant en sleepte mijn koffer naar het perron. De trein naar Londen zou over vijf minuten komen. Ik wenste dat ik al in de rijdende trein zat, hoewel ik zeker wist dat Lee nog lag te slapen; ik wilde zo snel mogelijk zo ver mogelijk van hem vandaan zijn; ik wilde rennen en nooit meer omkijken.

Het was in eerste instantie druk in de trein, er stapten op elk station nieuwe mensen in en er gingen mensen uit. Ik wilde ontspannen, een boek lezen, eruitzien als een normaal mens. Ik zat stil en staarde uit het raam naar het voorbijrazende landschap, terwijl elk station dat we passeerden me verder weg voerde van mijn oude leven en me dichter bij de vrijheid bracht.

Een week geleden, op de dag af een week geleden, was hij laat binnengekomen, na elven. Ik dacht dat hij niet meer zou komen, dat ik in ieder geval tot zaterdag veilig zou zijn, maar toen had hij toch op de stoep gestaan en zichzelf binnengelaten. Ik zat een programma over New York te kijken en schrok zo van het geluid van de voordeur die open- en dichtging dat ik de televisie in een reflex uitzette.

De geur van alcohol was eerder in de kamer dan hijzelf. Dit zou niet aangenaam worden, dat was duidelijk.

'Wat zit je te doen?' vroeg hij op eisende toon.

'Ik ging net naar bed. Zal ik wat te drinken voor je inschenken?'

'Ik heb genoeg gedronken.'

Hij liet zich naast me op de bank zakken. Hij had nog dezelfde sweater met capuchon en spijkerbroek aan die hij twee dagen daarvoor had gedragen toen hij naar zijn werk was gegaan. Hij veegde vermoeid over zijn voorhoofd. 'Ik heb je gisteravond in de stad gezien,' zei hij op uitdagende toon.

'O, ja?' Ik had hem ook gezien, maar dat ging ik niet toegeven. 'Ik heb wat gedronken met Sam. Dat heb ik je verteld... weet je nog?'

'Ja, dat zal wel.'

'Ik dacht dat je aan het werk was,' zei ik terwijl ik wenste dat hij me verdomme met rust zou laten en me niet meer zou volgen.

'Ik was ook aan het werk,' zei hij. 'Ik heb je van de Cheshire naar de Druid zien lopen. Zo te zien had je het reuze naar je zin. Wie was die vent?'

'Welke vent?'

'Die vent die bij je was. Hij had zijn arm om je heen.'

Ik dacht na, dwong mezelf het me te herinneren. 'Ik kan me niet herinneren dat hij zijn arm om me heen had, maar die vent die bij ons was, was de vriend van Sam.'

'Kom eens hier.' Hij hield zijn armen open, ze zwabberden een beetje. Ik klemde mijn kaken op elkaar en kroop tegen zijn borst. Hij omhelsde me pijnlijk hard, drukte mijn gezicht tegen zijn sweater. Hij rook naar kroegen, naar asfalt, afhaaleten en alcohol. Zijn hand veegde het haar uit mijn gezicht, dat hij naar het zijne toe trok voor een kus. Heel onhandig.

Even later zei hij: 'Ben je ongesteld?'

Ik overwoog even te knikken, maar dat zou geen zin hebben. 'Nee.'

'Waarom doe je dan zo onaardig?'

'Ik doe niet onaardig,' zei ik, en ik probeerde opgewekt te blijven klinken. 'Ik ben gewoon moe.' Ik verborg een gaap achter mijn hand om mijn punt kracht bij te zetten.

'Je bent verdomme altijd moe.'

We stonden weer op dat kruispunt, dat kruispunt waarop ik de keuze had dapper te zijn en hem te geven wat hij wilde, of me tegen hem te verzetten en het risico te lopen dat hij me in elkaar zou slaan. Als hij zo dronken was als nu liet hij me niet wegkomen met 'nee', en ik wilde niet het risico lopen dat ik op mijn nieuwe werk in New York zou arriveren met blauwe plekken op mijn gezicht.

'Zo moe ben ik nou ook weer niet, hoor,' zei ik glimlachend. Ik legde mijn hand op het kruis van zijn spijkerbroek en wreef erover. Maakte zijn riem los.

Uiteindelijk sloeg hij me toch. Hij neukte me en ik deed vreselijk mijn best om het niet al te veel pijn te laten doen, probeerde te doen alsof ik ervan genoot. Ik wist welke kant het op ging toen hij me op mijn billen begon te slaan terwijl hij me neukte, eerst één klap, maar steeds harder tot ik een gil niet meer kon onderdrukken. Dat was precies waar hij de laatste tijd opgewonden van leek te raken. Hij kon urenlang neuken, vooral als hij had gedronken, dan bleef zijn erectie maar aanhouden, tot hij een manier vond om me pijn te doen: me te bijten, of aan mijn haar te trekken tot ik het uitgilde, en zodra hij de oprechte pijn in mijn stem hoorde ging hij nog verder, tot hij me zo'n pijn had gedaan dat hij ervan klaarkwam.

Hij trok zich abrupt uit me terug en draaide me op mijn rug, zijn adem een hees snakken, zijn ogen glinsterend van genot. De huid van mijn billen prikte toen hij in contact kwam met het tapijt.

Ik vroeg me af wat hij ging doen. Ik dacht dat het ondertussen niet meer mogelijk was om bang voor hem te zijn. Hij had me zo vaak pijn gedaan dat het bijna normaal was geworden. Hij werd steeds inventiever en vond steeds nieuwe manieren om me te vernederen.

'Sla me alsjeblieft niet in mijn gezicht,' zei ik zacht.

'Wat?'

'Je mag overal slaan, maar niet in mijn gezicht. Ze stellen vragen op mijn werk.'

Hij begon te grijnzen, een lelijke grimas, en ik dacht even dat dat precies was wat hij nu zou doen: me in mijn gezicht slaan tot ik weer een bloedlip zou hebben. Ik voelde dat ik begon te huilen, hoewel ik het haatte als hij dat zag.

'O, ja?'

Ik knikte, ik was niet meer in staat hem aan te kijken. Toen legde hij een hand onder mijn kin, koos rustig positie, zijn duim aan de ene kant, zijn vingers aan de andere.

'Nee,' zei ik, 'alsjeblieft, Lee...'

'Hou je gore rotkop,' zei hij, 'dit wordt heerlijk, je gaat ervan genieten.'

Terwijl hij me zo neukte stroomde de lucht uit mijn longen, zijn vingers om mijn keel. Ik probeerde de druk te verminderen, mijn longen brandden, en het gebulder in mijn oren gaf aan dat ik binnen een paar seconden buiten bewustzijn zou raken.

Toen liet hij mijn keel los terwijl hij me nog neukte, zodat ik kon hoesten en proesten en mijn longen zich weer met lucht vulden. De enige manier om hem te laten stoppen was meewerken. Ik schreeuwde, zo hard als ik kon, terwijl de tranen over mijn wangen stroomden. Ik had de dood in de ogen gezien. Ik was letterlijk doodsbang en het schreeuwen gebeurde bijna onwillekeurig... dus bleef ik schreeuwen.

Hij probeerde me niet te laten stoppen, legde zijn hand niet nogmaals over mijn mond, liet me gewoon schreeuwen. Dat deed het 'm. Een paar seconden later trok hij zich uit me terug en kwam klaar over mijn gezicht.

Nu ik in de trein zat, die in een waas van groen en zonneschijn door de Midlands raasde, sloot ik mijn ogen om de misselijkheid te onderdrukken.

Hij was nadien opgestaan van het tapijt, had zichzelf naar het benedentoilet gesleept om zich te wassen aan het wasbakje, en toen was hij naar boven gestrompeld en op bed gevallen. Ik had gewacht tot ik hem hoorde snurken, en toen had ik mezelf huilend op handen en knieën geduwd en was gaan douchen. Gelukkig zaten de enige blauwe plekken deze keer in mijn hals. Ik ben deze week elke dag met een sjaaltje om naar mijn werk gegaan. Iedereen dacht dat ik een zuigzoen probeerde te verbergen, en dat op mijn vierentwintigste.

De trein reed om negen uur Crewe binnen. Ik hoorde de omroeper de stations aankondigen die nog zouden komen, helemaal tot aan Euston, en toen zei hij: 'Vanwege een seinstoring in Nuneaton zullen we helaas een halfuur vertraging hebben.'

Een halfuur? Ik keek op mijn horloge, hoewel ik wist hoe laat het was. Geen probleem. Ik had twee uur extra genomen naast de drie uur om in te checken op Heathrow. Zolang er verder geen oponthoud was, zou ik keurig op tijd zijn.

Ik wilde slapen, maar ik was te gespannen, te gestrest. Wanneer zou ik weer kunnen ontspannen? In het vliegtuig? Als ik in New York was? Als ik zou horen dat hij uit Lancaster was vertrokken, of als hij me een jaar met rust zou hebben gelaten?

Zou ik me ooit, ooit weer kunnen ontspannen?

ZONDAG 9 MAART 2008

Ten slotte, om er maar vanaf te zijn, belde ik brigadier Hollands van Huiselijk Geweld op bureau Camden. Toen ik haar aan de telefoon kreeg, was ze vergeten wie ik was. Ik vertelde haar over de gordijnen en de knoop en – struikelend over mijn woorden – hoe typerend dit soort streken was voor Lee toen we samen waren. Toen ik het zei, klonk het zelfs mij idioot in de oren, als iets wat iemand zou zeggen om aandacht te krijgen. Ik verwachtte half dat ze me een standje zou geven voor het verdoen van haar kostbare politietijd, maar ze zei hoe dan ook weinig. Ze beloofde uiteindelijk dat ze haar contactpersoon in Lancashire zou bellen en contact met me zou opnemen als er zorgelijke ontwikkelingen waren.

Ze belde niet terug.

Stuart sliep die nacht niet goed. Ik lag naast hem te wachten tot hij in slaap zou vallen, in de wetenschap dat hij wakker lag vanwege de dingen die ik hem had verteld. Hij verdiende iemand die beter was dan ik. Hij verdiende iemand die niet zo verziekt was, iemand die naast al haar andere bagage niet óók nog een psychopaat in haar kielzog had. We lagen in stilte naast elkaar en raakten elkaar niet aan. Ik wilde erover praten, maar dat zou geen zin hebben.

Het was niet gewoon een knoop. Het was zelfs niet gewoon een rode knoop, dat wist ik nu zeker. Het was een knoop van een jurk die ik in een vorig leven had gedragen, in een andere tijd, toen ik mijn hart nog op de tong droeg. Een jurk waarvan ik had gehouden en die ik had gehaat. En op enig moment daarna hadden vingers die het satijn ooit met zo'n vreemde, sensuele eerbied hadden gestreeld, het knoopje vastgepakt en het gedraaid en gedraaid tot het van de jurk was gescheurd.

Toen ik de volgende ochtend wakker werd, was Stuart al aangekleed en klaar om naar zijn werk te gaan. 'Zullen we een weekendje weggaan?' vroeg hij.

'Weg?'

'Een minivakantie. Even de stad uit. Lijkt dat je wat?'

We brachten uiteindelijk het weekend door in een hotel in het Peak District, waar we overdag wandelden, 's avonds te veel aten en de hele nacht vreeën in een gigantisch hemelbed. Het was een zalig weekend, en ik had, geheel tegen de verwachting in, geen enkele behoefte iets met de gordijnen te doen.

Het was het soort weekend waar ik in het verleden uitgebreid met Sylvia over zou hebben gepraat. Dat gebeurt nu natuurlijk niet. Ik vraag me weleens af waar ze is, wat ze doet. Misschien woont ze wel bij mij in de wijk, loop ik dagelijks langs haar huis. Ik weet niet waar ze is. Als ik de *Daily Mail* zou bellen, kon ik haar vast opsporen, maar er is ondertussen heel wat water naar de zee gestroomd, en ik weet niet of ik het zou aankunnen haar te spreken. Hoewel Sylvia heel lang mijn beste vriendin is geweest, maakt ze deel uit van mijn oude leven, een leven waar ik niet naar terug kon, dat wist ik zeker.

Ik heb nu een nieuw leven, met Stuart.

De paniek over de rode knoop ebde langzaam weg, en dat weekendje bood me de kans erover na te denken. Er was geen rationele verklaring voor het feit dat hij in mijn zak terecht was gekomen, dus deed ik alsof het niet was gebeurd. Misschien had Stuart gelijk – misschien had ik hem wel ergens opgeraapt in een of andere bizarre psychologische verstrooidheid – misschien was het wel een of ander eng nieuw symptoom van mijn OCD.

Maar toen we thuiskwamen begon ik direct aan mijn controles, en grondig ook. Ik ging elke ochtend voordat ik naar mijn werk vertrok consequent eerst naar mijn appartement om alles te controleren en goed achter te laten, en dan liep ik het als ik terugkwam uit mijn werk nogmaals na, deed de lichten aan als het donker werd, zorgde dat het er vanbuiten uitzag alsof er iemand thuis was, ook al zat ik boven bij Stuart. Ik kocht nog een tijdschakelaar en zette de televisie aan als ik uit mijn werk kwam, die dan om elf uur automatisch werd uitgeschakeld. Soms lukte het me om het controleren tot drie keer te beperken, wat Alistair me had geïnstrueerd; soms deed ik het vaker.

Wat betreft het gevoel bekeken te worden: dat was nooit, nooit helemaal weg geweest. En nu was het weer helemaal terug. Elke keer dat ik het huis uit ging voelde ik in elke straat, in elke winkel ogen op me gericht. Ik wist dat het mijn verbeelding was; hij zat per slot van rekening kilometers ver weg, toch? Hij was dan wel eind december vrijgelaten, maar als hij me zou zijn gaan zoeken, had hij me allang gevonden.

Een deel van me wenste dat hij iemand anders had gevonden, een ander deel van me hoopte van niet, voor haar welzijn.

VRIJDAG 11 JUNI 2004

Tegen de tijd dat ik op Heathrow aankwam had ik nog minder dan een uur om in te checken. Het laatste deel van de reis, van station Euston met de metro naar station Paddington, en van daar met de Heathrow Express, met die stomme koffer bij me, was zwaar. Ik raakte steeds gestrester.

Ik checkte in bij de balie van American Airlines, en dat was een belangrijk moment. Ik was er, ik was veilig. Ik dwaalde kort rond in de winkeltjes in de terminal, overwoog geld uit te geven aan dingen die ik niet nodig had. Ik had voor het laatst lingerie gekocht toen ik Lee nog niet kende. Als ik die voor mezelf

316

zou hebben aangeschaft, zou hij me ervan hebben beschuldigd dat ik vreemdging. Ik raakte een delicaat kanten slipje in de lingeriewinkel aan en overwoog het te kopen. Toen keek ik de drukke terminal in en ving een glimp van iemand op die te veel op hem leek. Ik hapte naar lucht, maar de man draaide zich om en het was hem niet.

Lee was helemaal in Lancaster. Hij dacht dat ik naar mijn werk was. Hij was meer dan zevenhonderd kilometer verderop, en zelfs als hij er nu achter kwam dat ik weg was, zou ik veilig in het vliegtuig zitten tegen de tijd dat hij hier zou zijn. Hij kon helemaal niets meer doen.

Toch wilde ik nu naar de vertrekhal. Het had geen enkele zin hier langer rond te blijven hangen.

Ik voelde me bij elke stap die ik zette bekeken. Zelfs hier, kilometers van huis, kilometers van Lee, zag ik overal waar ik keek zijn gezicht. Het zou zo heerlijk zijn daar allemaal vanaf te zijn.

Ik ging in de rij staan om naar de vertrekhal te kunnen en wierp nog een blik in de terminal, op de zee van gezichten, blije vakantiegezichten en vermoeide zakengezichten. Pakken en korte broeken, zonnebrillen en aktetassen. Ik was er bijna. Nog een paar stappen, en een paar uur in de vertrekhal. Straks zat ik in het vliegtuig. Dan was ik vrij.

En toen zag ik hem ineens. Hij liep langs Tie Rack op me af. Zijn ogen op me gericht, zijn gezicht emotieloos.

De rij slingerde langs de metalen hekken. Ik kon hier niet blijven staan.

Ik zette het op een lopen, in paniek, rende zo snel ik kon, naar een bewaker, een man in uniform, die rondliep zonder te weten wat hem te wachten stond. Ik keek niet achter me. Als ik dat zou hebben gedaan, had ik gezien dat Lee zijn badge aan de bewaker toonde, die grote ogen opzette terwijl ik op hem afvloog, mijn mond open in een geluidloze schreeuw, een soort: 'Help me, help me...' In plaats van zichzelf tussen mij en Lee te plaatsen, in plaats van mijn redder te zijn, mijn held, greep hij me vast en smeet me op de vloer, waarbij mijn gezicht, handen en knieën op de tegels knalden. Hij hield mijn handen vast terwijl Lee zijn handboeien pakte en die om mijn polsen vastmaakte. Toen Lee hijgend op adem kwam en zei: 'Je staat onder arrest, je staat verdomme onder arrest,' zei de bewaker niets, hij hijgde alleen van de inspanning.

Ik hoorde mezelf snikken: 'Help me alstublieft... dit klopt niet, hij arresteert me niet, ik heb niets gedaan...' maar hij luisterde niet eens.

De bewaker hielp Lee me overeind te trekken.

'Bedankt,' zei Lee.

'Graag gedaan. Heb je nog hulp nodig?'

'Nee, er zit versterking in de bus. Nogmaals bedankt.'

Het was allemaal binnen een minuut voorbij. In de bus zat natuurlijk geen versterking. Er was niet eens een bus. Er was alleen een auto, een ongemarkeerde politieauto die met knipperende alarmlichten was achtergelaten bij het ophaalpunt bij de hoofdingang. Hij hield me stevig bij een elleboog vast en marcheerde met me naar buiten.

Ik had kunnen proberen nogmaals weg te rennen. Maar dat had geen enkele zin.

'Gedraag je, Catherine,' zei hij tegen me. 'Gedraag je. Je weet wat je moet doen.'

Hij duwde me achter in de auto. Ik verwachtte dat hij het portier op slot zou doen, voorin zou stappen en weg zou rijden. Maar in plaats daarvan kwam hij naast me zitten.

Ik weet niet meer wat er daarna is gebeurd.

VRIJDAG 14 MAART 2008

De volgende keer dat ik Alistair zag zei ik dat ik het moeilijk had. Ik vertelde hem over Lees gewoonte dingen te verplaatsen, en over de knoop met het stukje stof eraan die ik in mijn broekzak had gevonden. Ik zag aan zijn gezicht dat hij voor het eerst een verhaal als het mijne hoorde, ook al deed hij zijn best dat te verbergen. Hij zal wel gedacht hebben dat ik het zelf had gedaan. Hij vroeg zich vast af of ik behalve dat ik een angststoornis had, ook nog psychotisch was.

Ik moet hem nageven dat hij zowel geruststellend als streng was. Wat er ook was gebeurd, een knoop was maar een knoop. Die betekende niets. Het wemelde op de wereld van de rode dingen, zei hij, en die deden ons geen kwaad. Die rode knoop had me geen kwaad gedaan. Hij had in mijn broekzak gezeten, ik had hem aangeraakt, hij had me bang gemaakt, maar verder had hij me geen pijn gedaan, of wel?

Die knoop was het probleem niet. Ik wilde schreeuwen: Maar hoe is hij dan in mijn broekzak terechtgekomen? Maar het had geen enkele zin die discussie met Alistair aan te gaan, hij kon me niet helpen, en ik was er veel te veel aan gewend dat mensen me niet geloofden. Wat ik nodig had, was een bericht van de politie, ik moest gerustgesteld worden dat Lee honderden kilometers van me vandaan was. Hoe dan ook: één ding begon me steeds duidelijker te worden, als een vage lichtbron in de duisternis. Of ik nu rode objecten was gaan oprapen om mijn eigen angsten te voeden, of dat dit Lees manier was om van zich te laten horen, wat ik van Alistair nodig had was in beide gevallen hetzelfde. Ik moest leren hoe ik ervoor kon zorgen dat ik deze keer geen slachtoffer werd – noch van mezelf, noch van een ander. Ik had de kracht nodig om te leren omgaan met de vreselijke dingen die het leven op je pad werpt. Ik moest de controle terugvinden.

Alistair zei dat we ons voorlopig op de PTSS zouden richten. Dat behelsde meerdere opdrachten. Als ik flashbacks had, of gedachten over Lee, moest ik ze laten komen en ze weer laten gaan.

Ik herinnerde me dat Stuart in dat koffietentje in Brighton iets vergelijkbaars had gezegd over de man van wie ik zo was geschrokken. Het ging er allemaal om de gedachten te identificeren als symptoom van de stoornis en niet als iets wat me definieerde als persoon.

'Ik heb die gedachten liever helemaal niet,' zei ik, 'laat staan dat ik ze wil accepteren.'

Alistair wreef in zijn handen en liet zijn middelvingers in een regelmatig patroon langs elkaar glijden, wat om de een of andere reden heel geruststellend was.

'Wat je moet onthouden, Cathy, is dat die gedachten ergens naartoe moeten. Ze zitten nu in je hoofd en hebben geen uitweg. Daarom maken ze je zo overstuur. Je hebt die gedachten, en als je ze hebt probeer je ze terug te duwen naar achter in je hoofd. Je probeert ze weg te duwen, maar dan moeten ze terugkomen omdat je geest nog geen tijd heeft gehad ze te verwerken, ermee om te gaan. Als je ze laat komen, als je erover nadenkt, als je ze overweegt, ben je in staat ze los te laten. Wees er niet bang voor. Het zijn maar gedachten.'

'Jij hebt gemakkelijk praten. Misschien zijn het maar gedachten, maar ze zijn behoorlijk angstaanjagend. Het is alsof ik in een horrorfilm leef.'

'Zie ze dan zo: ze zijn onderdeel van een horrorfilm, en vroeg of laat, hoe angstaanjagend ze ook zijn, zullen ze voorbij zijn, als je ze laat komen en ze vervolgens loslaat.'

Zijn stem klonk rustig en vreemd geruststellend. Ik probeerde aan Stuart te denken, die hier ook was, in zijn kliniek, die naar mensen luisterde die hem over hun ellende vertelden, over hun verdriet, hun eenzaamheid, die hem vertelden dat ze de wereld niet meer begrepen, er zo naar verlangden dat het allemaal ophield.

Ik ging naar huis en probeerde het allemaal te verwerken.

Zoals bij elke verslaving zou het op de avonden dat ik alleen thuis was heel eenvoudig zijn geweest toe te geven aan mijn drang. Maar de controles leverden me geen genot op, dat hadden ze nooit gedaan; ze boden meer een soort opluchting, een tijdelijke afwezigheid van doodsangst. Alistair gaf me een aantal tips om de stress te reduceren die werd veroorzaakt door het onjuist uitvoeren van mijn controles, zoals diep ademhalen, het rationaliseren en benoemen van mijn angsten zodat het geen echte, reële angsten meer waren, maar enkel een manifestatie van mijn OCD. Het zijn geen goede angsten, ze zijn onderdeel van mijn aandoening, waarom zou ik ze willen houden?

Toen ik die avond net thuis was uit mijn werk ging de telefoon. Mijn eerste gedachte was dat het Stuart was, maar het bleek brigadier Hollands te zijn. Mijn hart sloeg op hol – zou ik daar ooit van afkomen? Ik dacht dat ze zou zeggen dat ze niet wisten waar Lee was, dat Lee tegen iemand had gezegd dat hij achter me aan ging, dat hij een agent had weten om te praten hem mijn adres te geven.

'Ik wilde je laten weten dat ik mijn collega in Lancaster heb gesproken.'

'Ja?'

'Er is de ochtend nadat je me had gebeld iemand naar meneer Brightman gestuurd. We kunnen niet garanderen dat hij niet in je huis is geweest, maar de kans is heel klein. Hij lag in bed nadat hij de avond ervoor had gewerkt. Hij werkt in een nachtclub in de stad. De agenten hebben het gecontroleerd en hij was op de avond dat je belde aan het werk. Dus hoewel het niet onmogelijk is dat hij naar Londen is geweest, lijkt het me vrij onwaarschijnlijk. Heb je nog andere redenen om te denken dat hij weet waar je bent?'

Ik zuchtte. 'Niet echt. Behalve dat ik weet hoe hij is. Moet hij niet een of andere vergunning hebben om als portier te werken?'

'Hij is geen portier, hij haalt lege glazen op. Maar de politie in Lancaster gaat erachteraan. Hoewel er geen voorwaarden aan zijn vrijlating zijn verbonden, krijg ik de indruk dat ze hem goed in de gaten houden.'

Je kunt die man nooit goed genoeg in de gaten houden, dacht ik.

'Volgens mij kun je ontspannen, Cathy. Als hij je kwaad wilde doen, zou hem dat denk ik al zijn gelukt. Je hebt mijn nummers, hè?'

'Ja, dank je.'

'En als je denkt dat er iemand in je appartement is bel je direct het alarmnummer, afgesproken?'

'Ja.'

Kon ik dat gevoel maar van me af schudden. Het is niet de angst dat hij me op een dag zal vinden, het is zekerder dan dat. Het gaat niet om óf hij me zal vinden, maar om wanneer. De enige reden dat hij nog niet langs is geweest, ervan uitgaand dat ik inderdaad zelf mijn gordijnen open heb gelaten en verstrooid die knoop ergens heb opgeraapt, is dat hij niet weet waar ik ben.

Maar zodra hij dat wel weet, komt hij me halen.

ZATERDAG 12 JUNI 2004

Het eerste wat me opviel was het licht – fel licht, in mijn ogen, die dicht waren.

Ik had een droge mond; ik kreeg hem in eerste instantie niet open.

Had ik geslapen?

Ik voelde mijn armen niet, en toen besefte ik dat ze op mijn rug waren gebonden, heel strak. Van mijn schouders tot en met mijn vingertoppen deed het pijn, plotseling en hevig.

Handboeien.

Ik dwong mijn ogen open, raakte in paniek en zag dat ik op mijn zij lag, met de zijkant van mijn gezicht op het tapijt. Grijs tapijt, vertrouwd. Ik was thuis, in de logeerkamer.

Ik draaide mijn gezicht zo ver ik kon, maar ik zag niet veel. Het duurde even voordat ik me herinnerde waar ik naar op weg was geweest, en wat er was gebeurd, en toen het tot me doordrong, kwam de herinnering als een verpletterende, zware knal. Ik had willen ontsnappen. Ik was zo... dichtbij geweest...

Er was hier geen spoor van hem, maar ik wist dat hij niet ver weg kon zijn. Ik had geen idee hoelang ik had voordat hij terug zou zijn, dus dwong ik mezelf na te denken.

Mijn hoofd deed pijn. Ik wist in eerste instantie niet of het kwam door de onnatuurlijke houding waarin ik zo lang had gelegen of dat hij me had geslagen. Elke gedachte voelde zwaar en pijnlijk.

Van het vliegveld... naar huis... Hij moest me hebben gereden, in zijn auto. Ik herinner me er niets van. Het moet een paar uur hebben geduurd. Ik herinner me er hélemaal niets van.

Ik had geen idee hoe laat het was en ik kon niet eens zien of het dag was, want het licht brandde. De gordijnen moesten dicht zijn.

Ik probeerde mijn benen te strekken, maar die leken op de een of andere manier aan mijn polsen vast te zitten. Ik was volledig gekneveld. Ik kon nauwelijks bewegen. Ik probeerde op mijn rug te rollen maar moest daar meteen mee stoppen omdat elke beweging ongelooflijk pijnlijk was. Mijn hoofd tolde en ik zag even letterlijk sterretjes.

Wat was er gebeurd? Ik moest nadenken. Ik moest me concentreren. Dit was te belangrijk.

Hij had gezegd dat hij me arresteerde... Mensen hadden toegekeken en sommigen waren doorgelopen alsof er niets aan de hand was. Hij had zijn arrestatiebevel aan de bewaker laten zien en die had gevraagd of hij hem kon helpen. Ik moest hebben gevochten. Ik was weggesleept. Ik had geschreeuwd, had geprobeerd uit te leggen dat ik werd ontvoerd, dat hij me pijn ging doen, maar hij had natuurlijk gedacht dat ik gek was. Dat zou ik ook hebben gedacht als ik op het vliegveld op mijn vlucht had gewacht, omdat ik op vakantie ging naar een of ander exotisch oord. Of op huwelijksreis, of op zakenreis. Een gestoord wijf dat werd gearresteerd. Vast iets met drugs. Een zakenreis. Misschien naar New York.

Ik vroeg me af wat er met mijn koffer was gebeurd. Ze moesten hem uit het vliegtuig hebben gehaald. De vlucht had vast vertraging opgelopen.

Hoelang zou het duren voor iemand me zou missen? Ik hoefde dinsdag pas aan het werk, over drie dagen. Voor die tijd zou de huisbazin in het appartement dat Jonathan voor me had geregeld gewoon aannemen dat ik een andere vlucht had genomen, als het haar al opviel dat ik er niet was. Lee kon heel wat schade aanrichten in vier dagen.

Tranen rolden over mijn wangen naar mijn neus, vielen eraf op het tapijt.

Hoelang zou het duren voordat hij terugkwam? Ik kon me niet bewegen. Hij zou me hier toch niet gewoon achterlaten? Ik moest erachter zien te komen wat hij van plan was. Als hij me wilde vermoorden, was ik al dood geweest. Wat het ook was dat hij ging doen, het zou vast erger zijn dan dat.

Vrijwel op hetzelfde moment dat ik dat dacht hoorde ik het: de krakende trap, het geluid dat ik me herinnerde van als ik in bed lag, deed alsof ik sliep, wachtte tot hij boven zou komen, me afvroeg of hij een goede bui zou hebben en me met rust zou laten.

De deur van de logeerkamer was dicht en ik hoorde een sleutel in een slot, dichtbij. Ik wist niet eens dat er een slot op de logeerkamer zat. Ik had het nog nooit nodig gehad. Er was vast maar één sleutel.

Ik voelde hem achter aan mijn hoofd rukken en het deed pijn; hij trok aan mijn haar. Hij was mijn monddoek aan het losmaken. Het was helemaal niet tot me doorgedrongen dat ik een doek om mijn mond had, maar het was zo, een of andere lap stof. Daaronder voelden mijn mondhoeken rauw, er zaten korsten bloed op. Ik voelde vers bloed druipen toen hij de prop wegtrok. Ik probeerde iets te zeggen, maar er klonk alleen een kreun. Ik hield mijn ogen dicht. Ik wilde hem niet zien. Ik wilde zijn gezicht nooit meer zien.

'Als ik je boeien losmaak, gedraag je je dan?' vroeg hij. Zijn stem klonk kalm, gecontroleerd. Dus hij was niet dronken. Dat was tenminste iets.

Ik knikte en mijn wang schraapte langs het tapijt. Het rook nog nieuw. Ik voelde hoe hij een van mijn polsen greep en de handboeien losmaakte; ze vielen kletterend neer. Mijn armen verkrampten en ik slaakte een gil van pijn door de plotselinge beweging.

'Hou je bek,' zei hij, nog steeds op die kalme toon, 'anders sla ik je weer buiten westen.'

Ik beet op mijn lip en de tranen stroomden over mijn wangen. Nu de handboeien weg waren, kon ik mijn benen strekken, hoewel ook dat onvoorstelbaar veel pijn deed. Tot zoverre het terugvechten, dacht ik. Ik kon me nauwelijks bewegen.

Toen ik een tijdje languit op mijn zij had gelegen, dacht ik dat ik kon gaan zitten. Ik probeerde mezelf op een elleboog te duwen en opende mijn ogen. De kamer tolde om me heen. Ik zag mijn arm, mijn pols voor mijn gezicht, gezwollen, de huid geschaafd en rauw waar de boeien hadden gezeten.

Hij wachtte, geduldig, keek toe hoe ik steeds opnieuw probeerde te gaan zitten. Toen het me lukte en ik naar hem keek, zat hij op de vloer met zijn rug naar de deur en zijn benen voor zich uitgestrekt. Zo te zien was hij tevreden met zichzelf. Ik veegde met mijn handrug over mijn mond. Er zat bloed op, maar niet heel veel. Mijn hoofd bonkte nog. Hij had me natuurlijk geslagen om me buiten westen te krijgen.

Ik had het pakje nog aan, het donkerblauwe pak dat ik had gekozen voor de reis naar New York omdat het niet kreukte. Nou, nu was het wel gekreukt. Het jasje was gescheurd bij de schouder, dat voelde ik als ik bewoog. De rok zat aan de achterkant los. Had hij geprobeerd me uit te kleden?

Er zat een koord om mijn enkels, van blauw nylon, niet heel dik, en het was aan één kant los. Het moest op de een of andere manier aan die handboeien hebben gezeten. Ik wilde het losmaken, maar ik had de energie niet om mijn handen ernaar uit te steken.

'Heb je me gedrogeerd?' vroeg ik hees fluisterend. Mijn strot voelde droog.

Hij begon te lachen. 'Is dat de enige vraag die je voor me hebt?'

Ik haalde nauwelijks zichtbaar mijn schouders op. Een moment geleden had het nog een goede vraag geleken, maar nu was hij ineens niet meer relevant.

Ik wilde vragen hoe hij me had gevonden. Hoe wist je het? Hoe heb je Heathrow zo snel bereikt? En boven alles: waarom? Waarom was mijn plan niet gelukt? Waarom zat ik niet in een vliegtuig boven de Atlantische Oceaan? Waarom was ik niet al in New York?

'Ze zullen me missen,' zei ik. 'Als ik niet in New York aankom geven ze me als vermist op. Er zal iemand naar me zoeken.'

'Wie dan?'

'Mijn vriend. Die een baan voor me heeft geregeld in New York.'

'Je vriend? Bedoel je Jonathan Baldwin?'

De rillingen liepen over mijn lijf toen ik Lee de naam hoorde uitspreken.

'Wat? Zei je iets?'

Hij reikte naar achteren en trok iets uit de achterzak van zijn spijkerbroek, wat hij naar me toe gooide. Het was een visitekaartje. Ik pakte het op met mijn gevoelloze vingers. Aan de ene kant las ik in een keurig zwart, zakelijk lettertype over een bedrijfslogo in groen en goud: JONATHAN BALDWIN BSC (HONS), MBA, CHRP, CHSC, SENIOR MANAGEMENTCONSULTANT.

Ik draaide het kaartje om. Op de achterkant stond in mijn eigen handschrift: *Cursus modern management, Manchester, 5-16 juni 2000.*

'Het zat in je organizer,' zei hij, 'en je bent er met open ogen in getrapt, in elk klotewoord. Ik heb altijd geweten dat je naïef was, Catherine, maar ik wist niet dat je zo ongelooflijk dom was.'

Dus er was geen baan in New York. Geen appartement dat op me wachtte. Geen uitvlucht. En niemand die zou merken dat ik weg was. Het zou weken, zelfs maanden kunnen duren voordat iemand zou beseffen dat ik verdwenen was. Tegen die tijd zou ik allang dood zijn. Ik voelde een enorme golf van wanhoop door me heen gaan, een zwarte wolk die het moeilijk maakte me op iets anders te concentreren dan de pijn. Dit kon niet gebeuren, dat kon gewoon niet. Ik had hem gesproken, hij had me gemaild, het was Lee niet geweest, het was een andere man, met een diepere stem, een ander accent. Jonathan was een echte persoon, ik herinnerde me hem. Lee kon dit niet hebben georkestreerd. Onmogelijk.

'Heb je me in de val gelokt?' snikte ik. 'Heb jij dit allemaal opgezet?'

'In mijn voorlaatste baan deed ik dit soort dingen aan de lopende band. Mensen die de wet overtreden zijn achterdochtig, het duurt soms een eeuwigheid voor ze ergens van overtuigd zijn. Maar jij bent er direct in getrapt, hè? Je hebt nergens aan getwijfeld. Je hebt je niet eens afgevraagd of het een goede stap was. Je hebt gewoon met beide handen de kans gegrepen om te vertrekken en mij achter te laten.'

Dus het was waar. Hij had me bespeeld, hij had mijn drang om te vluchten als troef ingezet en tegen me gebruikt. Ik kon niets doen. Al die momenten dat ik de blauwe lucht had gezien, dat ik de vrijheid had geroken, had ik nog steeds in zijn kooi gezeten.

Mijn vraag, dé vraag, had zich nu in de zwarte mist in mijn hersenen gevormd: 'Wat ga je met me doen?'

Dat zette hem aan het denken. Ik wilde hem niet aankijken, maar ik zag dat hij zich concentreerde.

'Dat heb ik nog niet besloten,' zei hij uiteindelijk.

'Je kunt me laten gaan,' zei ik.

'Dat lijkt me niet,' zei hij meteen. 'Je bent van mij, dat weet je. Je hebt geprobeerd me te verlaten. Ik heb je genoeg kansen gegeven, Catherine. Ik heb je de ene kans na de andere gegeven. En je hebt me teleurgesteld.'

'Je weet dat je me hier niet eeuwig opgesloten kunt houden. Ze zullen me vinden. Je raakt je baan kwijt.'

Hij lachte kort. 'Tuurlijk. Bedoel je nou dat ik je beter kan vermoorden?'

Ik knikte.

'Wil je dat ik je vermoord?' vroeg hij nieuwsgierig.

Ik knikte nogmaals. Alle vechtlust had me verlaten. Ik wilde dat het achter de rug zou zijn.

Hij stond plotseling op en boog zich over me heen. Ik werd misselijk. 'Dat is nou precies wat ik verdomme zo aan je haat, Catherine,' snauwde hij. 'Je geeft veel te gemakkelijk op.'

Hij gaf me een por met zijn knie en ik viel terug op het tapijt; ik ging moeizaam weer zitten. Tranen en snot stroomden over mijn gezicht in de hoeken van mijn prikkende mond.

Ik wachtte op de klap. Ik wachtte op de klap tegen mijn hoofd, de stomp of de trap. Ik verlangde ernaar. Ik zette me schrap, maar ik verlangde er ook naar. Ik snakte naar vergetelheid.

Toen hij weer wat zei, was het met op elkaar geklemde kaken, alsof hij zo van me walgde dat hij de woorden nauwelijks zijn strot uit kreeg. 'Jij bent een stuk vuil. Jij bent een gore, smerige hoer, Catherine. Ik kan maar niet beslissen wat ik met je zal doen: je vermoorden, je neuken of over je heen pissen.'

Er ontsnapte een harde snik uit mijn keel toen ik hem zijn spijkerbroek hoorde losmaken, en een paar seconden later voelde ik de warme straal op mijn haar en op wat er over was van mijn mooie pak. Ik huilde en probeerde mijn ogen en mond dicht te houden zodat ik niets binnen zou krijgen. Het gekletter, de geur. Ik begon te kokhalzen.

Toen hij klaar was liep hij even de kamer uit, waarbij hij de deur wagenwijd open liet staan. Ik begon ernaartoe te kruipen, zag de gang, de badkamer, maar voordat ik daar was, was hij alweer terug. Een emmer koud water, de spons waarmee ik het bad schoonmaakte, een stuk zeep. Het water rook naar bleekmiddel toen hij de spons erin gooide.

'Maak jezelf schoon, slet,' zei hij.

Toen verliet hij de kamer en deed de deur achter zich op slot.

Ik jammerde. Maar hij had de handboeien niet weer omgedaan.

ZONDAG 16 MAART 2008

Ik opende mijn ogen in het donker, ademde snel; mijn hart bonkte in mijn keel. Ik was even gedesoriënteerd, maar toen bewoog Stuart. Ik was bij hem, in zijn appartement. Ik was alleen, met hem. Lee was er niet. Ik had een nachtmerrie gehad.

Ik zei tegen mezelf dat het niet echt was. Dat het erbij hoorde. Laat de gedachten maar komen en laat ze dan los.

Ik overwoog Stuart wakker te maken, maar dat was niet eerlijk. Ik lag een tijdje stil naar de duisternis te luisteren.

Ik hoorde geluiden.

Het duurde even voordat het tot me doordrong dat het echte geluiden waren, geen geluiden die bij het huis hoorden, niet het geluid van bloed dat in mijn hoofd ruiste.

Een klap, ergens ver weg. Beneden? Nee, zo klonk het niet. Het klonk verder weg. Misschien op straat. Ik hoorde in het appartement van Stuart de straatgeluiden niet zo goed als in mijn eigen woning. Een autoportier dat werd dichtgeslagen?

Ik keek op Stuarts wekker. Het was tien over drie, het koudste, donkerste en eenzaamste deel van de nacht. Ik moest slapen. Ik zou terug moeten naar mijn nachtmerrie. Ik vroeg me even af of ik misschien nog sliep, of ik nog droomde.

Nog een klap, gevolgd door een schrapend geluid. Het klonk

alsof er iets over een vloer werd gesleept. Iets zwaars, iets onbeweeglijks.

Ik ging rechtop in bed zitten en luisterde. Een paar seconden niets. Alleen het geluid van de slapende Stuart, van zijn diepe, regelmatige ademhaling. Het zoemende geluid van de koelkast in de keuken. Op straat een auto die werd gestart en wegreed. Misschien was dat het geweest: iemand die naar zijn auto liep.

Stuart bewoog naast me in bed en ik ging weer liggen, schoof in de kromming van zijn lichaam. Ik trok zijn arm om me heen, die me beschermde, zorgde dat ik veilig was. Ik sloot mijn ogen en probeerde aan fijne dingen te denken en in slaap te vallen.

ZATERDAG 12 JUNI 2004

Een paar minuten later kwam hij de emmer ophalen. Ik had zwakjes geprobeerd het tapijt te schrobben. Ik voelde de huid op mijn vingers branden van de bleek in het water. Het stuk tapijt dat ik had geschrobd, begon van grijs naar vies geel te kleuren.

Daarna kwam hij een paar uur niet terug.

Ik lag een tijdje te huilen, maar niet lang. Ik probeerde te ontsnappen; ik probeerde de deur in te trappen, maar die bleef gewoon heel. Ik probeerde tegen het raam te bonzen, maar dat was aan de achterkant van het huis, waar niemand me zou horen of zien. Hij had niets in de kamer achtergelaten wat ik als wapen kon gebruiken, of waarmee ik het raam kon inslaan.

Voordat ik naar het vliegveld was vertrokken hadden er in deze kamer een eenpersoonsbed gestaan, een kledingkast, een bureau met een oude computer, een ladekast, een kleine televisie en wat rommeltjes. Hij was nu helemaal leeg, op de gordijnrail met de gordijnen eraan na, maar er was niets waarmee ik de rail van het plafond zou kunnen halen. Ik probeerde hem los te maken om er de ruit mee in te slaan, maar hij hield het moeiteloos, zelfs toen ik eraan ging hangen.

Ik had dorst en vroeg me af hoe laat het was, en wat voor dag. Hoelang geleden had ik voor het laatst iets gedronken? Op deze manier zou ik het in ieder geval niet lang volhouden. Als hij naar zijn werk was, als hij een paar dagen wegbleef, zou ik omkomen door uitdroging.

Ik probeerde te schreeuwen: 'Help! Help! Help!' Steeds opnieuw en zo hard ik kon, maar het enige wat dat leek op te leveren was een zere keel.

Ik probeerde een plan te bedenken. Ik overwoog een soort strop van mijn kousen te maken om hem daarmee te wurgen als hij binnenkwam. Dat was zo'n beetje het beste wat ik kon bedenken. Dorst, angst en honger maakten het nadenken moeilijker dan gewoonlijk.

Ik voelde voorzichtig aan mijn achterhoofd en trof er een bult aan die, toen ik erop drukte, zo'n pijn deed dat ik bijna flauwviel. Het haar eromheen zat vol gedroogd bloed. Dus zo had hij me buiten westen geslagen. Ik vroeg me af hoelang ik buiten bewustzijn was geweest.

Ik vroeg me af of ik nog enige kracht in me zou hebben als hij terugkwam en of het het waard was. Als ik zou proberen hem aan te vallen zou hij terugvechten, en dan zou hij me ongetwijfeld straffen.

Maar ik kon hier ook niet gewoon afwachten en hem me laten aandoen wat hij maar wilde. Als hij me vermoordde zou deze ellende tenminste achter de rug zijn.

Ik overwoog mijn kousen aan de gordijnrail te binden, of de gordijnen in stroken te scheuren en mezelf te verhangen. Ik dacht er zo gedetailleerd over na dat ik het voor me begon te zien, evenals zijn gezicht als hij me zo zou aantreffen. Het zou een soort overwinning zijn. Hoewel al mijn vriendinnen en zijn collega's, iedereen, zou denken dat ik zelfmoord had gepleegd omdat ik depressief was. Hij zou ermee wegkomen; niemand zou ooit weten wat hij me had aangedaan. En hij zou het een ander ook aandoen.

Op dat moment stond ik op een keerpunt, en ik besloot terug te vechten. Ik probeerde nog eens of schreeuwen zin had.

En zo hoorde ik hem niet door de voordeur komen, niet de trap op lopen en niet hem de deur van de logeerkamer openmaken van mijn gevangenis.

DONDERDAG 20 MAART 2008

Toen ik vanavond terugkwam uit mijn werk lagen er een schaaltje, een lepel en een beker op het afdruiprek in de keuken.

Elke rationeel denkende volwassene zou zeggen dat ik mijn bakje had afgewassen nadat ik had ontbeten en het op het rek had gezet voordat ik naar mijn werk was gegaan.

Maar dat had ik niet gedaan.

Het gaf aan hoever ik al was gekomen dat ik niet acuut een paniekaanval kreeg. Ik liep niet eens terug naar de voordeur om mijn controles opnieuw uit te voeren. Ik stond in de keuken naar het schaaltje te staren en wist wat het betekende. Mijn hart bonkte in mijn borstkas en ik was bijna te bang om om me heen te kijken, voor het geval Lee recht achter me zou staan.

Hij was niet in het appartement. Dat wist ik, ik had al een volledige controle uitgevoerd. De voordeur beneden had goed dichtgezeten, zoals altijd sinds Stuart in het pand was komen wonen. De voordeur van mijn appartement was op slot geweest; ik had hem achter me op slot gedaan en gecontroleerd. De balkondeuren waren ook op slot. Alles in huis was zoals het hoorde, tot ik de keuken in was gelopen om iets te eten te maken.

Ik wachtte tot de angst zou zakken, vastberaden er niet aan toe te geven. Eerst die knoop en nu dit.

De rode knoop met het stukje stof eraan was als een waarschuwing geweest, een minder subtiele dan deze. De knoop was als een vlag geweest, letterlijk een rode vlag, die me, hoewel hij piepklein was, vertelde dat hij terug was, dat hij me had gevon-

332

den. Hij was bedoeld als alarmsignaal, als waarschuwing. Hij wist dat iedereen aan wie ik het vertelde me vreemd zou aankijken, zich zou afvragen wat voor ziek mens zo naar aandacht snakte dat ze ergens een knoop af zou rukken, die in haar zak zou steken en er dan een paniekaanval van zou krijgen. Maar hij wist dat ik er deze keer niemand iets over zou zeggen. Wat zou het voor zin hebben? Geen rationeel denkend persoon zou geloven dat iemand inbrak – zonder ook maar een spoor achter te laten – om wat vaat op een afdruiprek achter te laten.

Ik gooide het schaaltje, de lepel en de mok in de vuilnisbak en zette de vuilniszak op de overloop. Daarna zette ik een kop thee en gunde mezelf tijd om na te denken.

Ik had moeten verhuizen. Ik had direct op zoek moeten gaan naar een nieuwe woning, de dag nadat ik die knoop in mijn spijkerbroek had gevonden, nu bijna een maand geleden. Het drong tot me door dat dat nu te laat was: hij zou me volgen, hij zou me zien als ik appartementen ging bekijken en hij zou al weten waar ik ging wonen voordat ik was verhuisd.

Zelfs als ik op de vlucht sloeg, als ik alles achterliet en op een willekeurige trein sprong, zou hij me vinden. Ik kon hoe dan ook niet zomaar alles achterlaten: mijn baan, mijn appartement, Stuart. De gedachten die zich bij Alistair in zijn spreekkamer langzaamaan vormden, begonnen te kristalliseren in een gevoel van vastberadenheid. Wat had het voor zin om te vluchten? Dat had de laatste keer niet gewerkt en het zou nu ook niet werken. Ik moest blijven. Ik moest me voorbereiden op een gevecht.

ZATERDAG 12 JUNI 2004

De deur sloeg keihard open. Ik schrok er zo van dat ik halverwege een schreeuw plotseling stilviel.

Ik was totaal niet voorbereid op wat volgde: zijn vuist die met hoge snelheid op mijn gezicht afkwam, mijn jukbeen raakte en me naar achteren deed tuimelen, waarbij de achterkant van mijn hoofd, die al zo'n pijn deed, de muur raakte terwijl ik viel.

Ik kon even niet bewegen, voelde me als verlamd, maar ik had geen tijd om mijn volgende beweging te overdenken. Hij greep een vuistvol haar en trok me omhoog in een onstabiele, knielende positie voordat hij me een tweede keer sloeg, nog harder. Deze keer raakte hij mijn neus, en ik voelde het bloed eruit stromen terwijl ik door troebele ogen naar het spetterende poeltje keek dat zich op het tapijt vormde.

'Hou je gore rotkop!' schreeuwde hij. 'Waar ben je in godsnaam mee bezig?'

'Laat me gaan,' zei ik zacht, smekend.

'Ik dacht het niet, Catherine. Nu niet.'

Deze keer huiverde ik voordat hij me raakte: mijn rechteroog, mijn neusbrug. Ik hield mijn hand voor mijn gezicht om het te beschermen, en hij trok hem weg, zette hem op de vloer. Ik keek toe hoe hij op mijn vingers ging staan en hoorde een krakend geluid.

Ik verbeet een gil; de pijn sneed als een mes door me heen. 'Nee, alsjeblieft, Lee... stop. Alsjeblieft.'

'Kleed je uit.'

Ik keek naar hem op. Mijn rechteroog voelde vreemd, stelde niet scherp.

'Nee, nee... alsjeblieft.'

'Trek verdomme je kleren uit, vuile, smerige hoer. Nu.'

Ik schoof in zittende positie mijn jasje van mijn schouders. Mijn rechterhand werkte niet naar behoren, de vingers begonnen te zwellen. Lee verloor al snel zijn geduld en trok het jasje van mijn pijnlijke schouders. Mijn blouse scheurde hij eenvoudigweg open. Toen trok hij me overeind, waarbij hij een handvol haar uit mijn hoofd rukte, dat hij op de vloer gooide, waarna hij zijn hand aan de achterkant van zijn spijkerbroek afveegde en mijn rok naar beneden trok.

Toen stopte hij. Ik werd misselijk bij de gedachte aan hem, maar toch hief ik mijn kin op. Ik wilde zijn ogen zien, ik wilde kijken of ik kon zien wat hij van plan was te doen.

Ik deed mijn uiterste best me op zijn gezicht te concentreren. Die wellustige blik. O, mijn god. O, shit. Hij genoot. Hij had het naar zijn zin.

Terwijl ik toekeek, reikte hij naar de achterzak van zijn spijkerbroek en trok het mes tevoorschijn, dat knipmes met het zwarte handvat en een gebogen lemmet, deels gekarteld, meer dan tien centimeter lang.

Ik vond mijn stem terug en smeekte hem, mijn stem een hoog en een jammerend geluid. 'Nee, nee, nee, Lee... alsjeblieft, nee...'

Hij stak het mes uit en liet het lemmet aan de zijkant van mijn slipje onder de stof door glijden, die een scheurend geluid maakte terwijl hij hem doorsneed. Ik voelde het koude lemmet tegen mijn naakte huid. Ik kon me niet bewegen. Toen de andere kant. Hij stak zijn hand tussen mijn benen en griste naar het materiaal, trok het weg.

Toen deed hij een stap naar achteren en bestudeerde me. 'Je bent lelijk,' zei hij op spottende toon.

'Ja,' zei ik. Zo voelde ik me ook.

'Je bent zoveel afgevallen dat je wel een skelet lijkt.'

Ik haalde mijn schouders op.

'Je bent verdomme broodmager. Vroeger vond ik je mooi, toen er nog wat vlees op je botten zat. Je was adembenemend, zo beeldschoon dat ik mijn ogen niet van je af kon houden, wist je dat?'

Ik haalde nogmaals mijn schouders op. Mijn rechteroog begon dicht te zitten, mijn hoofd bonkte. Ik keek naar het bloed dat uit mijn gebroken neus over de voorkant van mijn lichaam was gespetterd. Overal bloed. Wie had er gedacht dat er zo veel bloed uit één neus kon komen?

Hij zuchtte zwaar. 'Zo kan ik je niet neuken. Je bent net een lijk, wist je dat?'

Ik knikte.

Hij draaide zich om en liep de kamer uit, maar voordat het volledig tot me was doorgedrongen dat hij weg was, was hij alweer terug, met iets in zijn hand, iets roods. Hij gooide het naar me toe en het gleed zacht als een kus over mijn naakte huid.

'Trek aan.'

Mijn rode jurkje. Ik vond de opening, stak mijn hoofd erin, beet de tranen weg en trok het over mijn lichaam.

Ik keek naar hem op en probeerde te glimlachen. Probeerde er aantrekkelijk uit te zien.

Weer de rug van zijn hand, tegen mijn mond deze keer. Ik viel op de vloer en de pijn was zo intens, zo volledig dat ik voelde dat ik begon te lachen. Ik lag hier dood te gaan en ik kon niet meer stoppen met lachen.

Toen was hij al op me, dwong mijn benen uit elkaar, kreunde van inspanning, trok mijn jurk omhoog naar mijn taille. Hij scheurde, wat hem nog meer leek op te winden.

Wat het nog erger maakte, was dat hij niet naar alcohol rook. Hij had deze keer niet eens het excuus dat hij dronken was.

Ik lag op de grond en glimlachte in mezelf terwijl hij grommend in me stootte, keer op keer in me ramde, en ik besefte dat ik de pijn dronk – de pijn in mijn hele lichaam, van de bloedende schaafwonden aan mijn polsen, mijn gebroken vingers, mijn neus, mijn hoofd, mijn rechteroog, de scheur in mijn mondhoek waaruit het bloed naar binnen sijpelde – dat ik hem proefde, bijna wenste dat hij nog erger zou zijn... Het was allemaal ook zo godvergeten grappig! Zo ironisch! Ik had bijna in een vliegtuig naar New York gezeten en ik had al die moeite helemaal niet hoeven doen. Ik had gewoon hier kunnen blijven, mezelf in mijn logeerkamer kunnen opsluiten en kunnen wachten op het onontkoombare.

De pijn van zo hard geneukt worden, op alle manieren die hij kon bedenken, was om de een of andere reden niet eens erger dan al het andere. Dit had ik per slot van rekening al veel vaker meegemaakt. Terwijl hij me verkrachtte deed hij niets anders. Hij was me nu tenminste niet aan het vermoorden.

VRIJDAG 28 MAART 2008

'Hoe is het nu?' vroeg Alistair, toen ik zijn spreekkamer in liep. 'Gaat wel,' zei ik. Ik gaf hem de formulieren die ik de hele week ijverig had bijgehouden.

Aan de linkerkant stond een lijst van mijn controledwangmatigheden op volgorde van belangrijkheid, gevolgd door een lijst van dingen die ik dwangmatig vermeed, eveneens op volgorde van belangrijkheid. We begonnen met de eenvoudige. Ik had op een scorelijst van 1 tot 100 ingevuld wat ik dacht dat de stressscore zou zijn als ik de dwangmatige handeling niet zou uitvoeren. De ergste, de voordeur niet controleren, scoorde 95. De minst erge, het badkamerraam niet controleren, scoorde 40. Bij het dwangmatige vermijden scoorde drukke plaatsen 65, de politie 50 en de kleur rood was het ergst, 80, wat ook niet verwonderlijk was na wat er laatst met die knoop was gebeurd. Daaronder stond het dwangmatig ordenen: geen boodschappen doen op bepaalde dagen, bepaalde dingen eten op bepaalde dagen, die lang niet meer zo erg leken als een tijdje geleden, allebei 20. De belangrijkste, op precieze tijden theedrinken, scoorde 75.

Ik had de opdracht gekregen mezelf uit te dagen met mijn laagst scorende angsten, en wel zo vaak mogelijk. Naast de oorspronkelijke score had ik ingevuld hoeveel stress ik had gevoeld nadat ik mezelf eraan had blootgesteld als de angst eenmaal was gezakt.

Alistair nam mijn lijst door en knikte, trok nu en dan zijn wenkbrauwen op. Ik voelde me net een leerling die haar docent haar huiswerk laat zien. 'Goed, heel goed,' zei hij.

'Dit doet me een beetje aan *Harry Potter* denken, weet je wel, die scène waarin ze datgene wat hun de meeste angst aanjaagt omtoveren in iets grappigs?'

'Inderdaad. Of *Hamlet.*'

'*Hamlet*?'

'"Want iets is alleen maar goed of slecht omdat we denken dat het goed of slecht is." Hoe dan ook, vertel eens over wat je allemaal hebt geprobeerd.'

Ik ademde diep in. 'Nou, ik heb een paar politieseries gekeken. Eerst een fictieve, en daarna zo'n reallifeprogramma waarbij ze de politie filmen terwijl die haar werk doet.'

'En?'

'Het ging wel. Ik voelde de behoefte om het uit te zetten, maar dat heb ik niet gedaan. Ik heb met diep ademhalen geoefend terwijl ik zat te kijken, en uiteindelijk begon ik het zelfs interessant te vinden. Ik ben tegen mezelf blijven zeggen dat het niet echt was. Ik was bang dat ik er een nachtmerrie van zou krijgen, maar dat is niet gebeurd.'

'Dat klinkt heel goed. Maar kijk wel uit met tegen jezelf zeggen dat het niet echt is, of niet wat dan ook tegen jezelf zeggen. Een interne dialoog kan uitgroeien tot eenzelfde soort veiligheidsmechanisme. Doe het nog eens en probeer dan alleen te kijken en ervan te genieten. Accepteer het als elk ander televisieprogramma.'

'Oké.'

'En het controleren?'

'Ik heb de badkamer overgeslagen. Ik heb hem bij het thuiskomen uit het controleritueel geschrapt.'

'En hoe ging dat?'

'Verrassend gemakkelijk.'

'Je hebt het stressniveau een 5 gegeven. Geweldig.'

Het was waar. Ik was zo langs de badkamer gelopen. Ik had tegen mezelf moeten zeggen dat het er onmogelijk onveilig kon zijn – dat achterlijke raam kan per slot van rekening niet open – maar hoe dan ook, het was me gelukt. In eerste instantie was het niet prettig. Toen ik klaar was met alle andere controles voelde het heel raar, en ik heb erna nog een hele tijd naar het badkamerraam zitten staren terwijl ik visualiseerde dat er niets mee aan de hand was, dat het niet open was. Uiteindelijk werd de stress minder en voelde het niet meer zo naar.

Dat ik nu al vooruitgang boekte was een enorm motiverende factor. Ik wilde naar huis om nog meer te proberen, moeilijkere dingen.

Ons uur was bijna voorbij toen Alistair mijn lijst er nogmaals bij pakte. 'Volgens mij moet je eens nadenken over de dingen die nog niet op je lijst staan,' zei hij.

'Zoals?'

'Denk maar na. Wat is je grootste angst? Echt een héél grote.'

Ik dacht na en begreep in eerste instantie niet wat hij bedoelde, en toen wist ik het ineens, maar ik wilde het niet hardop uitspreken. Ik voelde de stressreacties waarover we het net hadden gehad: mijn hart begon sneller te slaan en mijn handen begonnen te beven.

'Je bent hier volkomen veilig. Probeer het eens hardop te zeggen.'

Mijn stem klonk van heel ver weg. 'Lee.'

'Precies. En die angst zul je ook moeten aanpakken, anders heeft het geen zin om wat met de andere te doen. Ik denk dat het het beste zou zijn als we daar zo snel mogelijk mee aan de gang gaan. Alle andere angsten vinden hun oorsprong in die ene, toch? Dus als we iets doen met hoe je je jegens Lee voelt, zouden de andere vanzelf minder moeten worden. Klinkt dat logisch?'

'Ja,' zei ik. Natuurlijk klonk het logisch. Als ik niet meer bang zou zijn voor Lee hoefde ik de voordeur niet meer te controleren, of al die andere stomme taken uit te voeren waar ik de hele dag mee bezig was. Het klonk allemaal vreselijk logisch. 'Maar het is geen onzinnige angst, toch? Ik begrijp best dat het onzin is om de besteklade zes keer te controleren, dat dat zonde van de tijd is. Maar bang zijn voor Lee gaat om zelfbehoud.'

Alistair knikte. 'Ja, maar je moet bedenken dat het over twee verschillende dingen gaat. Aan de ene kant hebben we Lee zelf, en dan is er ook nog de gedachte aan Lee. Lee leidt waarschijnlijk ergens in het noorden gewoon zijn leven. De gedachte aan Lee verstoort jouw dagelijks leven. Je denkt dat je hem ziet als je je huis uit bent. Je stelt je voor dat hij zal proberen in te breken in je huis. Dus is het de gedachte aan hem, het beeld dat je in je geest hebt gecreëerd van deze alom aanwezige figuur, de bron van al het kwaad, die we moeten aanpakken.'

Ik begon hoofdpijn te krijgen.

'Ik zeg niet dat je de echte Lee moet opzoeken om de confrontatie met hem aan te gaan en te wachten tot de angst minder wordt. Maar ik denk wel dat je moet aanpakken hoe je over hem denkt, op dezelfde manier waarop je je andere dwangmatigheden aanpakt, met blootstelling en het voorkomen van een reactie.'

'Hoe? Hoe moet ik dat doen?'

'Door de gedachten te laten komen en los te laten. Sta jezelf de herinnering toe. Laat de angst toe, wacht tot die minder wordt en denk dan nogmaals aan hem voordat die volledig is verdwenen. Stel je als je thuis bent voor dat hij je woonkamer binnen loopt. Zie hem voor je. Zie voor je dat je voor hem staat en hem aankijkt. En wacht dan tot de angst minder wordt. Het zijn maar gedachten, Cathy. Laat ze komen en laat ze los.'

Zoals hij het zei klonk het heel eenvoudig.

'Ga je het proberen?'

'Wat... Nu?'

'We kunnen het nu doen. Maar doe het in ieder geval als je thuis bent. Je kunt het eerst met Stuart erbij proberen. Maar je mag hem niet gebruiken om je gerust te stellen. Je moet dit alleen kunnen doen.'

'Ik weet niet zeker of ik het kan.'

'Het is natuurlijk aan jou. Maar bedenk eens wat voor gevolgen het heeft als je niet meer bang bent voor Lee. Dat is wel een poging waard, toch? En als we het nu alvast een keer doen, is het als je thuis bent misschien iets gemakkelijker. Hier heb je in ieder geval niet de drang om de deur te controleren. Wat vind je ervan?'

Ik gaf geen antwoord.

'Denk eerst eens na over hoeveel stress het zal opleveren als je aan Lee denkt. Met je scorekaart. Hoe erg denk je dat het zal zijn, op een schaal van 1 tot 100?'

'Alleen maar aan hem denken? 90.'

'Oké. Laten we het proberen. Goed?'

Ik sloot mijn ogen, niet helemaal zeker van wat ik aan het doen was en of het heel erg fout kon gaan. Het was niet moeilijk Lee voor me te zien. Hij was sowieso de hele tijd in mijn gedachten, ook al vocht ik ertegen. Deze keer liet ik het gebeuren. Ik zag mijn appartement voor me. Ik zat op de bank en keek naar de deur. Ik zat te wachten. Ik stelde me voor dat de deur openging en dat Lee in de opening stond.

Ik voelde de angst in een golf over me heen komen, mijn hart versnellen, de tranen in mijn ogen springen.

'Goed zo,' zei Alistair. 'Laat maar komen, probeer het niet tegen te houden.'

Ik stelde me voor dat hij op me af kwam lopen. Lee, zoals hij er altijd uitzag: aantrekkelijk, met kort blond haar, een huid die altijd bruin leek, zelfs in de winter. Die ogen, blauwer dan een zomerhemel. En zijn afmetingen, zijn breedte, de spieren in zijn armen en op zijn borst. Hij kwam naar me toe lopen, ging naast de bank staan en keek op me neer. Hij glimlachte zelfs.

Ik wachtte. Ik voelde nu al dat de angst minder was dan toen ik net aan hem begon te denken. Ik had verwacht dat dit experiment zou eindigen in een extreme paniekaanval, maar zo erg was het helemaal niet.

'Zeg eens wat je voor je ziet,' zei Alistair.

'Lee in mijn appartement,' zei ik. 'Hij staat in de kamer.'

'Oké, heel goed. Dan wil ik dat je je nu voorstelt dat hij weer weggaat. Zet hem in een auto en laat hem wegrijden.'

Dat deed ik. Hij draaide zich om, gaf me een knipoog – geen idee waar dat beeld vandaan kwam – en deed de deur achter zich dicht. Ik liep naar de ramen aan de voorkant van het huis, zag hem in een auto stappen, een zilverkleurige, het portier dichttrekken en wegrijden. Ik stelde me voor dat ik terugliep naar de bank en weer televisie ging kijken.

Ik deed mijn ogen open.

'Hoe was dat?'

'Ik heb het gedaan,' zei ik.

'En denk nu eens aan je angst. Hoe erg is die nu, als je aan hem denkt?'

'Ongeveer... 70. Misschien 80.'

'Mooi. Zie je? Je kunt het. Het is een goed begin.'

ZATERDAG 12 JUNI 2004

Het duurde heel lang en ik vond het uiteindelijk bijna jammer dat het voorbij was. Hij trok zich uit me terug, liep van me weg naar de muur en ging met zijn hoofd in zijn handen op de vloer zitten. Ik zag mijn eigen bloed op zijn handen en gezicht. Toen hoorde ik hem snikken. Ik duwde mezelf behoedzaam in een zittende positie.

'Waar ben ik mee bezig?' zei hij met gebroken stem. 'O, mijn god. Wat ben ik in hemelsnaam...?'

Ik keek naar hem; hij huilde.

Ik kroop heel langzaam naar hem toe, mijn hele lichaam deed pijn. Terwijl hij bleef huilen ging ik naast hem zitten, ik gebruikte de muur als steun, en liet mijn arm om zijn schouders glijden. Hij legde zijn hoofd tegen mijn hals en de tranen gleden van zijn gezicht op mijn huid. Ik legde mijn kapotte rechterhand, waarvan drie vingers nu dik als worstjes waren en helemaal verdoofd en koud voelden, tegen de zijkant van zijn wang. 'Sst, het is goed.' Mijn stem klonk vervormd, mijn lip was gescheurd en gezwollen. 'Het komt goed, Lee. Het komt goed, echt.'

Hij zat een hele tijd zo tegen me aan te huilen, en ik hield hem vast terwijl ik me afvroeg of ik het misschien toch zou overleven.

'Ze sluiten me op,' zei hij. Zijn stem kwam in hese snikken. 'Ze gaan me hiervoor opsluiten.'

'Nee hoor,' zei ik op geruststellende toon. 'Ik vertel het aan niemand. Het komt wel goed met ons, echt. Met zijn tweetjes.'

'Echt?' Hij keek naar me op als een kind.

Ik vroeg me af of het hem eigenlijk opviel dat mijn gezicht helemaal kapot was. Zag ik er geruststellend genoeg uit? Hoe was het mogelijk dat hij zich ook maar kon voorstellen dat het allemaal weer goed kwam?

Ik moest op deze manier door blijven gaan. Het was mijn enige kans. 'Ik moet me een beetje opfrissen.'

'Natuurlijk.'

Hij stond tot mijn verrassing op en liep de kamer uit.

Ik kroop over de overloop naar de badkamer. Het lukte me onder de douche te stappen, waar ik het bloed zag verdunnen terwijl het wegspoelde over het witte email, kolkend in patronen die bijna mooi waren. Ik spoelde de urine uit mijn haar en probeerde niet te kijken hoe klontjes loskwamen en het afvoerputje verstopten. Mijn huid stak; ik kon niets met mijn rechterhand. Ik vroeg me af wat er zou gebeuren als er niets werd gedaan aan eventuele breuken in mijn hand.

Godzijdank hing er een donkerblauwe handdoek in de badkamer, niet een van de witte, zodat het bloed dat erop kwam toen ik mezelf voorzichtig droogdepte, niet al te extreem opviel. Ik bloedde tussen mijn benen. Ik zal wel ongesteld zijn geworden, dacht ik, later dan verwacht. Ik had er verder niet bij stilgestaan en aangenomen dat ik overtijd was doordat ik zoveel was afgevallen, door de stress en het feit dat ik onregelmatig at. Misschien kwam het door de traumatische gebeurtenissen.

Het was net of dit alles een ander overkwam. Ik pakte wat maandverband uit het toiletkastje, en in mijn slaapkamer een onderbroek, een spijkerbroek met een riem en een ruimvallende trui. Ik had op dat moment kunnen vluchten. Ik had de straat op kunnen rennen en om hulp kunnen schreeuwen.

Maar dat was precies het probleem. Ik kon niet rennen. Ik had nergens waar ik heen kon rennen. De politie kon ik niet bellen, want hij was een van hen. Ze zouden me aankijken alsof ik gek was geworden en hij zou een of ander verhaal ophangen dat ik gewond was geraakt bij een incident tijdens zijn undercoverwerk, hij zou zeggen dat ik symptomen van een psychiatrische aandoening tentoonspreidde en dat hij had geprobeerd me te helpen. Ze zouden me naar het ziekenhuis brengen, me oplappen en dan zou ik gedwongen worden opgenomen. Of nog erger: ze zouden me naar huis sturen. Ik probeerde met mijn linkerhand zo goed en zo kwaad als het ging het bloed in de logeerkamer op te ruimen. Het zat overal: op de muren, het kleed, op de deur. Ik gaf het uiteindelijk op en liep naar beneden.

VRIJDAG 28 MAART 2008

Ik liep snel op de terugweg van het Leonie Hobbs House, met grote passen; mijn hartslag versnelde. Als ik vanavond fysiek moe zou zijn was de kans groter dat ik kon slapen. Dat was tenminste de theorie. Ik had steeds meer moeite met slapen in mijn appartement en lag uren naar geluiden van buiten te luisteren. Ik vond het zelfs moeilijk om boven te slapen, bij Stuart; elk geluid daar klonk alsof het uit mijn eigen appartement kwam.

Toen ik eenmaal vanaf de hoofdweg Lorimer Road was in gelopen werden de verkeersgeluiden minder.

Ik hoorde voetstappen die gelijke tred hielden met die van

mij, ze liepen precies in de pas. Ik dacht even dat het de mijne waren. Toen drong tot me door dat er iemand achter me op de stoep liep. Ik bedacht dat het geluid van ver kwam, dus ik wierp een blik over mijn schouder. Heel even maar.

Er liep een man achter me, een meter of dertig van me vandaan. Hij droeg donkere kleding, een sweater met capuchon, die hij over zijn hoofd had. Ik kon zijn gezicht niet zien doordat de straatlantaarn achter hem er schaduw overheen wierp. Ik zag alleen de wolkjes van zijn adem in de koude lucht.

Ik ging sneller lopen en wachtte tot hij mijn ritme weer zou hebben aangenomen. Het geluid dat hij maakte klonk dreunend.

Hij ging ook sneller lopen.

Aan het eind van Lorimer Road liep ik weer richting de hoofdweg. Ik zag bussen, die niet opschoten in het drukke verkeer, maar ik zou als dat nodig was kunnen instappen. Het kon me niet schelen in welke.

Maar voordat ik de hoofdweg had bereikt viel me op dat de voetstappen niet meer klonken. Ik keek achter me. De man was verdwenen. Hij moest een van de huizen in zijn gegaan.

Toen ik later thuis was controleerde ik en controleerde ik. Ik checkte de deur, de ramen en de keuken. Ik controleerde zelfs de badkamer, terwijl ik dat weken niet had gedaan. Ik wist dat hij was geweest. Ik rook hem, voelde zijn aanwezigheid, zoals een konijn een vos ruikt.

Het kostte me nog een uur langer dan mijn gebruikelijke ronde voordat ik ze vond. In de besteklade, die ik al had nagekeken: een vork en een mes, begraven onder de rest van het bestek, zorgvuldig in het verkeerde vakje gelegd en daar verborgen.

Hij stond in de keuken in een kop thee te roeren. Het genoeglijke huiselijke tafereel was, een halfuur na wat er net was gebeurd, heel vervreemdend.

Hij glimlachte naar me. Er zaten rode vlekken in zijn blonde haar en bruine stukjes aan de voorkant, waar hij met zijn bloederige handen door zijn haar had gestreken. Hij kuste me op de wang en het lukte me naar hem te glimlachen, waarbij de snee in mijn lip opnieuw openbarstte. 'Gaat het een beetje?' vroeg hij.

Ik knikte. 'En met jou?'

'Ja. Het spijt me.'

'Dat weet ik.'

We liepen de woonkamer in en ik liet me behoedzaam op de bank zakken.

'Ik wilde niet dat je weg zou gaan,' zei hij zwakjes. Hij zat in de leunstoel tegenover de bank, gaf me wat ruimte. Ik had het gevoel dat alle boosheid uit hem weg was gesijpeld. Als ik wilde vluchten, was dit een goed moment. Maar ik had geen spatje energie meer over.

'Maar ik ga nu nergens naartoe, toch?' Mijn stem klonk me vreemd in de oren, niet alleen anders doordat mijn mond was vervormd, maar ik had ook het gevoel dat er iets mis was met een van mijn oren. Ik hoorde gebrom, een zoemtoon.

'Waarom heb je het gedaan?' vroeg ik. Het maakte hoe dan ook niet uit. Ik meende wat ik zei. Ik had besloten dat ik niet meer zou proberen te vluchten.

Lee zag er uitgeput uit. Hij was bleek, vermoeid, zijn helderblauwe ogen stonden dof. 'Ik wilde weten wat je zou doen.'

'Was jij dat, aan de telefoon? Deed je alsof je Jonathan was?'

Hij knikte. 'Ik dacht dat je me zou herkennen, maar dat was niet zo. Ik heb een mailaccount aangemaakt. Het was allemaal kinderlijk eenvoudig. Ik had nooit gedacht dat je erin zou trappen. Je hebt je nooit iets afgevraagd, toch?'

'Hoe ben je zo snel op Heathrow gekomen?' Dat was eigenlijk het enige wat me had dwarsgezeten.

Hij schudde zijn hoofd en zuchtte. 'Je bent af en toe echt onwaarschijnlijk stom, Catherine, wist je dat?'

Ik haalde mijn schouders op. Nou en? Hij had gelijk.

'Ik heb zwaailichten en een sirene. Files en snelheidsbeperkingen houden mij niet tegen.'

Dat ik dat wist maakte het niet gemakkelijker.

'Maar je hebt me wel flink aan het werk gezet.'

'Hoezo?'

'Ik had niet gedacht dat je de trein zou nemen. Ik nam aan dat je met de auto naar Heathrow zou gaan. Toen ik je auto niet op de snelweg kon vinden heb ik gewoon plankgas gegeven. Weet je dat je dat vliegtuig echt maar net níét hebt gehaald? Als ik niet zo snel had gereden, zou het je zijn gelukt en was je weg geweest.'

Daar wilde ik niet aan denken, aan hoe dicht ik bij de vrijheid was geweest. Dat deed te veel pijn.

'En de bewakingsbeelden op het vliegveld? Hebben ze niet gezien dat je deed alsof je me arresteerde?'

'Die zullen me een zorg zijn. Er hangen overal camera's op het vliegveld: in alle winkels, bij alle in- en uitgangen, er is geen vierkante centimeter die niet in beeld is. Maar bij allemaal verschillende bedrijven, en de helft van de camera's staat niet altijd aan, of de kwaliteit van de opnames is zo slecht dat je er niets op herkent, of de videoband wordt elke vierentwintig uur opnieuw gebruikt omdat ze te krenterig zijn om meer banden aan te schaffen. Degene die de leiding heeft, is er bijna nooit en anderen weten niet goed hoe het systeem werkt. Zelfs als je het allemaal terug wilde kijken zou het iemand letterlijk jaren kosten om alleen al de beelden van die ene dag door te ploegen. En zolang je weet wie je moet bellen maakt het niet uit wat erop staat. Ik maakte me eerlijk gezegd meer zorgen om de automatische nummerbordherkenning.'

'De wát?'

'Een systeem dat kan bewijzen dat mijn auto helemaal naar Heathrow is gereden op een dag dat ik op het bureau had moeten zitten om surveillancelogboeken te bekijken. Of zou moeten kúnnen bewijzen, want ik heb andere nummerplaten op de auto gezet.'

Op deze manier kwamen we nergens. Ik vroeg me af hoelang het ging duren, hoeveel dagen ik het zou kunnen verdragen.

Na de kop thee en de boterham die hij voor me maakte, keken we samen televisie, tijdens een vreemde schijnvertoning als in een of ander toneelstuk. Om elf uur zei hij dat ik me uit moest kleden. Dat deed ik zonder weerwoord, hoewel het moeilijk was met maar één hand. Toen ik alleen mijn onderbroek nog aanhad, zei hij dat ik mijn handen voor me moest uitsteken, wat ik deed. Hij sloot de handboeien weer om mijn polsen. Het koude metaal sneed direct in mijn rauwe huid en deed vreselijk veel pijn. Hij bracht me terug naar de logeerkamer en gooide een deken achter me aan.

Ik ging op de vloer zitten terwijl hij in de deuropening stond. Ik dacht dat hij zou vertrekken, maar na een paar seconden deed hij de deur achter zich dicht en ging met zijn rug tegen de muur tegenover me zitten.

'Ik heb je nooit over Naomi verteld,' zei hij.

ZATERDAG 29 MAART 2008

Ik stond zaterdag vroeg op en ging hardlopen.

Ik bond mijn haar in een knotje, aangezien het die irritante lengte weer had: zo lang dat de wind het in mijn ogen zou blazen en te kort om iets leuks mee te doen. Het knotje achter op mijn hoofd had zo ongeveer het formaat van een spruitje, en het enige wat ik nodig had om het vast te maken was zo'n elastiekje dat de postbode voor de voordeur achterlaat. Het was zo vroeg dat het nog rustig op straat was en het was nog een beetje koud. Ik rende in een mooi regelmatig tempo naar het park. De stoep was nat onder mijn voeten en het was nu bewolkt, maar het zou later op de dag misschien mooier worden. Ik kon gaan winkelen. Ik kon nieuwe kleren kopen. Ik had al heel lang niets aangeschaft. En ik zou aan het werk gaan. Ik zou aan het werk gaan met mijn OCD. Alistair had gezegd dat ik dat moest blijven doen, mezelf moest blijven uitdagen. Eraan wennen. Ik moest eraan wennen dat de angst vanzelf wegging, zonder hem minder te maken door te controleren.

Toen ik terug was in Talbot Street liep ik heel bewust direct naar huis, in plaats van via mijn gebruikelijke omweg door de achtersteeg. Dat voelde heel raar, en toen ik de voordeur had gecontroleerd, en die van mevrouw Mackenzie, was het eerste wat ik in mijn eigen appartement deed de gordijnen checken, van binnenuit deze keer. Niets aan de hand. Ik bekeek mijn voordeur: niets aan de hand. Ik liep de rest van de woning na en sloeg de badkamer over: niets aan de hand.

Het bleef door mijn hoofd spoken dat ik naar buiten moest om de steeg te controleren, maar nu ik eenmaal thuis was voelde dat lichtelijk idioot. Ik was er niettemin gespannen onder.

Ik trok een spijkerbroek en een trui aan en terwijl ik mijn controles deed om de deur uit te kunnen besloot ik te stoppen met de besteklade controleren. Ik wilde het nog één laatste keer doen, om het zeker te weten, maar ik weerstond de drang. Ter compensatie concentreerde ik me op de voordeur. Dat was vast vals spelen: de ene controle vervangen door een andere, en ik voelde me er niet echt beter van.

Tegen de tijd dat ik in de bus zat probeerde ik mijn stressniveau te bepalen: ik kwam uit op ongeveer 40. Dat was niet slecht. Vooral gezien het feit dat ik het grootste deel van de dag sowieso gespannen was, altijd alert op hem, altijd wachtend tot er iets ergs gebeurde. Eerlijk gezegd voelde ik me, hoewel ik de badkamer en de besteklade niet had gecontroleerd, beter dan ik me normaal gesproken voelde als ik in het weekend de deur uit ging.

Ik kon niet geloven dat het werkte. Ik kon niet geloven dat ik me echt beter begon te voelen.

Ik zat in de bus naar Camden en stapte uit bij Camden Lock, waar ik in wat winkeltjes rondneusde. Ik had overwogen naar het centrum te gaan, naar Oxford Street, maar daarmee zou ik de goden verzoeken. Dit was een goed begin.

Ik wist waarnaar ik op zoek was, wat ik wilde kopen, en toen ik het uiteindelijk vond in een tweedehandswinkel, wist ik dat ik het moest hebben.

Het was van rode zijde, een eenvoudig topje dat een beetje deed denken aan wat die arme Erin met kerst voor me had gekocht. Maat 36. Ik staarde er even naar, voelde mijn lichaam reageren: elke vezel zei me dat ik me moest omdraaien, ervan weg moest lopen. Het is maar een topje, zei ik tegen mezelf. Het zijn wat aan elkaar genaaide lapjes stof. Het zal me geen pijn doen, het kán me geen pijn doen.

Na een paar seconden raakte ik het aan. Het was zacht, heel zacht, en verrassend warm toen ik het voelde, alsof iemand het net had uitgetrokken.

'Wil je het passen?' Ik keek over mijn schouder en zag een meisje met kort zwart haar met metallicblauwe strepen erin.

'Ik kijk alleen, dank je.'

'Het is je kleur,' zei ze. 'Kom, pas het maar even, dat kan geen kwaad.'

Ik begon te lachen. Ze had in veel opzichten gelijk. Ik pakte het hangertje en liep ermee naar het pashokje, een alkoof achter in de winkel met een katoenen gordijn aan drie rinkelende metalen ringen om een rail. Mijn hart bonkte.

Niet nadenken. Gewoon doen.

Ik trok met mijn rug naar de spiegel de trui over mijn hoofd. Ik haalde het topje van het hangertje en deed het met gesloten ogen aan. Ik was een beetje misselijk, duizelig, alsof ik in een achtbaan zat. Nu kun je niet meer terug, zei ik tegen mezelf. Nu moet je je ogen opendoen en kijken.

Ik keek. Niet in de spiegel, maar naar beneden.

Het was een andere kleur dan de rode jurk. Meer heel donkerroze, of kersenrood, in plaats van het schreeuwerige felrood van de jurk. Het topje had een perzikachtige textuur, het was een heel mooi ding, met een gouddraad langs de zoom.

Ik had er genoeg van. Ik trok het uit, hing het terug op het hangertje en deed mijn trui weer aan. De drang om mijn handen te wassen was overweldigend. Ik hing het hangertje terug aan het rek van waar ik het had gepakt en liep linea recta de winkel uit, nog voordat de verkoopster kans had iets te zeggen.

Verderop stond een bankje. Ik ging even zitten. Mensen liepen voorbij en ik bedacht hoe bang ik was, wachtte tot de angst zou weggaan. Ik wist al wat ik zou doen, en die gedachte maakte dat de angst bleef. Ik weet niet hoe ik plotseling zo dapper ben geworden. Het is niet bepaald iets waarin ik in het verleden goed was, toch?

Toen mijn stressniveau op ongeveer 30 was, stond ik op en neusde verder in de winkeltjes. Het was druk, maar niet zo druk dat ik bang van de mensen werd. Ik kwam langs een specerijenzaak en kocht een Mexicaanse kruidenmix voor Stuart. Ernaast was een tweedehandsboekwinkel, waar ik een tijdje door romans en reisboeken bladerde en zelfs even op de zelfhulpafdeling keek.

Daarna dronk ik in een café een pot thee. Normaal gesproken ging ik altijd helemaal achterin zitten, zo ver mogelijk van de deur, zodat ik iedereen zag binnenkomen voordat ze mij konden zien. Ik dwong mezelf bij het raam te gaan zitten. Er stonden buiten gelukkig ook tafeltjes waar mensen aan zaten, dus ik voelde me niet helemaal bloot, maar het was toch geen prettig gevoel.

Stuart had me al drie sms'jes gestuurd, ik nam aan tussen zijn afspraken door. Hoe het met me ging, wat ik aan het doen was, dat soort dingen. Ik stuurde een antwoord: s, IK BEN IN CAMDEN AAN HET WINKELEN. KUN JE DAT GELOVEN? KAN IK IETS VOOR JE MEENEMEN? C X

Ik kreeg al snel antwoord: BETEKENT DAT DAT WE VOLGEND WEEKEND SAMEN KUNNEN WINKELEN? S X

Ik begon te lachen. Hij probeerde me al een eeuwigheid mee te krijgen naar de stad om te winkelen. De enige manier waarop het hem lukte, was het te vermommen als een dagje uit, zoals in Brighton.

Ik keek toe hoe de mensen voorbijliepen, verwachtte iemand te zien die op Lee leek. Ik hoopte er bijna op, zodat ik mijn reactie kon testen. Maar geen enkele man die langsliep, niemand met zijn lichaamsbouw, maakte angst bij me los.

Het was tijd om naar huis te gaan.

Ik dacht er niet echt over na, ik ging gewoon terug. Ik liep naar de winkel. De verkoopster glimlachte naar me. 'Hoi,' zei ze. 'Ik had al zo'n gevoel dat je zou terugkomen.'

Ik glimlachte naar haar terug. 'Ik kon het niet weerstaan,' zei ik. Ik haalde het topje van het rek en liep ermee naar de kassa.

'Wat heb je voor schoenmaat?' vroeg ze terwijl ze inschattend naar me keek, met haar hoofd een beetje opzij.

'39,' zei ik. 'Hoezo?'

'Ik heb deze net binnengekregen.' Ze tilde van achter de toonbank een schoenendoos op en haalde de deksel eraf. Er zat een paar rode suède schoenen in, slingbacks met een open teen. Ze waren van donker, kersenrood suède. Ze waren nieuw; het tissuepapier zat er zelfs nog in. 'Probeer ze eens,' zei ze. 'Het is 38, maar je weet nooit.'

Ik deed mijn sokken en gympen uit en trok de schoenen aan. Ze pasten goed. Het voelde heel raar om weer hakken aan te hebben. Ik keek naar mijn voeten. Wat was dit bizar. Wat bizar om zulke schoenen aan te hebben en me goed te voelen. Misschien een beetje licht in mijn hoofd, maar goed.

'Wat kosten ze?' vroeg ik.

'Wat vind je van tien pond? Ik had nog geen prijs bedacht.'
'Prima.'

Met het topje en de schoenen in een grote tas op weg naar huis gaan, was ook raar. Ik dacht aan het cadeau van Erin en hoe ik dat had moeten weggooien zonder het ook maar aan te raken. En nu had ik een topje gekocht, een roodzijden topje. De tas voelde zwaar en ik zette hem in de bus naast me op de bank. Ik keek er niet naar. Ik moest dapper zijn en hem met me meenemen als ik uitstapte. Mijn stressniveau was de hele weg naar huis hoog, 40 of 50. Ik wachtte tot het minder zou worden, maar dat gebeurde niet.

Ik nam de omweg via het steegje, maar bleef er niet hangen. Ik keek alleen. Ik was nu bang, bang voor wat ik had gedaan. Ik controleerde de voordeur en de deur van mevrouw Mackenzie terwijl mijn tas met aankopen op de onderste traptrede op me lag te wachten. Ik zag het rode topje voor me, pulserend als een levend wezen.

Het was gewoon stof, dacht ik. Het kon me geen kwaad doen.

Ik nam de tas niettemin helemaal mee naar boven, naar Stuarts appartement, en zette hem binnen net naast de voordeur.

Toen ik thuis de boel controleerde, was alles in orde. Ik begon me alweer beter te voelen. Ik bleef van de bestekkade af, bleef weg uit de badkamer, dronk wat en at een koekje, en ik voelde me prima.

Het was een begin.

ZONDAG 13 JUNI 2004

Ik sliep niet veel. Ik had het zo koud. Hoe ik ook ging liggen, het was ongemakkelijk; mijn hele lichaam deed pijn. Toen ik het licht achter de gordijnen zag, besefte ik dat ik wat geslapen moest hebben, maar dat herinnerde ik me niet.

Ik huilde, zacht, om de persoon die ik was geworden. Ik had

al mijn vechtlust verloren. Ik wilde het opgeven, ik wilde dat het voorbij was. Ik schaamde me diep.

En nu, alsof het nog niet erg genoeg was, kon ik alleen nog aan Naomi denken.

'Naomi?' had ik gevraagd.

'Ik kende haar via mijn werk. Ze was een informant. Ze was getrouwd met iemand achter wie we aanzaten. Ik heb haar gerekruteerd: overgehaald voor ons te werken. Ze zou ons informatie verstrekken zodat we die vent konden pakken.'

Hij keek naar zijn knokkels, de blauwe plekken erop, strekte toen zijn vingers en glimlachte. 'Ze was de mooiste vrouw die ik ooit had gezien. Ik moest met haar werken, maar in plaats daarvan neukte ik met haar en werd verliefd. Ze wisten van niets, ze dachten dat ik gewoon mijn werk deed, maar na de eerste keer had ik er geen controle meer over. Ik zou ontslag nemen, een huis voor haar kopen, ergens ver weg, ergens waar ze veilig zou zijn voor die lul van een man van haar.'

'Wat is er gebeurd?' fluisterde ik.

Hij keek me aan alsof hij was vergeten dat ik er was. Hij maakte een vuist en keek hoe de huid op zijn knokkels wit werd. 'Ze neukte met me en bedroog me. Al die tijd dat ze me informatie verstrekte over waar hij mee bezig was, vertelde ze precies wat hij zei dat ze moest zeggen.'

Hij liet met een diepe zucht zijn hoofd tegen de muur leunen, en sloeg er toen mee tegen de bakstenen. En nog een keer. 'Ik kan nog steeds niet geloven dat ik zo stom ben geweest. Ik ben als een blok voor haar gevallen.'

'Misschien was ze te bang voor haar man,' suggereerde ik.

'Nou, dat was dan haar fout, of niet soms?'

Daar dacht ik even over na. 'Wat is er met haar gebeurd?'

'Er was een gewapende overval, precies zoals we die verwachtten, behalve dan dat we aan de verkeerde kant van de stad zaten. We zaten daar met zijn allen terwijl een andere juwelier

een kwart miljoen pond aan sieraden verloor en een winkelbe-
diende haar schedel werd ingeslagen met een honkbalknuppel.
Net toen ik me begon af te vragen wat er was misgegaan, kreeg
ik een sms van Naomi, die me wilde zien. Ik ging naar de plek
waar we altijd afspraken, opende het portier van haar auto en
trof haar man erin aan. Hij zat zich gek te lachen. Ik was niet
langer van nut, zei hij. Ze hadden me samen bedrogen.'

Hij trok zijn knieën op en liet zijn gekneusde handen erop
rusten, losjes, alle spanning er nu uit verdwenen.

'Een week later belde ze. Ze was in tranen en hing een jank-
verhaal op dat hij haar onder druk had gezet, dat ze zo bang
voor hem was en wilde weten of ik meende wat ik had gezegd
over haar bij hem vandaan halen. Ik zei dat ze haar tas moest
pakken en naar onze gebruikelijke plek moest komen.'

'Heb je haar helpen ontsnappen?'

Hij begon te lachen. 'Nee. Ik heb haar keel doorgesneden en
haar in een greppel gedumpt. Niemand heeft haar als vermist
opgegeven. Niemand heeft ook maar naar haar gezocht.'

Hij stond op, rekte zich uit alsof hij me net een verhaaltje had
voorgelezen, opende de deur, deed het licht uit en liet me in
duisternis achter.

ZATERDAG 5 APRIL 2008

Ik dacht vandaag weer dat ik hem zag.

Het was uiteindelijk bijna een opluchting.

Stuart had tot laat gewerkt, dus ik liet hem slapen en ging in
mijn eentje boodschappen doen. Het begon in de supermarkt:
het gebruikelijke gevoel dat ik werd bekeken, maar sterker dan
anders. Het was behoorlijk druk in de winkel, er liepen in alle
paden veel mensen, en overal waar ik keek zag ik bekende gezichten, mensen van wie ik dacht dat ik ze eerder had gezien.

Toen ik achter drie anderen in de rij stond werd het gevoel

nog beklemmender. Ik keek op en hij stond bij de groenteafdeling aan de andere kant van de winkel naar me te staren. Ik wist zeker dat hij het was, hoewel hij er op een bepaalde manier anders uitzag; ik kon er in eerste instantie mijn vinger niet op leggen.

Ik zei tegen mezelf dat het goed was. Ik oefende in de rij met diep ademen, regelmatig, maakte van elke ademhaling het belangrijkste wat er op dat moment was, hoewel ik niets liever wilde dan heel hard gillen en op de vlucht slaan.

Dit is niet echt, zei ik tegen mezelf. Dit hoort bij de OCD. Dit is je overactieve verbeelding. Hij is niet echt. Het is gewoon een man die een beetje op hem lijkt, dat weet je. Hij is niet hier.

Toen ik weer zijn kant op keek, was hij verdwenen.

Ik ging naar huis met de boodschappen en hield onderweg aan één stuk door in de gaten of ik hem ergens zag: bij winkelingangen, in passerende auto's, achter me de weg overstekend, de andere kant op lopend, op al die plaatsen waar ik hem eerder had gezien.

Hij was er niet. Misschien had ik het me ingebeeld. Was het iemand geweest die op hem leek?

Thuis controleerde ik mijn appartement voordat ik met de boodschappen naar Stuart ging. Ik begon bij de voordeur, baande me een weg door het hele appartement en eindigde in de slaapkamer. Alles was normaal. Ik snakte er bijna wanhopig naar iets te vinden wat niet klopte, iets wat zou bewijzen dat hij in huis was geweest, maar ik was niet lang genoeg weg geweest als hij me inderdaad was gevolgd, want zelfs Lee kon niet op twee plaatsen tegelijk zijn.

Ik wekte Stuart met een kop thee en een kus. Toen hij zijn ogen opende en gaapte, trok hij met een uitnodigende glimlach op zijn gezicht het dekbed opzij, of ik terugkwam in bed. Ik kon niets bedenken wat ik op dat moment liever wilde dan me uitkleden en lekker warm tegen mijn naakte vriendje aan liggen.

Ik was niet van plan hem te vertellen dat ik dacht dat ik Lee had gezien, maar na het vrijen, toen ik met mijn hoofd tegen zijn schouder lag, zei hij ineens: 'Je bent vandaag anders dan anders.'

Ik tilde mijn hoofd op om hem aan te kijken. 'O? Hoe bedoel je?'

Hij rolde op zijn buik en duwde zich op zijn ellebogen omhoog om me te kunnen aankijken. Hij pakte mijn hand en kuste de handpalm, waarna hij langzaam over mijn armen streelde, over de littekens, waar hij geconcentreerd naar keek. 'Is er iets gebeurd?'

Ik haalde mijn schouders op. 'Niet echt. Ik dacht in de supermarkt dat ik iemand zag die ik kende, verder niet.'

'Bedoel je Lee?'

In tegenstelling tot mijzelf had Stuart er geen enkele moeite mee zijn naam uit te spreken. Hij ging altijd de confrontatie aan met de angst, benoemde de angst, deed er iets mee en ging verder. Iets wat ik net een beetje begon te leren.

'Dat dacht ik. Maar het was maar heel even.'

Hij bestudeerde me met die geconcentreerde blik die hij kan hebben, alsof ik de enige persoon op aarde ben. 'Je ziet hem aan de lopende band,' zei hij. Het was geen vraag. 'We hebben het er al eerder over gehad.'

'Dat was anders.'

'In wat voor opzicht?'

Ik wilde dit niet. Ik wilde het niet toegeven, want als ik erover zou praten, werd het echt. Zolang ik het voor mezelf hield, kon ik doen alsof ik het me had ingebeeld. Maar het had geen enkele zin te proberen een einde aan dit gesprek te maken; hij zou er niet over ophouden tot hij me naar tevredenheid had uitgehoord.

'Hij droeg andere kleren. Zijn haar was korter. Oké? Ben je nou tevreden?' Ik maakte me van hem los, stapte uit bed en kleedde me aan.

Hij keek me aan met die andere blik: deels geamuseerd, deels nieuwsgierig. 'Weet je nog dat je me een paar maanden geleden hebt gevraagd waarom ik niet degene kon zijn die je helpt?'

'Hm.'

'Nou, dit is waarom.' Hij pakte me bij mijn pols, trok me bij zich terug op bed en begon me te kietelen tot ik mijn lachen niet meer kon inhouden.

Toen stopte hij en keek me nieuwsgierig aan. 'Kom je bij me wonen?' vroeg hij.

'Doe niet zo raar. Ik woon hier praktisch al.'

'Trek dan echt bij me in. Dat scheelt geld. En dan ben je altijd bij me.'

'Zodat je me kunt beschermen?'

'Als je dat wilt.'

Er drong ineens iets tot me door. 'Jij denkt ook dat hij het was,' zei ik.

Daar had hij niet op gerekend. 'Niet per se.'

'Niet per se? Wat bedoel je daar nou weer mee?'

Hij aarzelde even voordat hij antwoordde. 'Het betekent dat ik denk dat je een rationeel denkend mens bent. We weten dat Lee een paar maanden geleden is vrijgelaten. We weten nog steeds niet hoe die knoop in je broekzak terecht is gekomen. Bovendien denk ik dat je je ondertussen zo bewust bent van je aandoening dat je inzicht hebt in de mate waarin iets zich alleen in je brein afspeelt, ergo: als je echt denkt dat je hem hebt gezien, denk ik dat het mogelijk is dat je hem inderdaad hebt gezien.'

'Hou alsjeblieft op met je psychologengezwets,' zei ik, en ik gaf hem een mep met een kussen.

'Weet je zeker dat je dat echt wilt?' vroeg hij met een slinkse glimlach.

Ik rolde met mijn ogen naar hem.

'Serieus,' zei hij, toen ik weer in zijn armen lag. 'Het was deze keer anders. Dus kunnen we een van twee dingen concluderen: de waarschijnlijkste optie is dat je iemand hebt gezien die op hem leek, die tegelijkertijd zo anders was dat je ging twijfelen, wat ongebruikelijk is.'

'En die me van de andere kant van de supermarkt stond aan te staren,' voegde ik eraan toe.

'Met andere woorden: van een aanzienlijke afstand.'

Ik wilde niet nadenken over wat de tweede van de conclusies was. Ik probeerde hem af te leiden door hem te kussen, een lange, langzame, diepe kus die minuten duurde. Hij kon vreselijk goed zoenen, zonder verdere bedoelingen. Hij kon me gewoon kussen zonder verder iets te eisen.

'Ga je het doen?' vroeg hij uiteindelijk zacht, met zijn gezicht dicht bij dat van mij.

'Wat?'

'Bij me intrekken.'

'Ik zal erover nadenken,' zei ik. Ik denk niet dat hij meer dan dat had verwacht.

ZONDAG 13 JUNI 2004

Hij liet me het grootste deel van de dag alleen. Ik vroeg me nu en dan af of hij was vertrokken, maar dan hoorde ik ergens in huis een geluid en besefte ik dat hij helemaal niet weg was geweest. Ik hoorde gehamer, ergens buiten, in de garage? Wat was hij aan het doen?

Ik stond een tijdje uit het raam te kijken, in de hoop dat iemand me zou zien. Ik keek in de tuin van de buren, wanhopig wensend dat er iemand naar buiten zou komen zodat ik op het raam kon bonken. Ik probeerde met de handboeien op het raam te hameren, maar dat maakte zo veel herrie dat ik bang was dat hij de trap op zou komen. En het had toch geen zin. Niemand zou me horen, alleen hij.

Het weer was omgeslagen; het was regenachtig en het waaide. Het leek meer oktober dan juni. Ik zat met mijn rug tegen de muur te wachten tot hij zou komen. Ik staarde naar mijn polsen, naar de roofjes die zich hadden gevormd, smal en strak, over de schaafwonden die de boeien de dag ervoor hadden gemaakt. Als ik te veel bewoog, gingen ze weer open, dus ik zat stil. Ik kon de drie middelste vingers van mijn rechterhand niet buigen. De huid was paars, vlekkerig, maar de zwelling was iets minder. Ik was blij dat ik geen spiegel had. Mijn oog zat grotendeels dicht en mijn oor zoemde.

Toen het donker begon te worden, werd ik onwel van uitputting en dorst, en ik ging weer liggen, met de deken over me heen. Ik moet in slaap zijn gevallen, want toen ik wakker werd stond hij in de kamer, over me heen gebogen, en mijn gebroken neus rook iets.

'Opstaan,' zei hij op ferme, maar niet kwade toon. Het kostte me met mijn pijnlijke ledematen veel moeite. Ik zag in het licht uit de gang een zak patat en een emmer water. Het rook niet naar bleekmiddel. Ik vocht tegen de drang mijn hoofd erin te steken en de hele emmer in één teug leeg te drinken.

Hij draaide zich om en deed de deur achter zich op slot.

'Dank je wel,' riep ik achter hem aan, mijn stem hees, voordat ik de emmer een stukje kiepte en water in mijn stoffige mond liet lopen.

Het licht ging uit en de deur zat op slot. Een paar minuten later ging ik weer op het tapijt liggen en trok de deken zo goed mogelijk om me heen. Ik rook pis, bloed en bleek. Ik dacht aan Naomi en vroeg me af hoelang ik nog had.

MAANDAG 14 JUNI 2004

Toen ik mijn ogen opende was mijn eerste gedachte: vandaag ga ik dood.

Dat wist ik vanwege de pijn. Die voelde heel anders, denderde als een trein over me heen vanaf het moment dat ik wakker

360

was. Ik zweette en rilde, en hoewel ik al uren nu en dan buiten bewustzijn moest zijn geweest, drong de realiteit ineens tot me door en wist ik het.

Het bloed had tussen mijn benen onder die dunne deken zo overvloedig gestroomd dat ik bang was dat ik inwendig iets had gescheurd en eenvoudigweg zou doodbloeden in mijn eigen logeerkamer. Hij zou er verder niets voor hoeven te doen. Ik zou gewoon sterven als gevolg van wat hij me al had aangedaan.

Ondanks het eten dat hij me had gegeven, was ik te zwak om te bewegen en ik rilde zo hevig dat ik geen grip op de vloer kreeg om mezelf in een zittende positie te duwen. Dus bleef ik liggen, met overal pijn, in mijn hele lichaam, maar nog het meest in mijn buik.

Ik was een tijdje afwisselend buiten bewustzijn en dan weer even wakker, droomde zelfs een keer dat ik New York had gehaald. Ik lag er te slapen in een gigantisch bed, bij ramen die uitkeken op het Vrijheidsbeeld, Central Park, het Empire State Building en de Hoover Dam tegelijk. Ik had buikpijn omdat ik zoveel had gegeten, en ik had een kater. Als ik even zou slapen zou het wel beter gaan.

Dus toen hij binnenkwam – was het uren later? Misschien was het zelfs een dag – wist ik niet eens zeker of hij er echt was. Misschien droomde ik hem ook. Misschien droomde ik wel toen hij mijn hoofd aan mijn haar optilde en weer op het tapijt liet vallen. Ik had het gevoel dat ik vloog.

'Catherine.'

Ik hoorde zijn stem en glimlachte. Hij klonk grappig, alsof hij onder water was.

'Catherine. Word eens wakker. Doe je ogen open.'

Hij zat naast me op de vloer en ik rook het ineens, met wat er over was van mijn neus: alcohol. Of misschien dat ik het proefde toen hij uitademde, vlak bij mijn gezicht.

'Catherine, vuile hoer. Word wakker.'

O god, help me. Ik begon te lachen. De lach kwam samen met een pijnlijke hoest naar buiten.

'Doe je ogen open.'

Ik kreeg er maar één open, en die maar een heel klein stukje. Het enige wat ik in eerste instantie zag was iets wat zwart en zilverkleurig was; even later zag ik iets scherper en veranderde het in iets langs en glanzends. Bijna mooi.

Het drong pas tot me door dat het een mes was toen hij me er voor het eerst mee stak. Ik maakte geen geluid. Hij wilde dat ik ging gillen, maar dat kon ik niet meer.

De tweede snee, in mijn linkerbovenarm, deed een beetje pijn, maar wat ik meer gewaarwerd was de warmte die ik op mijn door en door koude huid voelde.

Toen de volgende kwam, en daarna nog een, en nog een, hoorde ik hem zijn neus ophalen; misschien huilde hij. Ik dwong mijn oog weer open en probeerde op hem scherp te stellen. Dit was hoe hij me zou vermoorden. Waarom sneed hij me niet gewoon de strot door? Of mijn polsen? Iets waardoor het sneller zou gaan. Niet dit.

Ik bood geen weerstand. Hij trok de deken van me af en begon in mijn benen te steken. 'Jezus,' hoorde ik hem zeggen. Ik was me er niet eens van bewust dat hij stopte, maar dat moet hij uiteindelijk hebben gedaan.

Ik lag op de grond en voelde de open wonden, kleintjes maar. Mijn armen bloedden, mijn benen bloedden, het bloed dat ik nog in me had, lekte uit me. Het tapijt onder me was nu allesbehalve lichtgrijs.

DINSDAG 8 APRIL 2008

Caroline en ik zijn eindelijk begonnen met de sollicitatiegesprekken voor de werknemers van het nieuwe distributiecentrum. De gesprekken, gisteren en vandaag, verliepen goed, tot een uur of tien, toen Caroline naar beneden ging om de volgende kandidaat op te halen.

Ik nam zijn sollicitatiebrief vluchtig door: Mike Newell, 37, nauwelijks ervaring in distributie, maar zijn brief was leesbaar, goed geschreven en weloverwogen, wat meer was dan wat we over de anderen konden zeggen. We hadden tot nu toe iedereen afgewezen. Geen kinderen, woonachtig in Zuid-Londen, geïnteresseerd in wereldgeschiedenis en elektronica. We hadden hem uitgenodigd vanwege zijn antwoord op de vraag: 'Waarom denk je dat je een positieve rol kunt spelen bij Lewis Pharma?' Hij had geschreven: 'Hoewel ik nauwelijks ervaring heb in distributie, ben ik enthousiast en leergierig. Bovendien zou ik volledig toegewijd zijn aan de organisatie.' Enthousiasme, leergierigheid en toewijding waren drie dingen waar we meer van konden gebruiken.

Caroline was met hem in gesprek toen de deur van de sollicitatieruimte openging. Ik stond op en trok mijn verwelkomende glimlach, klaar om de vijfde persoon te begroeten die we die dag zouden spreken.

Mijn hart stond stil.

Het was Lee.

Hij glimlachte warm naar me en schudde me de hand, Caroline gebaarde hem te gaan zitten, en ik stond als aan de grond genageld terwijl het bloed uit mijn gezicht trok en mijn mond gortdroog werd.

Zag ik dingen die er niet waren? Hij stond voor me, in pak, met een ontspannen, vriendelijke glimlach op zijn gezicht, en hij had nauwelijks oogcontact met me gemaakt. Hij gedroeg zich geheel alsof hij me niet herkende. Alsof hij Mike Newell heette en geen Lee Brightman.

Ik overwoog het op een lopen te zetten. Ik had het gevoel dat ik ging overgeven. Toen bedacht ik hoe normaal hij zich gedroeg, en ik vroeg me oprecht af of ik was doorgedraaid, helemaal gek was geworden, en dit een of andere hallucinatie was.

'Nou, meneer Newell,' zei Caroline opgewekt, 'dan zal ik

eerst het een en ander vertellen over de organisatie en de baan, en dan stellen we u wat vragen om u beter te leren kennen, en daarna kunt u als u dat wilt nog vragen stellen aan ons. Is dat goed?'

'Ja, prima.' Het was de stem van Lee, maar met een ander accent. Schots? In ieder geval noordelijk.

Wás hij het?

Terwijl Caroline haar geoefende riedeltje over Lewis Pharma en de uitbreiding afratelde, sloeg ik hem met een soort gefascineerde afschuw gade. Zijn haar was donkerder, ietsje; hij was wat bleker – dat was ook niet vreemd – en hij was ouder geworden, met wat rimpeltjes rond zijn ogen die hij eerder niet had gehad. Maar dat was ook logisch. Hij keek Caroline geconcentreerd aan, knikte op de juiste momenten, had de uitstraling van iemand die alles in zich opneemt. Ik had hem nog nooit in een dergelijk pak gezien: het paste niet echt goed. Het zag eruit alsof hij het geleend had. Ik kon me niet voorstellen dat Lee ooit iets zou aantrekken wat hem niet als gegoten zat. Tenzij hij natuurlijk undercover was, wanneer hij smerige kleding droeg die stonk alsof hij op straat leefde.

Ik twijfelde nogmaals of hij het was.

Ik had hem bijna drie jaar geleden voor het laatst gezien, in de beklaagdenbank, luisterend naar de bewijslast. Ik was niet naar de zitting geweest waar de strafmaat werd bepaald. Drie dagen voor het einde van het proces werd ik voor de tweede keer gedwongen opgenomen. Ik werd rustig gehouden met kalmerende middelen en staarde het grootste deel van de dag naar een vlek op de muur terwijl hij werd veroordeeld.

Ik probeerde zijn gezicht voor me te zien zoals het toen was geweest, en het verwarde me. Ik had zo hard mijn best gedaan hem uit mijn hoofd te bannen. In mijn nachtmerries, zelfs op de momenten dat ik hem had gezien, op straat, in de supermarkt, was hij nu een gezichtloze vorm.

Wás hij het?

Caroline naderde het einde van haar monoloog, en daarna was ik aan de beurt.

Het drong tot me door dat ik, zonder daar bewust mee bezig te zijn, diep en langzaam ademde, dat ik mezelf kalmeerde met mijn ademhaling om het aan te kunnen, omdat ik moest. Ik probeerde aan het niveau van mijn angst te denken. Minstens 60, misschien 70. Ik kon het me niet veroorloven hier door te draaien. Ik had deze baan nodig. Ze hadden een risico genomen door me aan te nemen en ik kon het niet verpesten. Ik wachtte tot de angst zou zakken. Dat zou even duren. Ik moest hiermee omgaan.

'Nou,' zei ik, en ik voelde dat ik op een soort automatische piloot functioneerde. 'Meneer Newell.'

Hij keek me aan en glimlachte. Die ogen. Ze waren verkeerd. Ze waren te donker. Het was hem niet, dat kon niet. Ik beeldde het me in, net zoals ik het me al die andere keren had ingebeeld.

'Kunt u ons wat vertellen over uw laatste baan, en waarom u daar bent vertrokken?'

Ik merkte dat ik naar zijn woorden luisterde zonder ze in me op te nemen. Carolines pen kraste over het oppervlak van haar blocnote, wat fijn was, want ik zou me niets herinneren van wat hij had gezegd. Dat hij de afgelopen jaren had gewerkt in een café in Spanje. Om een vriend te helpen. We zouden natuurlijk zijn referenties controleren, maar als dit Lee was, zou het kinderspel voor hem zijn die te vervalsen.

Mijn volledige ontzetting dat ik tegenover de man zat die me bijna had vermoord, die me in elkaar had geslagen en verkracht, raakte enigszins op de achtergrond. Ik zat te luisteren hoe hij over zijn carrière vertelde, dat hij nadat hij in het leger had gediend meerdere aanstellingen had gehad – die zouden we toch ook controleren? Daar zou toch ergens bewijs van zijn? Hij zei dat hij Mike Newell heette; hij was opgegroeid in Northumberland, niet in Cornwall, maar het grootste deel van zijn werkende leven had hij in Schotland doorgebracht. Lancaster kwam niet ter sprake. Een veroordeling wegens mishandeling werd niet genoemd. Niets over een gevangenisstraf van drie jaar.

Caroline nam het weer over en vroeg of hij nog vragen had.

'Ik vroeg me alleen af,' zei hij, met die stem, die vreemde mengeling van accenten die ik niet kon plaatsen, 'of u nog iets zoekt in de ideale kandidaat waarvan ik nog geen blijk heb gegeven?'

Caroline keek me aan en probeerde haar geamuseerde glimlach niet te laten doorschemeren. 'Cathy? Kun jij daar antwoord op geven?'

Het was een van de beste vragen die ik iemand ooit had horen stellen tijdens een sollicitatiegesprek. 'Natuurlijk,' zei ik, en ik probeerde mijn stem vast te laten klinken, 'zou het ideaal zijn als u ervaring in distributie zou hebben, maar die is niet essentieel. We hebben de afgelopen dagen een aantal zeer veelbelovende kandidaten gesproken en hopen morgenmiddag te kunnen beslissen wie het gaat worden.'

Hij glimlachte naar me. Zijn tanden waren anders dan die van Lee. Witter? Gelijkmatiger? Nu ik hem nogmaals bekeek was hij echt anders. Het waren niet alleen zijn ogen. Zijn gebit was anders, zijn haar, zijn bouw. Deze man was absoluut minder gespierd dan Lee. Ik herinnerde me hoe zijn spierballen de mouwen vulden van alles wat hij aanhad, zelfs een slechtzittend pak als nu. Het was allemaal nét een tikje, heel verwarrend, anders.

'Hartelijk dank voor uw komst, meneer Newell,' zei ik, en ik schudde hem de hand. Zijn grip was ferm, warm, niet zweterig. De perfecte hand voor iemand die je in dienst wilde nemen.

Caroline liep met hem mee terug naar beneden. Ik zat alleen in de ruimte en mijn hoofd sloeg op hol. Wás hij het? Ik keek nogmaals naar zijn sollicitatiebrief – een keurig handschrift, in blokletters – hoewel hij die natuurlijk door iemand had kunnen laten schrijven, dus dat betekende niets. Hij kon contactlenzen dragen. Hij kon bij een orthodontist zijn geweest. Hij had misschien niet getraind in de gevangenis. En dan die laatste baan, twee jaar in een bar in Spanje? Hij had er vrienden; iedereen die we daar belden zou een nietszeggende referentie geven. En hij was nou niet bepaald gebruind.

Ik hoorde Caroline aan komen lopen met de volgende kandidaat en zette mijn verwelkomende glimlach op. Achter mijn slapen bereidde de hoofdpijn aller hoofdpijnen zich voor op een felle aanval.

Zodra het gesprek was afgerond zei ik tegen Caroline dat ik wat ging drinken en een paar pijnstillers zou nemen. We hadden pauze en zouden daarna nog drie gesprekken voeren voordat ik naar huis kon.

Caroline hield maar niet op over Mike Newell.

'Hij steekt met kop en schouders boven de sollicitanten van vandaag uit, vind je niet? Hoewel hij geen enkele distributie-ervaring heeft, is hij overduidelijk intelligent en leergierig, hè? En die vraag aan het einde: die onthou ik voor als ik zelf nog eens ergens ga solliciteren. Je antwoord was briljant, ik had echt geen flauw idee wat ik erop had moeten zeggen. En ik weet dat dit heel onprofessioneel is, maar mijn god, hij is erg aantrekkelijk, vind je niet? En charmant...'

'Ik ben zo terug, oké?' was het enige antwoord dat ik uit mijn strot kon persen. Ik greep mijn tas uit de bureaulade en liep naar de achterdeur van het pand.

Ik pakte mijn mobieltje en het papiertje waar het nummer van brigadier Holland op stond.

Haar mobieltje stond uit, dus ik probeerde het andere nummer. 'Met agent Lloyd, kan ik u helpen?'

'Eh, hallo. Ik hoopte Sam Hollands te krijgen.'

'Brigadier Hollands is in vergadering. Kan ik iets voor u doen?'

'Ja, ja. Iemand moet me helpen.' O god, hoe moest ik dit in een paar zinnen uitleggen? Hoe kon ik iemand duidelijk maken hoe dringend dit was zonder de indruk te wekken dat ik niet goed bij mijn hoofd was?

'Hallo? Bent u op dit moment in direct gevaar?'

'Nee, dat denk ik niet.' Ik voelde tranen achter mijn oogleden prikken. Alsjeblieft, dacht ik, ga nou niet aardig tegen me doen, dat kan ik niet aan.

'Mag ik uw naam?'

'Cathy. Cathy Bailey. Ik ben vier jaar geleden mishandeld door ene Lee Brightman. Hij heeft drie jaar gevangengezeten en is afgelopen kerst vrijgelaten. Het heeft zich allemaal in het noorden afgespeeld, in Lancaster.'

'Oké,' zei de stem.

'Brigadier Hollands heeft me verteld dat hij vrij is. Een paar dagen geleden dacht ik dat ik hem zag, hier in Londen, en toen heb ik brigadier Hollands gesproken, en die heeft navraag gedaan in Lancaster, en daar zeiden ze dat hij daar nog is.'

'En nu hebt u hem weer gezien?'

'Ik werk als personeelsmanager en ik geloof dat ik net een sollicitatiegesprek met hem heb gevoerd voor het bedrijf waarvoor ik werk.'

'Dat denkt u...?'

'Hij zag er anders uit, maar niet heel erg anders. Hij noemt zichzelf Mike Newell, maar hij lijkt echt vreselijk veel op hem: dezelfde stem, alles. Ik vroeg me af of het mogelijk is dat iemand in Lancaster gaat kijken of hij daar nog is, eh, nu direct? Want hij is hier pas een halfuur geleden vertrokken. Dus als hij het was, kan hij niet nu ook in Lancaster zijn.'

'Heeft hij een straatverbod of iets dergelijks?'

'Nee.'

'Weet u of hij vrij is onder de voorwaarde dat hij geen contact met u opneemt?'

'Volgens mij niet.'

'Oké. Maar hij doet zich voor als iemand anders?'

'Ja. Hij heeft een sollicitatiebrief gestuurd voor de functie, compleet met een heel cv, maar dat kan allemaal nep zijn. Volgens de brief heeft hij de afgelopen jaren in Spanje gewerkt.'

Er viel een lange stilte. Ik keek op mijn horloge: over vijf minuten moest ik weer sollicitatiegesprekken afnemen.

'Heeft hij u bedreigd?'

'Tijdens dat gesprek? Nee,' zei ik.

'Heeft hij aangegeven dat hij u herkende, of dat hij niet was wie hij zei dat hij was?'

'Nee, hij heeft het spelletje meegespeeld.'

'Maar u weet zeker dat hij het is?'

Ik ontweek de vraag zo goed en zo kwaad als dat ging. 'Hij deed het altijd zo. Dan kwam hij onverwachts opdagen om me te laten schrikken. Hij bespioneerde me als ik aan het winkelen was, en als hij vond dat ik te lang onderweg was, sloeg hij me als ik thuiskwam. Hij deed altijd dingen waardoor ik zou denken dat ik gek was, en het ligt helemaal in zijn lijn om op mijn werk te verschijnen en zich voor te doen als iemand anders, gewoon om te zien hoe ik daarop reageer.'

Nog een lange stilte. Ik vroeg me af of ze aantekeningen maakte.

'Oké. Kan ik u op dit nummer terugbellen?'

'Ik moet over vijf minuten verder met de gesprekken, maar mijn voicemail staat aan.'

'Dan bel ik u later terug.'

Ik rende het gebouw weer in en ging naar de damestoiletten. Ik waste mijn handen en keek in de spiegel. Ik zag er veel beheerster uit dan ik me voelde. Mijn haar was weer wat langer, en ik had het net in een leuke boblijn laten knippen, waarvan de onderrand subtiel mijn kaaklijn accentueerde. Ik zag er bleek en moe uit en mijn huid werd een beetje groenig door het pruimkleurige jasje dat ik droeg, maar niets wat een beetje poeder niet kon oplossen.

Caroline zat al in de ruimte. 'Klaar voor de derde ronde?' vroeg ze.

'Tuurlijk.'

'Gaat het wel?' Ze zag er bezorgd uit, alsof het ineens tot haar was doorgedrongen dat ik geschift was.

'Ja hoor,' zei ik. 'Maar ik heb een barstende koppijn. Van die geconcentreerde gesprekken.'

'O,' zei ze. 'Toen ik die één na laatste vent binnenbracht, die Newell, leek het wel of je een spook zag. Ik was even bang dat je ging flauwvallen.'

Ik was aan de beurt om een sollicitant te halen. Ik keek haar aan met een glimlach waarvan ik hoopte dat hij haar tevreden zou stellen, en liep naar beneden voor de volgende kandidaat.

Caroline en ik namen na het laatste gesprek apart even pauze voordat we de kandidaten bespraken en praatten over wie we zouden aannemen en wie niet.

Ik liep naar buiten om een frisse neus te halen; ik had nog steeds vreselijke hoofdpijn. Die pillen hadden geen enkel effect. Ik zette mijn telefoon aan en wachtte even tot hij het signaal gaf dat ik een nieuw bericht had gekregen. Ik belde mijn voicemail.

'Goedemiddag, dit is een bericht voor Cathy Bailey. Met Sandra Lloyd van bureau Camden. Ik wilde laten weten dat ik contact heb opgenomen met Lancaster. Ze sturen iemand om te kijken of meneer Brightman aanwezig is. Ik heb nog niets gehoord, maar ik laat zodra ik iets weet van me horen. Dank u wel.'

Ik wist dat het geen zin had. Tegen de tijd dat ze hem zouden lokaliseren zou hij genoeg tijd hebben gehad om naar Lancaster terug te gaan.

Ik wandelde rustig over de parkeerplaats, genoot van de zon en vroeg me af hoe laat Stuart terug zou zijn van zijn werk toen mijn telefoon ging. 'Met Cathy.'

'Met agent Lloyd. Hebt u mijn bericht ontvangen?'

'Ja, bedankt. Hebt u al iets gehoord?'

'Lancaster heeft net teruggebeld. Ze zijn naar zijn huis geweest, maar daar is niemand. De vrouw die ik heb gesproken zei dat ze hem gisteren nog heeft gezien, en hij heeft niet gezegd dat hij van plan was om naar Londen te gaan. Weet u heel zeker dat hij het was?'

Hoe kon ik daar antwoord op geven? Nee, ik wist het niet zeker, maar ik ben niet gek. Ik heb het me niet ingebeeld.

'Nee, ik weet het niet honderd procent zeker.'

'Ik denk dat de kans heel klein is. Hij weet toch niet dat u in Londen bent? Weet hij waar u werkt?'

'Ik hoop het niet.'

'Het probleem is dat er geen straatverbod is en dat hij onvoorwaardelijk vrij is, dus hij heeft het recht om te gaan en staan waar hij wil. Mijn collega's in Lancaster kunnen nu en dan even bij hem kijken, maar ze mogen hem niet lastigvallen als hij niets doet wat daar aanleiding toe geeft.'

'Hij heeft me bijna vermoord,' zei ik, met een stem die van heel ver weg klonk.

Sandra Lloyd klonk als iemand die over het algemeen empathisch is. 'Ja, maar dat is al heel lang geleden. De kans is groot dat hij in meerdere opzichten zijn leven zonder u weer heeft opgepakt. Ik weet zeker dat Lancaster hem zo goed mogelijk in de gaten houdt, dus probeert u zich geen zorgen te maken.'

'Oké,' zei ik mak. 'Dank u.'

Ik was niet eens verrast. Ze hadden me de vorige keer ook niet geloofd; er was geen enkele reden waarom ze me nu wel zouden geloven.

Als hij het niet was en ik gewoon zeer overtuigende hallucinaties had, zou ik daarmee moeten leren leven tot het beter zou gaan. En als hij het wel was, zou ik in mijn eentje niet kunnen bewijzen dat hij niet in Lancaster was en daar een brave jongen zat te zijn.

Ik moest wachten tot het moment dat hij besloot open kaart te spelen, en ik zou klaar moeten zijn om het spel mee te spelen.

Toen ik terugkwam op kantoor had Caroline haar jas aan.

'Kom,' zei ze, 'we gaan hier weg.'

'O ja?' vroeg ik. Ik had zo'n hoofdpijn dat ik moeite had me te concentreren.

'Ja. We moeten hier weg. Kom op.'

We liepen de hoofdingang uit en de hoek om naar een pub bij de entree van het industrieterrein. Het was er druk met mensen van de verschillende bedrijven, maar we vonden nog een leeg tafeltje bij de keuken. Het was er donker.

Caroline zette onze drankjes op tafel. 'Je ziet er niet uit,' zei ze.

Ik schoot in de lach. 'Dank je.'

'Ik meen het,' zei ze. 'Wat is er aan de hand?'

Ik keek haar aan, mijn vriendin, de enige vriendin die ik hier in Londen had.

'Dat is een lang verhaal,' zei ik.

'Ik heb de tijd.'

Ik ademde diep in. Dit was zo moeilijk. Het werd nooit gemakkelijker om dit verhaal te vertellen. Ik voelde tranen, vermoeidheid, uitputting, en vocht ertegen. Ik ging niet instorten, niet hier.

'Ik ben vier jaar geleden aangevallen door de man met wie ik toen een relatie had, en hij heeft me bijna vermoord. Hij is gearresteerd en na een lang onderzoek en een rechtszaak veroordeeld tot drie jaar.'

'Mijn god,' zei ze. 'Arme meid toch. Arme, arme meid toch.'

'Ik ben naar Londen verhuisd omdat ik wist dat hij zodra hij vrijkwam achter me aan zou komen. Daarom ben ik hier.'

'Dus het is gebeurd waar je eerst woonde? In Lancaster, toch?'

'Ja. Ik wilde ver weg zijn als hij zou worden vrijgelaten. Voor het geval hij me zou gaan zoeken.'

Caroline zag er gealarmeerd uit.

'En denk je dat hij dat zal doen?'

Daar dacht ik even serieus over na. Ik kon dit onmogelijk

doen voorkomen als iets anders dan de verschrikking die het was. 'Ja, dat denk ik wel.'

Caroline ademde uit. 'Dus... dan wordt hij binnenkort vrijgelaten.'

'Dat is al gebeurd. Afgelopen kerst.'

'O, mijn god. Geen wonder dat je zo bleek ziet. Je zult wel doodsbang zijn.'

Ik knikte. Ik kon mijn tranen weer bijna niet onderdrukken, maar wat zou ik met huilen opschieten? Ik wilde gewoon naar huis, en bij Stuart zijn.

'Die man. Meneer Newell.'

'Ja?'

'Hij lijkt op hem. Ik dacht dat hij het was. Daarom zag ik er zo gek uit. Je zei dat het leek of ik een spook had gezien. Nou, zo voelde het inderdaad.'

Ik keek haar aan. Ze was warm en moederlijk met haar roodbruine, glanzende haar, in een professionele coupe, en in haar zakelijke grijze pak. Ze had tranen in haar ogen. 'Arme schat.'

Ze omhelsde me en hield me langer vast dan ik verwachtte. Ik voelde de tranen achter mijn oogleden prikken. Ik zou ze bewaren voor als ik alleen was.

'Waarom heb je het me niet eerder verteld?' vroeg ze zacht. Het was geen verwijt; ze wilde helpen.

'Ik heb moeite mensen te vertrouwen,' zei ik.

Toen ik eindelijk thuiskwam controleerde ik de buitendeur twee keer. Hij was niet in het slot gevallen; hij zat wel dicht, en mijn voordeur zag er ook prima uit, maar ik had het gevoel dat er iets niet klopte. Ik moest alles nogmaals grondig nalopen. Niet vanwege de OCD; het was zelfbehoud.

Mijn mobieltje ging toen ik net klaar was en water had opgezet. Ik verwachtte dat het Stuart was, maar het was een ander nummer, dat ik had ingevoerd. In het schermpje stond: HOLLANDS.

'Met Cathy.'

'Met Sam Hollands van bureau Camden.'

'Hallo.'

'Ik hoorde dat je eerder vandaag met een collega van mij hebt gesproken?'

'Ja, dat klopt. Hebt u nog iets gehoord?'

Er viel een stilte en ik hoorde papiergeritsel. 'Ik ben door Lancaster gebeld. Ze zijn een kwartier geleden nogmaals bij meneer Brightman langs geweest, en hij kwam net thuis op het moment dat ze bij hem aanbelden.'

Ik rekende het snel uit in mijn hoofd: dat gesprek was om half twee geweest en net voor twee uur klaar. Het was mogelijk: hij kon direct op de trein zijn gesprongen, en als hij geen vertraging had gehad zou hij precies terug in Lancaster zijn geweest toen de politie op de stoep stond.

Maar het begon allemaal een beetje onwaarschijnlijk te voelen.

'Ze hebben zeker niet gezegd wat hij aanhad?'

'Nee. Agent Lloyd zei dat hij op sollicitatiegesprek is geweest?'

Ik glimlachte. Ze geloofde me, ze geloofde me echt. 'Ja. Ik dacht dat hij het was, maar ik heb hem drie jaar geleden voor het laatst gezien. Hij was afgevallen. Maar dat is ook wel logisch, toch?'

'En hij gaf geen teken van herkenning?'

'Nee. Hij gedroeg zich keurig, als iemand die op een sollicitatiegesprek komt: een beetje nerveus en gretig. Maar hij kon altijd al goed acteren. Vergeet niet dat hij gewoon een baan had, al die tijd dat hij mij in elkaar sloeg.'

Ik zei niet wat voor baan het was. Dat wist ze per slot van rekening.

'En waar ben je nu?'

'Thuis. Het gaat prima, ik voel me goed. Dank u. Dank u dat u me gelooft.'

'Natuurlijk. Luister... Als je hulp nodig hebt, mag je bellen, oké?'

'Ja. Dat zal ik doen.'

'En nog iets. Bedenk een codewoord, iets wat je kunt zeggen als hij er is zonder dat het argwaan wekt, voor als je in de problemen bent.'

'Eh... nu?'

'Ja. Iets onopvallends. Wat denk je van "Pasen"?'

'Pasen?'

'Ja. Als ik je spreek wanneer je in de problemen zit vraag je me hoe het met Pasen was. Doe maar alsof ik een vriendin ben, of een collega. Oké?'

'Oké.'

'Ik weet zeker dat je het niet nodig zult hebben. Maar ik heb voor de veiligheid een code in het systeem gezet bij je woonadres. Als je belt, wordt je telefoontje als urgent aangemerkt. Dat blijft drie maanden zo, en als je dan nog niet hebt gebeld, wordt de code automatisch weer uitgeschakeld. Als je gewoon even wilt praten of advies inwinnen, kun je me mobiel bellen.'

'Oké. Dank u, brigadier. U bent geweldig.'

'Sam. Noem me maar Sam. En sla mijn nummer op onder SAM zodat je me kunt bellen als dat nodig is.'

Ik aarzelde. 'Denk je dat ik in gevaar ben?'

'Ik denk dat het goed is om voorbereid te zijn. Als hij gewoon zijn leven leidt in Lancashire en niet van plan is bij je op bezoek te gaan, maakt het niets uit, toch?'

Ik verbrak de verbinding en zette thee, voegde melk toe tot hij precies de goede kleur had.

Ik zat meer dan een uur na te denken en kwam toen tot een besluit.

Ik zette de laptop aan die ik mee naar huis had genomen, opende de spreadsheet met alle sollicitanten en scrollde naar zijn naam. Mike Newell. Een adres in Herne Hill. Met een telefoonnummer.

Ik aarzelde en vroeg me af of ik op Stuart moest wachten. Ik was niet van plan een gesprek met meneer Newell aan te gaan, ik wilde alleen zijn stem horen. Als ik hem nogmaals hoorde, zou ik het weten. Dan zou ik het zeker weten. En als hij in Lancaster was, zou hij natuurlijk niet de telefoon in Herne Hill opnemen.

Toen ik de stem daadwerkelijk hoorde, schrok ik natuurlijk tot in het diepst van mijn wezen; een seconde later drong tot me door dat ik dit al die tijd al had verwacht.

'Hallo?' vroeg een vrouwenstem, een stem die ik goed kende. Eén woord, en het zei alles wat ik moest weten.

Ik was even stil, en de stilte was zo lang dat ze weer vroeg: 'Hallo? Met wie spreek ik?'

Ik vond mijn stem terug. 'Waar ben jij mee bezig?'

Nu was het haar beurt om te aarzelen. Haar 'telefoonstem' – met een accent tussen dat van het noordwesten van Engeland en een exclusieve kostschool – werd kil. 'Hoe bedoel je: "waar ben jij mee bezig?"'

Ik vroeg me af of mijn stem het zelfvertrouwen overbracht dat ik wilde overbrengen. 'Als je hem spreekt – en ik weet dat hij er nu niet is – zeg hem dan maar dat ik niet meer bang voor hem ben.'

Ik verbrak de verbinding. Alweer verraden.

WOENSDAG 9 APRIL 2008

Het voelde de laatste tijd goed om belachelijk vroeg wakker te worden. Ik vond het prettig om te ontwaken en de zonsopgang te zien, de hemel roze en vol belofte; de vogels te horen die naar hartenlust aan het zingen waren.

Stuart lag te slapen, in zijn bed, in zijn appartement, naast mij.

Hij zag er heerlijk uit. Zijn gezicht was zo vredig, zijn huid bleek en vol scherpe schaduwen in het vroege ochtendlicht, zijn prachtige ogen gesloten. Ik vroeg me af wat hij zou zeggen als ik hem wakker maakte om hem alleen maar zijn ogen te zien openen en hem me te zien aankijken. Zijn hand lag op de lege ruimte in het bed waar ik even tevoren had gelegen. Die sterke hand, zijn soepele vingers die wisten wat ze moesten doen om me op te winden.

Toen hij gisteravond thuiskwam was hij verrast dat ik er al was. Hij pakte me bij de hand en leidde me de slaapkamer in voordat ik iets kon doen, iets kon zeggen. Hij kleedde me uit en elke keer dat ik iets probeerde te zeggen snoerde hij me de mond met een kus. Ten slotte besefte ik hoezeer ik naar hem verlangde.

Toen we na het vrijen samen in de wirwar van het dekbed lagen, blies er door de open ramen in de woonkamer een briesje naar binnen dat zacht over onze huid streelde en ons kippenvel bezorgde.

'Wat is jou vandaag overkomen?' vroeg hij eenvoudigweg.

Ik vroeg me af hoe hij het wist.

Ik gaf in eerste instantie geen antwoord en overwoog hoe ik het hem zo kon vertellen dat hij me zou geloven.

'Weet je nog dat ik je over Sylvia vertelde?'

'Die van de bus? Ja, dat weet ik nog.'

Ik stond op en trok Stuarts t-shirt aan, dat net buiten de slaapkamer op de gang lag. Het rook naar hem, naar zijn werkdag, zijn aftershave en zijn zweet. Ik pakte in de keuken een fles wijn uit de koelkast. Ik deed in de slaapkamer het raam dicht; het begon koud te worden.

Hij zat met vermoeide ogen rechtop in bed. Toen hij de fles zag, begon hij te glimlachen. 'Je dronk geen druppel tot je mij leerde kennen,' merkte hij op.

'Dat weet ik. Leuk, hè?'

We namen om beurten grote slokken uit de fles. De wijn was ijskoud.

Hij wachtte oneindig geduldig tot ik de woorden had gevonden, ondanks het feit dat hij schandalig lang had gewerkt en niets liever wilde dan slapen.

'Ze heeft een verklaring aan de politie gegeven. Ze heeft verteld dat ze dacht dat ik gek was geworden, geobsedeerd was door Lee en dacht dat hij vreemdging. Ze heeft gezegd dat ik doordraaide als hij laat terugkwam uit zijn werk. En ze heeft verklaard dat ik mezelf verwondde met scheermesjes.'

Hij keek me aan en wachtte.

'Ik heb mezelf nog nooit iets aangedaan. Hoewel ik van mezelf walgde toen dit allemaal gebeurde, heb ik dat nooit gedaan. Ervoor niet en erna niet. Dat zou gevoeld hebben als falen. Als opgeven.'

'Ik snap het niet. Waarom zou ze dat doen?' Hij nam een grote teug uit de fles en gaf hem aan mij.

Ik voelde mijn wangen warm worden terwijl de alcohol mijn bloedbaan in stroomde. 'Volgens mij hadden ze een verhouding.'

Hij nam de fles uit mijn hand en zette hem op het nachtkastje. 'Je hebt me nooit verteld hoe het was tijdens de rechtszaak,' zei hij.

'Nee. Die was in veel opzichten nog erger dan de mishandeling.'

'Daar kan ik me iets bij voorstellen,' zei hij.

'Ik heb het niet het hele proces volgehouden. Volgens mij was het de derde dag, toen ik er niet meer naartoe kon; ik ben de dag erna opgenomen. Maar ik heb nadien gehoord dat er een intern onderzoek is geweest en dat ze besloten dat de aanklacht zware mishandeling zou worden. En iets over het belemmeren van de rechtsgang, omdat ze hadden bewezen dat hij ergens over had gelogen toen ze hem de eerste keer verhoorden.'

'Maar hij heeft je toch proberen te vermoorden? Hoe zit het dan met poging tot doodslag?'

'Lee was rechercheur bij de politie. Hij heeft bijna vier jaar undercover gewerkt, terwijl hij daarvoor technische ondersteuning gaf bij de inlichtingenafdeling. En dáár weer voor was hij beroepsmilitair, hoewel hij me nooit heeft verteld waar of als wat. Hij had een brandschoon cv. Toen er onderzoek werd gedaan naar mijn beweringen heeft hij alles briljant omgedraaid en verteld dat ik hém stalkte, dat ik hém het leven zuur maakte, dat hij mij had moeten aangeven maar zo met me te doen had, dat soort nonsens.'

Stuart schudde langzaam zijn hoofd. 'Dat is... en je verwondingen dan?'

Ik haalde mijn schouders op. 'Hij heeft gezegd dat ik mezelf de meeste heb aangedaan nadat hij bij me weg was gegaan. Hij heeft toegegeven dat hij me heeft vastgebonden, voor mijn eigen veiligheid en die van hemzelf, en dat hij het niet allemaal even slim heeft aangepakt, maar dat dat alleen kwam doordat hij oprecht om me gaf en wilde voorkomen dat ik in de problemen raakte door wat ik had gedaan. Hij zei dat ik mijn neus moest hebben gebroken toen ik hem een kopstoot had gegeven. Het was geen waterdichte verklaring, maar hij hoefde ook alleen maar twijfel te zaaien.'

'En hij had Sylvia om zijn verhaal te steunen?'

'Precies. En voordat ik moest getuigen ben ik opgenomen. Ze hebben nooit te horen gekregen wat er daadwerkelijk is gebeurd. Ze hebben mijn kant van het verhaal nooit gehoord.'

'Maar dan nog. Heeft er geen arts getuigd?'

'De enige arts die dat heeft gedaan, was de behulpzame psychiater die verklaarde dat ik niet kon getuigen omdat ik onder dwang was afgevoerd en met een zenuwinzinking op een gesloten afdeling zat, om me tegen mezelf te beschermen.'

'Maar fysiek... niet mentaal. Je was nota bene zwaargewond...'

'Toen ik in het ziekenhuis werd opgenomen, woog ik nog veertig kilo. Ze schatten in dat ik twee liter bloed had verloren door de meer dan honderdtwintig steekwonden in mijn armen, benen en romp, en door de miskraam.'

Hij schudde langzaam zijn hoofd. Hij had geen moment weggekeken. 'Hoe kunnen ze in godsnaam ooit ook maar hebben overwogen dat jij dat jezelf had aangedaan?'

Ik haalde mijn schouders op. 'Toen hij eenmaal klaar was met het mes heeft hij het schoongeveegd en in mijn hand gelegd. Ik had geen enkele snee op een plek waar ik zelf niet bij kon. Hij heeft alleen toegegeven dat de blauwe plekken op mijn bovenarmen door zijn toedoen kwamen, omdat hij me had vastgepakt, en hij zei dat hij de verwondingen in mijn gezicht heeft veroorzaakt doordat hij zichzelf moest verdedigen toen ik hem met het mes belaagde. O ja, en hij heeft ook nog gezegd dat we hadden genoten van "ruwe seks" voordat ik was doorgedraaid en hem had aangevallen.'

'Maar iedereen met een beetje verstand van automutilatie had kunnen zien dat je die verwondingen niet zelf had veroorzaakt. Niemand doet zichzelf op die manier iets aan. Dat komt gewoon nooit voor.'

Ik pakte de fles; ik zat in kleermakerszit op bed en nam nog een slok. Dit was moeilijker dan ik had gedacht.

'Ik weet dat het belachelijk klinkt. Ik heb het hele filmpje ontelbaar vaak in mijn hoofd afgespeeld. Hoe oneerlijk het allemaal was en waarom ze me dit hebben aangedaan. Maar daar schiet ik niets mee op. Uiteindelijk was het gewoon zijn woord tegen het mijne. En hij was er, in een mooi pak, in zijn eigen vertrouwde justitie-omgeving, waarin hij in hun taal vertelde hoe het ondanks zijn goede bedoelingen allemaal was misgegaan, en hoe vreselijk hij dat vond. En ik zat met een zenuwinzinking op een gesloten afdeling. Wie moesten ze geloven? Het is eigenlijk nog een wonder dat hij straf heeft gekregen. Het is een wonder dat ze hem niet hebben beloond met een medaille.'

Ik zag zelfs door de aangename mist van meer dan een halve fles wijn wel dat Stuart genoeg had gehoord. Ik zag de blik in zijn ogen, die blik die ik eerder bij Caroline had opgemerkt. Het was godzijdank geen blik van ongeloof. Het was er een van ontzetting.

Ik wist dat dit voor nu was wat hij aankon en dat ik hem de rest niet kon vertellen. Ik kon hem niet vertellen dat ik Lee die dag had gezien. Het werd allemaal een beetje te veel, alsof de nachtmerries waarvan hij dagelijks getuige was zich ineens opdrongen aan zijn privéleven.

'Luister,' zei ik terwijl ik de fles op het nachtkastje zette. 'Ik ben hersteld, Stuart. Kijk eens naar me.'

Dat deed hij.

Mijn littekens waren zelfs in het halfduister overal zichtbaar, een patroon van vernietiging op mijn huid.

'Ik bloed niet meer. Ze doen geen pijn meer. Het is achter de rug, oké? We kunnen niets veranderen aan wat er is gebeurd, maar we kunnen wel veranderen wat er van nu af aan gebeurt. Daar heb je me zoveel over geleerd: over helen. Van nu af aan alleen nog maar goede dingen.'

Hij stak zijn arm uit en streelde met zijn vingers over mijn lichaam, van mijn schouder over mijn borst naar mijn buik. Ik ging dichter bij hem zitten, zo dichtbij dat zijn mond het pad kon volgen dat zijn vingers hadden genomen.

Er viel verder niets te zeggen.

ZONDAG 13 APRIL 2008

Ik nam de bus naar Herne Hill.

Het was de eerste echt warme dag van het jaar en ik had spijt dat ik mijn jas had aangetrokken. Toen ik vanochtend op stap ging, stond de zon nog niet boven de daken en was het koud geweest. Ik liep nu, heel irritant, met mijn jas onder mijn arm.

Ik maakte een omtrekkende beweging rond het huis, hoewel ik wist waar het stond: ik had de plattegrond van de omgeving goed bestudeerd voordat ik van huis was gegaan. De straten waren verlaten, verrassend vredig voor Londen, alsof iedereen vlak voordat ik was gearriveerd naar het strand was vertrokken en de stedelijke drukte achter zich had gelaten.

Tegen de tijd dat ik voor het huis stond was het me gelukt

mezelf op te werken tot een vurige verontwaardiging. En nu maar hopen dat die genoeg zou zijn om de boodschap over te brengen.

Het huis leek erg op dat van ons: een groot victoriaans rijtjeshuis dat bijna exact hetzelfde was als de rest van de rij, en de rijen in de volgende straat en die erachter. Er was een kelderappartement met een eigen ingang, een stenen wenteltrap die naar een felrood geschilderde voordeur leidde. Een elegante stenen trap liep naar de zwarte voordeur, die hard aan een verfbeurt toe was, en een rij van vijf bellen gaf aan in hoeveel appartementen het pand was opgedeeld. Ik liep de trap naar de voordeur op. Op de sollicitatiebrief had gestaan dat hij in appartement 2 woonde. Er hing geen naambordje bij de bel, hoewel er wel een bij alle andere hing: appartement 1: Leibowitz; appartement 4a: Ola Henriksen; appartement 4b: Lewis; appartement 5: Smith & Roberts. Ik vroeg me af wat er met appartement 3 was gebeurd.

Ik drukte op de bel van nummer 2 en wachtte.

Er werd niet gereageerd.

Ik overwoog naar huis te gaan en ging even op de bovenste trede van de trap zitten, met mijn gezicht in de warme zon. Toen stond ik op, draaide me om naar de voordeur en gaf hem een duwtje. Hij ging direct open, naar een hal die betegeld was met de oorspronkelijke zwart-witte dambordtegeltjes.

Appartement 2 lag achter in het pand op de begane grond. De voordeur was eenvoudig, van hardboard met een enkel yaleslot. Ik klopte hard aan en wachtte.

Ik hoorde voetstappen en gemompel.

Toen ging de deur open, heel abrupt, en daar stond Sylvia, met een handdoek om haar hoofd en een tweede losjes om haar lichaam.

'O,' zei ze. 'Jij bent het.'

'Ik ben het, ja. Mag ik binnenkomen?'

'Waarom?' Ze had haar hooghartige gezichtsuitdrukking opgezet, waarmee ik haar zo vaak anderen had zien bejegenen: serveersters, barkeepers, mensen op straat, ambtenaren, maar mij nog nooit.

'Ik wil graag even met je praten.'

Ze haalde haar hand van de klink en liep het appartement in, waarbij ze de deur openliet zodat ik achter haar aan kon lopen.

'Ik moet zo weg,' zei ze.

'Ik blijf niet lang, maak je maar geen zorgen,' zei ik.

Terwijl ik wachtte tot ze was aangekleed, keek ik rond in haar woonkamer en nam de typerende Sylvia-rommel in me op: enorme, kunstzinnige posters aan de muren, veel te groot voor de kleine ruimte; een bank met doeken in verschillende felle kleuren erop; het keukenblokje met een koelkast die hoogstwaarschijnlijk nog nooit voor iets anders was gebruikt dan voor het koelen van flessen sauvignon blanc.

Er was geen teken van Lee. Ik had half verwacht er kleding van hem aan te treffen, schoenen, een tas... wat dan ook. Misschien zelfs een foto. Maar het was alsof hij hier nog nooit was geweest.

Achter een stel gigantische, zware terracottakleurige gordijnen die een centimeter of tien te lang waren voor de ruimte, leidde een stel tuindeuren naar de achtertuin. Het gras was al heel lang niet gemaaid, stond vol onkruid, met hier en daar een bloeiende plant uit de tijd dat de tuin eigendom van iemand was geweest die erom had gegeven.

Ik vroeg me af wie er in de kelder woonde en had met hem of haar te doen, in die onderaardse wereld. Ik had ook in zo'n appartement gewoond.

'Oké,' zei ze terwijl ze de kamer in kwam schrijden, die meteen overvol voelde. 'Wat kom je doen?'

Ik haalde mijn schouders op. 'Ik wilde je denk ik gewoon even zien.'

Ze leek in verwarring. 'Nou, hier ben ik. Je hebt me gezien.'

Ze was dunner dan de laatste keer dat we elkaar zagen, en hoewel haar kleding nog steeds in typische Sylvia-stijl was – een rode spijkerbroek met een paarse trui, een smaragdgroene leren riem en glitterpumps – maakten de felle kleuren haar teint juist dof, haar haar meer asblond dan goudblond. Haar krullen waren zwaar en met een eenvoudige zwarte clip in bedwang gehouden. Ze zag er bleek uit onder haar make-up.

'En het spijt me,' zei ik eenvoudigweg. 'Daar kwam ik ook voor: om mijn excuses aan te bieden.'

Dat had ze evenmin verwacht.

'Het spijt me dat ik geen contact met je heb onderhouden nadat je was verhuisd.'

'Het was hier hartstikke moeilijk, wist je dat? Veel moeilijker dan ik had gedacht. Ik had je nodig.'

'Ik jou ook. Ik had ineens het gevoel dat ik helemaal geen vriendinnen meer had. Toen je was vertrokken was het net of de zon zich achter een wolk had teruggetrokken.'

'Misschien had ik ook wel wat harder mijn best kunnen doen om contact te blijven houden,' gaf ze toe.

Ik dacht: maar je had het zeker te druk met het neuken van mijn ex-vriendje, of niet soms?

Ze glimlachte en haar blik verzachtte. Als het nodig was haar te vleien zou ik dat doen.

'Wil je wat drinken?' vroeg ze. 'Wijn? Thee?'

'Thee, graag. Dank je.'

Ze zette in het keukentje water op en rommelde in de kastjes. 'Ik woon hier sinds dit jaar. Leuk, hè?' riep ze boven het ruisende water in de ketel uit.

'Nou,' zei ik. 'Het past helemaal bij je.'

Ze glimlachte en bedankte me alsof ik haar een complimentje had gegeven. 'En jij? Woon jij hier ook?'

'Ja,' zei ik.

'Dus dan was jij het inderdaad, bij die bushalte,' zei ze.

'Ja.'

'Ik wist het niet zeker. Je ziet er heel anders uit met je haar zo... kort.'

Ze stond met de tuindeuren te wrikken tot ze krakend opengingen, waarbij de metalen stang oorverdovend over de tuintegels schraapte, de diepe groef in het steen het bewijs van hoelang dat al zo ging zonder dat iemand er iets aan had gedaan. We gingen buiten zitten met onze thee, op het lage muurtje tussen het terras en het grasveld.

'Het heeft me natuurlijk een fortuin gekost. Thuis zou ik er een vrijstaand huis met vier slaapkamers van kunnen kopen.'

'Dat geloof ik direct.' Er was een rooster naast de tuindeuren, van ongeveer een meter breed, dat wat licht in het kelderappartement zou werpen. Maar het was geen vluchtroute. Ik zou doodsbang worden van dat rooster als ik er zou moeten wonen.

'Je ziet er goed uit,' zei ze.

Het was me niet opgevallen dat ze naar me staarde. Ik glimlachte naar haar. 'Ik voel me ook goed. Beter dan ooit, geloof ik.'

Ze legde een hand op mijn knie. 'Ik vind het fijn dat te horen, Catherine, dat meen ik. Misschien kunnen we al die narigheid nu achter ons laten. Het was allemaal zo jammer.'

Mijn verontwaardiging pruttelde. Dat moest ik zo zien te houden, want met slechts een beetje aanmoediging zou die overgaan in een moorddadige, wraakzuchtige razernij waarover ik geen controle zou hebben.

'Ja,' zei ik.

Sylvia nipte van haar thee. Op de zingende vogels na was het stil in de tuin; het voelde er vredig. We hadden ergens op het platteland kunnen zijn; de warme zon scheen op mijn hoofd.

Ze lachte ineens haar tinkelende, melodische lach. 'Je bent je zeker wel rot geschrokken toen hij plotseling op je werk verscheen, hè? Doodkalm. Hier ben ik voor mijn sollicitatiegesprek.'

'Dat kun je wel zeggen, ja.'

'Ik heb nog tegen hem gezegd dat hij dat niet moest doen, dat er genoeg andere banen in Londen zijn en zo, maar hij wilde je verrassen. Hij zei dat hij wilde proberen vrede met je te sluiten, wilde zien of we allemaal weer vrienden konden worden.'

'We hebben niet echt de kans gehad om bij te praten. Er waren een heleboel sollicitatiegesprekken gepland.'

Ze keek me van opzij aan. 'Krijgt hij die baan?'

'We hebben nog niet alle kandidaten gesproken.'

Ze fronste haar wenkbrauwen. 'Hij is een goede vent, dat weet je toch, hè? Een goede vent.'

Ik vroeg me af van welke planeet ze kwam, wat hij haar had voorgehouden en hoe hij het voor elkaar had gekregen dat ze hem geloofde in plaats van mij. Misschien geloofde ze gewoon wat ze wilde geloven.

Ik wilde het spel meespelen, met haar instemmen en bevestigen dat hij een goede vent was, maar dat was een stap te ver. Het lukte me om te doen alsof ze het over Stuart had, en zolang ik dat deed, was ik in staat om te knikken.

'Hij heeft het ontzettend zwaar gehad. Ze zijn in de gevangenis niet echt dol op ex-agenten.'

Mooi, dacht ik. Wat wilde ze dat ik zou zeggen? Arme Lee, wat vreselijk naar voor hem?

'Heb je een ander?' vroeg ze, met die kokette lach weer in haar stem. Ze porde me met haar elleboog in mijn zij.

Ik glimlachte. 'Ik? Nee. Ik ben gewoon niemand tegengekomen. Je weet hoe dat gaat. Grote stad. Te hard gewerkt.'

Ze knikte. 'Ik ben weleens met iemand uit geweest. Maar ik ben nooit iemand zoals Lee tegengekomen. Hij is zo... speciaal. Maar natuurlijk, dat weet jij.'

Ik keek haar aan omdat het zo'n vreemd zinnetje was. Ze keek naar de tuindeuren, alsof ze iets in het appartement hoorde, en toen begreep ik het.

Hij was er. In het appartement. Hij was er de hele tijd geweest.

'Wat ga je doen?' vroeg ze op zachtere toon. Spanning in haar stem. Ze keek nog steeds naar de tuindeuren, naar de duisternis in de woonkamer erachter.

'Niets,' zei ik zacht. 'Ik ga helemaal niets doen.'

'Mooi,' zei ze opgewekt, waarbij ze zich met een warme en tevreden glimlach naar me omdraaide.

We hadden onze thee op en ik had geen reden om te blijven. Ik wilde hier zo ver mogelijk vandaan en nooit meer terugkomen, maar voordat ik dat kon doen, moest ik eerst dat appartement door lopen.

Ik dwong mijn benen te bewegen, en eenmaal binnen ging het ietsje beter. Het was stil in het appartement, op de geluiden van Sylvia na, die de mokken omspoelde en babbelde over dat we eens koffie moesten gaan drinken, een avond uit moesten, dat ze van plan was uit te gaan met haar verjaardag en of ik dan ook kwam?

Ik kon vanuit de smalle gang haar slaapkamer in kijken. De deur stond wagenwijd open, het bed was niet opgemaakt, de deur van haar garderobekast was open. Hij puilde uit van een massa felle kleuren op doorgebogen hangertjes. Aan de andere kant was de badkamer, met een ligbad tegen de verre muur. Ik moest het me hebben ingebeeld, je kon je hier nergens verstoppen. Hij was er niet.

Ze glimlachte warm naar me bij de voordeur. Ik was hiernaartoe gekomen om haar te waarschuwen en nu puntje bij paaltje kwam, kon ik het niet. Ik had haar willen opdragen tegen hem te zeggen dat ik hem zal vermoorden als hij bij me in de buurt komt. Dat ik hem echt zal vermoorden. Maar ik zei niets.

In plaats daarvan glimlachte ik naar haar, beloofde contact op te nemen en wandelde rustig naar de bushalte terwijl ik haar ogen vanaf haar positie bij de zwarte voordeur in mijn rug voelde branden.

Ik voelde me vrijer dan ik me in jaren had gevoeld. Hoe verder ik liep, hoe lichter mijn tred werd, tot ik de hoofdstraat bereikte en zo ongeveer danste. Ik had geen plan – nog niet – maar dat kon ik nu wel gaan bedenken.

Ik ging van Herne Hill terug naar Camberwell. Ik nam lijn 68 naar het Maudsley en stapte daar uit. Stuart was over een halfuur vrij. Het kon natuurlijk best uren later worden, als er een noodgeval was, maar ik had goede hoop. Hij moest natuurlijk wel door de hoofdingang naar buiten komen en niet een of andere zijdeur nemen, maar daar ging ik me evenmin druk om maken.

Ik zat met zwaaiende benen op een muurtje in de zon. Het was hier drukker, maar niettemin veel rustiger dan doordeweeks. Ik keek naar de bussen die langsreden en de mensen die over de stoep liepen.

Ik had hem bijna gemist. Ik keek toevallig naar de bushalte en daar stond hij. Hij was vroeg naar buiten gekomen.

'Hoi,' zei ik.

Stuart draaide zich om, zag me, en zijn gezicht lichtte op. Hij kwam op me afrennen en kuste me vurig op de lippen. Toen kwam hij naast me op het muurtje zitten.

'Hé. Wat doe jij hier?'

'Ik wacht tot mijn schip met geld binnenkomt.'

'Aha. En is het al in zicht?'

'Het ziet er veelbelovend uit.'

'We kunnen natuurlijk ook een gezellige pub opzoeken en daar wachten. Lijkt dat je wat?'

We liepen naar de Bull, niet bepaald een gezellige pub, maar wel prettig in de buurt. De tuin erachter zat vol mensen die overduidelijk al de hele dag zaten te drinken, dus wij gingen binnen zitten. We bestelden een fles wijn en luisterden in de koelte naar de flarden van gesprekken die door de open deur naar binnen waaiden.

'Ik heb nog eens over die vakantie nagedacht,' zei hij.

'Welke vakantie?'

'De vakantie die we gingen boeken toen het nog vroor. Dat hebben we nooit gedaan.'

'Dat komt doordat jij altijd aan het werk bent.'

'Maar dan nog. Laten we alsnog iets plannen.'

Ik keek uit het raam en nam een slokje wijn. Ik kon alweer een paar glazen op zonder stomdronken te worden.

Hij zei nog iets, maar ik luisterde niet echt. Toen drong het half tot me door dat hij iets belangrijks zei. 'Wat zeg je?'

'Dat we iets leuks moeten plannen, misschien voor in de herfst.'

'Dat was niet wat je zei.'

Hij bloosde. Hij keek me aan en hield zijn hoofd een beetje schuin.

'Oké. Ik zei dat we misschien een huwelijksreis konden boeken. Ga alsjeblieft niet lachen.'

'Ik lach niet. Is er niet iets wat je eerst moet doen, voordat je op huwelijksreis gaat?'

'Ik zal het wel in de verkeerde volgorde vragen, ja.'

Ik kon mijn oren niet geloven. Hij had acuut mijn onverdeelde aandacht. Buiten klonken bulderende lachende stemmen, alsof de beste grap van de wereld er net was verteld.

'Vraag het dan in de goede volgorde.'

Hij nam een grote slok wijn. 'Oké, dat zal ik doen. Cathy, wil je met me trouwen en daarna met mij naar een zonnig vakantieoord?'

Ik gaf niet meteen antwoord, en volgens mij dacht hij dat hij het had verpest, want toen zei hij: 'Ik breng hier niets van terecht. Ik heb geen idee wat ik moet zeggen, of hoe. Maar ik weet wel dat ik van je hou en dat we uiteindelijk gaan trouwen en samen gelukkig worden, en dat er een moment komt dat ik moet vragen of jij het ook zo voelt. O ja, en ik heb deze voor je gekocht.'

Hij viste een doosje uit zijn zak.

Ik keek er heel lang naar; het stond dicht tussen ons in op tafel. Ik probeerde hem niet opzettelijk te kwellen. Ik was niet eens in verwarring over mijn gevoelens. Trouwen met Stuart en de rest van mijn leven bij hem zijn, was zonder twijfel het liefste wat ik op de hele wereld wilde, dat wist ik.

Maar nu nog niet.

Stuart keek me met een strak gezicht aan, maar zijn ogen spraken boekdelen. Ze braken mijn hart. 'Je gaat nee zeggen, hè?'

Ik haalde diep adem. 'Ik ga "nog niet" zeggen.'

'Is dat een positief antwoord?'

Ik kon die blik niet langer verdragen. Ik stond op, ging bij hem op schoot zitten en kuste hem, lang en diep, en voelde hem ondanks zijn pijn reageren. En hoewel ik hem had gekwetst door geen ja te zeggen. Een van die idioten uit de tuin kwam binnen bestellen en floot naar ons; hij riep iets over een gratis voorstelling, maar ik hield niet op. Volgens mij heeft Stuart hem niet eens gehoord.

We gingen uiteindelijk terug naar Talbot Street, waar we direct de trap op renden zonder ook maar de voordeur te controleren. Niet één keer. We renden Stuarts appartement in en het lukte ons nog net om de deur achter ons dicht te slaan terwijl we ondertussen onze kleren al uittrokken. We haalden de slaapkamer niet en eindigden naakt op de woonkamervloer, en daarna naakt in de keuken, en om het af te maken ook nog naakt in de badkamer.

Uren later, toen het donker was en het briesje dat door het raam naar binnen waaide de kamer had afgekoeld, fluisterde hij: 'Wil je hem houden? De ring? Wil je hem alsjeblieft houden tot de "nog niet" een "ja" wordt?'

DINSDAG 22 APRIL 2008

Ik schrok op uit mijn slaap en zat van het ene op het andere moment klaarwakker en met een bonkend hart rechtop in bed.

Wat was er aan de hand?

Stuart bewoog naast me, legde een hand op mijn arm en trok

me terug omlaag. 'Hé,' mompelde hij. 'Ga weer slapen.'

'Ik hoor iets,' zei ik.

'Je lag te dromen.'

Hij sloeg een arm om mijn taille. Ik ging weer liggen, stil, nog steeds met een bonzend hart. Het was dat geluid weer, dat ik eerder ook had gehoord. Een bonk.

Stilte. Alleen mijn hart en Stuarts ademhaling. Verder niets.

Dit had geen zin. Ik wist zeker dat ik niet meer zou kunnen slapen.

Ik stond op uit bed, probeerde hem niet nogmaals wakker te maken, trok een T-shirt en een korte broek aan. Ik liep op blote voeten de slaapkamer uit.

Het was donker in het appartement. Ik keek naar de voordeur. Die keek naar me terug: solide, stil en standvastig. In de woonkamer scheen oranje licht van de straatlantaarns naar binnen, dat het plafond verlichtte. Ik dook in elkaar en ging in een van de lage vensterbanken zitten, van waar ik op straat uitkeek.

Het was doodstil, er was geen enkele beweging; geen auto's, nog geen kat. Het enige geluid was het gebrom van een vliegtuig in de verte, waarvan de lichtjes knipperden in de donkeroranje hemel.

Ik overwoog net om weer naar bed te gaan toen ik het nogmaals hoorde. Een bonk. Dof, alsof iets zachts een heel eind naar beneden viel.

Het was ergens in huis, ergens beneden.

Ik overwoog Stuart wakker te maken. Mijn angstniveau was hoog, 70 of 80. Mijn vingers trilden en ik stond met knikkende knieën op. Ik wachtte tot ik het weer zou horen. Niets.

Dit kon ik verdomme niet de rest van mijn leven zo blijven doen. Ik ging kijken.

Ik liep blootsvoets naar de voordeur, die ik na enige aarzeling opende. Het was donker op de gang, en koud, en er kwam tocht van beneden. Ik wachtte tot mijn hart iets rustiger zou worden. Er is niets om je zorgen over te maken, zei ik tegen mezelf. Het is gewoon ons huis. Stuart is er en ik ben er en verder is er niemand. Ga maar kijken.

Ik liep naar beneden en liet Stuarts deur open. Er scheen wat licht door de voordeur beneden, en door het raam op de overloop. Verder was het donker.

Toen ik bij mijn eigen voordeur was, bleef ik staan luisteren. Niets.

Dit sloeg nergens op.

Ik liep verder naar beneden, trede voor trede, langs de rand zodat de trap niet zou kraken. De tocht was nu sterker, voelde bijna als een briesje. Mijn nekharen gingen ervan overeind staan. Muffe lucht, de geur van koude grond. Van aarde op een begraafplaats.

Ik kon de voordeur nu zien, die dicht was. Geen enkel teken dat hij open was geweest.

Toen ineens, heel dichtbij: *bang!*

Het klonk niet erg hard, maar wel hard genoeg om me te laten schrikken. Ik dook ineen zodat ik tussen de trapspijlen door naar de voordeur van mevrouw Mackenzie kon kijken.

De deur stond weer open. Wagenwijd open.

Ik bevroor en keek de inktzwarte duisternis van haar appartement in. Het geluid dat ik had gehoord was van een keukenkastje dat dichtsloeg of iets dergelijks. Het weergalmde door het appartement. Er was iemand binnen.

Ik ademde zo diep en langzaam mogelijk en probeerde me te concentreren, probeerde na te denken. Dit was gekkenwerk. Er kon niemand binnen zijn. En als er iemand was, liep hij rond in het aardedonker. Waarom deed hij dan geen licht aan? Ik zat op de trap, sloeg mijn armen om mijn knieën en wachtte tot de paniek zou wegebben. Natuurlijk zou het eenvoudiger en sneller zijn om terug naar boven te gaan, Stuart wakker te maken en mijn eigen appartement te gaan controleren. Maar ik was helemaal in mijn eentje naar beneden gekomen en was niet van plan het nu op te geven.

'Cathy?'

Ik schrok me rot en slaakte een gil van de stem achter me, vlak achter me. Ik gilde harder dan ik voor mogelijk had gehouden.

'Ik ben het, rustig maar. Wat is er in hemelsnaam…? Sorry, Cathy, ik wilde je niet laten schrikken.'

Ik beefde van top tot teen en drukte mezelf tegen de muur. Ik wees naar de open deur, naar het gapende gat in de duisternis. 'Ik hoorde... ik hoorde...'

'Het is al goed. Kom, haal rustig adem.'

Behalve dat ik in paniek was, was ik ook razend.

'Fuck zeg, hé?' zei ik toen ik weer kon praten. 'Waarom zei je niet gewoon wat? Ik kreeg verdomme zo'n beetje een hartaanval.'

Hij haalde zijn schouders op. 'Ik dacht dat je liep te slaapwandelen.'

'Ik heb van mijn leven nog nooit één stap geslaapwandeld.'

'Wat ben je dan aan het doen?'

Ik keek naar de deur. Als er iemand binnen was, hadden we hem vast flink laten schrikken. De halve straat was zeker wakker geworden van mijn gil.

'Ik hoorde geluiden. Ik ben gaan kijken. De deur – kijk dan – de deur staat open. Ik had hem op slot gedaan. Ik had hem op slot gedaan én hem gecontroleerd. En nu staat hij open.'

Hij maakte een betuttelend geluid, een 'o nee, daar gaan we weer'-geluid en liep langs me heen. Hij ging naar de begane grond en deed een licht aan. We knipperden allebei tegen het felle schijnsel en hielden een hand boven onze ogen. Achter de deuropening was het nog steeds zwart en leeg. Ik zag een stukje van het drukke patroon van het tapijt.

Stuart stond in de deuropening en keek me vermoeid aan.

'Hallo?' riep hij. 'Is daar iemand?'

Niets, geen enkel geluid. Hij liep naar binnen.

'Voorzichtig,' zei ik.

Even later gingen de lampen in het appartement aan. Ik kroop de trap af. Met het licht aan was alles ineens veel minder bedreigend. Stuart stond in de woonkamer naast de bank van mevrouw Mackenzie, op blote voeten en in zijn boxershort. 'Er is niemand,' zei hij. 'Zie je wel?'

Ik voelde nog steeds de tocht. 'Kijk,' zei ik.

Het onderste ruitje van de keukendeur was gebroken, en een wigvormig stuk glas van ongeveer dertig centimeter lag op de vloer. De geur van de tuin kwam erdoor naar binnen en een briesje maakte mijn benen koud.

'Loop maar niet verder,' zei hij, 'straks ga je nog in het glas staan.' Vervolgens negeerde hij zijn eigen advies en ging naar de kapotte ruit toe.

'Er zit haar aan het glas. Zo te zien is die vos binnen geweest.'

'Die rotvos weer,' zei ik. 'En denk je dat hij de ruit met een hamer heeft ingetikt?'

Stuart liep de keuken door naar me toe, waarbij hij nogmaals het kapotte glas negeerde. 'Er is echt niemand,' zei hij. 'Kom, dan gaan we terug naar boven.'

We sloten de deur, trokken hem stevig dicht. Ik mocht hem van Stuart niet controleren. Hij was in het slot gevallen, dat hadden we allebei gehoord. We liepen naar boven en Stuart ging weer naar bed. Ik ging in de keuken zitten, met het licht aan, en dronk een kop thee. Mijn handen beefden nog, maar ik voelde me niettemin vrij kalm. Ik kon niet geloven dat ik het had gedaan, dat ik midden in de nacht naar beneden was gelopen en mijn veilige haven had verlaten, dat ik uit Stuarts bed was gestapt, de deur uit was gegaan en de trap af.

Ondanks de gebroken ruit, ondanks het feit dat er duidelijk was ingebroken in het appartement van mevrouw Mackenzie – en niet door een vos of ander dier, het moest een mens zijn geweest – voelde ik me kalm, vrij en rustig.

En nog steeds kwaad. Niet alleen omdat hij me van achteren

had beslopen, omdat hij me die gil had laten slaken en daarmee degene die binnen was had gealarmeerd, maar omdat hij dacht dat ik het zelf had gedaan. Hij dacht dat ik de deur van het appartement had opengemaakt. Dat zei hij niet, maar ik zag het in zijn ogen.

Hij begon aan me te twijfelen, net zoals Claire had gedaan, en toen Sylvia, en de politie, en de rechter, de artsen, iedereen.

Ik ging niet meer terug naar bed. Ik zette de televisie aan en bleef zitten tot het licht werd, keek half televisie en oefende ondertussen met aan Lee denken. Ik was al gespannen; het leek niet moeilijk nog een stapje verder te gaan en mijn stressniveau nog meer op de proef te stellen.

Ik overwoog de mogelijkheid dat hij in het appartement van mevrouw Mackenzie had ingebroken. Ik zag voor me dat hij beneden woonde, in de duisternis, dat hij naar Stuart en mij luisterde, ons hoorde praten, hoorde vrijen. Ik dacht aan hem en aan wat hij van plan was.

Toen het licht werd, eindelijk, was mijn gezicht nat van tranen. Ik was niet in paniek; mijn ademhaling was rustig. De paniek onder controle krijgen begon absoluut gemakkelijker te worden.

Toen ik Stuart wakker hoorde worden zette ik water op.

Ik bracht hem een kop thee.

'Gaat het een beetje?' vroeg hij slaperig.

'Prima.'

'Sorry,' zei hij. 'Sorry dat ik je vannacht zo heb laten schrikken.'

'Dat geeft niet.'

'Ik zal straks de woningbouwvereniging even bellen dat ze iemand moeten sturen om die ruit te repareren en een nieuw slot op de deur te zetten. Oké?'

'Prima. Ik ga naar beneden om me aan te kleden voor mijn werk.'

Hij raakte mijn arm aan. 'Nu al? Kom nog even naar bed.'

'Het is bijna zeven uur. Ik zie je vanavond, goed?'

Ik gaf hem een kus. Hij draaide zich om in bed om nog vijf minuten te doezelen en ik liet hem zo achter, liep naar beneden, naar mijn eigen appartement. De drang om alles te checken was er nog, maar ik beperkte de controles nu. In plaats van ramen en deuren na te lopen, en te kijken of de gordijnen wel precies goed hingen, controleerde ik nu andere dingen.

Als Stuart, of Alistair, of wie dan ook, zou hebben gevraagd waarom ik het deed, zou ik het niet hebben kunnen uitleggen. Niemand zou de zaken opmerken die ik opmerkte, de kleine aanwijzingen die Lee achterliet als hij binnen was geweest. De deur zat altijd op slot, zoals ik hem had achtergelaten, maar dat betekende niets. Ik kon niet verklaren hoe ik wist dat hij binnen was geweest terwijl ik weg was.

Ik wist het gewoon.

WOENSDAG 23 APRIL 2008

Stuart klopte bij me aan toen hij na zijn werk de trap op kwam. Ik overwoog hem te negeren, zoals ik dat de eerste keer dat hij had aangeklopt, al die maanden geleden, ook had gedaan.

'Hoi,' zei ik.

Hij zag er moe uit. 'Ga je mee naar boven?'

'Nee, ik moet nog het een en ander doen. En ik wil vroeg naar bed. Vind je dat goed? Ik heb vannacht nauwelijks geslapen. En jij ziet er ook niet al te fris uit.'

'Ik ben doodmoe, ja. Kom dan alleen even eten. Een uurtje. Alsjeblieft?'

Daar dacht ik even over na.

'Ik heb lamsvlees. Ik maak rijst en kebab met citroen en komijn.'

Ik liet me overhalen. Hij gaf me vijf minuten om af te sluiten.

Toen ik boven kwam, stond hij het lamsvlees al aan de spiesen te rijgen.

'Ik heb de woningbouwvereniging gebeld,' zei hij.

'O ja?' Ik pakte een fles wijn uit de koelkast.

'Ze zouden iemand sturen om die ruit te repareren en naar het slot te kijken.'

'Dan zijn ze vast al geweest. Er ligt een bergje zaagsel bij de voordeur van mevrouw Mackenzie. Misschien hebben ze er wel een steekslot in gezet.'

Hij deed de grill aan. Het rook nu al lekker: naar knoflook, specerijen en citroen. 'Ze vroegen hoe het met haar is.'

'Zijn ze niet bij haar op bezoek geweest?'

Hij haalde zijn schouders op. 'Zo te horen niet. Ik heb nadat ik hen had gesproken naar het ziekenhuis gebeld. Geen verandering. Volgens mij hebben ze niet veel hoop meer. En ze hebben nog steeds geen familie gevonden.'

'Arme mevrouw Mackenzie. Ik zal volgende week nog eens bij haar langsgaan.'

We gingen aan tafel zitten om te eten.

'Zullen we weer eens ergens naartoe gaan, nu het wat warmer is?' vroeg hij met volle mond.

'Ergens naartoe?'

'Een weekendje weg of zo. Even de boel de boel laten.'

'Dit smaakt heerlijk,' zei ik.

'We kunnen naar Aberdeen. Of naar Brighton, een weekendje. Lijkt dat je wat?'

Ik gaf geen antwoord.

Hij hield op met kauwen, nam een slok wijn en keek me aan. Hij keek me aan met zijn psychologenblik: gereserveerd, betrokken, belangstellend.

'Ik weet het niet,' zei ik, 'ik heb het erg druk op mijn werk. Ik moet alle arbeidsovereenkomsten nog doornemen met Caroline, en ik heb therapie bij Alistair, en ik wil mijn appartement een beetje opknappen...'

'Hé,' zei hij zacht, me onderbrekend. 'Hou eens op.'

'Waarmee?'

'Met me wegduwen.'

'Dat doe ik niet. Ik duw je niet weg, ik heb het echt heel druk en...'

'Hou op met me wegduwen.'

Ik maakte de fout oogcontact met hem te maken en toen was ik verloren. Ik staarde hem aan, in eerste instantie geïrriteerd, heel even maar, en toen smolt ik. Ik wilde dit niet alleen doen. Ik wilde het allemaal niet zonder hem doen.

'De voordeur, de voordeur van mevrouw Mackenzie...'

'Wat is daarmee?' vroeg hij, en hij legde een hand op mijn hand.

'Ik had vannacht het gevoel... dat je dacht dat ik het zelf had gedaan. Je dacht dat ik hem open had gelaten. Toch?'

Hij schudde zijn hoofd. 'Nee.'

'Ik had het gevoel dat je me niet geloofde.'

'Ik geloof je wel, Cathy.'

'Er heeft beneden iemand geprobeerd in te breken. Daarom was die ruit kapot.'

'Ja.'

'Waarom zei je dan dat het de vos was?'

'Ik heb niet gezegd dat die vos het raam kapot heeft gemaakt.'

Hij had gelijk: dat had hij niet letterlijk zo gezegd.

'Waarom ben jij niet bezorgd? Misschien is er wel iemand binnen geweest.'

Hij haalde zijn schouders op. 'Cathy, we wonen in Londen. Er wordt hier aan de lopende band ingebroken. Toen ik in Hampstead woonde is er bij mij ingebroken. Twee jaar geleden is mijn auto gepikt en ik heb hem nooit teruggekregen. Ralph is een keer overvallen, in Hyde Park. Dat soort dingen is hier schering en inslag. Het hoeft niets met Lee te maken te hebben.'

'Maar...'

'En wie het raam ook heeft gebroken, zo te zien was hij niet binnen geweest. De achterdeur zat nog dicht en op slot.'

'Maar de voordeur stond open!'

'We weten allebei dat die niet bepaald goed dichtging. De tocht door dat kapotte raam kan hem open hebben geblazen.'

Ik beet op mijn onderlip. Dit ging niet werken.

'Het was Lee niet, Cathy,' zei hij vriendelijk. 'Hij is er niet. We zijn hier met zijn tweetjes. Oké?'

Ik ruimde de borden op. Terwijl ik ze afspoelde en in de vaatwasser zette, voelde ik me ellendig en uitgeput. Hij pakte me vast zodat ik niet verder kon met de vaat, nam het bord zorgvuldig uit mijn hand, draaide me naar zich toe. Hij duwde mijn kin omhoog zodat ik hem in de ogen keek.

'Ik hou van je,' zei hij. 'En ik ben apetrots op je. Je bent dapper, sterk en direct. Je bent veel dapperder dan je zelf denkt.'

De tranen biggelden over mijn verhitte wangen. Hij kuste ze weg. Hij hield me vast en wiegde me, en ik vergat al snel dat ik van plan was geweest naar beneden te gaan voor dat werk dat ik zogenaamd moest afmaken. Ik vergat de kapotte ruit en het zaagsel bij de deur, en de koude tocht die om mijn enkels waaide. Ik vergat alles behalve hem, Stuart, en de warmte van zijn handen op mijn huid.

WOENSDAG 7 MEI 2008

Twee weken lang ging alles goed. Het distributiecentrum werd feestelijk geopend en al het nieuwe personeel was druk in de weer, iedereen vond een plekje en deed het goed. De directeur stuurde ons een briefje om ons te bedanken voor ons harde werk.

Ik ging wekelijks naar Alistair en werkte toe naar het minimaliseren van de controles. Het was me al een paar keer gelukt. Als ik wél controleerde, was dat op dingen die anders waren in mijn appartement. Maar na die nacht dat we de voordeur van mevrouw Mackenzie open hadden aangetroffen, gebeurde er niets. Geen nachtelijke geluiden, geen bewijs dat hij of iemand anders binnen was geweest. Helemaal niets.

Stuart was druk geweest met zijn onderzoeksproject en had lange dagen gemaakt. Ik had in mijn eigen appartement geslapen, zodat hij rustig zijn gang kon gaan als hij laat thuiskwam. Ik had hem dus de hele week nauwelijks gezien.

Caroline en ik zaten te kletsen met een kop thee, waar we de weken daarvoor nauwelijks tijd voor hadden gehad. Ze vroeg net naar Stuart toen ik een sms kreeg: C, IK WEET NAUWELIJKS MEER HOE MIJN THUIS ERUITZIET. IK GA PROBEREN HET WEEKEND VRIJ TE KRIJGEN. HOU VAN JE. S X

Een paar minuten later ging mijn werktelefoon. Ik verwachtte half dat hij het zou zijn, maar dat was niet het geval. Tot mijn verbazing was het Sylvia.

'Hoi,' zei ze. 'Sorry dat ik je op je werk stoor, maar ik heb je privénummer niet.' Haar stem klonk vreemd, met een echo, en ik hoorde verkeer op de achtergrond.

'Dat geeft niet. Hoe is het?'

'Prima,' zei ze. 'Ik heb maar heel even. Kun je met me lunchen? Vandaag?'

'Ik heb het erg druk, Sylvia.'

'Alsjeblieft. Als het niet belangrijk was, zou ik het niet vragen.'

Ik wierp een blik in mijn agenda: om twee uur een vergadering, maar ik moest ruim daarvoor terug zijn. 'Oké, dan. Waar wil je afspreken?'

'Bij John Lewis in Oxford Street. Op de vierde verdieping zit een brasserie. Ken je die?'

Het was geen plaats waar je Sylvia zou verwachten, maar haar toon was meer dan bekend: ze ging ervan uit dat iedereen in haar tempo bewoog en haar ontmoette in haar wereld, alsof de planeet te langzaam om haar heen draaide. 'Ik vind het wel.'

'Twaalf uur?'

'Ik zal mijn best doen.'

'Dan zie ik je daar. En Catherine: bedankt.'

Toen ze de verbinding verbrak klonk ze buiten adem en nog steeds alsof ze in een grot stond.

Het hield me de hele ochtend bezig. Het voelde als een val, een slimme. Ik hoefde niet bang te zijn wanneer ik op een dergelijke plek met iemand afsprak: heel openbaar, druk, met overal in- en uitgangen. Lee zou me daar niet kunnen pakken en het zou moeilijk zijn me er te volgen. Tenzij zij hem hielp. Als ze me weer bij haar thuis zou hebben uitgenodigd, had ik nee gezegd.

Ik dacht terug aan die zonnige zondagochtend enkele weken daarvoor, toen ik haar had verrast, en hem waarschijnlijk ook. Ik had geen idee waar hij zich in haar appartement had kunnen verstoppen, maar iets aan de manier waarop ze het donkere, koele interieur in had gekeken, had me ervan overtuigd dat hij meeluisterde, dat hij aanwezig was.

Hoe dan ook, of het nu een val was of niet, ik moest erheen.

Toen ik mijn kantoor met airconditioning uit liep en op straat kwam, voelde het verrassend warm buiten. De zon scheen en de straten waren druk met mensen die van kantoor op weg waren naar de parken om wat zon te vangen. Ik liep drie straten, stak een paar keer over en hield toen in een impuls een taxi aan. Ik had geen idee waarom; als Sylvia me wilde ontmoeten wist hij waar ik naartoe ging, als hij me volgde. Dan stond hij waarschijnlijk al op me te wachten in John Lewis. Misschien dat deze afspraak was bedoeld om ons samen op neutraal terrein te krijgen voor een beleefd gesprekje. Ik was niet bang, maar wel behoorlijk onrustig, alsof ik op weg was naar iets naars en onvoorspelbaars.

Ik genoot van het briesje door het open raam terwijl de taxi door de straten reed. Tien minuten later stapte ik uit in een zijstraat bij een van de achteruitgangen van het warenhuis. Het was er koel en schaduwrijk; er blies wind om mijn blote benen.

Het was druk in de brasserie op de vierde verdieping. Ik keek om me heen en ging ervan uit dat ik er eerder was dan zij. Maar toen ik me omdraaide om weer weg te lopen zag ik haar. Ze stond op en zwaaide naar me. Ze zat helemaal achterin, bij de toiletten, maar dat was niet de reden dat ik haar niet had gezien. Ze droeg een zwarte rok met een witte blouse met korte mouwen, en zwarte pumps. Ik was op zoek geweest naar haar gebruikelijke pauwenkleuren, maar ze zag eruit als een kantoorklerk.

'Hoi,' zei ze, en ze spreidde tot mijn verrassing haar armen uit om me te omhelzen en op de wang te kussen.

'Ik herkende je haast niet,' zei ik.

'O, bedoel je dit?' Ze lachte haar tinkelende lach. 'Dat heb ik net gekocht. Ik heb zo een interview met het hoofd van juridische zaken; soms kan het heel nuttig zijn om je aan te passen. Als je begrijpt wat ik bedoel.'

Ze had al thee voor me besteld, en er stonden twee kaneelbroodjes op tafel te wachten. 'Net als vroeger,' zei ze terwijl ik ging zitten. 'Het doet me denken aan het Paradise Café.'

Ik keek om me heen; ik kon me geen ruimte voorstellen die minder aan het Paradise Café deed denken, maar dat zei ik niet.

'Hoe is het?' vroeg ze terwijl ze opgewekt zat te kauwen.

'Prima, dank je,' zei ik. Ik wachtte.

'Dus hij heeft de baan niet gekregen. Mike, bedoel ik.'

Mike. 'Nee. Niet genoeg ervaring, al met al. Ik bedoel, achttien maanden een kroeg in Spanje runnen is nou niet echt relevant als je in een distributiecentrum wilt werken, toch?'

Ze wierp me een blik toe.

'En ik ging er trouwens niet over. We hebben een scoresysteem, en hij heeft gewoon minder gescoord dan anderen. Verder niets. Ik kon er niets aan doen.'

Sylvia haalde haar schouders op, alsof ze wilde aangeven dat het haar om het even was, en ze keek toe hoe ik mijn thee dronk, die bijna koud was. Ik vroeg me af hoelang ze hier al zat. Ik vocht tegen de drang achter me te kijken, in de ruimte, door de ingang naar de winkel. Hij was er ook, dat wist ik vrijwel zeker.

'Het komt trouwens door mij,' zei ze, 'voor het geval je je dat afvroeg.'

'Wat komt door jou?'

'Ik heb hem verteld waar je was. Ik zag de vacature in de *Evening Standard*, met je naam en werkadres erbij. "Voor meer informatie en een sollicitatieformulier kunt u contact opnemen met Cathy Bailey..." Het leek me erg waarschijnlijk dat het om dezelfde Cathy Bailey ging.'

Daar dacht ik even over na. 'Nou, daar had je dan gelijk in.'

'Sorry,' zei ze.

'Het maakt nu niet meer uit,' zei ik, nog onzeker voor welk deel van het zeer veelomvattende verraad ze haar excuus maakte. 'En hoe is het met jou?'

Ze kreeg de kans niet me dat te vertellen, want op dat moment ging haar telefoon, die tussen ons in op tafel lag. Ze schrok enorm en griste hem van tafel, waarna ze nerveus opnam.

Ik deed alsof ik niet luisterde.

'Ja. Nee, ik zit koffie te drinken met een vriendin.' Ze keek me aan en probeerde te glimlachen. 'Nee, niemand die je kent. Hoezo wil je ook komen? ... Oké. Nee, die ligt nog op mijn werk. Hoezo? ... Oké. Dan zie ik je straks.' Ze verbrak de verbinding en zag er bijna opgelucht uit.

'Sorry,' zei ze. Het viel me op dat ze bleek was, alsof de make-up die ze normaal gesproken droeg, minder fel gekleurd was. Ze zag eruit of ze te vaak te heet gewassen was. Flets. Ik wilde vragen of hij het was, maar dat had geen zin, ik wist het al. Ik besloot dat het dus toch een val was. Hij wilde, om de een of andere bizarre reden, dat ik Sylvia zou vertrouwen, mijn hart bij haar zou uitstorten. De telefoon, die op tafel lag, zou ons gesprekje wel opnemen.

'Vriendjes,' zei ze. 'Je kent dat wel: ze willen altijd weten waar je bent.'

Ik haalde glimlachend mijn schouders op. 'O, ja?'

'Maar goed,' zei ze, en ze probeerde opgewekt te klinken, 'ik moet zo weg. Ik wilde alleen even weten hoe het met je gaat.' Ze sloeg de rest van haar koffie achterover en liet een groot stuk van haar broodje liggen. Toen ik opstond, zag ik dat ze was afgevallen in de paar weken dat ik haar niet had gezien.

'Moet je al weg?' vroeg ik.

'Ja, sorry. Ik moet naar dat interview. Ik neem nog wel contact met je op, oké? Zorg goed voor jezelf, Cathy.'

Haar stem klonk vreemd, verstild, alsof er iets enorms en oncontroleerbaars achter schuilging. Ik ving haar blik en zag iets wat ik niet had verwacht te zien.

Ze omhelsde me, langer dan ik had verwacht, en pakte toen haar grote Planet-tas, die onder de tafel had gestaan en die vol zat met fleurige stoffen en een paar lakleren rode pumps met een felgekleurde bloem op elke teen.

Ik keek toe hoe ze wegliep tussen de tafeltjes door, waarna ze verdween in het winkelende publiek en de mensen die bij een kassa in de rij stonden met tassen vol designkleding en beddengoed van Egyptische katoen.

ZONDAG 11 MEI 2008

Ik heb het briefje net pas gevonden, vier hele dagen nadat ik Sylvia in de brasserie had ontmoet. Stuart was op zijn werk en ik was de was aan het doen.

Het zat in de zak van mijn ruimvallende rok, zo klein dat ik het misschien nooit zou hebben gevonden als het niet mijn gewoonte was al mijn zakken op tissues te controleren voordat ik mijn kleding in de wasmachine deed.

Ik staarde er even naar, wetend wat het betekende, voordat ik het langzaam openvouwde. Vijf woorden, in blokletters, iedereen had ze kunnen schrijven, en toch konden ze alleen door haar geschreven zijn: NU GELOOF IK JE WEL. Vijf woorden, achter op een bonnetje van de brasserie in John Lewis gekrabbeld en meermalen opgevouwen.

Het drong allemaal in een paar seconden tot me door: hoe afschuwelijk dit was, en ik vroeg me af of het te laat was. Ik overwoog ernaartoe te gaan, haar weg te halen, met haar te vluchten. Waar moesten we heen? Ik overwoog achter hem aan te gaan, met een mes, hem te overvallen en hem af te maken zoals ik hem vier jaar geleden had willen afmaken. Ik overwoog Stuart op zijn werk te bellen en hem te vragen wat ik moest doen.

Uiteindelijk deed ik het enige realistische wat ik kon doen.

Ik liep met mijn mobieltje naar boven en liet mezelf in Stuarts appartement binnen. Het was er stil en leeg zonder hem. De zon ging onder achter de daken en zijn keuken baadde in goudkleurig licht. Ik ging aan de keukentafel zitten en belde het nummer.

'Kan ik brigadier Holland misschien spreken?' vroeg ik toen er was opgenomen.

Ik moest een paar minuten wachten voordat ik haar aan de telefoon kreeg. Ik luisterde ondertussen naar de achtergrondgeluiden op bureau Camden: iemand probeerde aan een andere telefoon iemand te kalmeren.

'... Probeer diep adem te halen. Nee, rustig maar, we hebben alle tijd. Ik weet dat het moeilijk is... Helemaal niet, daar zijn we voor.'

'Hallo? Cathy?'

Haar stem klonk opgeruimd, zakelijk. Ik vroeg me ineens af of ik hier wel goed aan deed.

'Sorry dat ik je stoor, maar ik maak me zorgen om iemand. Een vriendin. Ik ben bang dat ze in de problemen zit.'

Het was zondagavond al vroeg rustig in de Rest Assured, alleen wat vaste klanten aan de bar die met grote glazen bier over de huizenmarkt zaten te discussiëren. Ik was vroeg, bestelde een glas witte wijn en ging op dezelfde bank zitten waar Stuart mijn hand had vastgehouden en over Hannahs overspel had verteld. Er was ondertussen veel veranderd in ons leven.

Ze was maar tien minuten te laat. Ik weet niet wat ik verwachtte, maar zodra ze binnenkwam en een vlaag avondlucht met zich meenam, wist ik dat zij het was. Spijkerbroek, zwart T-shirt, kort, niet geverfd blond haar en een kapsel dat je zou kunnen vergelijken met dat van de vroege Lady Di, maar dat te dik en zwaar was voor de noodzakelijke zwierigheid aan de zijkanten. Ze was kleiner dan ik had verwacht, maar wel met de bouw van iemand met wie je liever geen ruzie krijgt.

Ze liep rechtstreeks naar de bar, bestelde een biertje en kwam naar me toe. 'Cathy?'

Ik schudde haar de hand. 'Hoe wist je dat ik het was?'

Ze grijnsde. 'Je bent alleen.'

Sam keek om zich heen in de bar en stelde voor dat we op het terras gingen zitten. Ik wist helemaal niet dat ze die hier hadden, maar voorbij de bar was inderdaad een open deur naar een tuintje. Er stonden maar twee tafeltjes, en het briesje was sterk genoeg om de temperatuur draaglijk te maken.

'Fijn dat je er bent,' zei ik. Ik was eerlijk gezegd zeer verrast door het gemak waarmee ze haar vrije avond had opgegeven om het hele zielige Sylvia-verhaal te horen.

'Geen probleem,' zei ze opgewekt, 'het is een veel te mooie avond om binnen te zitten.'

Ze nam een grote slok bier en likte haar lippen af, waarna ze me verwachtingsvol aankeek.

Ik vertelde haar alles. Mijn vriendschap met Sylvia, hoe die was bekoeld toen ze naar Londen was vertrokken en ik bezig was mijn relatie met Lee te beëindigen. Dat ik haar in de bus had gezien en dat Lee haar adres gebruikt had om te proberen een baan bij mijn bedrijf te krijgen. Toen vertelde ik haar over het bezoekje een paar weken daarvoor, en dat ik met haar had geluncht en uiteindelijk het briefje had gevonden.

Ik haalde het uit mijn zak, vouwde het open en gaf het aan

haar. Ze bestudeerde het even en gaf het daarna aan me terug.

'Wat denk jij dat het betekent?' vroeg ze.

Ik voelde dat ik geïrriteerd raakte. 'Nou, dat ze gelooft dat Lee gewelddadig tegen mij was omdat hij haar hetzelfde aandoet.'

'Heeft ze je verteld dat ze een relatie met Lee heeft?'

'Niet in die woorden.'

'Heeft ze gezegd dat ze bang voor hem is? Heeft ze dat geïnsinueerd?'

'Ze heeft het me niet verteld, maar er valt van alles op zijn plaats. Toen ze me belde om die afspraak voor woensdag te maken was dat vanuit een telefooncel en niet met haar mobieltje. Lee luisterde mijn telefoon af en las mijn mail, zo is hij erachter gekomen dat ik probeerde te ontsnappen, dus dat zal hij bij haar ook wel doen. De plek waar ze met me heeft afgesproken was openbaar, met veel in- en uitgangen, wat aangeeft dat ze dacht dat hij een van ons misschien zou volgen. En ze had heel rare kleren aan.'

Sam keek me vragend aan. Ze had donkerblauwe ogen, grote babyblauwe ogen, maar haar gezicht was allesbehalve onschuldig of verleidelijk.

'Sylvia draagt altijd heel felle kleuren, ze is net een paradijsvogel, altijd in het geel, roze, paars, turquoise, dat soort kleuren. Kleding van zijde, kasjmier en leer. Ik heb haar nog nooit in iets onopvallends gezien. En woensdag had ze een zwarte rok met een witte blouse aan. Ze zei dat ze die net had aangeschaft, dat ze een of ander serieus interview had en zich wilde aanpassen. Haar normale kleding zat in een tas die ze bij zich had. Maar dat heb ik haar nog nooit zien doen. Ze wilde altijd dat haar kleding haar van de massa onderscheidde. Daarom kleedde ze zich zo.'

'Denk je dat ze probeerde op te gaan in de massa?'

'Precies. Hij moet haar zijn gevolgd, zoals hij dat bij mij ook altijd deed. En ze had haar tasje niet bij zich. Alleen die grote tas.'

'Geen handtas?'

'Op dat moment viel het me niet op. Maar de kans is groot dat hij er een afluisterapparaatje in heeft gedaan, of een volgsysteem. Ik weet dat het idioot klinkt. Dat is het ook, totdat je een relatie hebt met iemand die daadwerkelijk zulke dingen doet.'

Ze haalde haar schouders op en knikte. 'Maar ze heeft niets over hem gezegd, of dat ze ongelukkig is? Ook al had ze haar tasje niet bij zich?'

'Nee. Maar ik had de indruk dat ze wel moed zat te verzamelen om erover te beginnen toen haar mobieltje ging. Ik neem aan dat hij het was. En daarna is ze vrijwel meteen vertrokken. We zaten er net een paar minuten.'

'En je denkt dat ze toen dat briefje in je zak heeft geduwd.'

'Het is het bonnetje van onze bestelling, je kunt aan de datum en de tijd zien dat het was van toen wij daar zaten. Ze moet het hebben opgeschreven voordat ik er was.'

Sam pakte het briefje en keek er nogmaals naar, niet naar het bonnetje zelf maar naar de woorden die haastig achterop waren geschreven. Ik vroeg me af of ze dacht dat ik ze zelf had opgeschreven.

'Luister, waarom zou ze me anders ineens geloven? Ze heeft tijdens de rechtszaak getuigd dat Lee me niets had aangedaan, dat ik compleet gestoord was en mezelf had verwond. En ze was mijn beste vriendin! Wat anders kan er zijn gebeurd waardoor ze me ineens gelooft?'

Sam Hollands ademde in en slaakte een diepe zucht, waarna ze even om zich heen keek in het tuintje voordat ze wat dichter bij me kwam zitten.

'Voordat ik hiernaartoe kwam ben ik langs geweest bij dat adres dat je me had gegeven. Er werd niet opengedaan. Ik hoop dat dit allemaal loos alarm is, maar ik moet toegeven dat het er inderdaad op lijkt dat meneer Brightman probeert met jou in contact te komen, en dat zint me niks.'

'Je hoeft je om mij geen zorgen te maken,' zei ik zonder omhaal. 'Ik weet precies hoe hij is en waartoe hij in staat is.'

Ze keek me met een geruststellende glimlach aan. 'Ik zal doen wat ik kan, goed? Ik zal wat rondvragen en bij haar langsgaan zodat we zeker weten dat ze in orde is. Ondertussen vrees ik dat hij nog steeds niets heeft gedaan wat bewijst dat hij je lastigvalt, en tot dat zo is kunnen we geen straatverbod aanvragen om hem bij je uit de buurt te houden.'

Ik haalde mijn schouders op. 'Diegene voor wie hij zich uitgaf, die Mike Newell. Ik vroeg me af of de politie hem heeft nagelopen en of die vriend in Spanje nog steeds wil doen alsof hij daar het afgelopen jaar heeft gewerkt. Hoewel dat niet bewijst dat Mike Newell en Lee Brightman dezelfde persoon zijn.'

'Laat dat maar aan mij over,' zei ze, waarna ze haar glas leegdronk. 'We houden contact. En ondertussen hou ik een oogje op je vriendin.' Ze stond op en rekte zich uit. 'Jezus, ik heb een lange dag achter de rug.'

'Ben je nu vrij?'

Sam knikte en glimlachte. 'Ja. Ik ga lekker curry eten en heel lang in bad liggen.'

Ik liep met haar naar de kruising met Talbot Street en schudde haar daar de hand, waarna ze richting de metro liep.

'En niet vergeten, hè,' zei ze. 'Als je in nood zit: Pasen.'

'Ik zal eraan denken,' zei ik, en ik nam afscheid van haar met een glimlach.

Het was al bijna donker toen ik thuiskwam. Ik glimlachte nog steeds toen ik de sleutel in het slot van de voordeur stak, die openzwaaide zonder dat ik de sleutel hoefde om te draaien. Iemand was vertrokken zonder dat de deur in het slot was gevallen.

Mijn eigen deur zat op slot zoals ik hem had achtergelaten, en binnen stond alles op zijn plaats. Alles was zoals het hoorde en toch voelde het niet goed.

Ik stond midden in de woonkamer en keek naar de balkondeuren en de tuin erachter. Het was buiten windstil en het was muf en heet in mijn appartement. Ik controleerde de balkondeuren nogmaals – op slot – en zette ze toen wagenwijd open. Het briesje dat mijn huid in de tuin van de Rest Assured had gestreeld, bood geen verkoeling meer, en hoewel de zon al bijna onder was voelde het alleen maar heter.

Het hek achter in de tuin stond open; het hing half aan zijn scharnieren. Zo hing het er al bij sinds de storm in februari. Ik had de verhuurder gevraagd het te maken, en er was een keer iemand gestuurd die het weer goed in de scharnieren had gehangen. Een halfslachtige klus. Niemand gebruikte de tuin, ik had zelfs nog nooit iemand op het pad erachter zien lopen, dus het feit dat het hek half openstond was niet wat me dwarszat.

Er klonk geen enkel geluid: geen vogel die floot, geen fluistering, niets. Maar toch voelde het vreemd. De lucht was zwaar en wolken pakten samen hoog aan de hemel.

Ik vroeg me af wat hij aan het doen was, waar hij was, of Sylvia zich had opgesloten in haar badkamer en bloedend lag te wachten tot iemand haar kwam redden, zoals Wendy mij had gered.

Wendy had me nadien verteld dat ze boodschappen uit de kofferbak van haar auto haalde toen hij de voordeur uit was gekomen. Ze zei dat hij er verdwaasd had uitgezien, alsof hij een beetje dronken was, en dat hij in de auto was gestapt en weggereden. Maar dat was niet wat haar zorgen had gebaard. Toen hij achter het stuur was gaan zitten had ze het bloed op zijn handen en het voorpand van zijn overhemd gezien.

En hij had de deur, dat was mijn geluk, niet goed dichtgedaan. Toen ze zeker wist dat hij weg was had ze hem opengeduwd, vertelde ze me; ze had onder aan de trap 'Hallo?' geroepen, waarna ze naar boven was gelopen en me op het vloerkleed in mijn logeerkamer had aangetroffen. Ze dacht dat ik dood was. Ze hadden tijdens de rechtszaak de opname van haar noodoproep laten horen. Wendy, die altijd alles volledig op een rijtje had, die altijd zo rustig en beheerst was, had om hulp gegild en gehuild van schrik omdat ze iemand naakt had aangetroffen, bloedend uit wel honderd verschillende plaatsen en heel oppervlakkig ademend. Ik had het nauwelijks kunnen aanhoren. Misschien dat dat de laatste dag was dat ik naar de rechtszaal ben geweest. Ik kan me verder hoe dan ook niets van de rechtszaak herinneren.

Mijn mobieltje begon ineens in mijn handtas op de bank te rinkelen, waar ik van schrok.

'Hoi,' zei Stuart met een vreselijk vermoeide stem. 'Ik heb je vandaag gemist.'

'Ik jou ook. Ben je al bijna klaar?'

'Ja. Ik moet nog even wat aantekeningen uitwerken en dan kom ik naar huis. Zal ik iets te eten meenemen?'

'Lekker,' zei ik. 'Zeg, ik moet nog even de deur uit. Ik wil iets controleren op mijn werk.'

Ik hoorde zijn stem veranderen. 'Ga je weer naar je werk?'

'Ja, maar ik kom snel terug. Waarschijnlijk ben ik er al voordat jij thuiskomt.'

Er viel een stilte aan de andere kant. 'Cathy? Gaat het wel? Is er iets?'

'Nee hoor,' zei ik, en ik probeerde een glimlach in mijn stem te laten doorklinken. 'Ik ben alleen iets vergeten, dus dat ga ik nog even doen, anders maak ik me er de hele avond zorgen om.'

'Oké,' zei hij. 'Neem je telefoon mee.'

'Zal ik doen. Tot zo.'

'Ik hou van je.'

'Ik ook van jou,' zei ik.

Toen ik de verbinding had verbroken, overdacht ik even wat ik had gezegd en hoe dat moest hebben geklonken in de oren van iemand die meeluisterde. Ik sprak al een tijdje niet meer met Stuart vanuit mijn appartement, voor het geval Lee dat afluisterde. Ik vroeg me af hoelang ik het kon volhouden voordat hij argwaan kreeg.

411

Ik stapte in een bus die globaal in de goede richting ging, ten zuiden van de rivier. Het verkeer begon rustiger te worden en tegen de tijd dat ik ergens in Sylvia's wijk uitstapte, was het helemaal donker. Ik liep door de vrijwel identieke straten en probeerde me te herinneren welke de hare was. Het was al bijna een uur geleden dat Stuart me had gebeld.

De zwartgeschilderde voordeur zat deze keer goed dicht. Ik belde aan bij appartement 2. Ik hoorde de bel rinkelen, maar er werd niet gereageerd. Ik wachtte even en belde nogmaals aan. Ik keek op mijn horloge. Tien over negen. Ze zou toch wel thuis zijn? Dat waren de meeste mensen op zondagavond, zelfs in Londen. Ik belde nogmaals aan en deze keer begon de intercom te kraken. Maar ik hoorde Sylvia niet, het was iemand anders.

'Zeg, het is wel duidelijk dat ze er niet is, toch? En donder nu maar op.'

'Sorry,' zei ik. 'Maar ik heb een afspraak met haar, zou u me binnen willen laten?'

Geen antwoord. De intercom bleef stil.

Ik kon natuurlijk niet de hele avond op de stoep blijven zitten. Ik liep naar het eind van de straat, sloeg links af en volgde de huizenrij naar een steeg achterom. Het was er aardedonker, en het zou er wel geplaveid zijn met hondenpoep, gescheurde vuilniszakken en allerlei ander goors, maar de achterkant van Sylvia's huis moest hier ook ergens zijn, inclusief haar tuin, waar we samen in de zon thee hadden gedronken.

Tweehonderdtien passen over de ongelijkmatige grond, evenveel als het van haar voordeur naar het eind van de straat was geweest, en ik stond voor een hek, met een enorme hoeveelheid onkruid onderaan, en een vervallen muur. Ik voelde aan de ruwe bakstenen, liet mijn vingers langs de bovenkant glijden, op schouderhoogte, en trok mezelf op. Ik schaafde mijn knie toen ik met mijn gympen grip op de stenen probeerde te krijgen.

Toen ik eenmaal met mijn ellebogen op de muur steunde,

kon ik de tuin in kijken, en naar de benedenramen. Alles was donker. Op de eerste en tweede verdieping brandde overal licht, de ramen stonden wagenwijd open. Ik moest stil zijn.

Ik trok mezelf op de muur, het lukte me met moeite op de rand te gaan zitten, en ik overwoog wat ik nu zou doen. De kans was groot dat ze niet thuis was. Misschien was ze wel een weekendje weg, met vrienden, of naar haar ouders in Lancaster. Misschien was ze voorgoed aan hem ontsnapt, zoals het mij nooit was gelukt.

Of ze was binnen. Met alle lichten uit.

Nou, aangezien ik al zo ver was gekomen was ik niet van plan nu naar huis te gaan zonder verder te kijken. Ik sloeg mijn benen over de muur en liet mezelf naar beneden zakken, waarbij ik met mijn kuiten langs de muur schraapte en mezelf vervloekte dat ik dit onpraktische zomerjurkje had aangetrokken.

Ik hoorde lachende stemmen vanuit een appartement boven. Er klonk klassieke muziek: rustgevende, melodieuze pianoklanken. Misschien gaf iemand een etentje.

Ik sloop door de tuin, die fel verlicht was door de lampen van boven, en hoopte maar dat niemand net op dat moment besloot naar buiten te kijken. Ik herinnerde me net op tijd het muurtje tussen het gras en het terrasje, dat nu in schaduw was gehuld.

Toen mijn ogen eenmaal aan de duisternis waren gewend, tuurde ik door het raam de woonkamer in. Die was zoals ik me hem herinnerde: met de grote posters, de misvormde bank vol glanzende doeken, en overal stapels boeken en tijdschriften. Ik kon via de deuropening de gang in kijken, met links de badkamer en rechts de slaapkamer, voor zover ik nog wist.

Beide deuren stonden op een kier.

Oké. Waar ze ook was, ze werd niet gevangengehouden in haar eigen appartement.

Ik deed een stap naar achteren en stapte op iets wat lager lag dan het terras. Het rooster naar de kelder. Ik tuurde in de duisternis onder me. Het licht van boven onthulde alleen de omlijning van de ramen, waarachter het ook aardedonker was. Ik kreeg er de rillingen van.

Ik vond het ondertussen een behoorlijk gênante vertoning worden en racete terug naar de achterkant van de tuin terwijl ik me erop voorbereidde dat iemand van boven me met blote armen en benen over het gras zou zien rennen en zou schreeuwen.

Maar ik was al bij de muur voordat ik ook maar had ingeademd. Hij leek aan deze kant veel hoger, en het metselwerk was gladder afgewerkt. Het zou me veel moeite kosten om eroverheen te klimmen. Aan het hek naar het steegje hing een enorm glanzend hangslot, dus dat maakte het ook niet gemakkelijker. Een paar meter van de muur vandaan stond een oude vuilnisbak met een metalen deksel. Voor zover ik het kon voelen was hij leeg, hoewel hij niet bepaald aangenaam rook. Ik sleepte hem over het gras en zette hem vlak bij de muur, waarbij elk geluidje oorverdovend hard klonk boven de aangename tonen van Sjostakovitsj' tweede pianoconcert uit.

Ik testte of de vuilnisbak me zou houden, wat gelukkig zo was. Ik had alleen maar een opstapje nodig, en meer kreeg ik ook niet, want zodra ik genoeg grip aan de bovenkant van de muur had, schoof de deksel onder mijn voet vandaan en kletterde op het gras. Terwijl ik over de muur heen klom, werd de muziek ineens uitgezet, en er klonken bezorgde stemmen: 'Wat was dat? ... o, vast gewoon een vos ...maak je geen zorgen, schat.'

Eenmaal aan de andere kant van de muur voelde ik me dom en vroeg me buiten adem af waarom ik in godsnaam over muren klauterde terwijl ik thuis had kunnen zijn bij Stuart, die zich ondertussen wel zou afvragen waar ik bleef.

Tijd om te gaan. Waar Sylvia ook was, ik had in ieder geval mijn best gedaan om haar te vinden.

Ik nam de enige bus die de goede kant op ging. Ik stapte uit aan de andere kant van het park, nog geen kilometer van huis, en liep zo snel ik kon in het halfdonker terug naar Talbot Street. Het werd steeds benauwder, het dreigde te gaan regenen en in de verte klonk het onweersgerommel.

Ik liep de straat in, keek op naar Stuarts ramen op de boven- verdieping en zag dat de lichten brandden. Hij was eerder thuis- gekomen dan ik. Ik weerstond de drang om meteen naar bin- nen te lopen en wandelde verder, naar het einde van de straat, waar ik links afsloeg en het steegje in liep.

Ik moest nadenken.

Ik had niemand gezien tijdens mijn wandeling van de bushal- te; ik was gepasseerd door een paar auto's en een fietser, maar er waren geen wandelaars. Er liep tegenwoordig niemand meer in Londen, in ieder geval niet in de buitenwijken. En niet in het donker.

Alleen ik.

Er was iets ergs met Sylvia gebeurd. Ik wist het net zo zeker als ik wist wat mijn eigen naam was. Ze was zo anders geweest. Niet meer scherp, stiller, en haar ogen stonden... opgejaagd. Ik had gedacht dat hij haar enkel had gebruikt om mij te pakken, maar wat als hij niet meer in mij was geïnteresseerd? Wat als hij iemand anders had gevonden om te misbruiken?

Dat bedacht ik op het moment dat ik tussen het hek en de scharnieren door de tuin in tuurde naar de achterkant van het huis en zag dat de gordijnen in mijn eetkamer helemaal open waren en er binnen licht brandde.

Ik bleef even als aan de grond genageld staan. Hij was binnen geweest. Hij was er waarschijnlijk nog steeds.

Ik dacht even na en overwoog Sam Hollands te bellen, maar toen bedacht ik dat het Stuart kon zijn – ik had hem een sleutel gegeven –, die zich afvroeg waar ik bleef en was gaan kijken of alles in orde was.

Op dat moment verscheen er een figuur voor het raam. Ik deinsde terug, maar even later slaakte ik al een diepe zucht. Het was Stuart, die met zijn mobieltje bij het raam ging staan en iets intoetste. Mijn telefoon trilde in mijn zak: C, WAAR BEN JE? ALLES GOED? S X

Ik wilde op dat moment niets liever dan hem zien. Ik rende het steegje uit, struikelde over de oneffen grond en schoot bijna in de lach omdat hij er was en alles veilig was.

Ik rende naar de voordeur. Stak mijn sleutel in het slot hoewel ik ergens al wist dat ik die niet nodig zou hebben. Ik duwde met de sleutel in het slot tegen de deur en hij zwaaide open. Ik deed hem dicht en controleerde hem één keer, uit gewoonte, waarbij ik me tegelijk stom en gelukkig voelde en alleen maar naar boven wilde, bij Stuart zijn, hem vast wilde houden, het verleden wilde vergeten en alleen nog maar aan de toekomst wilde denken.

Ik bleef bij mijn eigen voordeur even staan om te luisteren. Geen enkel geluid. Niets.

Ik draaide de sleutel om in het slot en duwde de deur open. Ik kon de woonkamer en de eetkamer in kijken, waar het donker was. Het enige licht kwam uit de slaapkamer.

Er was iets heel erg mis. Waarom had Stuart het licht uitgedaan?

Ik stond in de deuropening en rook het, rook hem. Het was een heel zwakke geur, maar ik herkende hem. Mijn hart sloeg op hol en mijn maag draaide zich om.

Lee.

Hij moest er zijn, in de woonkamer.

Ik probeerde me voor te stellen waar hij zich zou verstoppen om me op te wachten.

Ik deed een stap de gang in, en nog een tot ik bij de open slaapkamerdeur stond. Het licht van mijn nachtlampje wierp een zachte gloed over de vloer en vormde lange, brede schaduwen.

Stuart lag op mijn bed en zag eruit alsof hij in slaap was gevallen. Ik ademde uit en voelde dat ik een beetje ontspande, maar hij had een onnatuurlijke houding en had zijn schoenen nog aan. Toen zag ik iets roods op het kussen, dat zich van de zijkant van zijn hoofd langzaam over het witte katoen verspreidde.

Ik bewoog voordat ik nadacht. 'Stuart! O nee!' en toen was ik al naast hem, nam zijn hoofd in mijn handen en staarde vol afgrijzen naar het rood op mijn vingers. Hij ademde langzaam, regelmatig, oppervlakkig.

Ik hoorde een geluid achter me en versteende even.

Toen kwam ik langzaam overeind en draaide me om.

Hij stond in de deuropening van mijn slaapkamer en blokkeerde mijn uitweg.

Het was zo gek. Hoewel mijn hart bonsde en ik misselijk en licht in mijn hoofd werd, voelde ik me vreemd kalm. Ik herkende het gevoel: het was die gruwelijke onontkoombaarheid die ik de vorige keer dat hij me had proberen te vermoorden ook had gevoeld. Maar toen was het hem niet gelukt. En aangezien het hem toen niet was gelukt, zou het hem nu ook niet lukken. Ik begon bijna te lachen toen ik op de automatische piloot mijn stressniveau inschatte: ongeveer 60.

'Meneer Newell,' zei ik. 'Wat leuk dat u even langskomt.'

Hij begon te lachen. Ik voelde enige onzekerheid bij hem. Hij was niet zo breed als hij was geweest, of misschien had ik in mijn hoofd wel een monster van hem gemaakt. Hoe dan ook, ik had het gevoel dat hij mij ook niet helemaal herkende. Ik was een andere Catherine dan degene die hij had achtergelaten.

'Ik vind je nieuwe vent niet echt indrukwekkend,' zei hij. 'Nogal een watje.'

'Wat kom je doen?'

'Praten.'

'Ga je gang.'

Hij liet me tot mijn verbazing de slaapkamer uit lopen. Ik wierp een blik naar de voordeur en overwoog het erop te wagen, maar ik wist tegelijkertijd dat ik Stuart nooit zou achterlaten.

Ik deed het licht naast de bank aan en ging zitten. Mijn mobieltje zat in de zak van mijn jurk. Terwijl hij tegenover me ging zitten, drukte ik op het knopje dat zo te hopen het nummer zou kiezen dat ik het laatst had gebeld. Ik wachtte een paar seconden en verbrak de verbinding. Als die er was geweest.

'Je ziet er goed uit,' zei hij. En toen, tot mijn afgrijzen: 'Ik heb je gemist.'

'Meen je dat?'

'Natuurlijk. Ik heb elke dag aan je gedacht, elke, elke dag. Het had nooit zo moeten eindigen. Dat was helemaal verkeerd.'

'Hoe bedoel je?' Ik voelde dat ik kwaad werd. Ik werd er opstandig van. Ik liep mijn mogelijkheden na. Met hem meevoelen? Meedogenloos zijn? Waar zou ik de meeste tijd mee winnen?

'Je had het me moeten vertellen.'

'Wat had ik je moeten vertellen?'

'Dat je zwanger was. Je had het me moeten vertellen, Catherine.' Zijn stem was zacht, bijna teder.

Ik kon mijn oren niet geloven. 'Waar heb je het over?'

'Je hebt de baby verloren, ónze baby. Toch? Als je het me had verteld... zou alles zo anders zijn geweest. Dan zouden we nog samen zijn geweest.'

'Bedoel je nou dat je me niet had proberen te vermoorden als je had geweten dat ik zwanger was?'

'Dan zou ik je ervan hebben weerhouden... dat je zo streng was voor jezelf. Dan zou ik beter voor je hebben gezorgd, en hulp voor je hebben geregeld voordat het allemaal zo uit de hand liep.'

Ik schudde langzaam mijn hoofd. 'Denk je oprecht dat het mijn schuld was? Geloof je echt je eigen leugens?'

'Catherine, doe me een lol. Je weet zelf ook hoe je was. Natuurlijk was het jouw schuld. Daarom moest ik je vinden, je weer zien. Om te voorkomen dat je jezelf pijn blijft doen. Om te voorkomen dat je het nog een keer doet. We kunnen het nog een keer proberen... zwanger worden. We kunnen een gezin zijn.'

Ik staarde hem even aan en voelde de drang om te lachen. Ik

had me de afgelopen vier jaar van alles voorgesteld over wat er zou kunnen gebeuren, maar niet dit. 'Ik wil een borrel,' zei ik uiteindelijk. 'Jij ook?'

Hij keek me lang aan, zijn blauwe ogen stonden nadenkend. 'Lekker.'

Ik liep naar de keuken en pakte een fles wijn uit de koelkast. Ik overwoog hem als wapen te gebruiken. Volgens mij bedacht hij hetzelfde, want hij was opgestaan en liep naar me toe toen mijn mobieltje in mijn zak begon te trillen.

We keken elkaar aan. Ik haalde de telefoon uit mijn zak en keek naar het schermpje.

'Niet opnemen,' zei hij op precies hetzelfde moment dat ik op BEANTWOORDEN drukte.

'Hoi, Sam! Hoe is het?'

De stem van Sam Hollands klonk aan de andere kant; mijn redding. Ze klonk vermoeid. 'Ik zag dat je hebt gebeld. Alles goed?'

'Hoe was Pasen?' vroeg ik. 'Ik moest aan je denken...'

Lee griste de telefoon uit mijn hand en smeet hem tegen de keukenmuur. Hij viel in meerdere stukken uit elkaar, die over de vloer zeilden. 'Ik zei dat je niet moest opnemen. Luisterde je niet naar me? Zoals gebruikelijk?' Zijn stem werd hoger en hij zette zijn lichaam in om me te intimideren.

'Dat was stom van je,' zei ik. 'Als ze nou hiernaartoe komt om te kijken of alles in orde is?'

Ik had de grens overschreden. Hij sloeg me met de rug van zijn hand in mijn gezicht en ik tuimelde achterover tegen het aanrecht. Mijn wang prikte en ik proefde bloed. Ik zou bang moeten zijn. Ik zou doodsbang moeten zijn. In plaats daarvan was ik deze man, die mijn leven zo veel jaren volledig in zijn macht had gehad helemaal spuugzat.

'Wie was dat?'

'Sam,' zei ik. 'Dat hoorde je toch? Maar aangezien je mijn telefoon kapot hebt gemaakt kun je het nu niet controleren.'

Hij grijnsde naar me. 'Sam zit in Lancaster, dus die gaat heus niet komen.'

'Een andere Sam.'

Ik maakte gebruik van het moment van ontspanning door de fles bij de hals te pakken en er terwijl ik een oorverdovende schreeuw slaakte, zo hard ik kon mee te zwaaien. Ik richtte op zijn hoofd maar raakte zijn schouder, niet hard genoeg om enige schade aan te richten, maar wel hard genoeg om hem uit balans te brengen. De fles gleed uit mijn vingers en viel kapot op de vloer.

Ik greep mijn kans en rende naar de badkamer, die ik achter me op slot deed.

'Ga weg!' schreeuwde ik. 'Lazer op, laat me met rust!'

Alsof hij dat ooit zou doen. Nog geen seconde later begon het beuken, gevolgd door een stilte, en toen weer een bonk terwijl hij met zijn schouder tegen de deur ramde. Die trilde in de scharnieren, maar bleef vooralsnog heel. Dat zou niet lang meer duren.

Toen de deur ten slotte tegen de rand van het bad openkletterde met een kabaal alsof de wereld verging, was ik er klaar voor. Het enige wapen dat ik had was een spuitbus met deodorant, die ik in zijn gezicht spoot terwijl hij met zwaaiende armen op me afkwam, me probeerde te stompen, en miste. Hij strompelde de badkamer uit, met zijn handen over zijn gezicht, proestend en schreeuwend: 'Kutwijf! Wat ben je toch een godvergeten kutwijf, Catherine!'

Ik stond ondertussen ook te schreeuwen: 'Wat heb je met Stuart gedaan? Wat heb je gedaan, klootzak? Lul!'

Ik duwde me langs hem heen, rende naar de keuken om een mes te pakken. Wat dan ook. Mijn vingers voelden als pudding terwijl ik de laden opentrok; ik zocht jammerend naar een wapen. Het enige wat ik kon vinden was een aardappelmesje. Ik greep het zo stevig mogelijk vast en draaide me naar hem om.

Ik zag hem niet. Op het geluid van mijn eigen bonzende hart

na en dat van de eerste zware regendruppels die op het balkon landden en tegen het raam spetten, was het doodstil. Er gingen minuten voorbij.

'Kom tevoorschijn!' gilde ik. 'Waar ben je? Gore klootzak! Waar zit je, verdomme? Ik ben niet meer bang voor je. Kom maar op, vuile gore lafaard!'

Mijn handen beefden, maar mijn grip op het mesje was stevig, en ik hield het omhoog alsof het lemmet vijftien centimeter was in plaats van vijf centimeter, en bot.

Als hij voor me zou hebben gestaan, zou ik het in zijn lijf hebben geramd, zo ver mogelijk, in zijn hals, in zijn gezicht. Maar hij was verdwenen.

Ik keek koortsachtig rond in het gedimde licht uit de slaapkamer. Hij kon via de voorkamer naar buiten zijn gegaan. Ik keek om me heen in de keuken en zag iets anders: de aansteker voor het gasfornuis. Ik stak het mesje in mijn zak en pakte de aansteker.

'Kom dan!' schreeuwde ik. 'Waar wacht je op?'

Van waar ik nu stond kon ik mijn voordeur zien, die op een kier stond; licht scheen van de gang naar binnen. 'Nee,' mompelde ik tegen mezelf, en ik rende naar de deur, hem achterna.

Hij zat achter de bank en stond ineens op, liet me struikelen, waarbij de deodorant en de aansteker uit mijn hand schoten en over de vloer zeilden terwijl ik met een enorme bonk met mijn gezicht op het tapijt landde.

Hij begon te lachen, zijn gezicht manisch in het gedimde licht, nat van tranen, deodorant om zijn ogen. 'Ben je niet meer bang? Nou? Is dat wat je net zei?' Hij zat schrijlings op mijn borstkas en mijn vuisten hamerden zo hard als ik kon, waar ik maar kon, maar hij ondervond er overduidelijk geen enkele hinder van.

'Ga van me af, klerelijer,' snauwde ik. 'Ga verdomme van me af!'

Hij pakte een van mijn handen en probeerde de andere te grijpen terwijl ik hem sloeg, stompte, zijn ogen probeerde te raken en hem overal waar ik bij kon krabde. Als hij mijn andere hand te pakken zou krijgen en me zou vastbinden was het afgelopen. 'Waar is Sylvia?' schreeuwde ik tegen hem. 'Wat heb je met haar gedaan?'

Hij begon weer te lachen, alsof ik iets grappigs had gezegd. 'Sylvia. Jezus. Laten we het erop houden dat ze geen aangifte zal doen.'

Koplampen van een auto verlichtten de kamer even en toen zag ik de blik in zijn ogen, waardoor ik bijna werd overweldigd door angst. Ik was tot dat moment niet bang geweest. Maar ik zag nu in dat hij me ging vermoorden. En deze keer zou hij het snel doen.

In plaats van naar zijn gezicht te klauwen griste mijn linkerhand het mesje uit mijn zak. Ik ramde het met al mijn kracht in zijn zij en hij viel vrijwel meteen van me af, greep schreeuwend naar zijn middel.

Het plastic handvat van het mesje stak uit zijn zij. Hij draaide zich om om ernaar te kijken en raakte het voorzichtig aan.

Ik kroop de schaduw in, tastte op het tapijt naar de deodorant en de aansteker, en mijn vingers raakten ze net toen hij me bij de enkels greep. Ik trapte zo hard mogelijk naar achteren; mijn gymschoen raakte iets en hij slaakte een schreeuw.

Ik draaide me ondertussen om, sprayde met de deodorant en klikte de aansteker aan.

De vlam spoot mijn halve woonkamer door, over de figuur heen die op de vloer zat. Ik zag heel even de schrik en angst in zijn ogen voordat ik vol op zijn gezicht richtte. Toen was hij alleen nog een silhouet, opgeslokt door de vlammen. Hij viel achterover met zijn handen voor zijn gezicht. Ik dacht dat hij stil zou zijn, maar hij gilde, zijn mond vol vlammen, en het geluid dat eruit kwam was het afgrijselijkste wat ik ooit had gehoord.

Mijn handen stonden ook in brand, en het lukte me de bus los te laten. Ik probeerde te bedenken of ik iets moest doen terwijl hij op het tapijt viel en heen en weer begon te rollen alsof hij bezeten was. Toen waren de vlammen weg. Hij bleef stil liggen; zijn gezicht was zwart en zijn overhemd gedeeltelijk weggebrand.

Ik ademde snikkend uit, en toen hoorde ik voetstappen op de trap, harder dan de regen die tegen het raam hamerde, harder dan het gillende rookalarm boven mijn hoofd. De deur vloog open. Ik keek achter me en zag ze binnenkomen: het waren er maar twee, maar twéé, in uniform, dachten ze dat dat genoeg zou zijn? Desondanks ben ik in mijn hele leven nog nooit zo dankbaar geweest twee mensen te zien.

Ik zakte op mijn knieën op het tapijt en begon te huilen.

WOENSDAG 4 MAART 2009

Ik zag hem vanaf een laag muurtje bij het hoofdgebouw over de parkeerplaats rennen, op zoek naar een gat in de verkeersstroom, waarbij hij het risico inschatte, zich tussen de auto's stortte, en toen de verkeerslichten op groen sprongen, zijn pas vertraagde.

Hij was volledig buiten adem toen hij me eindelijk bereikte.

'Hoi,' zei hij. 'Ben ik te laat?'

Ik schudde mijn hoofd. 'Er is een of ander oponthoud, ze beginnen pas om half. Ze staan met zijn allen in de gang te wachten.'

'Is zij er ook?'

'Ja.'

Hij kuste me, een snelle kus op de wang en toen nog een, langzamer. Zijn vingers voelden koel op mijn gezicht.

'Stuart. Je bent zenuwachtig.'

'Een beetje. Jij niet?'

'Een beetje.'

'Zullen we naar binnen gaan? Dan hebben we het maar achter de rug.'

Sam Hollands stond op ons te wachten.

'Hoe is het, Cathy?' vroeg ze. Ze zag er chic uit vandaag, in een broekpak en vers van de kapper vandaan. Ze had die ochtend getuigd.

'Prima. Dank je.'

'Ze hebben het uitgesteld,' zei Sam tegen Stuart. 'Het schijnt dat meneer Brightman weer ziek is.'

'Wat een verrassing,' zei Stuart.

Ik luisterde maar half naar hen, keek om me heen in de wachtruimte, bekeek de mensen die kwamen en gingen, was op zoek naar haar. Waar was ze? Ze zou hier zijn.

'Sam, waar...?'

'Ze is even naar het toilet.'

Stuart had mijn hand stevig vast. Hij gaf er een kus op. 'Ga haar maar zoeken,' zei hij. 'Ik zie je binnen wel. Niet naar hem kijken. Alleen naar mij, als je daar behoefte aan hebt.'

'Loop maar vast naar binnen,' zei ik. ''t Gaat prima. Echt.'

Hij liep de deur door en zocht een plekje in het openbare gedeelte. De rechtszaal begon vol te stromen.

'Laat ik ook maar naar binnen gaan,' zei Sam. 'Of wil je dat ik op je wacht?'

'Nee, het is goed. Ik ga haar even zoeken.'

Ze aarzelde even. De zaalwachter stond te dralen bij de deur en zag er nerveus uit.

'We gaan hem pakken,' zei ze.

Ik glimlachte en ze liep naar binnen.

Sylvia stond in de toiletruimte in de spiegel bij de wastafels naar zichzelf te staren. 'Hoi,' zei ik.

Ze had haar best gedaan op haar make-up, geprobeerd haar gezicht een beetje op te fleuren, maar ze zag desondanks lijkbleek.

'Ik ben bang, Catherine,' zei ze.

'Dat weet ik.'

'Jij was gisteren zo dapper. Ze luisterden echt naar je.'

'Naar jou luisteren ze ook.'

Ik zag haar een grimas trekken en deed een stap naar haar toe om haar te omhelzen. Ze beefde, haar magere schouders stijf van angst.

'Het is goed,' zei ik. 'Je mag bang zijn. Maar weet je wat? Hij is banger dan jij. Jij bent nu degene met de macht. Wist je dat? Hij kan ons geen pijn meer doen. We moeten alleen dit nog overleven en dan komt het allemaal goed.'

Ze maakte zich van me los en begon met een tissue druk haar ogen te deppen. 'Dat weet ik, dat weet ik. Je hebt gelijk. Maar...'

'Heb je de eerste dag zijn stem gehoord? Weet je nog dat ze zijn naam vroegen en hij zei dat hij onschuldig was? Het was niet meer dan een gepiep. Dat is alles wat hij nog in zich heeft. Hij is niets.'

Ze knikte, en glimlachte, een vaag glimlachje. Toen haalde ze diep adem.

'Als je dat niet wilt hoef je niet naar hem te kijken. Kijk maar naar mij, of naar Stuart, of naar Sam. We zijn er allemaal voor je. We doen dit samen, oké?'

'Ja.'

'Kom, dan gaan we.'

'Nog één ding.' Ze zocht in haar handtas en pakte haar lippenstift. Knalrode. Toen ze die opdeed, deed ze dat met een stabiele hand.

Het was tijd.

DE STAAT TEGEN BRIGHTMAN

Woensdag 4 maart 2009

Ochtendzitting
Voorgezeten door:
DE EDELACHTBARE RECHTER MCCANN

MEVR. SCOTT	Wat is uw volledige naam?
MEVR. BARTLETT	Sylvia Jane Lesley Bartlett.
MEVR. SCOTT	Dank u. Mevrouw Bartlett, hoelang kent u meneer Brightman al?
MEVR. BARTLETT	Ongeveer vijfenhalf jaar.
MEVR. SCOTT	En u hebt een relatie met hem gehad?
MEVR. BARTLETT	Ja.
RECHTER MCCANN	Kunt u iets harder praten, mevrouw Bartlett?
MEVR. BARTLETT	Neem me niet kwalijk. Ja.
MEVR. SCOTT	U had een relatie met de beklaagde toen hij in de gevangenis zat, klopt dat?
MEVR. BARTLETT	Ja, dat klopt.
MEVR. SCOTT	En toen hij in december 2007 werd vrijgelaten heeft u tijd met hem doorgebracht?
MEVR. BARTLETT	Ik woonde toen in Londen en Lee moest in Lancaster blijven. Hij moest zich wekelijks op het politiebureau melden, en naar de reclasseringsambtenaar, dat soort dingen. Ik zag hem niet zo vaak.

MEVR. SCOTT	En is meneer Brightman in Londen bij u op bezoek geweest?
MEVR. BARTLETT	Ja, hij kwam zo vaak mogelijk.
MEVR. SCOTT	En hoe zou u uw relatie met hem in die periode omschrijven? Was u gelukkig samen? Neem uw tijd.
RECHTER MCCANN	Wilt u even zitten, mevrouw Bartlett?
MEVR. BARTLETT	Nee, dank u. Sorry. Lee was heel anders toen hij uit de gevangenis kwam. Hij was soms moeilijk in de omgang.
MEVR. SCOTT	Wat bedoelt u daarmee?
MEVR. BARTLETT	Hij kon, eh, ruzie zoeken. Hij had last van stemmingswisselingen.
MEVR. SCOTT	Was hij fysiek agressief jegens u?
RECHTER MCCANN	Mevrouw Bartlett, wilt u een glas water?
MEVR. BARTLETT	Nee, nee. Pardon. Hij kon heel gemene dingen zeggen, en ik was bang voor hem, aangezien hij ook weleens fysiek agressief tegen me was.
MEVR. SCOTT	Dank u, ik begrijp dat dit erg belastend voor u is. Heeft meneer Brightman het nadat hij uit de gevangenis was gekomen met u over Catherine Bailey gehad?
MEVR. BARTLETT	Nee. Ik heb Catherine vorig jaar in januari gezien. Ik zat in de bus en zij stond bij een halte. Toen heb ik hem verteld dat ik haar had gezien.
MEVR. SCOTT	En hoe reageerde hij daarop?
MEVR. BARTLETT	Op dat moment zei hij niets. Maar hij moet naar haar op zoek zijn gegaan. Ik las een vacature in de krant en zag dat Catherine de contactpersoon was. Catherine werkte daarvoor ook bij personeelszaken,

	dus ik nam aan dat het om haar ging. Toen ik die vacature aan Lee liet zien, zei hij dat hij zou solliciteren, voor de lol. Hij wilde mijn adres als woonadres opgeven.
MEVR. SCOTT	En wat vond u daarvan?
MEVR. BARTLETT	Het leek me geen goed idee dat hij contact met haar zou opnemen. We hebben er ruzie over gehad.
MEVR. SCOTT	U zei net dat meneer Brightman af en toe agressief tegen u was. Kunt u vertellen wat de omstandigheden waren die daartoe leidden?
MEVR. BARTLETT	(onverstaanbaar)
RECHTER MCCANN	Mevrouw Bartlett, wilt u alstublieft wat harder praten?
MEVR. SCOTT	Gaat het nog?
MEVR. BARTLETT	Ja, dank u.
MEVR. SCOTT	Ik vroeg naar de omstandigheden rond de laatste keer dat u meneer Brightman hebt gezien voordat hij werd gearresteerd.
MEVR. BARTLETT	Ik heb in zijn tas gekeken. Toen hij bij me kwam, had hij een tas bij zich. Normaal gesproken nam hij die altijd mee als hij de deur uit ging, maar die keer had hij hem achtergelaten, en ik heb erin gekeken.
MEVR. SCOTT	En wat zat erin?
MEVR. BARTLETT	Hoofdzakelijk kleding, schoenen, spullen voor een weekendje weg. Maar onder in de tas trof ik andere dingen aan. Een foto van Catherine. Een pornografische foto. En apparatuur, elektronische apparatuur, ik weet niet precies wat. En een mes.
MEVR. SCOTT	Voor de duidelijkheid: wanneer is dit gebeurd? Weet u nog welke datum het was?

MEVR. BARTLETT	Dinsdag 6 mei, vorig jaar.
MEVR. SCOTT	En toen u meneer Brightman daarna weer zag, hebt u hem toen verteld wat u had aangetroffen?
MEVR. BARTLETT	Ja. Dat was de volgende ochtend. Ik weet niet waar hij die nacht was geweest, maar hij was in ieder geval niet bij mij.
MEVR. SCOTT	En hoe reageerde hij?
MEVR. BARTLETT	Hij werd razend. Hij sloeg me achter op mijn hoofd. Ik verloor even mijn bewustzijn en toen ik weer bijkwam, lag hij... lag hij...
MEVR. SCOTT	Rustig aan.
MEVR. BARTLETT	Sorry. Hij lag boven op me. Hij was me aan het verkrachten.
MEVR. SCOTT	Heeft hij u verkracht?
MEVR. BARTLETT	Ja.
MEVR. SCOTT	En wat gebeurde er daarna?
MEVR. BARTLETT	Hij is vertrokken. Hij pakte gewoon zijn tas en vertrok.
MEVR. SCOTT	Hebt u de politie gebeld?
MEVR. BARTLETT	Nee. Ik was te bang. Ik wist niet waar hij naartoe was. Ik was bang dat hij terug zou komen.
MEVR. SCOTT	Wat hebt u dan wel gedaan?
MEVR. BARTLETT	Ik ben in bad gegaan en heb schone kleren aangetrokken. Toen ben ik naar een telefooncel gelopen, waar ik Catherine heb gebeld, op haar werk, en ik heb haar gevraagd of we konden afspreken.
MEVR. SCOTT	En die ontmoeting was in Oxford Street, klopt dat?
MEVR. BARTLETT	Ja. Ik wilde op een openbare plek afspreken, voor het geval hij me volgde.

MEVR. SCOTT	En was u van plan Catherine te vertellen wat er met u was gebeurd?
MEVR. BARTLETT	Ja. Ik wilde haar waarschuwen.
MEVR. SCOTT	U wilde haar waarschuwen?
MEVR. BARTLETT	Ik was bang dat hij achter haar aan zou gaan. Ik was bang dat hij van plan was haar nogmaals aan te vallen.
MEVR. SCOTT	En hebt u dat tegen Catherine gezegd toen u haar zag?
MEVR. BARTLETT	(*onverstaanbaar*)
MEVR. SCOTT	Sylvia, wil je alsjeblieft antwoord geven?
MEVR. BARTLETT	Nee. Dat heb ik niet gedaan. Ik kreeg de kans niet. Net nadat Catherine was gearriveerd belde Lee. Hij klonk normaal, maar ik wist dat hij ons zag. Hij vroeg me waarom ik die kleding aanhad.
MEVR. SCOTT	Kunt u uitleggen wat u dacht dat hij daarmee bedoelde?
MEVR. BARTLETT	Normaal gesproken draag ik altijd heel felle kleuren. Die dag had ik een eenvoudige zwarte rok met een witte blouse aan. Ik hoopte dat hij me dan moeilijker zou kunnen volgen.
MEVR. SCOTT	En hij zei iets over uw kleding?
MEVR. BARTLETT	Ja. En hij vroeg me met wie ik had afgesproken. Ik zei dat het niemand was die hij kende. Toen zei hij dat ik loog, dat het iemand was die we allebei heel goed kenden. Ik wist dat hij ons zag.
MEVR. SCOTT	Wat hebt u toen gedaan?
MEVR. BARTLETT	Ik ben vertrokken. Ik dacht dat Catherine veilig zou zijn als ik haar achterliet. Ik dacht dat hij mij zou volgen, en niet haar.
MEVR. SCOTT	En was dat ook het geval?

MEVR. BARTLETT	Ja.
MEVR. SCOTT	Waar bent u naartoe gegaan?
MEVR. BARTLETT	Ik heb een tijdje rondgelopen. Om hem van me af te schudden. Ik ben een galerie in gelopen, en allerlei winkels. Toen ik uiteindelijk thuiskwam was het al bijna donker. Hij stond op de trap op me te wachten. Ik was doodsbang. Hij was... heel kalm, bijna geruststellend. Toen zei hij dat hij me iets wilde laten zien en nam me mee de trap af naar het kelderappartement.
MEVR. SCOTT	Kunt u dat toelichten voor de rechtbank? Het kelderappartement is niet van u, toch?
MEVR. BARTLETT	Nee. Het stond leeg. Volgens mij werd het opgeknapt. Er stonden geen meubels en de elektriciteit was afgesloten.
MEVR. SCOTT	En wat gebeurde er toen hij met u in die kelder was?
MEVR. BARTLETT	Het spijt me, ik...
RECHTER MCCANN	Mevrouw Bartlett, wilt u even pauzeren?
MEVR. SCOTT	Ik zou eerlijk gezegd graag nog een paar vragen willen stellen, als de getuige het nog aankan.
MEVR. BARTLETT	Het gaat wel. Sorry.
MEVR. SCOTT	Kunt u ons vertellen wat er in dat kelderappartement is gebeurd?
MEVR. BARTLETT	Hij heeft me geslagen en geschopt. Hij bleef maar tegen me schreeuwen hoe stom ik was. Hij zei dat ik het niet verdiende om te leven.
MEVR. SCOTT	En hoelang heeft die aanval geduurd?
MEVR. BARTLETT	Dat weet ik niet. Het leek heel lang. Hij heeft me de badkamer in gesleept. Daar waren een toilet en een wastafel, en er za-

	ten aansluitingen voor een douche, maar verder was hij leeg. Geen ramen, een kleine ruimte. Hij heeft me daar opgesloten.
MEVR. SCOTT	En was dat de laatste keer dat u hem hebt gezien?
MEVR. BARTLETT	Nee. Hij kwam een tijdje later weer terug. Hij had handschoenen aan. Ik dacht dat hij me zou vermoorden.
MEVR. SCOTT	Heeft hij u nogmaals mishandeld?
MEVR. BARTLETT	Nee. Hij zei dat hij naar Catherine ging, dat hij het wilde uitpraten.
MEVR. SCOTT	En wat dacht u dat hij daarmee bedoelde?
DHR. NICHOLSON	Edelachtbare, de getuige wordt naar haar mening gevraagd.
MEVR. SCOTT	Edelachtbare, het lijkt me dat de getuige zich in een situatie bevond waarin ze uitstekend in staat is te interpreteren wat de verdachte met zijn woorden bedoelde.
RECHTER MCCANN	Ik begrijp waar u naartoe wilt, maar ik heb toch liever dat mevrouw Bartlett zich beperkt tot een beschrijving van de gebeurtenissen. Gaat u verder.
MEVR. SCOTT	Meneer Brightman kwam naar de badkamer en zei dat hij naar Catherine ging. Wat gebeurde er daarna?
MEVR. BARTLETT	Hij is vertrokken. Hij deed de deur achter zich op slot en ging weg. Hij heeft me daar achtergelaten. Ik heb geprobeerd eruit te komen, ik heb op de deur gebonkt, maar niemand hoorde me. Ik kon er niet uit.
MEVR. SCOTT	En u hebt er vier dagen opgesloten gezeten, klopt dat?
MEVR. BARTLETT	Ja.
MEVR. SCOTT	En u had wel water, maar geen eten?

MEVR. BARTLETT	Inderdaad.
MEVR. SCOTT	Dank u. Ik heb verder geen vragen, edelachtbare.
RECHTER MCCANN	Dank u, mevrouw Scott. Dames en heren, dan wordt de zitting nu even verdaagd. We gaan om drie uur verder.

KRUISVERHOOR

DHR. NICHOLSON	Mevrouw Bartlett, hoe hebt u meneer Brightman leren kennen?
MEVR. BARTLETT	Catherine heeft ons aan elkaar voorgesteld.
DHR. NICHOLSON	En toen u een relatie met meneer Brightman kreeg, was hij toen nog met mevrouw Bailey samen?
MEVR. BARTLETT	Ja, maar hij zei...
DHR. NICHOLSON	Dank u. En was u ervan op de hoogte dat hij zowel een relatie met mevrouw Bailey als met u had?
MEVR. BARTLETT	Ja, maar...
DHR. NICHOLSON	Zou u uzelf als een eerlijk iemand omschrijven, mevrouw Bartlett?
MEVR. BARTLETT	Ja, natuurlijk.
DHR. NICHOLSON	Hebt u in 2005 een verklaring aan de politie gegeven over uw vriendschap met mevrouw Bailey?
MEVR. BARTLETT	Ja.
DHR. NICHOLSON	Kunt u zich nog herinneren dat u hebt verklaard dat u in de beginjaren van uw vriendschap met mevrouw Bailey op de hoogte was van het feit dat ze zichzelf sneed met een mes?
MEVR. BARTLETT	Ja.

DHR. NICHOLSON	Was dat de waarheid, mevrouw Bartlett?
MEVR. BARTLETT	Nee.
DHR. NICHOLSON	Geeft u toe dat u hebt gelogen in een politieverklaring?
MEVR. SCOTT	De getuige heeft al antwoord gegeven.
RECHTER MCCANN	Meneer Nicholson, ik stel geen prijs op uw manier van vragen stellen.
DHR. NICHOLSON	Edelachtbare, er is sprake van een wetskwestie die ik graag in een besloten zitting wil bespreken.
RECHTER MCCANN	Dat is goed. Dames en heren, we zullen deze kwestie nu bespreken en ik verzoek u u terug te trekken in de jurykamer. Zodra we verdergaan wordt u teruggeroepen. Dank u.

De jury vertrekt

BESLOTEN HOORZITTING

RECHTER MCCANN	Mevrouw Scott?
MEVR. SCOTT	Ik wil erop wijzen dat meneer Nicholson op de hoogte is van het feit dat mevrouw Bartlett een tweede verklaring heeft afgelegd, waarin ze duidelijk verklaart dat de verdachte haar had geïnstrueerd te liegen. Mevrouw Bartlett is hierover gehoord.
DHR. NICHOLSON	Edelachtbare, het is duidelijk dat mevrouw Bartlett geen betrouwbare getuige is. Dat is het enige waar ik de jury van op de hoogte wil stellen.
MEVR. SCOTT	Ze was doodsbang voor meneer Brightman, edelachtbare. Ze zou haar eigen be-

staan hebben ontkend als hij haar dat had opgedragen.

RECHTER MCCANN Meneer Nicholson, ik ben van mening dat als mevrouw Bartlett een tweede verklaring heeft afgelegd die duidelijk maakt waarom ze in de eerste oneerlijk is geweest, die tevens aan de jury moet worden voorgelegd.

DHR. NICHOLSON Ik begrijp het.

RECHTER MCCANN Dan roepen we nu de jury terug en gaan we verder waar we waren gebleven.

Sam Hollands stond buiten op me te wachten.

'Goedemorgen,' zei ze terwijl ik op de passagiersstoel ging zitten. 'Mooie dag voor een onverwacht uitje. Waar zei je ook alweer dat we naartoe gaan?'

'St. Albans.'

We reden naar de hoofdweg.

'Ik ben je hier echt heel dankbaar voor. Ik weet dat je wel wat beters te doen hebt op je vrije dag, Sam.'

'Vertel het me nog eens. Je hebt een brief gekregen?'

Die lag er toen ik gisteren thuiskwam van het boodschappen doen. Niets wat me voorbereidde op de nare boodschap die erin zat: een gewone envelop, met mijn naam en adres erop getypt, een postzegel en een onleesbare stempel. Ik las hem voor aan Sam:

Lieve Catherine,
Ik denk heel veel aan je. Ik wil je vertellen dat ik spijt heb van alles wat er is gebeurd. Ik heb spijt van heel veel dingen en ik heb een cadeautje voor je waarvan ik hoop dat het iets goedmaakt.

Je moet ervoor naar het industrieterrein aan Farley Road, ten noorden van St. Albans. Unit 23 staat aan de noordzijde. Als je ervoor parkeert, kun je naar de zijkant van het pand lopen. Erachter is een braakliggend terrein, dat wordt begrensd door bomen. Volg die rij bomen en dan zul je aan het einde ervan vinden wat ik voor je heb achtergelaten.

Ik hoop dat je dit laatste voor me wilt doen en dat je begrijpt dat het mijn manier is om sorry te zeggen.

'Is dat alles?'

'Wat?'

'Ik vind het nogal een abrupte manier om een brief af te sluiten. Over het algemeen beginnen mensen een brief met "Lieve Huppeldepup" en eindigen ze met "Liefs" of "Groetjes", toch?'

We reden via de M1 naar de M25. Het verkeer aan de andere kant van de snelweg raasde langs ons heen. Ik beet op mijn onderlip.

'Cathy...?'

'Er stonden nog een paar zinnen op een ander vel. Persoonlijke dingen.'

'Wat voor persoonlijke dingen?'

'Dat is niet relevant. Echt niet.'

'Cathy. Het is niet alleen een brief, het is bewijs. Dat weet je toch, hè?'

'Zullen we gewoon even gaan kijken waar het om gaat? Voor hetzelfde geld is het iets belachelijks.'

'Wat vindt Stuart ervan?'

'Die is een paar dagen weg. Naar een of ander groot nieuw ziekenhuis in België voor een congres.'

Ze hield haar blik op de weg gericht en toonde haar afkeuring met de strakke lijn van haar lippen. Ik zou haar de brief uiteindelijk helemaal laten zien; ik moest wel. Maar op dat moment wilde ik het tussen hem en mij houden.

'Wat denk jij dat het is?' vroeg Sam.

'Geen idee. Maar ik denk niet dat het iets leuks zal zijn.'

'Ik ook niet. Ik ben blij dat je me hebt gebeld.'

'Ik vroeg me af of het een val was.'

'Nou, hij zit veilig achter slot en grendel, dus je hoeft je geen zorgen te maken dat hij ons staat op te wachten. Ik heb de gevangenis vanochtend nog gebeld.'

'Het is geen brief uit de gevangenis,' zei ik.

'Dat is mij ook opgevallen, ja. Iemand moet hem voor hem naar buiten hebben gesmokkeld. Wat er ook gebeurt, ik ga het in ieder geval rapporteren.'

We namen de afslag en luisterden naar Sams navigatie, die

met een kalme stem zei dat we de volgende links moesten en dan vijf kilometer rechtdoor.

'Hoe is het met Stuart?'

'Prima. En met ons ook.'

'Hoe vind je het om getrouwd te zijn?'

Ik begon te lachen. 'Niet erg anders dan daarvoor. En het is pas vijf maanden, we moeten er nog een beetje aan wennen.'

'Nog geen kinderen?'

'Nog niet. Ga je me nou vertellen dat jij kinderen wilt?'

'Ik niet, maar Jo wel. Ik denk dat we volgend jaar gaan trouwen.'

'Sam, daar heb je nooit iets over gezegd.'

'Nou ja, we zijn al tien jaar samen. Het wordt ook weleens tijd.'

'Heb je haar gevraagd?'

'Nog niet.'

'Ga ervoor. Het is het waard. Mogen we op de bruiloft komen?'

'Natuurlijk. En Sylvia ook.'

'Dat zou ze geweldig vinden.'

'We zijn er.'

Industrieterrein Farley was verlaten; lange, brede wegen zonder verkeer, waarover de wind vuilnis blies. We reden langs een shoarmastalletje, dat dicht was. De helft van de units stond leeg en het hele terrein ademde een gevoel van verlatenheid uit, inclusief unit 23. Het was de achterste, na de laatste bocht. Het voelde als het einde van de wereld.

Sam parkeerde de auto ervoor.

'Daar, kijk.'

Door het onkruid rond het pand liep een smal paadje tussen het hek van harmonicagaas en de muur van de unit. Er stonden borsthoge brandnetels, die naar ons toe waaiden in de wind.

Sam ging voor, baande zich een weg over het pad met een hand tegen de muur van de unit. Ik schrok enorm van een konijn, dat zich over het pad uit de voeten maakte.

Achter de unit verbreedde de smalle doorgang zich ineens in een stuk braakliggend terrein. We liepen over een groot oppervlak van beton met onkruid in de barsten. De zon scheen op ons hoofd en ergens hoog boven ons zong een vogel. Het was helemaal verlaten, niemand te zien, waar je ook keek.

'En nu?'

Ik keek om me heen met een hand boven mijn ogen tegen de felle zon, naar de bomen die hij had beschreven, en toen zag ik het: een kleurige veeg in een landschap van grijs, bruin en groen.

'Daar. Zie je dat?'

Het was een knalrode lap, als een vlag, en toen we dichterbij kwamen begon hij te fladderen alsof hij leefde. Ik wist al wat het was, maar het was toch een schok het te zien. Ik voelde de tranen achter mijn oogleden prikken en ze biggelden al over mijn wangen voordat ik ze kon tegenhouden. Het was alsof ik een oude vriendin zag en tegelijk in een nachtmerrie rondliep.

'Wat is dat?' vroeg Sam.

'Mijn jurk.'

Hij was langs de zoom gerafeld, en hij was stoffig en smerig, maar ik herkende hem uit duizenden. Alle knoopjes waren eraf, en er waren stukken uit geknipt, waardoor de randen waren gaan rafelen en wapperden in de wind. Zo te zien lag hij er al een tijdje.

'Is dat alles? Een oude jurk?'

Hij zat met een verroeste schep verankerd in de grond vol kiezels, op een berg stenen, als een *cairn*, als een graf.

'Nee,' zei ik. 'Het is een markering.'

Ze zag het iets later dan ik. Onder in de greppel waaide een plukje donker haar op. In eerste instantie leek het iets kunstmatigs, een rafelige jutezak of zo, en de huid leek wel oud canvas. Toen de plotselinge witheid van het kapotte bot, en daarna was er geen twijfel meer mogelijk.

'O, shit, shit, shit.' Sam griste haar mobieltje uit haar zak en belde iemand, belde om versterking, en ik zakte tussen de droge aarde en de stenen op mijn knieën en streelde met mijn vingers over het nog steeds zachte weefsel om mezelf gerust te stellen.

'Ik denk dat ze Naomi heet,' zei ik.

Ik trok het tweede deel van de brief uit mijn achterzak.

'Sam. Ik denk dat je hier ook naar moet kijken.'

Ik heb spijt van wat ik Sylvia heb aangedaan, en die oude vrouw die bij jou beneden woonde. Het enige wat ze voor me betekenden was dat ze een manier waren om jou te vinden. Je moet weten dat niets en niemand me er ooit van zal weerhouden jou te vinden, Catherine. Ik vertel je dit allemaal om te bewijzen dat ik alle schuld op me wil nemen. Maar ik laat je niet los. Hoelang dit ook gaat duren, ik zal op je wachten. Op een dag ben ik vrij, en dan vind ik je en dan kunnen we samen zijn.

Wacht op me, Catherine.
Ik hou van je.

Lee

Het boek dat je nu in handen hebt zou nooit tot stand zijn gekomen zonder de hulp en steun van heel veel mensen. Boven alles wil ik Vicky Blunden, Candida Lacey, Corinne Pearlman, Linda McQueen, Dawn Sackett en iedereen bij Myriad Editions bedanken dat ze mijn oorspronkelijke gebazel hebben omgetoverd tot iets waar ik vreselijk trots op ben, en dat ze het risico hebben willen nemen met een beginner aan het werk te gaan.

Waarheen je ook vlucht is oorspronkelijk ontstaan als onderdeel van het jaarlijkse evenement genaamd National Novel Writing Month, dat wordt geleid door Chris Baty en een team van briljante mensen; ik betwijfel of ik verder zou zijn gekomen dan het eerste hoofdstuk zonder de aansporing van de website van Nanowrimo (www.nanowrimo.org). Bedankt, jongens! Ik hoop dat jullie het een goed boek vinden.

Ik wil mijn vriendinnen Ellen Doughty en Linda Weeks bedanken voor het lezen van de allereerste versie en voor hun steun gedurende het hele proces. Mijn neef Michael George kwam met het idee het manuscript op te sturen (hoewel hij het nog niet heeft gelezen), dus ik heb het aan hem te danken dat ik dat heb gedaan.

Greg Mosse dank ik voor zijn inzichtelijke en stimulerende cursus misdaadschrijven aan West Dean College, en in het bijzonder voor zijn aansporing met betrekking tot dit boek. Dank je, Greg!

En bedankt, Lillian Fox, een getalenteerde en inspirerende schrijfster die me meer dan eens de goede kant op heeft gestuurd en me in beweging heeft gehouden als ik een duwtje nodig had. Vanessa Very heeft het manuscript gelezen toen het bijna klaar was en heeft enkele briljante suggesties gedaan die alles hebben veranderd. Dit boek zou niets zijn zonder Lillian en Vanessa, dus allebei: bedankt.

Dank je, mijn geweldige vriendin Alexia Fernholz, klinisch psycholoog, die haar expertise vrijgevig met me heeft gedeeld; en Stephen Starbuck voor zijn hulp en advies over procedurele kwesties.

Bedankt, Mary, Vicky, Hannah, Sonja, Ella, Hanna, Fiona, Shelagh, Nadia, Mia, Sophy, Jenna, Steven, Janet, Alison, Sarah, Tricia, Michael, John en David, Nickie en alle onlinevrienden die me gedurende het schrijfproces hebben gesteund.

De geweldige en getalenteerde Medway Mermaids dank ik voor hun bemoedigende en inzichtelijke commentaar.

Speciale dank ben ik verschuldigd aan de fantastische familie Moscicki (Jackie, Julie, James, Phoebe en Anna) en aan Jane Mellinger, Nicola Samson, Maxine Painter, Lou Bundock, Naomi en Will Lay, Chris Gambrell, Clare Howse, Russ Shopland, Alexandra Amos, Lucy Smith, Emily Mepstead, Patricia Cox, Katie en Wayne Totterdell, Matt Liston, Tara Melton, Clive Peacock, Claire Eastham, Phil Crane, Bob Sidoli, Gordon Lindsay, Emma Dehaney, Lindsay Brown, Angela Wiley, Karen Aslett, Jenny Harknett, Pam Wiley, Judy Swan, Robert Nicks, Trish Cross en alle andere dierbare vrienden die zo vriendelijk zijn geweest naar al mijn verhalen over mijn boek te luisteren en die me veel meer hebben aangemoedigd dan ze hadden hoeven doen: dank je wel.

Tot slot, maar daarom niet minder belangrijk: dank aan mijn moeder en aan David en Alex, die alles van heel nabij moesten doorstaan en nog steeds van me houden.